Jacques Demers en toutes lettres

MARIO LECLERC

Jacques Demers en toutes lettres

Catalogage avant publication de Bibliothèque et Archives Canada

Leclerc, Mario, 1957-

Jacques Demers en toutes lettres

ISBN 2-7604-0976-7

1. Demers, Jacques, 1944- . 2. Hockey – Entraîneurs – Canada – Biographies. 3. Journalistes sportifs – Canada – Biographies. I. Titre.

GV848.5.D45L42 2005 796.962'092 C2005-941744-7

Direction littéraire : André Gagnon

Infographie et mise en pages : Luc Jacques

Maquette de la couverture : Christian Campana

Photos de la couverture et de l'auteur : Robert Etcheverry

Remerciements

Les Éditions internationales Alain Stanké reconnaissent l'aide financière du gouvernement du Canada par l'entremise du Programme d'aide au développement de l'industrie de l'édition (PADIÉ) pour ses activités d'édition. Nous remercions le Conseil des arts du Canada, la Société de développement des entreprises culturelles du Québec (SODEC) du soutien accordé à notre programme de publication. Gouvernement du Québec – Programme de crédit d'impôt pour l'édition de livres – gestion SODEC.

Les Éditions internationales Alain Stanké
7, chemin Bates
Outremont (Québec) H2V 4V7
Tél. : (514) 396-5151
Téléc. : (514) 396-0440
editions@stanke.com

Stanké international, Paris
Tél. : 01.40.26.33.60
Téléc. : 01.40.26.33.60

Dépôt légal
4e trimestre 2005

ISBN 2-7604-0976-7

Diffusion au Canada : Québec-Livres
Diffusion hors Canada : Interforum

Table des matières

Deuxième période
La Ligue nationale, enfin…

Troisième période
La coupe Stanley, enfin…

Préface

Un exercice d'humilité

L'histoire que vous allez lire est extraordinaire, à la limite de l'invraisemblable. Nous nous sommes connus, Jacques Demers et moi, il y a un quart de siècle. Je peux dire que nous sommes amis depuis une bonne quinzaine d'années. Avant de lire le récit de sa vie tumultueuse, je croyais bien le connaître. Je me rends compte aujourd'hui que je savais bien peu de choses sur lui.

Je le connaissais comme un entraîneur nerveux, fougueux et désireux de gagner chaque partie qu'il avait soigneusement préparée. À l'écart de la patinoire, je le savais loyal, généreux, à l'écoute des gens, sensible à la critique et toujours extrêmement reconnaissant envers ceux qui ont contribué à faire de lui ce qu'il est devenu. Bref, je croyais le connaître comme le fond de ma poche alors que l'aspect le plus important de sa personnalité m'avait toujours échappé. À moi comme à tous les autres, d'ailleurs.

L'homme, qui s'exprime plus vite que son ombre et qui a toujours plein de choses à raconter, a réussi à garder pour lui le plus lourd des secrets, en résistant au fil des ans à la très forte tentation de se confier.

Comment peut-on lui en vouloir de nous avoir tous joué la comédie quand il n'a même pas laissé son jeune frère, ses sœurs, ses conjointes précédentes, sa femme actuelle, ses quatre enfants, ses amis les plus intimes, ses anciens joueurs et ses employeurs passés et actuels percer sa muraille ?

Il n'a pas jugé bon de lever le voile sur la portion la plus triste et la plus douloureuse de sa vie parce que les drames les plus cruels ne se racontent pas. Ils rongent parfois les gens pendant toute une existence en minant inévitablement leur vie. Ce fut le cas de Jacques Demers.

Comment diable a-t-il pu se hisser au rang des personnalités sportives les plus en vue en portant un tel fardeau sur ses épaules? Comment un garçon malmené et humilié par un père mesquin et violent, doublé d'un mari alcoolique et batteur de femme, a-t-il pu reprendre magistralement le contrôle de sa vie pour devenir *monsieur Positif*?

Comment a-t-il pu combattre son stress et ses peurs, lui qui a toujours vécu dans la crainte qu'on découvre son histoire et qu'on l'expulse du hockey? Le sport professionnel n'aurait eu aucune sympathie, croyait-il, pour un homme affligé des handicaps dont il souffrait.

Très jeune, sa liberté a été brimée. Son père l'a réduit à une certaine forme d'esclavage en le surchargeant de travail tout en l'écrasant sous le poids des injures. Plus important encore, il l'a privé d'une précieuse relation père-fils. Il lui a refusé l'amour que Jacques aurait tant souhaité.

Cela explique en partie pourquoi il a toujours fait des courbettes pour être aimé des gens, de ses joueurs, de ses employeurs et de ses confrères des médias. C'est aussi pourquoi il a veillé précieusement sur les membres de sa famille, principalement son frère Michel qu'il protège encore comme s'il s'agissait de son propre fils.

Parce qu'il a été beaucoup écorché durant son enfance, Demers est incapable d'une quelconque forme de méchanceté dans sa seconde carrière d'analyste.

Comme entraîneur, il a rarement humilié un joueur publiquement.

Quand sa mère est décédée en lui tenant la main, elle lui a fait promettre de veiller sur ses deux sœurs. Il n'a jamais manqué à ce devoir. Il a fait plus encore en gardant un œil protecteur sur son frère, le cadet de la famille.

Michel Demers m'a fait cette confidence un jour : « Si Jacques partait aujourd'hui, il n'aurait pas besoin de penser à moi dans son testament car il m'en a déjà tellement donné. »

Durant une période pas très rose de sa jeunesse, Jacques s'est trouvé une source d'inspiration des plus originales. C'était à l'époque où ce fils issu d'une famille très modeste fréquentait des enfants de riches sur les bancs de l'école Saint-Germain, à Outremont. Il n'était pas bien accepté de tous parce qu'il était identifié malicieusement comme l'enfant pauvre de la rue Van Horne. Il portait des souliers défraîchis tandis que ses compagnons pouvaient se mirer dans leurs chaussures, tellement le cuir verni était de qualité. Il a serré les dents. « Un jour, j'aurai des souliers neufs, moi aussi », s'est-il dit intérieurement.

Il est aujourd'hui plusieurs fois millionnaire. Il habite une résidence cossue en bordure du chic parcours de golf Le Falcon, à Hudson. Il conduit une Mercedes et ne compte plus ses souliers neufs. Il se fait un point d'honneur de ne pas afficher son aisance matérielle. Il n'y a jamais fait allusion par crainte d'offusquer ceux qui n'ont pas eu la même chance.

Il sait une chose, cependant. Ses beaux souliers, il ne les a pas volés. « Je m'étais juré qu'un jour je ferais partie de ces gens-là », dit-il simplement.

Ses débuts témoignent de sa ténacité. Il a dirigé ses premiers joueurs professionnels avec un vocabulaire d'une dizaine de mots en anglais. On a ri de son accent, mais il a persévéré.

Quand on a voulu sa tête, il s'est accroché. Pour lui, c'était une question de survie. Dans la déprime, s'il était rentré à la maison, ç'aurait été la fin de son parcours dans le hockey.

Debbie, qui partage sa vie et qui le connaît maintenant mieux que personne, affirme que son mari est incapable d'accepter la malhonnêteté. Ça le rend furieux. Elle précise qu'il avait du mal à comprendre que certains athlètes ne puissent pas partager la même passion que lui parce qu'il se croyait tellement chanceux de pouvoir gagner sa vie de cette façon. Ça, c'est le Jacques Demers que la majorité des gens connaissent.

Dans un profond exercice d'humilité, l'autre Jacques Demers, le vrai, qui s'est caché dans une armure durant 60 ans, se met finalement à nu dans les 26 chapitres qui suivent.

Bertrand Raymond

Introduction

« Je ne suis pas ta secrétaire ! »

Été 1984 : Jacques Demers vient de terminer sa première saison à la barre des Blues de Saint Louis. Un an plus tôt, l'imprévisible propriétaire des Blues, Harry Ornest, s'était tourné vers le légendaire Ronald Caron, dit *Le Prof*, pour occuper les fonctions de directeur général afin de relancer l'équipe. Caron avait été l'une des nombreuses victimes du grand coup de balai effectué un peu plus tôt à Montréal, ce qui avait ouvert la voie à la venue de Serge Savard et compagnie à la tête du Canadien. Devenu libre comme l'air, Caron avait accepté l'offre d'Ornest, l'un des plus grands pingres du hockey.

Contraint d'administrer un budget fort limité, *Le Prof* ne pouvait se permettre d'embaucher un entraîneur chevronné (et inabordable) pour remettre les Blues sur les rails. Déjà que des rumeurs de vente et même de dissolution planaient à Saint Louis !

Caron avait entendu parler, en bien, de Jacques Demers, qui purgeait à ce moment-là son purgatoire à Fredericton, dans la Ligue américaine de hockey, où il dirigeait le club-école des Nordiques de Québec. Demers venait d'être nommé entraîneur de l'année et brûlait d'envie de revenir à la LNH après avoir effectué un bref séjour d'un an à Québec en 1979-1980, à la suite duquel il avait été congédié. Aux yeux de Caron, l'acquisition de Demers était tout indiquée.

Dans sa hâte et son désir de revenir à la Ligue nationale, Demers accepta l'offre de Caron sans prendre la peine de signer une entente en bonne et due forme avec les Blues. De toute façon, pensait-il, il n'avait que faire de toute la paperasse reliée à son embauche. Il s'entendit verbalement avec

Le Prof sur les clauses d'un contrat de trois ans au cours desquels les Blues lui verseraient un salaire moyen de 55 000 $ par année.

C'était bien peu pour mener la «vie de pacha» d'un homme de la LNH, car Demers devait pourvoir au bien-être de ses quatre enfants nés de deux unions précédentes, dont trois se trouvaient avec leur mère Linda à Indianapolis, tandis que l'aînée vivait à Montréal avec sa mère Évelyne. Qu'à cela ne tienne, c'était la LNH et c'était déjà mieux que le traitement qui lui était réservé à Fredericton.

En marge de cette première saison à la barre des Blues, Demers et sa nouvelle conjointe, Debbie Anderson, avaient emménagé à Crève Cœur, en banlieue de Saint Louis, dans une maison meublée qui appartenait à Bobby Simpson, un ancien joueur des Ailes de Châteauguay (junior B) au début des années 1970. Simpson devait partir pour l'hiver afin de poursuivre sa carrière dans la Ligue internationale, ce qui libérait son logis et permettait au couple Demers d'y passer toute la saison en location.

* * *

La saison de hockey venait de prendre fin et Simpson désirait reprendre sa maison afin de l'habiter durant l'été. Comme les joueurs des Blues se préparaient de leur côté à déserter Saint Louis pour regagner leurs résidences estivales dans leurs patelins, Demers demanda à l'un de ses jeunes joueurs, Doug Gilmour, d'occuper en sous-location son petit appartement meublé situé dans un sous-sol. De cette façon, les Demers épargneraient quelques sous (au moins jusqu'en septembre) et, avec les économies, Jacques pourrait assumer ses obligations envers sa progéniture. Gilmour, qui rentrait chez lui à Kingston en Ontario, accepta.

Entre-temps, Debbie contribuait à l'économie familiale après s'être déniché un emploi de préposée dans un service de nettoyage à sec de Saint Louis. Ce n'était pas le scénario idéal auquel Jacques aurait rêvé pour la femme d'un entraîneur de la LNH et il en ressentait une certaine gêne. Mais les chiffres étaient là : au moment de dresser le bilan, le résultat n'était pas très positif (ni très honorable).

«Pour payer mes comptes et régler les factures, rappelle le principal intéressé aujourd'hui, je devais demeurer dans le logement meublé d'un de mes propres joueurs pendant que ma femme était contrainte de travailler chez un nettoyeur. J'étais à mille lieues de la vie fastueuse que je m'étais imaginée dans mon rêve de devenir un entraîneur de la prestigieuse Ligue nationale de hockey.»

Comme Jacques était beaucoup moins occupé l'été qu'au cours de la saison de hockey, Debbie lui demandait d'effectuer certaines tâches à la maison, ce qu'il faisait sans grand plaisir. L'une d'entre elles consistait à régler les différentes factures qui s'étaient empilées sur le bahut depuis les dernières semaines. Tout y était : comptes d'électricité, de câblodistribution, de téléphone, de cartes de crédit, de même que des factures provenant de différents magasins.

Debbie avait rappelé à plusieurs reprises à Jacques l'urgence de la situation, mais celui-ci faisait la sourde oreille. Il trouvait toujours une bonne excuse pour remettre les choses à plus tard.

Un soir, fatiguée d'avoir besogné sous une chaleur torride durant toute la journée chez le nettoyeur, Debbie regagna le domicile familial vers 17 h 15. Elle était à prendre avec des pincettes, bien que cette femme généralement calme et douce ne démontrât d'ordinaire aucun excès d'agressivité.

Ce jour-là toutefois, elle ne put dissimuler une certaine irritation à la vue des factures qui s'empilaient toujours et gisaient pêle-mêle au même endroit que la veille, l'avant-veille et même trois jours plus tôt. Cette fois, c'en était trop et Debbie ne put s'empêcher d'exprimer son mécontentement à son amoureux.

Elle avait à peine élevé la voix. On était loin de la scène de ménage caricaturale ponctuée de cris et de bruits de vaisselle brisée. Néanmoins, elle s'était montrée ferme et s'attendait à ce que son homme la libère de cette corvée dont elle avait toujours eu la charge depuis le début de leur vie commune. Mais rien n'y fit. Encore une fois Jacques se défila, trouvant quelques nouvelles excuses tirées du fin fond de son imagination. De guerre lasse, Debbie, une fois de plus, prit les choses en main, ramassa les factures et effectua les paiements qu'elle mit elle-même à la poste.

La question des comptes à payer revenait régulièrement au sein du couple. Bon prince, Jacques reconnaissait sa négligence et ses torts d'un air penaud, et, pour seule explication, confessait « ne pas aimer faire ça ». Il s'engagea toutefois, une fois de plus, à s'amender.

Un après-midi, alors que Debbie était au travail, il empoigna les damnés comptes à payer et les plaça côte à côte sur la table de cuisine débarrassée de tous ses objets. Auparavant, il était allé quérir son carnet de chèques et s'apprêtait à les libeller, un à un, au nom de chaque débiteur…

* * *

Depuis une trentaine de minutes déjà, Jacques était assis devant la facture de la compagnie de téléphone. Il la retournait dans tous les sens et la déposa sur la table pour l'abandonner. Puis il saisit le compte de la compagnie d'électricité et répéta son manège. Sans plus de succès. Depuis plus d'une demi-heure, il n'avait pas avancé d'un pouce dans sa tâche et il en était bien conscient. Il était affolé à l'idée de ne pouvoir s'acquitter de ses responsabilités. Il prit une grande respiration, puis, tel un volcan, il explosa. Il saisit les papiers et les lança dans toutes les directions dans un excès d'agitation incontrôlée. En même temps, il baragouinait des phrases incompréhensibles qui s'apparentaient au délire. Pendant une minute, les feuilles et les enveloppes volèrent de toutes parts. Puis le calme revint.

Assis, Jacques se laissa tomber la tête sur la table et se mit à pleurer comme un enfant. «Je n'y arriverai jamais», marmonna-t-il en sanglots. L'entraîneur des Blues se ressaisit rapidement. Il n'avait pas le choix. Il se précipita dans la cuisine pour ramasser les maudites factures, sources de tous ses malheurs, éparpillées aux quatre coins. Se faufilant à genoux entre les pattes de la table et des chaises, il récupéra tous les documents, comme un gamin ramassant pitoyablement, sous le regard moqueur des autres élèves, ses billes échappées malencontreusement dans une cour d'école. Pour quiconque ignorait son histoire, il avait l'air franchement ridicule.

Il termina l'opération avant le retour de Debbie et replaça les comptes à leur endroit habituel. Comme si de rien n'était. En effet, rien n'y paraissait. Nul n'aurait pu dire qu'il avait même touché aux factures.

Mais au cours de cet après-midi-là à Saint Louis, Demers prit la décision d'éclaircir la situation avec Debbie, le moment venu…

* * *

Les semaines s'écoulèrent jusqu'à un certain soir de la fin de l'été, alors que le couple avait décidé de partager un repas en amoureux au restaurant. Jacques n'avait pas choisi ce moment pour faire des confidences à sa femme. À vrai dire, il avait déjà évacué l'incident de ses pensées. Il était constamment distrait et oubliait facilement. Mais Debbie devait lui rafraîchir la mémoire.

Le couple mangeait et discutait allègrement lorsque Debbie ramena la question des comptes à payer sur le tapis. Ou plutôt… sur la table ! Jacques écoutait sa conjointe sans répliquer et ingurgitait sa nourriture à la vitesse de l'éclair, comme un prisonnier du goulag qui n'aurait pas mangé depuis une semaine. Debbie remarqua bien les gestes précipités de son mari, mais comme il faisait tout nerveusement et à la sauvette, elle n'y prêta guère attention. Elle s'était faite à l'idée que cet homme ne s'alimentait pas par plaisir ou par goût, mais par nécessité. Il ne mangeait pas, il engloutissait! «Dommage qu'il soit beaucoup moins rapide à s'acquitter des factures qu'à vider son assiette!», songea-t-elle en souriant.

Mais au-delà de son habituelle précipitation devant la nourriture, Jacques avait l'air songeur, voire tourmenté. Il semblait triste et inquiet, bien qu'il tentât de le cacher. Depuis des lunes, il avait développé une technique qui lui permettait de masquer ses émotions. À ces moments-là, c'est la parole qui lui servait de bouclier. Il parlait d'abondance et s'efforçait d'ajouter une touche de jovialité qui lui donnait une allure désinvolte.

Depuis le temps, Debbie savait que son conjoint jouait parfois la comédie pour maquiller ses souffrances et ses ennuis. Elle en éprouvait une certaine tristesse, mais pas au point d'ignorer la question qu'elle venait de soulever. Pas question cette fois de laisser Jacques se défiler ni de faire à sa place, pour une *énième* fois, le travail qu'elle lui avait demandé. Elle avait bien l'intention d'argumenter au sujet des fameuses factures.

«Écoute Jacques, lui dit-elle fermement. Je veux bien croire que tu ne raffoles pas de tout cela mais je ne suis quand même pas ta secrétaire. Pourquoi ce serait toujours à moi d'accomplir cette tâche ennuyeuse?»

Debbie ignorait qu'elle venait d'approcher dangereusement une allumette d'un véritable baril de poudre. Les minutes qui allaient suivre devaient pousser Jacques Demers à dévoiler le plus grand secret de sa vie, un secret qu'il tenait jalousement caché depuis maintenant quarante ans.

«Debbie, dit-il sans réussir à masquer sa honte, je suis incapable de faire ça. Ce n'est pas une question de volonté, j'en suis IN-CA-PA-BLE. Peux-tu comprendre? questionna-t-il d'une voix étreinte. Je ne peux pas lire ce qui est inscrit sur tous ces foutus papiers. C'est à peine si je peux écrire mon nom. Comprends-tu ça, Debbie, j'ignore ce que j'ai, mais je ne suis pas comme tout le monde, bon sang!»

Sidérée, Debbie ressentit toute la détresse du monde chez son mari. Elle était abasourdie, estomaquée. Littéralement sous le choc. La révélation était renversante et nécessita beaucoup de sensibilité et de compassion à l'égard de son conjoint, devenu soudainement, à ses yeux, tellement démuni.

«Comment une telle chose peut-elle être possible de nos jours? Comment un homme comme lui, qui a déjà connu autant de succès, peut-il en être là? s'interrogea-t-elle. Je vis avec un analphabète depuis un an et je l'ignorais complètement. Comme ai-je pu ne pas m'en apercevoir?»

Mais elle dut rapidement reprendre ses sens malgré son incrédulité. Elle prit tendrement la main de son mari et l'invita à discuter calmement du malheur qui l'affligeait et qu'il gardait soigneusement caché depuis tant d'années.

«J'ai menti toute ma vie, Debbie, lui confia l'entraîneur. J'ignore ce que j'ai, mais je ne suis pas en mesure de lire ni d'écrire comme tout le monde. Tout se mêle et s'entremêle.»

Le ton était à la confidence et Jacques voulut s'assurer rapidement que cette révélation demeure un secret de famille. «Il ne faut surtout pas que quelqu'un sache cela, sinon je suis foutu, implora-t-il. Si ça devait se savoir, personne ne voudra plus m'embaucher comme entraîneur dans les rangs professionnels.»

En quelques minutes, Debbie saisit tout le désarroi qui habitait Jacques Demers. Mais de quoi était atteint l'homme de sa vie? Était-il illettré, analphabète, dyslexique? Ou encore souffrait-il de déficit d'attention? Lui-même l'ignorait avec exactitude à l'époque. «Chose certaine, raconte-t-elle maintenant, je ne lui ai jamais plus redemandé d'acquitter les factures, quelles qu'elles soient!»

«Jacques a énormément souffert, explique-t-elle, mais heureusement, il a reçu un cadeau incroyable de la vie : le don de la parole. On peut lui poser une question et il y répond pendant des heures. Il est intarissable. C'est sans doute pour camoufler sa réalité intérieure qu'il occupe tant de place dans les discussions. Cet homme est incroyable. Mais le temps a fini par le rattraper et avec lui ses vieux démons. Aujourd'hui, il n'en peut plus de vivre avec la peur d'être démasqué et ce sentiment d'insécurité que son handicap laisse planer au-dessus de lui. C'est pourquoi ce livre arrive à point dans sa vie.»

* * *

Je suis journaliste et, pendant dix ans, j'ai couvert les activités du Canadien de Montréal pour le *Journal de Montréal.* J'ai côtoyé quotidiennement Jacques Demers du mois de septembre 1992 au mois d'octobre 1995 alors qu'il réalisait le rêve de sa carrière, celui de diriger le Tricolore dans sa propre ville.

À l'automne de 1994, la LNH fut frappée par un premier lock-out des propriétaires, ce qui nous amena, Jacques Demers et moi, à nous retrouver un soir à Fredericton, au Nouveau-Brunswick. Nous étions allés épier les faits et gestes des espoirs de l'organisation du Canadien à la faveur de cet arrêt de travail. Un soir, après un match, nous nous sommes retrouvés au restaurant, en tête à tête. Nous avons parlé de nos familles et de nos vies respectives.

C'est ce soir-là, en octobre 1994, entre deux bouchées et quelques lampées de bon vin, que j'ai appris le combat quotidien que livrait Demers pour éviter que la vérité n'éclate. Ce soir-là, il me raconta l'incident de la table de cuisine à Saint Louis et me fit promettre de conserver le secret. À ses dires, j'étais la seule personne, outre sa femme, à en connaître l'existence. Même ses sœurs Claudette et Francine, son frère Michel, de même que ses quatre enfants, Mylène, Stefanie, Brandy et Jason, ignoraient tout. C'est un sujet qu'il a toutefois abordé avec la plupart d'entre eux depuis ce temps.

Depuis ce repas intime, je n'ai jamais plus regardé Jacques Demers du même œil. Certains l'ont adulé, d'autres l'ont ridiculisé sans ménagement. Personnellement, j'ai toujours éprouvé un profond respect à son égard et lui ai voué beaucoup d'admiration, pour ne pas dire une certaine affection, sinon beaucoup d'empathie.

Comment un homme a-t-il pu réussir à survivre vingt-cinq années durant dans le hockey professionnel avec un tel handicap ? Comment a-t-il pu cacher sa réalité pendant les quinze ans qu'il a travaillé dans la LNH et, à plus forte raison, pendant plus de trois ans à la barre du Canadien, l'équipe de hockey la plus médiatisée au monde ? Comment a-t-il pu se retrouver dans la position de directeur général d'une équipe de la LNH (Tampa Bay), occupant une fonction inondée de paperasse et de communications écrites ? Comment a-t-il pu devenir l'un des *joueurnalistes* le plus demandé à Montréal, au Québec, au Canada et même aux États-Unis, tant du côté de la radio et de la télévision que de la presse écrite ? Tout cela, sans pratiquement pouvoir écrire ni lire !

Bien au-delà de sa conquête de la coupe Stanley en 1993, de ses titres d'entraîneur de l'année à Detroit en 1987 et 1988 ou de ses statistiques enviables derrière un banc (plus de 1000 matchs dans la LNH), sa survie dans le monde du hockey professionnel, malgré son handicap, relève de l'exploit.

C'est ce Jacques Demers-là que j'aimerais vous faire découvrir dans ce livre.

De son propre aveu, Jacques a réalisé la plupart de ses rêves. Le plus important de sa carrière est survenu le soir du 9 juin 1993 alors que, vivant l'apothéose de la victoire, il souleva la fameuse coupe Stanley au bout de ses bras en plein centre de la glace du mythique Forum de Montréal. Il est à ce jour le dernier entraîneur du Canadien à avoir gravé son nom sur le précieux « calice d'argent » et il en est très fier.

À 61 ans, Jacques Demers reconnaît avoir menti (et souffert tout autant) tout au long de sa vie pour cacher son invalidité. Pour lui, ce livre prend la forme d'un exutoire et se veut une libération. Pour moi, il s'agit d'une occasion unique de raconter le parcours d'un homme attachant et honnête qui, malgré une enfance fort difficile, marquée par la violence et la pauvreté, a réussi à s'en sortir et à atteindre les plus hauts sommets de sa profession.

Ce livre n'est pas seulement le récit d'une vie ou d'une carrière, mais il se veut, pour qui en ressent le besoin, un message d'espoir basé sur la volonté et la bonté.

De la petite école du quartier Côte-des-Neiges où il est né jusqu'aux studios de RDS, son employeur actuel à Montréal, Jacques Demers est passé par Saint-Léonard, Châteauguay, Chicago, Indianapolis, Cincinnati, Québec, Saint Jean (Nouveau-Brunswick), Fredericton, Saint Louis, Detroit, Montréal et Tampa Bay, avant de revenir s'installer à Hudson dans la région de Montréal. Pendant ces nombreuses escales aux quatre coins de l'Amérique, il a vécu prisonnier de son état, utilisant tous les subterfuges pour éviter d'éveiller les soupçons et de dévoiler son secret. Cet homme aux convictions religieuses profondes a même souvent tronqué la vérité pour survivre dans un milieu qui ne lui aurait pas pardonné sa déficience. Le défi était colossal.

Au fil de votre lecture, vous découvrirez vingt-six lettres, intercalées entre les 26 chapitres, que Jacques Demers a tenu à adresser à différentes personnes qui ont accompagné sa vie et sa carrière. Il s'agit d'une correspondance qu'il a toujours souhaité écrire mais que sa délicate condition rendait impossible avant aujourd'hui.

Quant au nombre choisi (vingt-six), c'est simplement un clin d'œil qui fait référence au nombre de lettres composant notre alphabet.

Bonne lecture,

Mario Leclerc
Canton de Melbourne, Québec

Première période

LA DÉLIVRANCE, ENFIN…

Chapitre 1

«Qui suis-je?»

Jacques Demers est né à Montréal, le 25 août 1944, dans des conditions assez particulières. Tellement particulières, à vrai dire, qu'il n'existe pratiquement aucune trace de son existence au cours des trois premières années de sa vie!

Ses parents, Mignonne Bergeron et Emmanuel Demers, avaient respectivement vingt-quatre et vingt-neuf ans au moment de sa naissance. Mignonne était issue d'une famille montréalaise qui comptait six enfants, alors qu'Emmanuel était le dixième d'une famille de treize enfants.

Les parents d'Emmanuel, Albertine Fournier et Michel Demers, exploitaient le magasin général et l'Hôtel Central à L'Orignal, en Ontario, non loin de Hull. C'est là que sont nés les onze premiers enfants de la famille, incluant Emmanuel.

Les grands-parents de Jacques trimaient dur pour subvenir aux besoins de la famille. Durant l'été de 1923, un violent incendie fit rage dans l'immeuble abritant l'hôtel et le magasin général. Les flammes avaient réduit le complexe en cendres. Il n'était pas très courant à l'époque d'avoir des assurances et les parents d'Emmanuel ne faisaient pas exception; c'est ainsi que la famille perdit tout dans ce terrible sinistre.

C'est à ce moment-là que les Demers déménagèrent à Montréal pour recommencer leur vie. Le père dénicha un emploi à la Brasserie Molson où il travailla jusqu'à sa retraite au début des années 1940. Le couple eut deux autres «héritiers» en sol montréalais. Auparavant, il avait connu la douleur de perdre quatre enfants : l'un avait été ébouillanté accidentellement, deux autres avaient été emportés par la grippe espagnole et un dernier était décédé à sa naissance. À Montréal, c'est donc au bien-être d'une famille de neuf enfants (trois garçons et six filles) qu'Albertine et Michel devaient pourvoir.

Emmanuel, le père de Jacques, était le plus jeune des fils Demers. Dès son plus jeune âge, il était considéré comme le mouton noir de la famille. Il ne tenait jamais en place, pas plus à l'école qu'à la maison. À l'adolescence, il disparaissait parfois pendant des semaines sans laisser de traces. Il parlait peu et faisait continuellement à sa tête.

« C'était tout un numéro dans un paquet de cartes ! Ma mère a élevé neuf enfants, mais Emmanuel lui a donné du trouble pour quinze », témoigne sa sœur Jeannette, aujourd'hui âgée de plus de 80 ans et qui a joué un rôle déterminant dans la vie de son neveu Jacques.

De l'avis de plusieurs, Emmanuel aurait eu plusieurs vies. C'est probablement pour cette raison qu'il était connu sous plusieurs noms. « Il s'appelait Emmanuel mais ses amis le prénommaient Johnny, alors que les membres de sa famille l'appelaient Émile ! Pour nous, c'était papa », se souvient sa fille aînée, Claudette.

* * *

Emmanuel s'était volatilisé dans la nature à la fin des années 1930. Il avait alors entre vingt et vingt-cinq ans, personne ne se souvient exactement. Il faut se rappeler qu'à l'époque, l'odeur d'une deuxième guerre mondiale se faisait sentir en Europe et qu'Emmanuel avait peut-être pressenti la conscription. Il avait probablement décidé de fuir, mais nul ne peut le confirmer aujourd'hui. Quoi qu'il en soit, il avait disparu comme par enchantement et c'est au cours de cet exil volontaire qu'il rencontra Mignonne, dans des circonstances qui demeurent encore obscures de nos jours.

La famille fut sans nouvelles d'Emmanuel pendant cinq ou six ans jusqu'à ce qu'il décide de rendre visite à son frère aîné Louis-Émile, que tous surnommaient Léo. Il lui donna un bref aperçu de son escapade, racontant quelques détails qui surprirent beaucoup son frère. La situation, comme on le verra, n'était pas ordinaire, et Léo conseilla à son frangin de renouer avec ses parents, fort inquiets de son sort.

Emmanuel suivit cette recommandation et appela ses parents au cours du printemps de 1947. « Je suis à Montréal et j'aimerais vous voir », dit-il brièvement à sa mère sans se soucier des formules de politesse. Ce coup de fil ébranla toute la famille, intriguée.

C'est ainsi qu'Emmanuel se présenta un beau matin au 1372 de la rue Sherbrooke Est, dans le grand appartement familial de neuf pièces situé juste en face du parc Lafontaine. Il était accompagné de Mignonne, une femme de petite taille et plutôt maigrichonne, qu'il présenta à sa famille.

« C'est ce jour-là qu'on a rencontré Mignonne pour la première fois », se souvient tante Jeannette, présente à ces retrouvailles. Comme il était peu loquace, la rencontre fut brève. Le connaissant, la famille s'en était tenue à quelques questions générales, sachant d'avance qu'il serait difficile d'obtenir le récit détaillé de ses dernières années de cavale. Les tourtereaux repartirent en laissant derrière eux plus de questions que de réponses.

Quelques jours plus tard, Emmanuel téléphona à nouveau chez ses parents : « Que faites-vous ? demanda-t-il évasivement à sa mère. Si vous avez quelques minutes, j'aurai une surprise pour vous. » À la fois excitée et méfiante, maman Albertine s'empressa de l'inviter à l'appartement.

C'est ainsi que, sans façon, Emmanuel, accompagné de Mignonne, vint présenter son fils Jacques à ses parents, à ses frères et à ses sœurs. Or, l'enfant était sur le point de célébrer… son troisième anniversaire !

« C'est à ce moment-là qu'on a appris l'existence de Jacques, se souvient tante Jeannette. C'est comme ça qu'il est entré dans nos vies. Nous étions un peu estomaqués, mais déjà Jacques était d'une jovialité débordante. Il s'est fait aimer dès son premier jour parmi nous. Et ma mère aimait tellement les enfants qu'elle rayonnait de bonheur malgré le choc qu'elle venait d'encaisser. »

Ce n'était pas là la seule surprise que réservait à sa famille le cadet des garçons, qui n'en n'était d'ailleurs pas à ses premières armes. Ses proches s'attendaient à tout de sa part, tellement son existence avait été marquée de développements imprévus.

Quelques jours après avoir dévoilé à Michel et à Albertine qu'ils étaient grands-parents d'un petit-fils, le jeune couple s'amena avec… un second rejeton ! Un an plus tôt, soit à la fin d'avril 1946, Mignonne avait donné naissance à une fille, prénommée Claudette. C'était presque encore un poupon lorsque ses grands-parents firent sa connaissance.

* * *

Emmanuel et Mignonne ont toujours été très discrets au sujet des circonstances entourant la naissance de leurs deux aînés. Tout ce qu'on sait, c'est que le couple s'était marié, Dieu sait où et quand, dans l'intervalle. C'est un sujet tabou sur lequel les parents de Jacques ne sont jamais revenus.

« Je crois que la sœur de Mignonne connaissait les détails de leurs premières fréquentations et les dessous de leur mariage, raconte tante Jeannette. Peut-être bien que notre frère Léo avait aussi été mis au parfum. Pour notre part, tout est demeuré un mystère. »

* * *

Ce n'est que beaucoup plus tard, en mars 1962, un peu avant ses dix-huit ans, que Jacques réussit à rassembler, en partie, les pièces du casse-tête. Aidé par sa tante Jeannette adorée, il entreprit des recherches pour obtenir une copie de son baptistaire. Mignonne venait de mourir et Jacques s'apprêtait à postuler un poste de surnuméraire à la compagnie d'embouteillage Coca-Cola.

Les recherches finirent par aboutir le 21 mars 1962, quand tante Jeannette réussit à obtenir le fameux document. Quelle découverte ce fut ! On eut d'abord la confirmation que Jacques était bel et bien né le 25 août 1944, le jour même de la libération de Paris, après quatre ans d'occupation allemande. Cette journée-là, les blindés de la 2e Division française dirigés par le général Leclerc étaient entrés dans Paris, ce qui devait ouvrir la voie à l'arrivée triomphale du général de Gaulle sur les Champs-Élysées, quelques heures plus tard.

En cette soirée du 25 août, le général de Gaulle s'était rendu, sous les acclamations de la foule, à l'hôtel de ville, où l'attendaient le Comité parisien de Libération et le Conseil national de la Résistance. Dans une allocution empreinte d'une grande émotion, il avait rendu hommage à la capitale de la France : « Paris outragé ! Paris brisé ! Paris martyrisé ! Mais Paris libéré… », avait-il clamé devant la foule en liesse.

C'est sur cette trame de fond historique, qui avait eu des répercussions jusqu'au Québec, que Mignonne s'était « libérée » de son fœtus en accouchant de son fils Jacques.

* * *

On apprenait également par le baptistaire que Jacques avait été baptisé le jour même de sa naissance, à l'Hôpital de la Miséricorde, sur la rue Saint-Hubert, à Montréal.

Cet hôpital ne portait pas ce nom par hasard. Dans les années 1940, la religion catholique exerçait, on le sait, une forte emprise sur les familles québécoises. On avait le péché facile. C'était une époque où régnaient en force, si l'on peut dire, les sept péchés capitaux (avarice, envie, gourmandise, paresse, orgueil, colère et impureté) !

C'était aussi l'époque où les dix commandements de Dieu et les six commandements de son Église faisaient office de loi. Un de ceux-là stipulait que *l'œuvre de chair tu ne désireras qu'en mariage seulement.*

Quiconque transgressait cette loi était mis à l'écart et même pointé du doigt. Certains risquaient l'excommunication. Pour les familles aux prises avec des membres impurs qui avaient désiré « l'œuvre de chair » en dehors du mariage, c'était un acte honteux qu'on s'empressait de camoufler en espérant obtenir la grâce du pardon.

Imaginez alors ce que cette « œuvre de chair » consommée hors mariage impliquait si elle avait le malheur de résulter en grossesse. Damnation ! Dans ce cas-là, les femmes enceintes étaient conduites à l'Hôpital de la Miséricorde, un nom qui résume bien, par sa définition, la culpabilité que devait ressentir plus d'une mère : *Miséricorde :* n.f. : *Pitié qui pousse à pardonner à un coupable, à faire grâce à un vaincu (Le Petit Larousse illustré 2000,* p. 658). Et le *Littré,* pour rester dans le discours de l'époque (édition de 1918), parle de « la grâce, le pardon accordé à ceux qu'on pourrait punir ».

Voilà donc dans quelles « coupables » circonstances notre Jacques est né ! C'est de cette façon que s'explique la naissance de Jacques à cet hôpital en août 1944. Mignonne avait accouché dans une certaine clandestinité, loin des regards réprobateurs et à l'abri des jugements lapidaires.

* * *

Jacques croyait l'affaire classée, mais tante Jeannette savait que le baptistaire contenait d'autres éléments d'information… inhabituels, pour le moins.

« Je savais qu'il n'avait pas un baptistaire comme les autres parce que Mignonne m'en avait vaguement parlé, raconte-t-elle. À chaque début d'année scolaire, Mignonne se rendait voir le directeur de l'institution pour lui expliquer la situation afin d'éviter tout malentendu et dans le but de protéger son fils qui ignorait sa situation. Elle suppliait la direction de ne pas en souffler mot. Heureusement, elle obtenait toujours la collaboration des dirigeants. Mais à vrai dire, il s'agissait chaque fois d'un acte de courage qui l'obligeait au repentir devant des gens encore soumis aux grands principes religieux. Selon moi, elle le faisait avec une grande force de persuasion, quitte à s'humilier », insiste tante Jeannette.

Ce que l'intrigant baptistaire contenait était en effet plutôt saisissant : le petit Jacques, fils de Mignonne Bergeron et d'Emmanuel Demers, avait reçu au baptême les prénoms Joseph, Émilien et Jacques, et son nom de famille était… Brissette !

En aucun endroit, n'était mentionné le nom Demers. La révélation était renversante. Déjà fragilisé par le décès de sa mère, Jacques risquait d'être fort troublé s'il l'apprenait. Chose certaine, cela ne manquerait pas de susciter une kyrielle d'interrogations. Tante Jeannette jugea bon de lui éviter cette tempête émotionnelle et décida donc de remettre à plus tard la divulgation du contenu complet de son baptistaire original.

Elle savait que Jacques avait connu une enfance et une adolescence éprouvantes. En certaines occasions, il s'était posé des questions : avait-il été adopté ? Pire, serait-il un bâtard ? Dans ce dernier cas, il lui aurait fallu savoir qui était le parent illégitime : sa tendre mère ou son bourreau de père ? Il ne lui était toutefois jamais venu à l'esprit qu'il était né sous un autre nom que celui de Demers.

« Il lui est arrivé quelques fois de me faire part de ses doutes et de ses interrogations, se souvient tante Jeannette. Il était curieux et me posait souvent des questions. Un jour, il m'a demandé : "Dites-moi tante Jeannette, c'est vous et votre copain Jean (Carrière) qui êtes mes parents, n'est-ce pas ?" Je crois qu'il éprouvait certains doutes à cet effet parce que Jean et moi nous occupions de lui comme s'il avait été notre enfant lorsqu'il était avec nous. »

Chaque fois que la question lui était posée, tante Jeannette la repoussait ou l'ignorait, sans vouloir y attacher trop d'importance. Mais un jour que Jacques se faisait plus insistant, elle saisit l'occasion pour mettre les choses au clair. Cette fois-là, elle ne tenta pas d'esquiver et ne sombra pas dans les généralités. D'un ton convaincant, elle y alla d'un monologue qui ne laissait planer aucun doute.

« Écoute-moi bien, dit-elle fermement. Ton père et ta mère sont ceux avec lesquels tu as grandi. Tu n'as pas été adopté. Il n'y a pas de cachotterie à cet effet. Jean et moi ne sommes pas tes parents. Ni l'un, ni l'autre. Il est vrai que nous nous sommes beaucoup occupés de toi, mais c'était pour d'autres raisons que tu connais très bien. »

L'initiative de tante Jeannette eut l'effet escompté. Le petit Jacques n'osa plus jamais la questionner sur l'origine de ses géniteurs… Du reste, il ne chercha plus à en savoir davantage. Le sujet était dorénavant exclu des discussions familiales.

* * *

Étonnamment, c'est près de quarante ans plus tard, soit le 27 février 2002, que Jacques Demers apprit par l'auteur de cet ouvrage qu'il avait été baptisé sous le nom de Brissette. C'est tante Jeannette qui nous en avait fait la révélation quelques jours plus tôt.

Sans savoir vraiment ce qui avait poussé les parents de Jacques à le faire baptiser sous le nom de Brissette, tante Jeannette croyait pouvoir en expliquer l'origine : la grand-mère (maternelle) Bergeron était née Brissette et Mignonne avait décidé d'utiliser ce nom dans les heures qui ont suivi son accouchement.

« Elle aurait pu opter pour Bergeron, Demers ou Fournier, dit tante Jeannette, mais elle a décidé que ce serait Brissette. Il ne faut pas chercher à compliquer une situation qui est simple. Souvenons-nous qu'à l'époque il fallait du courage pour décider de simplement garder son enfant qui avait été conçu hors mariage. »

« Avec le recul, pense aujourd'hui Jacques Demers, je crois que ma mère a décidé de mener à terme sa grossesse malgré les réticences de mon père. J'ai l'impression que mon père aurait préféré l'avortement et que ma mère lui a tenu tête jusqu'à ma naissance. En réalité, je ne le saurai jamais, mais je crois que ça expliquerait bien des choses. Notamment, c'est peut-être pour cela que mon père a toujours adopté une attitude méprisante à mon égard. Dès la grossesse, il ne m'acceptait pas. »

Quoi qu'il en soit, quelques jours après le décès de sa femme, Emmanuel, avec l'aide de sa sœur Jeannette, remplissait les formules qui allaient régulariser la situation : Joseph-Émilien-Jacques Brissette allait désormais porter le nom de Joseph-Émilien-Jacques Demers dans les archives officielles.

Et le principal intéressé n'y a vu que du feu…

« J'apprends à 58 ans que je suis né sous le nom de Brissette. J'en suis complètement bouleversé, fait-il, dans un moment de grande émotion. Je jure sur la statue de sainte Anne que j'ignorais tout de cela. J'imagine que si je l'avais demandé à tante Jeannette, elle me l'aurait dit. Mais en fait, je crois qu'elle savait que je ne voulais pas le savoir à l'époque. Ce livre est en train de me faire découvrir bien des choses que je ne voulais pas savoir. J'apprends beaucoup sur ma propre personne et sur mes origines. Je sais davantage qui je suis maintenant. Ça me fait du bien. »

Lettre A

À tante Jeannette

Outre ma mère, vous êtes la femme qui s'est avérée la plus importante dans ma jeunesse, très chère tante Jeannette, et je veux profiter de ce livre pour vous témoigner toute mon affection et toute ma reconnaissance.

Lorsque, petit garçon, je traversais des périodes plus difficiles, vous étiez toujours là pour apporter du bonheur dans ma vie. Vous et votre copain, Jean-Baptiste Carrière, avez souvent joué le rôle de mère et de père à mon égard.

Vous m'avez gâté, aimé et respecté, tante Jeannette, et je l'ai toujours apprécié. Après le décès de ma mère, c'est vous qui m'avez supporté dans tout et qui m'avez aidé à garder l'espoir d'une vie meilleure en m'inculquant des valeurs de travail. De plus, vous avez été très importante dans le développement de ma foi et dans mes convictions religieuses.

Bref, je vous voue une très grande admiration, tante Jeannette, vous qui êtes encore très solide de nos jours malgré votre âge très respectable. Vous avez joué un rôle de premier plan dans ma vie et je tiens à vous en remercier du plus profond de mon cœur.

Jacques

Chapitre 2

« Tu seras toujours un bon à rien »

Montréal, quartier Côte-des-Neiges, automne 1956. La voix autoritaire ne laissait planer aucun doute. Le ton avait été foudroyant. Et l'ordre, sans appel : « Fous le camp à l'appartement au plus sacrant ! Assieds-toi sur une chaise de la cuisine et restes-y jusqu'à indication contraire. Et surtout n'oublie pas qu'à mon retour tu auras affaire à moi, très sérieusement. »

* * *

Sans surprise, Emmanuel Demers avait réagi furieusement par suite de l'erreur de manutention de son fils Jacques. L'homme était sévère, sans compromis, peu enclin à la compassion. C'était un père exigeant et quasi insensible à l'endroit de son aîné. Instable, il avait pratiqué mille et un métiers. À cette époque, il besognait pour le compte d'un boucher dans le service de livraison. Pour combien de temps ? Nul ne le savait, mais s'il fallait se fier à la moyenne de durée de ses emplois précédents, il n'en avait plus pour longtemps. L'homme savait se vendre, il était rusé et finissait toujours par se dénicher un nouveau travail.

Bourru et plutôt grognon, Emmanuel avait surtout très mauvais caractère, bien qu'occasionnellement il affichât une générosité étonnante. Débordante même. Surtout à la taverne du coin ! Du reste, s'il lui arrivait d'étaler son grand cœur, c'était souvent au détriment du bien-être des siens. Comme il ne possédait à peu près rien, qu'avait-il à perdre ? C'est pourquoi, dans sa famille, on prenait soin d'associer ses élans de générosité à son manque de responsabilité. Un généreux irresponsable, voilà ce qu'il était pour plusieurs.

À un mètre soixante-dix-huit, il n'était pas particulièrement grand, mais il en imposait. Ses cheveux frisés noirs, jumelés à ses sourcils épais et foncés, n'étaient pas de nature à adoucir ses traits sévères. Costaud, on le disait solide. Avec lui, on devait entrer dans le rang et marcher au pas. Ses proches redoutaient ses sautes d'humeur et son caractère autoritaire. Il semblait avoir pris son fils en aversion, mais ses filles Claudette et Francine avaient leurs raisons de le craindre tout autant à l'occasion.

Le climat était toujours tendu à l'appartement du sous-sol de la conciergerie du 2800 rue Van Horne, dans le quartier Côte-des-Neiges à Montréal. C'était comme si la maisonnée reposait sur un baril de poudre. Pour seule distraction, les enfants étaient réduits à jouer avec des allumettes. Jacques et ses sœurs, tout comme leur mère, étaient enfermés, bien malgré eux, dans un climat de violence psychologique sans issue. Quoi qu'il advienne, quoi qu'ils fassent, c'était pratiquement perdu d'avance. La peur était constamment présente et chacun se demandait qui serait le prochain responsable d'une nouvelle explosion de violence du paternel. Tôt ou tard cependant, l'un ou l'autre était inévitablement pris en défaut. Et par un curieux hasard, l'aîné de la famille écopait deux fois plutôt qu'une.

Chaque fois que l'occasion se présentait, Emmanuel déversait son fiel (il n'en manquait jamais) comme un enragé sur le « coupable », pour asseoir son autorité et amplifier l'emprise qu'il exerçait sur sa progéniture. Sa litanie de remontrances produisait autant de décibels qu'un délire de névrosé hystérique derrière les barreaux. En cet âge d'or du catholicisme, il récitait son chapelet de jurons comme un sermon diabolique. Sa pluie d'injures était régulièrement accompagnée de corrections physiques. Et d'ordinaire, il n'y allait pas de main morte.

La vie s'écoulait ainsi derrière les murs de ce modeste appartement de cinq pièces et demie au confort moyen. Les moments calmes étaient rares et la situation empirait lorsque Emmanuel avait bu.

Pour tout dire, le chef de famille vivait avec les idées embrouillées une journée sur deux. Les caisses d'Indian Pale Ale franchissaient le seuil de la porte plus souvent que les sacs d'épicerie. Comme un rituel, la beuverie s'étalait du jeudi soir au dimanche, presque sans interruption. Les bouteilles de bière s'alignaient sur le comptoir et sur la table de cuisine comme des trophées. Et malheur à celui ou à celle qui en aurait cassé une ! Qu'elle fût pleine… ou vide !

Il arrivait aux enfants de se demander comment une brasserie parvenait à produire à un tel rythme pour assouvir la soif de tous ses clients. Car, dans leurs cœurs d'enfant, ils croyaient que tous les consommateurs de bière étaient irrémédiablement des éponges. Ils s'aperçurent néanmoins qu'ils vivaient de façon différente… et pas nécessairement dans le sens le plus enviable. Jacques constata que les buveurs de bière ne buvaient pas tous autant que son père. Cette révélation atteignit directement sa conscience et son âme. Dès lors, il se mit à en éprouver de la honte. Un sentiment entremêlé de désolation, de tristesse et de colère.

Jacques se réfugia dans la solitude. Il vécut le plus clair de sa jeunesse dans l'obscurité, replié sur lui-même, au point de devenir un être antisocial, un ermite tourmenté. «Les beaux souvenirs de jeunesse avec les amis sont quasi inexistants dans ma mémoire, témoigne-t-il. Moins je me mêlais aux copains du voisinage, meilleures étaient mes chances de camoufler ma gênante réalité familiale. Je ne voulais pas qu'on découvre l'alcoolique qui me servait de père.»

Mais il fallait bien que le petit Jacques sorte de sa tanière de temps à autre, ne serait-ce que pour fréquenter l'école. Pour se prémunir contre la curiosité de ses condisciples les plus intrigués, il développa un mécanisme de défense : le mensonge. Il y devint un véritable expert, ce qui lui permettait de survivre au quotidien.

«J'ai souvent baissé les yeux au contact des personnes, de crainte qu'on m'interroge sur notre vie, se souvient-il. Mais je ne pouvais éviter tout le monde. Lorsque ça se produisait, le mensonge était mon meilleur allié. À vrai dire, je me trouvais toujours une raison pour me retirer du groupe ou fuir une discussion. Je n'aimais pas mentir, mais c'était devenu une deuxième nature, une question de survie.»

* * *

D'un pas alerte, les fesses serrées, Jacques avait regagné le domicile familial en sanglotant. Penaud, il était à la fois déçu de lui-même et apeuré par les conséquences de son geste malhabile.

À son arrivée, sa mère, Mignonne Bergeron-Demers, vaquait à ses occupations. Elle se préparait à étendre à l'extérieur les vêtements propres et détrempés qu'elle venait de passer dans le tordeur de la laveuse. Comme toujours, l'air du dehors donnait une odeur de fraîcheur aux vêtements, même aux plus usés.

En apercevant Jacques dans l'embrasure de la porte, elle avait compris. En fait, elle ignorait de quel «crime» son aîné s'était rendu coupable, mais elle était parfaitement consciente que son mari avait encore sauté les plombs. Probablement pour un rien, une simple baliverne.

Affolé, Jacques lui expliqua ce qui venait de se produire, mais les mots se bousculaient et s'entremêlaient comme s'il avait parlé une langue étrangère. Mignonne n'avait pas besoin de tout saisir. Elle avait décodé sa détresse.

« Je ne l'ai pas fait exprès, expliqua le jeune homme à sa mère. Vous me croyez maman ? » insista-t-il en la vouvoyant, se pliant à la pratique courante de l'époque.

Dans ces moments, Jacques recevait aussitôt l'approbation maternelle, mais les pouvoirs de Mignonne étaient fort limités. Elle ne pouvait accorder de libération conditionnelle. Ce que son mari imposait était sans appel. Bien qu'elle reconnût l'injustice, elle devait se soumettre à l'autorité du chef de famille. Déchirée, elle indiqua du doigt la chaise la plus confortable à son rejeton. Elle avait même pris soin d'y ajouter un coussin molletonné en lui adressant un clin d'œil pour lui arracher un sourire. Jacques prit sa place, envahi par un sentiment contradictoire de révolte et de résignation.

* * *

Que s'était-il donc passé ? Nous étions au début du mois d'octobre et, malgré un temps frais, il faisait assez beau pour se faire dorer au soleil ce samedi-là. Pour Jacques, ce devait être un jour spécial. Depuis deux semaines qu'il pensait à cette journée pendant laquelle il ferait équipe avec son père.

Il avait demandé congé à Maurice Wolf, le propriétaire de l'épicerie Darlington, au coin des rues Darlington et Soissons, où il travaillait d'ordinaire les jeudis et vendredis soir de même que toute la journée du samedi. Un boulot qui, sans le vouloir, le rendait complice des cuites de son père !

« Je ne travaillais pas à l'épicerie de M. Wolf pour l'argent, précise l'ex-employé 45 ans plus tard. Je le faisais pour aider ma mère. On me payait en nourriture, que je rapportais à la maison. Mais il ne fallait surtout pas que j'oublie la caisse de bière pour mon père ! »

M. Wolf l'avait ainsi libéré pour cette journée d'automne 1956, car, à titre de concierge de l'immeuble où il logeait sa famille, Emmanuel devait installer les « châssis doubles » dans les 72 fenêtres du bâtiment. Le travail était important et exigeait une certaine attention, car les vitres étaient parfois aussi minces qu'une feuille de papier.

Jacques appréciait cette journée-là, car, pour l'un des rares samedis de l'année, son père prenait congé de la bouteille. Du moins jusqu'au coucher du soleil. Quelques semaines plus tôt, le 25 août, il venait de célébrer son douzième anniversaire. Encore plein d'espoir malgré le caractère d'Emmanuel, et sans attendre une véritable communication, l'enfant souhaitait se sentir important pour son père.

Avant de s'attaquer aux fenêtres de leur conciergerie, Emmanuel et son fils devaient toutefois accomplir une tâche similaire sur un autre immeuble d'habitation de la rue Darlington, situé à une dizaine de minutes de marche. Pour arrondir ses fins de mois, Emmanuel avait en effet décroché un contrat d'entretien pour cette bâtisse de quatre étages qui comptait dix logements.

* * *

Il était environ 14 heures. Jacques et son père avaient besogné depuis l'aube sans anicroche. Comme un apprenti expérimenté, Jacques avait répondu aux directives de son «patron» avec diligence. Dans son for intérieur, il en était bien fier, même si les marques de reconnaissance et d'appréciation se faisaient toujours attendre.

Le travail à la conciergerie de la rue Darlington tirait à sa fin puisqu'une trentaine des quatre douzaines de contre-fenêtres avaient déjà trouvé refuge dans les ouvertures où elles devaient passer l'hiver. Comme il se devait, Emmanuel avait entrepris cette tâche en commençant par les étages supérieurs. Le tandem en était rendu aux dernières contre-fenêtres du rez-de-chaussée, sur le côté droit à l'arrière de l'immeuble.

Emmanuel était juché dans son échelle et attendait que son aide lui tende une autre contre-fenêtre. C'est un geste qui, à cette heure, était devenu machinal. Jacques saisissait la pièce par le bas en posant ses mains de chaque côté, puis il la soulevait à bout de bras. Son père, d'une main puissante, la captait par la partie supérieure pour la ramener à sa hauteur. Puis il l'installait dans l'ouverture. «Donne-moi la numéro 32», ordonna le poseur à son second.

* * *

Jacques avait entrepris la journée nerveusement, inquiet de ne pas être à la hauteur des attentes de son père. Mais comme il avait pris confiance au fur et à mesure que le travail s'exécutait, il avait perdu une parcelle de sa concentration. Déjà qu'il éprouvait une extrême difficulté à se concentrer sur quoi que ce soit. Ses pensées étaient maintenant tournées vers la cabane qu'il avait érigée avec des copains à proximité du chantier de construction en face de chez lui. Des promoteurs avaient décidé d'y construire ce qui est devenu le centre commercial Wilderton. Le chantier grouillait d'activité et les ouvriers y étaient nombreux.

Ces travailleurs étaient de grands consommateurs de boissons gazeuses. Ils en ingurgitaient en grande quantité par temps chaud et ensoleillé. Tout au long de l'été, Jacques et des amis faisaient quotidiennement la tournée du chantier pour ramasser les bouteilles vides. Ils les entreposaient dans la cabane de fortune et, le week-end venu, se précipitaient au supermarché Steinberg du voisinage pour les vendre. C'était une opération lucrative pour des jeunes de cet âge.

C'est sans doute à ces bouteilles et aux profits de leur vente que Jacques songeait lorsque les paroles de son père avaient résonné dans ses oreilles. Sans trop d'attention, il prit nonchalamment la fenêtre numéro 32 et, au moment où il la soulevait en direction de son père, elle lui glissa entre les mains comme une anguille fraîchement pêchée. Le cadre alla choir sur le ciment et les carreaux éclatèrent en mille morceaux.

Jacques n'eut pas le temps de s'excuser. Sa maladresse déclencha instantanément la colère de son père. En fait, une colère monstre dont Jacques conserve encore aujourd'hui le souvenir terrifié.

Descendant à la vitesse de l'éclair de son échelle, l'homme au début de la quarantaine se cabra, gesticula et hurla dans un débordement de rage frisant l'hystérie toutes les injures de son répertoire. Il engueula son fils comme du poisson pourri. Et s'il en avait eu sous la main, il aurait même pu lui en faire manger, tellement il avait perdu toute marque de civilité.

« Espèce de stupide, grand innocent, foutu imbécile de *pas-intelligent*, ne reste pas une seconde de plus devant mes yeux, débita le paternel dans sa diatribe. Je l'ai toujours dit à ta mère, tu seras toujours un bon à rien. »

Sans lui permettre de s'expliquer, ni même de s'excuser, Emmanuel lui ordonna de retourner à la maison et de l'attendre sans bouger d'un poil sur une chaise de la cuisine du logement familial. Jacques s'exécuta sur-le-champ.

Aujourd'hui, plus de quarante-cinq ans plus tard, Jacques Demers témoigne de l'incident qui a marqué à jamais sa mémoire. Un des nombreux souvenirs indélébiles qu'il aimerait bien extirper.

« J'ai vécu toutes sortes de situations avec mon père, mais celle-là est la plus douloureuse. Si j'avais rechigné pour ne pas travailler, si j'avais refusé de l'aider, si j'avais été impoli, j'aurais pu comprendre. Mais là, c'était une erreur bête, comme il en arrive à tout le monde et, à plus forte raison, à un enfant. Ce n'était pas la fin du monde. Pourquoi en avoir fait un tel drame ? Lui seul le sait. Pourtant, j'étais travaillant, je m'occupais aussi souvent que lui des travaux de la conciergerie. J'avais dix ou douze ans et il me traitait comme un homme. Encore que les hommes soient plus respectueux entre eux que l'était mon père envers moi. Des événements comme celui-là ont brisé mon enfance. D'ailleurs, je me demande si j'ai vraiment eu une enfance. »

* * *

Dans la cuisine obscurcie par un faible éclairage où la seule fenêtre donnait directement sur le mur de l'édifice voisin, Jacques était assis bien droit sur sa chaise, où l'amour maternel bienveillant avait ajouté un bon coussin.

Il ruminait ses fautes dans un silence de mort et commençait à éprouver des sentiments morbides à l'encontre de son père. Plusieurs fois, il s'était demandé comment un homme pouvait ainsi traiter son propre fils. Sa notion d'un paternel aimant en prenait pour son rhume. Puis il revenait à de meilleurs sentiments et se disait qu'en fin de compte la vie était ponctuée de passages difficiles mais obligatoires, et que la Providence avait décidé de les lui faire affronter plus rapidement que les autres. Il acceptait sa situation comme son karma. Il semblait avoir fait sien l'adage voulant que « Dieu ferme parfois les portes mais garde toujours les fenêtres ouvertes ». Il s'accrochait à cette idée.

Le jeune homme était dans l'attente pendant que sa mère accomplissait les multiples tâches de la maisonnée. Depuis une heure, il imaginait les pires scénarios. Puis il se réfugia dans un rêve où son père allait entendre raison. Emmanuel était peut-être taré mais pas nécessairement fou à lier, tentait-il de se convaincre.

Chose certaine cependant, il n'allait pas donner la chance à son père de le prendre en défaut une fois de plus. C'était bien clair dans son esprit : sous aucun prétexte, il ne quitterait le banc des accusés avant l'arrivée d'Emmanuel. Le contraire aurait été dangereux et il le savait.

Son endurance fut toutefois mise à rude épreuve deux heures plus tard lorsqu'il ressentit une forte, voire une violente envie d'uriner. Que faire ? se questionna-t-il intérieurement sachant déjà qu'il n'existait qu'une seule réponse.

Déterminé à obéir coûte que coûte, après de multiples contorsions il se résigna à… uriner dans son pantalon ! Comme un enfant dans sa couche. La honte ! Mais contrairement aux enfants, il ne fit et ne dit rien pour alerter sa mère. L'humiliation le fragilisa davantage et lui soutira une larme qu'il s'empressa d'assécher.

« Je trouvais la situation très injuste, raconte-t-il aujourd'hui. Je me demandais pourquoi mon propre père me poussait à une telle bassesse alors qu'au contraire j'aurais souhaité entendre un "je t'aime" de sa part. Je me jurais aussi que jamais je ne ferais endurer cela à mes enfants.

« J'ai vécu un moment très humiliant cet après-midi-là. Je m'étais retrouvé dans une situation sans issue. Si j'avais demandé à ma mère d'aller à la salle de bains, elle m'aurait accordé la permission sans hésiter. Mais si au même moment mon père s'était présenté à la maison, c'est non seulement moi qui risquais les pires sévices, mais elle aussi, pensai-je, qui aurait subi la colère de mon père. Or, dans ma tête, ma mère ne méritait pas de payer pour mes erreurs. Déjà qu'elle en avait beaucoup sur le dos. J'ai donc uriné sur la chaise, explique Jacques en refoulant ses sanglots.

« Combien d'enfants peuvent dire qu'ils ont fait cela dans leur jeunesse pour protéger leur mère ? Bien peu, j'en suis certain. »

* * *

Emmanuel Demers rentra finalement à l'appartement un peu plus de trois heures après la gaffe de son fils sur la rue Darlington. On aurait pu entendre voler une mouche après qu'il eut refermé la porte derrière lui.

Il avait terminé seul le travail, Dieu sait comment. Les yeux de Mignonne étaient rivés sur son mari alors que ceux de Jacques fixaient le sol.

L'heure du châtiment avait sonné. Quelle sentence allait-il infliger ? Nerveux, le cœur du fils et celui de la mère s'agitaient au même rythme, comme si deux électrodes avaient été interconnectées.

Pour une raison encore inexplicable, la réaction d'Emmanuel fut totalement à l'opposé de celle que Jacques avait anticipée. Ignorant complètement « l'accusé », Emmanuel se dirigea vers le réfrigérateur pour y saisir avec désinvolture le breuvage qui lui servait de désaltérant. En décapsulant sa bouteille d'Indian Pale Ale, il aperçut du coin de l'œil celui qui lui avait servi d'apprenti en matinée. N'affichant aucune émotion, ni colère, ni compassion, il se montra expéditif : « Va te coucher, mon p'tit câl... », dit-il, sans même regarder son fils.

Mignonne poussa un soupir de soulagement. Jacques s'empressa de prendre la direction de sa chambre à coucher, aussi rapidement que possible afin qu'on n'aperçoive pas les cernes laissés par l'urine sur son pantalon.

Emmanuel ne vit rien mais, quelques minutes plus tard, sa femme constata le dégât sur le coussin détrempé de la chaise. Selon toute vraisemblance, elle s'organisa pour le faire disparaître à jamais. Ce n'était pas le genre de choses qu'elle tenait à conserver dans le coffre à souvenirs de la famille.

Pour elle, comme pour Jacques, l'incident était clos. Valait mieux l'oublier et ne pas y revenir…

Lettre B

À mon père Emmanuel

Papa,

Voilà 40 ans que tu nous as quittés, j'ai maintenant 61 ans. Sans parler d'une existence parfaite, je crois avoir réussi ma vie, tout autant qu'avoir réussi dans la vie.

Toute ma jeunesse, j'ai espéré entrer en contact avec toi que ce soit par la parole ou par l'écriture. Toute ma jeunesse, il nous a été impossible de communiquer de quelconque façon. Encore aujourd'hui, papa, j'éprouve un très grand regret d'avoir vécu comme deux étrangers en conflit.

Dès mon jeune âge, tu avais tracé la marche à suivre : c'était ta façon de fonctionner et rien d'autre. Combien de fois, dans ma tête d'enfant, ai-je souhaité me faire traiter comme ton fils, avec amour, respect et fierté ? Si tu savais, papa ! J'ai rêvé au matin où tu te serais levé pour m'accompagner à la patinoire, au terrain de balle, au cinéma ou ailleurs avec bonheur et bonne humeur. J'ai imaginé un retour de l'école où tu m'aurais félicité pour un quelconque résultat scolaire, même s'il avait été moyen. Une seule petite minute d'encouragement aurait suffi.

J'ai attendu ce moment jusqu'à la fin de tes jours, même dans les moments les plus pénibles. Malgré toute la désillusion que je vivais, je me suis accroché au mince espoir de te voir poser un tout petit geste d'ouverture. Je ne recherchais même pas les excuses, ni les regrets. Simplement une toute petite marque d'affection.

Pendant des années, je t'en ai voulu d'avoir été un mauvais père et un mauvais mari pour maman que l'on chérissait tant. Pendant des années, j'ai tapoché sur la tête des quelques amis du voisinage pour évacuer toute la frustration emmagasinée par tes éclats de violence à la maison. Pendant des années, je le confesse, les copains que je frappais avaient tous le même visage : le tien.

Malgré tous les sévices psychologiques et physiques auxquels tu m'as soumis, j'avais tracé une certaine ligne de respect en me refusant de t'affronter. Remarque que la tentation a souvent été grande. Mais j'ai toujours résisté.

Où que tu sois aujourd'hui, il te faudrait réaliser que ma vie a été marquée d'un grand vide, celui d'un père aimant. C'est pourquoi je voudrais tant me faire affectueux, gentil et reconnaissant envers toi, malheureusement j'en suis incapable. Surtout que ce livre se veut basé sur la franchise et l'honnêteté. Je ne m'en excuse pas, mais j'en suis désolé pour toi.

Avant de te quitter, papa, laisse-moi t'admettre une chose. Un certain dimanche de printemps il y a cinq ans, j'étais à la cérémonie religieuse du matin dans une église de Montréal. Le célébrant plaidait les bienfaits du pardon. Ce jour-là, j'ai entrepris un profond processus de réflexion nous concernant. Or cette lettre, même si elle peut t'apparaître dure et sévère, marque la fin de ma réflexion.

En ce mois de mai 2005, à Hudson, à défaut de pouvoir te dire que je t'aime, je tourne la page et tiens à t'accorder mon humble pardon. Puisse cette marque d'indulgence te permettre de reposer en paix !

Jacques

Chapitre 3

Doux moments chez *mémère*

C'était en été, durant les années 1950. Jacques avait entre huit et treize ans, et les vendredis après-midi, il ne tenait plus en place. Vers 16 heures, il n'attendait qu'une chose : sauter à bord du premier autobus de la rue Van Horne pour commencer une longue escapade à destination de la rue Sherbrooke vers le centre-ville de Montréal où habitait sa grand-mère Albertine Fournier-Demers.

La randonnée en autobus et en tramway, qui durait au moins une heure, nécessitait deux correspondances avant que Jacques atteigne le 1372 de la rue Sherbrooke Est, un appartement situé entre les rues Plessis et Panet, directement en face du parc Lafontaine, au cœur de Montréal.

Son grand-père Michel avait rendu l'âme le 1er janvier 1950. Toutefois, la veuve ne vivait pas seule. Elle logeait encore ses filles Jeannette et Georgette, de même que son fils Bruno. L'ami de cœur de tante Jeannette, Jean-Baptiste Carrière, était aussi très présent et faisait partie de la famille, même s'il ne résidait pas là. Les jeunes amoureux avaient « adopté » Jacques comme leur propre fils… de fin de semaine. Jean et Jeannette adoraient cet enfant et le gâtaient allègrement.

Avant de quitter la résidence familiale du quartier Côte-des-Neiges, sa mère l'avait encore mis en garde contre ses blagues qui heurtaient sa grand-mère : « Tante Jeannette a téléphoné hier et m'a dit que tu avais encore fait choquer grand-mère à ton arrivée, à ta dernière visite. »

Excité comme toujours, Jacques avait promis à sa mère de faire attention cette fois-ci. Mais déjà il avait la tête ailleurs. Il appréciait tellement ces week-ends chez sa grand-mère que déjà il avait commencé à établir son horaire de la fin de semaine : « Je vais cirer les souliers de mon oncle Bruno et ceux de Jean à 25 cents la paire. Et ils en ont deux paires chacun ! Avec cet argent, je vais pouvoir aller au baseball voir les Royaux au stade Delorimier, juste à côté. Puis je vais écouter la télévision avec grand-mère le samedi soir en toute liberté, et finalement, j'irai à la messe dimanche matin et tante Jeannette va m'offrir un mille-feuille après la cérémonie. Puis je reprendrai un tramway et deux autobus pour revenir à la maison en fin d'après-midi. Quel programme ! Le grand luxe », songeait-il fébrilement.

Comme d'habitude, vers 17 h 30, tante Jeannette regardait défiler par la fenêtre les autobus qui paradaient à toutes les cinq minutes sur la rue Sherbrooke. Elle savourait chacune des visites de son neveu avec un plaisir renouvelé.

« Il était tellement jovial et plein d'entrain que toute la maisonnée était transformée lorsqu'il était parmi nous, se rappelle-t-elle. Sa bonne humeur et sa fraîcheur étaient contagieuses. Il était généreux et parlait sans arrêt. Jacques n'était rien de moins qu'un rayon de soleil dans nos vies. Ma mère Albertine l'aimait tellement. Ce n'est pas explicable. »

Tel que prévu, le petit débrouillard se pointa à l'heure habituelle. Il descendit fébrilement les marches de l'autobus et, encore une fois, faillit dégringoler tellement il avait hâte de retrouver sa famille du week-end.

Avec sa tête de chérubin et les bras qui gesticulaient dans tous les sens, il se précipita vers la porte d'entrée qu'il ouvrit en coup de vent avant même que tante Jeannette eût le temps de mettre la main sur la poignée ! Après avoir pris une grande respiration, il s'écria une nouvelle fois : « Salut *mémère*, comment ça va ? Je viens vous garder ! »

Découragée, tante Jeannette s'exclama : « Jaaaacques ! Tu ne viens pas garder grand-maman, tu viens la voir ! Tu viens la VOIR, grommela-t-elle.

« C'est ça, *mémère*, je viens vous garder ! » ajouta-t-il en riant aux éclats devant un auditoire encore renversé.

Après un certain moment d'indisposition, grand-mère Albertine succombait invariablement aux charmes de son petit-fils. « Viens m'embrasser, petit tannant, mais ne dis plus jamais cela ! » dit-elle avant de le serrer affectueusement dans ses bras.

La fin de semaine était commencée.

* * *

Le petit Jacques profitait de ces courts séjours au sein de la famille de son père pour afficher une personnalité qu'on lui connaissait peu en temps normal dans le quartier Côte-des-Neiges.

Loin des regards indiscrets, il devenait un gamin épanoui et se montrait espiègle. C'était à l'opposé de l'enfant qu'il était sur la rue Van Horne où il vivait refermé sur lui-même, de peur que l'entourage découvre la triste réalité qui était la sienne. Il éprouvait de la honte pour son père alcoolique qui agissait souvent comme un tortionnaire auprès de sa femme et de ses enfants.

Chez grand-mère, on ignorait complètement la chose, bien qu'on sache qu'Emmanuel n'était pas un enfant de chœur. Mais jamais on aurait deviné qu'il régnait un climat si malsain à la maison.

« Mon père criait très régulièrement après ma mère et les enfants, se souvient Jacques. Ça faisait partie de notre quotidien. Il lui arrivait de la battre. On vivait dans cette atmosphère de violence sans mot dire. J'ai connu plusieurs nuits blanches à tenter de dormir avec un oreiller sur la tête afin de ne pas être témoin de tous ses excès. »

Comme c'était souvent le cas à l'époque, il n'était surtout pas question de défier le paternel. Pas plus qu'il n'était de mise de tenter de le raisonner. L'opération aurait provoqué l'effet contraire au résultat souhaité. En cas d'intervention, la situation se serait envenimée.

« On n'en parlait même pas entre nous, dit Jacques en faisant référence à ses deux sœurs et à sa mère. Après une soirée et une nuit à entendre les crises de notre père ivre, on se levait le lendemain et on faisait comme si de rien n'était. Ce n'est pas qu'on tentait d'évacuer cela de notre mémoire mais c'était un sujet tabou. On était passés maîtres dans l'art de regarder vers l'avant plutôt que de ruminer le passé. C'était mieux ainsi. »

Jacques profitait donc de ces moments chez grand-mère pour fuir sa triste réalité. Il vivait dans la tourmente à longueur de semaine et ces visites lui permettaient de profiter d'une période d'accalmie. Jacques reconnaît toutefois aujourd'hui que c'est à partir de ces visites chez grand-mère qu'il commença à mentir. Au début, c'était par ignorance et naïveté. Puis ce fut par omission : il ne disait rien. Plus tard, lorsqu'on le questionnait, il jouait la comédie. Il embellissait sciemment les choses.

Il se souvient d'un incident qui aurait dû pourtant sonner une cloche dans la tête de grand-mère, ainsi que chez ses oncles et ses tantes. Un jour, il se présenta chez grand-mère débordant d'enthousiasme. Comme d'habitude, il devenait le centre d'attraction de la maisonnée et on le questionnait sur la semaine qu'il venait de passer. Naïvement, Jacques disait avoir très hâte de revenir chez ses parents le dimanche soir.

« Et pourquoi ? » demanda grand-mère.

« Bien, nous allons avoir des meubles neufs », répondit-il.

Intriguée, grand-mère continua à questionner son petit-fils : « Pourquoi dis-tu cela, Jacques ? Tu es allé au magasin avec papa et maman cette semaine ? »

Comme il fallait s'y attendre, ce n'était pas du tout le cas. Dans sa tête d'enfant, le petit Jacques avait plutôt sauté aux conclusions un peu hâtivement après avoir assisté à une triste scène le jour même. Il s'empressa d'expliquer : « Ce matin, avant de partir pour l'école, trois hommes sont entrés dans la maison et ils ont mis tous nos meubles dans un camion. Ils ont apporté nos vieux meubles, *mémère*. Ça veut dire que nous allons avoir des meubles neufs en fin de semaine ! »

C'était ce qu'il croyait. La réalité était tout autre. Emmanuel n'avait jamais été en mesure d'acheter des meubles pour sa famille. En fait, il les louait. C'était une pratique courante à l'époque dans les familles démunies. Mais il fallait effectuer les paiements mensuels, une obligation qu'Emmanuel n'avait pas honorée depuis quelques mois. Après quelques avis, il n'avait toujours pas payé sa dette et le locateur avait procédé à une saisie.

* * *

Après avoir raconté les péripéties de sa semaine et avoir établi son agenda de fin de semaine, Jacques s'attablait dans la cuisine où grand-mère lui servait à souper. Il n'avait presque pas terminé son assiette qu'il se faisait invariablement un devoir de contacter sa mère. Pour sa famille de fin de semaine, ce geste témoignait de son sens des responsabilités.

« Il était réglé comme une horloge, se souvient tante Jeannette. Entre 18 et 19 h, le vendredi soir, il saisissait le téléphone et communiquait avec Mignonne. C'était sacré. À l'époque, on croyait qu'il agissait de la sorte pour lui dire simplement qu'il était bel et bien rendu chez grand-mère afin de la rassurer. »

En réalité, ce coup de fil, en apparence anodin, visait un autre but bien précis. Bien sûr, Jacques tenait à ce que Mignonne soit rassurée à son sujet, mais son appel visait tout autant à le rassurer lui-même sur sa mère, car il s'inquiétait pour elle.

« Ces appels du vendredi soir sont gravés à jamais dans ma mémoire, dit le principal intéressé. J'avais autant besoin d'entendre la voix de ma mère que l'inverse. En réalité, j'étais plus inquiet pour elle qu'elle pouvait l'être pour moi. Elle, au moins, me savait en sécurité. Moi, pas toujours. »

Les conversations ne duraient jamais très longtemps. Il ne fallait que deux ou trois minutes à Jacques pour savoir comment la vie se passait à la maison. Une chose était certaine, son père avait amorcé depuis au moins l'après-midi sa cuite de fin de semaine. D'une fois à l'autre cependant, Jacques se tourmentait au sujet de l'effet que l'alcool allait provoquer chez lui.

À l'autre bout du fil, Mignonne ne se plaignait jamais. Bien au contraire, elle tentait d'enjoliver la conversation, mais, de façon instinctive, Jacques devinait si la situation avait déjà commencé à tourner au vinaigre.

« Ma mère était une sainte femme, insiste-t-il encore fortement aujourd'hui. Elle acceptait toujours les sautes d'humeur de mon père. Il pouvait la traiter de tous les noms sans qu'elle réplique. Mais lorsqu'il décidait de s'attaquer aux enfants, elle devenait très protectrice. »

Lorsque Emmanuel, ivre, décidait de dénigrer l'un ou l'autre de ses trois enfants, Mignonne prenait souvent le risque de l'affronter. Auparavant, comme dans un rituel pour se soustraire à la peur, elle décidait d'ingurgiter elle aussi quelques bières. Revigorée et fortifiée par l'alcool, elle faisait face à son mari.

La scène était à la fois cocasse et triste à mourir. Dans la minuscule cuisine fortement emboucanée par la fumée de cigarette, Mignonne et le père de ses enfants étaient sur le pied de guerre. La discussion, si on peut la qualifier ainsi, était infernale. Libérée momentanément de ses craintes, la frêle Mignonne se transformait en combattante chevaleresque devant son imposant mari. Elle lui renvoyait, tel un miroir, tous les reproches qu'il tentait d'adresser à ses enfants.

Comme Emmanuel avait la mèche courte et qu'il n'était pas friand de grandes discussions philosophiques, il lui arrivait fréquemment de mettre un terme à ces prises de bec animées par un excès de violence. Il *tapochait* alors sur sa femme pour la réduire au silence. Parfois même en présence des enfants.

« Ma mère a été battue, témoigne Claudette, la sœur de Jacques. Nous avons été témoins de plusieurs incidents, mais le plus marquant fut le jour où mon père a frappé ma mère au point de lui ouvrir l'arcade sourcilière. »

Jacques se souvient, lui aussi, de l'incident parce que les circonstances font figure de symbole. « Cette fois-là, raconte-t-il, mon père ne s'était pas seulement contenté de la frapper au visage, mais il l'avait atteint à l'œil avec… sa bague de mariage. Incroyable ! Il s'était servi de son alliance pour la corriger. Le sang avait giclé partout. Ma mère s'était rapidement réfugiée dans la salle de bains mais on avait tout vu. Elle souffrait autant physiquement qu'intérieurement pendant que lui ne semblait même pas éprouver l'ombre d'un remords. Je crois que c'est à partir de ce moment-là que j'ai vraiment commencé à ressentir de la haine à son endroit.»

* * *

Simplement au ton de la voix de sa mère au téléphone, Jacques pouvait se faire une idée assez juste du climat qui régnait dans leur logement de Côte-des-Neiges. Lorsque Mignonne tenait un discours filandreux ou qu'elle avait la bouche pâteuse, il devinait qu'elle avait puisé dans la caisse d'Indian Pale Ale de son mari et qu'elle se préparait à attaquer. Mais du coup, il était pleinement conscient qu'elle ne sortirait jamais victorieuse de la confrontation, verbale ou physique.

Lorsqu'il s'apercevait que la situation n'était pas au beau fixe à la maison, il tentait de prolonger la conversation avec sa mère adorée. Mais il ne faisait que reporter de trois ou quatre minutes le début des hostilités.

Après avoir raccroché, le petit Jacques avait le cœur en broussaille mais son don inné pour le dédoublement de personnalité se manifestait rapidement. Il reprenait ses sens avant de regagner le salon de grand-mère où l'attendaient ses hôtes.

«Tout va bien, disait-il en souriant nerveusement. Maman est de bonne humeur, Clo (sa sœur Claudette) et KiKine (sa sœur Francine) le sont tout autant. Elles vous font de belles salutations», ajoutait-il sans réellement faire référence à son père. Ce qui, en soi, aurait dû appeler à une certaine vigilance.

«En quelques occasions, et bien inconsciemment, Jacques nous a lancé des messages qui auraient dû éveiller nos soupçons, reconnaît tante Jeannette aujourd'hui. Mais nous ne réalisions pas ce qui se passait réellement. D'autant qu'Émile (le surnom d'Emmanuel) ne voulait surtout pas qu'on se mêle de sa vie. Si mon père Michel avait su ce qui se passait, il aurait écrasé son fils Émile comme une punaise. Il respectait Mignonne et aimait tellement les enfants.»

* * *

Le vendredi soir chez grand-mère, Jacques se couchait tôt. D'abord parce qu'il désirait se lever de bonne heure et aussi parce que c'était la condition fixée par grand-mère pour pouvoir prolonger sa soirée devant le téléviseur le samedi soir.

Dès qu'il était sorti du lit le samedi matin, Jacques se précipitait vers l'entrée de l'appartement où oncle Bruno et Jean Carrière avaient volontairement laissé leurs deux paires de souliers à cirer. Il lavait d'abord les chaussures avec un chiffon avant de procéder à l'application de la cire. Puis il les polissait avec un linge doux et soyeux. Il s'acquittait de cette tâche avec la patience et la minutie d'un artiste. Et surtout avec plaisir. Le travail lui prenait environ 90 minutes. Après quoi il prenait le petit-déjeuner avec grand-mère et les autres. «Il était très vaillant et méticuleux», souligne tante Jeannette.

Pendant qu'il refaisait une beauté aux souliers d'oncle Bruno et de Jean, le petit Jacques avait une pensée pour sa mère. Il se demandait comment avaient bien pu se terminer sa soirée et sa nuit. Mais il revenait rapidement au moment présent et écrivait intérieurement le scénario de sa journée.

Il savait que les Royaux de Montréal étaient en action au stade Delorimier cet après-midi-là. Même si le fameux Jackie Robinson n'était plus avec l'équipe depuis une dizaine d'années, Jacques ne voulait pour rien au monde rater le match de cette fameuse équipe de baseball. En plus d'apprécier le jeu, il profitait de son passage au stade pour se gâter, se gavant d'arachides et de maïs soufflé.

Une seule chose pouvait l'empêcher de savourer ce petit bonheur du samedi après-midi. À l'heure du dîner, oncle Bruno et Jean Carrière procédaient à l'inspection des souliers. Pour eux, c'était un jeu. Les deux adultes éprouvaient d'ailleurs beaucoup de plaisir à faire languir le jeune cireur. Ils analysaient sous toutes leurs coutures chacune des chaussures cirées, à la recherche de la moindre parcelle de négligence. Jacques, le regard interrogateur, surveillait toujours du coin de l'œil l'évaluation de ses clients. Le reste de sa journée dépendait de leur verdict.

Après avoir effectué quelques contorsions et s'être gentiment payés la tête du gamin, Bruno et Jean enfonçaient leur main droite dans leur poche et procédaient au paiement. Le tarif usuel était de 25 cents la paire, ce qui en principe lui procurait un dollar. Mais bien rares étaient les occasions où Bruno et Jean n'ajoutaient pas un pourboire d'au moins 25 cents chacun en guise de bonification pour le travail bien fait.

De toute sa carrière de cireur, Jacques ne se souvient pas d'avoir failli à la tâche au point de ne pas avoir été rémunéré, même si, chaque fois, il ressentait une certaine nervosité au moment de l'interminable inspection. Comme quoi cet enfant avait conservé une bonne dose de naïveté malgré tous les sévices physiques et psychologiques qu'il subissait à la maison.

La plupart du temps, Jacques se rendait seul au stade Delorimier, mais il arrivait parfois à Jean de l'accompagner. Lorsque cela se produisait, c'est comme si le bambin découvrait le Klondyke. L'ami de cœur de tante Jeannette partait à pied avec lui. Le duo mettait à peine dix minutes pour se rendre au stade. À destination, Jean se chargeait des frais d'entrée et gâtait généreusement l'enfant aux différents comptoirs de restauration. Jacques n'avait pas à sortir un sou de son pécule gagné grâce au cirage des souliers. Il profiterait de cet argent plus tard, au restaurant du coin, pour vider le comptoir de friandises.

« Plus que l'argent qu'il dépensait pour moi, Jean m'accordait de l'attention, raconte Jacques. L'ami de tante Jeannette agissait comme un père en m'accompagnant à des activités. De plus, il prenait le temps de m'expliquer certaines choses de la vie et répondait à mes multiples questions. Il était doux, ouvert et sans malice. À l'opposé de mon père. C'est peut-être pourquoi j'ai douté longtemps de son véritable statut. Je me suis souvent demandé s'il n'était pas mon vrai père. Il me semble que c'était impossible qu'un homme si attentif à moi ne soit qu'un simple étranger. En rétrospective, je crois que, plus que quiconque, il avait décelé l'absence d'affection de mon père qui me faisait tant souffrir. De façon bien généreuse, il comblait un grand vide. »

À son retour chez grand-mère, après le match des Royaux, Jacques redevenait le clown de la famille en racontant une multitude d'anecdotes tirée des choses, plus ou moins vraies, qui lui étaient arrivées au stade un peu plus tôt. Puis, pour qui voulait l'entendre, il faisait la description du match auquel il venait d'assister, agrémentant son discours de plusieurs détails qui au fond n'intéressaient personne. Mais il était tellement enthousiaste que la famille s'intéressait davantage à ses talents de conteur qu'au contenu même de son récit.

« C'était une véritable machine à parler », insiste encore tante Jeannette en y allant d'une anecdote savoureuse pour mieux illustrer son propos.

« Mon frère Bruno, qui demeurait avec nous chez ma mère, était un vieux garçon qui jasait très peu. Il aimait bien Jacques lui aussi… mais Dieu qu'il le trouvait bavard ! Afin de se reposer les oreilles de temps à autre, il prenait un pari amical avec lui. Il s'engageait à lui donner *cinq cennes* pour chaque tranche de cinq minutes pendant laquelle Jacques parviendrait à garder le silence. Or, jamais au cours de toute sa jeunesse, Jacques n'a réussi à soutirer *cinq cennes* des poches de Bruno. Jamais ! Ça ne durait jamais plus de deux minutes. Pourtant, il aimait bien avoir des sous à dépenser au restaurant du coin. Mais c'était plus fort que lui. Il aimait parler. »

Chaque fois que la chose se produisait, la famille riait à gorge déployée, pendant que Jacques se désolait mais sans trop de conviction. Il valait probablement mieux être sans le sou que muet ! devait-il se dire.

* * *

D'ordinaire, toute la famille partageait le souper du samedi. Après le repas, les grands enfants prenaient des directions différentes pour aller s'amuser en ville. Grand-mère Albertine demeurait donc seule avec Jacques le samedi soir. C'est de ces doux moments d'intimité avec elle que Jacques avait logiquement déduit, avec son humour bien personnel, qu'il « allait garder *mémère* » la fin de semaine.

Avant de s'installer sur le sofa pour une grande soirée de télévision, Jacques devait prendre son bain, faire sa toilette et enfiler son pyjama. Cela fait, il s'assoyait à côté de grand-mère qui avait déjà préparé un petit plat de croustilles et quelques friandises. La dame et son petit-fils syntonisaient alors des canaux anglophones qui diffusaient des émissions parmi les plus écoutées en Amérique, soit *The Jackie Gleason Show* (CBS) ou *The Lawrence Welk Show* (ABC). Ces émissions de variétés présentaient en direct les plus grands noms du monde du spectacle.

Jacques écoutait religieusement chacun des numéros. Fait plutôt rare, il en perdait presque la parole tellement le spectacle le captivait. Il s'agissait du moment le plus paisible de sa semaine même si après chacun des numéros, il voyait s'égrener les minutes à l'horloge.

Quand une émission était terminée, grand-mère Albertine commençait à préparer Jacques à sa nuit de sommeil. « Il se fait tard, Jacques, et tu dois aller te coucher », lui disait-elle.

La dame avait à peine terminé sa phrase que le gamin s'interposait afin de pouvoir prolonger sa soirée télévisuelle : « *Mémère*, est-ce que vous avez déjà regardé le prochain programme ? » demandait-il sans avoir aucune, absolument aucune idée de l'émission qui suivait.

« Non je ne l'ai jamais vu », faisait alors grand-mère en toute franchise.

« Eh bien moi, *mémère*, je la connais. C'est assez bon qu'on devrait la regarder ensemble ! » ajoutait-il d'un ton convaincant.

À chaque occasion, grand-mère entrait dans le jeu de son petit-fils avec un plaisir fou. Le petit Jacques répétait la manœuvre à la fin de chaque émission, de sorte qu'il demeurait sur la causeuse du salon jusqu'à ce que la fatigue l'emporte au pays des anges. Comblé, il s'endormait sur le canapé sans même se soucier du sort qui était réservé à sa mère et à ses sœurs à la maison. Grand-mère éteignait le téléviseur avant d'aller porter son petit-fils au lit et de le border tendrement.

«Au risque de me tromper, je crois que ces soirées à regarder la télévision avec Jacques ont fait partie des plus beaux souvenirs de la vie de ma mère, soutient tante Jeannette. Je crois même qu'elle était heureuse de nous voir partir de la maison le samedi soir de façon à passer quelques heures en sa seule compagnie.»

* * *

Après une autre nuit de sommeil paisible, Jacques se réveillait à l'aube, le dimanche. Bien que l'envie le tenaillât, il ne quittait pas son lit tant qu'il n'avait pas entendu bouger dans l'appartement. Mais dès qu'un bruit se manifestait, il bondissait tel un ressort sur ses deux jambes. Il arrivait en trombe dans la cuisine et recommençait à parler sans cesse au point d'en étourdir ses auditeurs encore somnolents. C'est surtout le dimanche matin qu'oncle Bruno lui suggérait de s'enrichir en gardant la consigne du silence. Mais c'était peine perdue.

La journée du dimanche était d'ordinaire réservée aux activités avec tante Jeannette. Après le déjeuner, sa chère tante passait son linge au peigne fin et en faisait le tri. Elle réparait les pièces endommagées, reprisait les morceaux fripés et, surtout, échangeait les vieux vêtements par des neufs qu'elle avait eu le loisir d'acheter çà et là au cours de la semaine. Elle était fière de son neveu et voulait qu'il se présente sous son meilleur jour à la messe de 11 heures.

C'est à cette période de sa jeunesse que les principes religieux se sont ancrés dans la vie de Jacques. Sa mère Mignonne lui avait bien inculqué quelques notions de religion, mais c'est surtout en compagnie de tante Jeannette qu'il pratiquait sa foi. On verra plus loin dans ce livre comment et pourquoi le croyant qu'est Jacques Demers s'est servi de sa foi comme d'une alliée.

Tiré à quatre épingles, Jacques assistait donc à la messe dominicale tel un prince. «Je m'occupais de sa tenue vestimentaire, rappelle sa tante Jeannette. Il m'arrivait de lui acheter du linge. Ça lui faisait plaisir tout autant qu'à moi. Mais au fond, je le faisais beaucoup pour Mignonne qui n'avait pas les moyens de le vêtir à son goût.»

Après la messe, tante Jeannette et Jacques faisaient un arrêt incontournable à la pâtisserie du coin. C'était devenu une tradition. Elle achetait des gâteaux pour toute la famille afin d'agrémenter le repas du midi. C'était en sa compagnie que le palais de Jacques avait pu déguster une première fois les saveurs riches et sucrées de la pâte feuilletée et de la crème pâtissière des mille-feuilles. Quel délice !

En voyant entrer Jeannette et son neveu le dimanche midi, aucun doute dans l'esprit de l'employé de la pâtisserie : on venait dégarnir son présentoir de mille-feuilles. Et quand parfois la tante se laissait attendrir, elle vidait tout, en doublant la commande.

Après le repas du midi, la maison de grand-mère se remplissait souvent de nombreux visiteurs. La plupart de ses autres enfants passaient la visiter. Emmanuel était, encore une fois, l'exception à la règle. Ce qui désolait grand-mère Albertine, bien qu'elle jouît de la présence de son petit-fils à toutes les trois semaines en moyenne.

Autour de 16 heures, le petit Jacques reprenait son baluchon et effectuait le trajet en sens inverse à destination du logement familial de la rue Van Horne, à Côte-des-Neiges.

Après un week-end paradisiaque, il devait s'attendre à vivre son purgatoire, et parfois même à visiter l'enfer, pendant trois longues semaines… dans l'attente de revivre d'autres moments tendres chez *mémère*.

Lorsqu'on le questionne aujourd'hui sur les sentiments qui l'habitaient lors de ces séjours sur la rue Sherbrooke, Jacques ne peut retenir son émotion : « C'est simple, il y avait beaucoup d'amour, de douceur et de calme chez grand-mère. C'était paisible et chaleureux. Je ne connaissais pas ça chez moi. »

Et tante Jeannette ajoutera : « On ne faisait rien de spécial mais on le traitait comme un être humain. Mon frère Émile, lui, cherchait plutôt à l'écraser. »

Lettre C

À ma grand-mère Albertine

Chère mémère,

J'avais 16 ans lorsque vous nous avez quittés et pourtant, quarante-cinq ans plus tard, je conserve un souvenir très clair de votre sourire et de vos gestes affectueux.

Comment oublier ces fameuses fins de semaine en votre compagnie à votre appartement de la rue Sherbrooke, en face du parc Lafontaine ? Du plus loin que je me souvienne, ce furent les plus beaux moments de ma jeunesse... même si parfois je vous faisais choquer ou que vous me trouviez un peu bavard !

Vous avez été une grand-mère fantastique, chère mémère, car vous me respectiez et vous m'aimiez sans condition. En votre compagnie, j'avais l'impression d'être protégé par une très bonne personne.

C'est étrange, mais quelques années après votre décès, je me suis retrouvé à la basilique de Sainte-Anne-de-Beaupré et j'ai ressenti le même esprit protecteur que lors de mes visites chez vous sur la rue Sherbrooke. Sainte Anne était elle aussi une grand-mère et je vous ai retrouvée en elle. C'est sans doute pourquoi elle n'a jamais cessé de me faire du bien...

Où que vous soyez, mémère, j'aimerais que vous sachiez que vous avez été l'une des femmes les plus importantes de ma vie et que votre souvenir restera à jamais gravé dans ma mémoire.

Jacques

Chapitre 4

Un cancre à l'ombre de l'Université de Montréal

Jacques Demers n'avait jamais éprouvé autant de hâte à revenir de l'école que ce midi d'automne du milieu des années 1950. D'ordinaire, lorsqu'il avait une nouvelle à transmettre à ses parents en provenance de l'école, c'était rarement réjouissant. Or, cette fois-là, la situation était fort différente.

* * *

Après avoir fréquenté pendant cinq ans l'école primaire Saint-Pascal Baylon située en face du parc Kent sur l'avenue Côte-des-Neiges, Jacques poursuivait désormais ses études à la prestigieuse école Saint-Germain d'Outremont, située à l'angle de la Côte-Sainte-Catherine et de la rue Vincent-d'Indy. La clientèle de cette maison d'enseignement provenait de familles du secteur huppé d'Outremont, financièrement plus à l'aise que celles de son ancienne école, milieu modeste, voire démuni.

Mais comme Emmanuel avait dû déménager sa famille d'un immeuble d'habitation à un autre après avoir failli à sa tâche de concierge, les Demers se retrouvaient désormais plus près de l'école outremontaise que de celle qui avait accueilli Jacques pendant ses cinq premières années scolaires.

Sur le plan pratique, son transfert était souhaitable et Mignonne avait presque demandé la « charité » pour qu'on accepte son humble fils Jacques dans cette école publique réservée à une certaine bourgeoisie. Mais toujours convaincante quand il s'agissait de défendre ses enfants, elle avait réussi à plaider favorablement sa cause auprès d'un directeur bienveillant.

C'est ainsi que Jacques put entreprendre sa 6e année à l'école Saint-Germain d'Outremont où rapidement il se lia d'amitié avec André L'Africain, Serge Rouleau, Pierre Plourde, Pierre Gauthier et d'autres copains de bonne famille qui l'avaient accepté sans discrimination et, surtout, sans égard à ses «performances» scolaires. Car le gamin de onze ans n'avait rien du parfait disciple de Charlemagne, celui qui, selon la légende, «avait inventé l'école». Oh que non!

Jusque-là, il avait trimé dur pour réussir à obtenir les notes de passage à chacune de ses cinq premières années. Ses professeurs le disaient distrait, peu studieux et plutôt désintéressé par le savoir. On portait des jugements lapidaires à son endroit plutôt que de s'interroger sur la cause de ses difficultés d'apprentissage.

«J'ai grandi à l'ombre de l'Université de Montréal, ce milieu de haut savoir, relate Jacques, mais très jeune, j'ai su que le bon Dieu ne m'avait pas réservé ce chemin-là. Je voyais bien les grosses bâtisses de l'Université dans ma vie quotidienne, mais je n'ai jamais songé à y être admis. Ce n'était même pas un rêve pour moi.

«Je savais que je ne deviendrais jamais avocat, comptable, médecin ou ingénieur. J'éprouvais tellement de difficultés à l'école que j'avais hâte d'en sortir. Par contre, j'étais plutôt habile avec mes mains. Je me disais que je deviendrais un travailleur manuel. Dans quoi? Je n'en avais aucune idée, mais je n'avais pas peur de l'ouvrage.»

C'est évidemment à l'école primaire que Jacques constata les premières manifestations de sa marginalité. En classe, il éprouvait des problèmes aigus de concentration. Et à la maison, il se torturait les méninges à vouloir étudier. Il ne pouvait le faire de façon intelligible. Il lisait une succession de mots sans être en mesure de faire des liens. Plutôt que l'éclairer, ses lectures le plongeaient davantage dans la noirceur, voire l'ignorance.

«J'étais incapable de retenir quoi que ce soit, dit-il. En classe, j'étais ailleurs. Je voyais bien que je n'apprenais pas au même rythme que mes collègues. Ça ajoutait à mes difficultés à la maison.»

Jacques se souvient d'un incident qui l'a presque incité à abandonner l'école en bas âge: «Le professeur nous avait donné un cours de géographie en nous informant que dès le lendemain, il nous soumettrait à un test pour évaluer nos connaissances. Il fallait reconnaître la position géographique des continents et des principaux pays du monde sur un globe terrestre. Je m'étais promis de bien apprendre ma leçon. Le soir venu, j'avais passé beaucoup de temps à mémoriser la matière. Puis au moment de l'examen, tout est devenu confus dans ma tête. Un véritable fouillis. L'Afrique était rendue au Japon alors que le Canada était en Australie ! »

Naturellement, le professeur l'avait rabroué au moment de dévoiler les résultats en l'accusant de ne pas avoir étudié comme il aurait dû. Sa mère Mignonne, qui avait été témoin des efforts de son fils pour assimiler la matière, avait plutôt conclu à un surplus de fatigue physique et mentale causé par l'éreintante pression que son mari exerçait sur lui.

« Moi seul savais que ce n'était rien de tout cela, admet Jacques aujourd'hui. J'avais réalisé cette fois-là que j'avais des problèmes. J'en ignorais la nature, mais je constatais que je n'étais pas normal. C'était cela ou alors j'étais un parfait idiot. Le doute m'avait envahi. »

* * *

Ce midi-là donc, Jacques était apparu dans l'appartement telle une fusée. Sa joie était immense, au point où il aurait voulu exprimer dans une seule phrase tout ce qu'il ressentait. Les mots se succédaient en rafales dans un jargon incompréhensible.

« Prends ton temps Jacques, prends ton temps », supplia Mignonne.

« Maman, j'ai deux bonnes nouvelles à vous annoncer », finit-il par dire avant de passer aux explications.

« Vas-y, je t'écoute », fit-elle, intriguée.

Mignonne était convaincue qu'enfin son aîné lui ferait part d'un résultat scolaire décent ou encore d'une mention de bonne conduite en classe. Mais elle constata rapidement que pour les notes encourageantes ou les mentions d'honneur, elle devrait patienter encore.

« D'abord, maman, j'ai une nouvelle *job*, lança-t-il avec enthousiasme. Et savez-vous quoi maman ? On vient de m'accepter pour être enfant de chœur à l'église, ajouta-t-il en fixant sa mère en quête d'un sourire. »

« Mais quoi d'autre, Jacques, concernant l'école ? ».

« L'école ? Eh bien, il n'y a rien de neuf à l'école ! »

Mignonne faillit tomber en bas de sa chaise. Elle était complètement décontenancée : « C'est tout ce que tu as à me dire au sujet de l'école ? »

« Euh, oui. »

« *Ben*, on aura tout vu ! murmura Mignonne d'un air désenchanté. Mange ton assiette de pâté chinois pendant que c'est chaud. »

Le petit Jacques sentit que sa mère ne vibrait pas au même diapason que lui. Du reste, elle ne nageait sûrement pas dans l'allégresse. Elle eut néanmoins la délicatesse d'écouter ses explications.

Le gamin raconta d'abord qu'il devrait dorénavant dîner très rapidement car un travail l'attendait le midi au minuscule « dépanneur » qui avait pignon sur rue à côté de sa nouvelle école.

« Depuis quelques jours, à l'école, plusieurs élèves font circuler la rumeur selon laquelle il est facile de voler des bonbons au dépanneur, mentionna-t-il. Or hier, j'y suis allé et j'ai moi-même constaté que c'était vrai. Je l'ai dit au propriétaire et je lui ai offert mes services pendant trente minutes chaque midi. Ce matin, il a dit qu'il acceptait ma proposition et qu'il me paierait en liqueurs douces ou en bonbons. Je commence à travailler demain midi. »

Ce que le jeune garçon n'expliqua pas tout de suite à sa mère, c'est que le vieux commerçant éprouvait de sérieux problèmes de vision. À vrai dire, il était pratiquement aveugle. Les bambins du coin, qui venaient pourtant d'un milieu prospère, en avaient pris bonne note et en tiraient profit. À l'inverse, les Demers étaient plutôt fauchés, mais la notion d'honnêteté était toujours sacrée dans l'esprit du petit Jacques.

« C'est étrange, mais je ne pouvais concevoir qu'on puisse voler un aveugle, estime-t-il encore aujourd'hui. J'oublie le nom de cet homme qui est sûrement décédé. Tout comme le dépanneur qui n'existe plus puisqu'on y a construit le Cepsum [Centre d'éducation physique et des sports de l'Université de Montréal]. Néanmoins j'éprouve encore un sentiment de fierté d'avoir prêté mes yeux à un vieil homme qui était victime des profiteurs. D'autant qu'en fin de compte ça me permettait d'avoir mon petit sac de bonbons ! »

Quant à son arrivée au sein des enfants de chœur de l'église Saint-Germain d'Outremont (qui était juste à côté de l'école du même nom), ce n'était pas nécessairement une surprise pour Mignonne puisque son fils lui avait manifesté son intention depuis quelques semaines déjà. À la limite, elle n'était pas réfractaire à sa participation aux activités de l'église, mais elle affichait tout de même une certaine réticence.

« Tu sais, Jacques, tu dois mettre plus de temps et de concentration sur tes devoirs et tes leçons. Sans compter que tu as déjà beaucoup à faire ici, à la maison », lui rappela-t-elle sans ressentir le besoin de lui faire un dessin au sujet des obligations que lui imposait son père.

* * *

Mignonne savait exactement de quoi elle parlait. Son fils, bien que dernier de classe, était un bourreau de travail. Son horaire était chargé.

Son temps était pratiquement minuté. Il accomplissait plusieurs tâches afin d'aider sa famille. Certaines étaient obligatoires, d'autres relevaient davantage de son sens des responsabilités.

Du coup, le travail lui permettait étrangement de camoufler sa réalité quotidienne. Comme il éprouvait un sentiment de honte face à sa condition familiale, le travail constituait une formidable évasion. Il lui servait de parfait alibi pour éviter de frayer trop longtemps avec les copains de son âge. Comme il tenait à camoufler les excès de son père, il n'était pas question pour lui de fraterniser avec les amis au point de les inviter à la maison. Bien au contraire, il manœuvrait toujours pour éviter d'être confronté à une telle situation.

« Je dénichais continuellement de bonnes raisons pour empêcher que la vérité n'éclate aux yeux des enfants de mon âge. Mon père pouvait m'humilier, m'abaisser, me violenter physiquement et psychologiquement, mais il était hors de question de dévoiler mon épouvantable réalité. »

Cette réalité, effectivement odieuse et ignoble, était inconnue de son entourage grâce au talent fantastique que le jeune homme possédait pour la masquer. Ses émotions étaient cadenassées dans son jardin intime et il agissait comme s'il avait égaré la clé. Pour qui que ce soit, sauf pour Mignonne, c'était « entrée interdite ».

« Dès que je mettais le pied à l'extérieur de la maison, je portais un masque, dit-il. Je vivais avec la peur continuelle que quelqu'un, par malice ou par hasard, ne vienne le soulever. C'est pourquoi je fuyais toujours les amis. Je ne restais jamais longtemps au sein d'un groupe. Je jouais le petit garçon jovial, attentif aux problèmes des autres, mais je demeurais au-dessus de la mêlée. Après quelques minutes, je partais. Je voulais tant qu'on m'aime, mais j'évitais de devenir intime avec qui que ce soit. En fait, c'est parce que je ne désirais surtout pas qu'on me questionne sur ma famille. »

Les raisons pour quitter le groupe ne manquaient pas d'ailleurs et tout le monde pouvait les comprendre : officiellement, Jacques distribuait les journaux le matin et il besognait les fins de semaine à l'épicerie Wolfe de la rue Darlington où il rangeait des conserves sur les étagères et faisait la livraison à bicyclette. À cela viendrait s'ajouter, si maman Mignonne était d'accord, une petite tâche du midi au dépanneur dont le propriétaire était presque aveugle. Puis il y avait les études, de même que la perspective de devenir enfant de chœur.

* * *

C'était déjà beaucoup, mais le quotidien de Jacques était aussi composé d'une partie officieuse plus obscure. Afin d'obtenir un logement à moindre coût, son père faisait office de concierge dans l'immeuble où logeait sa famille et devait effectuer plusieurs tâches. Les principales consistaient à nettoyer les marches de l'entrée et les passages, à sortir les ordures, à répondre aux doléances des autres locataires et à réparer les bris mineurs. L'automne venu, il devait installer les contre-fenêtres. En hiver, il devait déneiger l'allée bétonnée menant à l'entrée et, surtout, veiller à alimenter une immense chaudière à charbon qui servait à chauffer la bâtisse.

La famille résidait maintenant à l'appartement n° 2 situé au rez-de-chaussée du 2495 de la rue Van Horne, une conciergerie de vingt-quatre appartements, soit dix de plus qu'au 2800 de la même rue, d'où Emmanuel avait été expulsé pour ne pas avoir rempli ses fonctions adéquatement. Les deux conciergeries n'étaient séparées que de quelques centaines de mètres. Ce n'était donc pas un milieu étranger pour la famille, qui en était au premier d'une longue série de déménagements.

Par ailleurs, Emmanuel avait obtenu un contrat d'entretien en amont de la rue Van Horne, soit au 5780, rue Darlington. Il s'agissait d'un immeuble de dix appartements érigé tout près de l'Université de Montréal. Ce contrat était moins exigeant puisque Emmanuel n'avait pas la responsabilité de chauffer la bâtisse en hiver. Mais il devait veiller à ce que les passages et les escaliers soient propres et dégagés, s'occuper des ordures et procéder à la pose des contre-fenêtres à l'automne. C'est là que Jacques avait déjà fait éclater une vitre en échappant malencontreusement une contre-fenêtre, provoquant la colère de son père.

Dès que Jacques posait les pieds dans la conciergerie où il habitait, c'est l'image oppressante d'un homme au travail qui venait à son esprit. On était bien loin des sentiments exaltants qui éveillaient son enthousiasme lorsqu'il franchissait le seuil de la porte de grand-mère Albertine.

Emmanuel était responsable de la conciergerie, mais, en réalité, c'est son fils qui avait hérité d'une bonne partie du contrat. Et quel héritage ! Si Jacques s'accommodait plutôt bien des menus travaux de nettoyage, en revanche il avait horreur des ordures.

« Lorsque je balayais ou lavais les passages, j'étais à l'abri des regards, se souvient-il. Je ne pouvais toutefois pas me cacher pour sortir les ordures. Le fait de devoir m'occuper des vidanges des étrangers m'humiliait profondément. Avant de m'exécuter, je tentais de vérifier par la fenêtre si quelqu'un rôdait dans les environs. Si c'était le cas, je retardais l'opération. Au fond de moi-même, je savais bien que les locataires de la conciergerie me connaissaient comme le fils du concierge. Mais je voulais les éviter eux aussi. Et lorsque, inévitablement, je les rencontrais, je baissais les yeux. J'avais trop honte. »

Honte ou orgueil mal placé, quoi qu'il en soit, cette histoire d'ordures était secondaire aux yeux de Mignonne qui était témoin de situations bien plus navrantes.

Durant les fins de semaine d'hiver, Jacques effectuait beaucoup moins de visites chez sa grand-mère. L'une des raisons était fort simple. Son père, qui se trempait allègrement les lèvres dans le jus de houblon du jeudi soir au dimanche, était plus ou moins en état d'alimenter la chaudière à charbon, ce que de toute façon il détestait faire même quand il était sobre. C'est là que son « bon à rien » de fils lui était d'une grande utilité.

Pendant qu'Emmanuel prenait sa cuite avec des amis dans le logement envahi par la fumée et les vapeurs d'alcool, son fils besognait « au trou », dans la cave, afin d'assurer aux locataires de l'immeuble une chaleur confortable.

Souvent, Jacques demeurait éveillé jusqu'aux petites heures, en raison du bruit incessant qui régnait dans l'appartement. Parfois, les gens riaient grassement comme à la taverne tout en jouant aux cartes, mais il y avait aussi des prises de bec et à des chicanes. Tout était prétexte à parler fort et à jurer sans ménagement. On se souciait peu du sommeil des enfants. Ces derniers gardaient une oreille attentive, de crainte que la situation dégénère entre Mignonne et Emmanuel. Lorsque l'altercation se produisait, ils adoptaient une attitude inverse : ils se couvraient la tête d'un oreiller pour ne plus rien entendre. « On vivait toujours sur une tension », résume Claudette, la sœur aînée de Jacques.

Si son fils était endormi, Emmanuel n'hésitait pas à le réveiller pour lui donner ses directives. Il le tenait sous son joug et, sans en être tout à fait convaincu aujourd'hui, Jacques croit qu'il en éprouvait un certain plaisir sadique.

« Le vendredi, le samedi et le dimanche, j'étais "dans le trou" 80 pour cent du temps, dit-il. Si la fournaise avait besoin de combustible à 2 heures l'après-midi ou à 3 heures du matin, je devais me mettre à la tâche. Je n'avais pas le choix, c'était sa volonté. »

Chaque fois, Jacques devait enfiler de grosses bottes de caoutchouc avant de sauter dans le carré à charbon. La corvée consistait à pelleter du charbon sur une courroie, menant à un concasseur qui broyait la matière avant qu'elle atteigne le point de combustion. L'endroit était fuligineux. C'était noir, poussiéreux, bruyant, immensément chaud et humide.

L'opération durait une trentaine de minutes, après quoi le chargé de corvée se passait une serviette sur le visage et les bras afin de se débarrasser d'un épais dépôt de suie. Puis il pouvait regagner son lit. Il arrivait toutefois que le séjour de Jacques dans le trou dure plus de trente minutes lorsque son père, éméché, n'était pas satisfait de son travail.

« Non seulement j'ai pelleté du charbon dans ce trou, mais j'ai parfois subi des corrections parce que mon ouvrage ne faisait pas son affaire. Dans ce coin sombre, il me tenait dans les câbles. Il exerçait sa domination. J'étais sans défense et sans recours. Heureusement, ce n'est pas arrivé trop souvent. »

* * *

Lorsque Jacques lui avait annoncé son intention de devenir enfant de chœur, ce n'est pas l'image d'un fils en soutane blanche qui était apparue à Mignonne mais plutôt celle du carré à charbon. Hormis son mari, elle seule savait que Jacques passait des nuits blanches dans le trou noir. Elle se demandait si son rejeton aurait la force et l'énergie de se lever de bonne heure régulièrement pour devenir un bon servant de messe en semaine et un enfant de chœur disponible pour la grand-messe du dimanche matin.

Comme Jacques semblait y tenir beaucoup, Mignonne accepta du bout des lèvres. Elle éprouvait même une certaine fierté à le voir prendre le chemin de la maison du Seigneur. Elle redoutait pourtant la réaction de son mari, appréhendant le jour où son garçon, fatigué par l'école, l'église et son travail à l'épicerie, lâcherait prise dans ses fonctions à la conciergerie. Le cas échéant, elle chercherait certainement à le défendre et à justifier son relâchement, mais elle savait pertinemment que son conjoint serait sans pitié.

Le couple divergeait d'opinions à plusieurs égards sur l'attitude à adopter envers les enfants et, à plus forte raison, envers Jacques, le souffre-douleur de son père. Mignonne avait assisté à plusieurs éclats de violence d'Emmanuel à l'endroit de son fils pour toutes sortes de raisons. Par exemple, il n'avait que faire de l'école, mais lorsque arrivait le temps de la remise des bulletins, c'était une véritable tempête qui se déchaînait sur toute la famille.

Mignonne justifiait les résultats scolaires médiocres de Jacques par l'énorme stress qu'il devait subir à la maison. Lorsque les professeurs lui soulignaient son manque de concentration et son caractère distrait, elle inclinait la tête et se désolait en silence du sort quotidien qui était réservé à son fils. Pour elle, c'était une évidence. Elle ne cherchait donc pas à pousser son analyse plus loin, car elle connaissait l'origine des problèmes.

Le raisonnement d'Emmanuel était de son côté bien primaire. Il traitait son fils de tous les noms : stupide, pas intelligent, innocent, tête de niais... et le reste. Et en prime, Jacques avait toujours droit à quelques taloches par la tête.

« À toutes les remises des bulletins, c'était le désastre à la maison. J'avais tous les défauts de la terre. Mon père semblait convaincu que j'avais un petit pois à la place du cerveau. J'avais besoin d'aide, mais, au lieu, j'étais quitte pour un chapelet de remontrances. Je devais porter tout le blâme. Je me sentais incompris et rejeté. »

Naturellement, les mauvaises notes scolaires entraînaient des sanctions. C'était une conséquence directe. Jacques était privé de sorties et devait s'enfermer dans sa chambre pendant une ou deux semaines, selon les humeurs du paternel.

« Disons que j'étais en état de privation contrôlée, précise l'ancien élève en difficulté. Je ne jouissais d'aucune liberté d'action et je ne pouvais même pas jouir du peu de loisirs qui m'étaient permis. Mais jamais mon père ne m'a privé de travailler ! »

Ainsi Jacques devait continuer de sortir les ordures, de laver les planchers, de balayer les escaliers et d'alimenter la chaudière au charbon. Emmanuel ne l'empêchait pas non plus d'aller aider M. Wolfe à l'épicerie, car il tenait à la caisse de bière et aux sacs d'épicerie que son fils obtenait en retour de ses services.

« Pour lui, j'étais stupide et pas intelligent, mais pas au point d'être complètement inutile ! Si seulement il m'avait remercié de temps à autre. »

* * *

Malgré les moments troubles, l'élève de 6e année avait goûté à un coin de paradis le matin où Mignonne lui avait permis de se joindre aux enfants de chœur de l'église Saint-Germain d'Outremont. Il avait accouru aussitôt vers l'église pour annoncer au frère Latendresse qu'il était prêt. C'était un grand jour pour lui, mais il n'était pas au bout de ses peines, car il ignorait totalement que le frère responsable des enfants de chœur n'avait de tendresse que le nom.

Boisson en moins, le frère Latendresse ressemblait par certains côtés à son père. Il était notamment d'une rigidité excessive et ses jugements avaient la fermeté d'une barre à clous – si cette image peut donner une idée de l'autorité de l'homme. Il ne traitait pas les jeunes comme des enfants de Dieu mais comme des employés asservis, ou plutôt comme un troupeau de moutons.

Jacques avait l'habitude d'être dominé. Il en fit donc peu de cas au début. De toute façon, nous étions à l'époque de l'Église toute-puissante. On ne remettait pas en cause Ses méthodes. Surtout pas lorsqu'on avait à peine onze ou douze ans.

Comme aux autres enfants, le frère Latendresse remit à Jacques une feuille sur laquelle figuraient plusieurs prières en latin. On retrouvait les formules de l'époque : du *Pater* à l'*Ave Maria* en passant par le *Kyrie Eleison* et autres incantations du genre.

Dès le premier soir, Jacques constata que ce ne serait pas une partie de plaisir. À l'école, il peinait à simplement tenter de lire et d'apprendre de petits énoncés en français. Imaginez son angoisse à la perspective de devoir lire et mémoriser des textes en latin. Même s'il s'appliquait à étudier, il oubliait presque instantanément. De quoi en perdre son latin !

« Étudier pour moi était une torture, dit-il. Tout s'emmêlait. Je tentais de me concentrer, mais tout à coup, sans savoir pourquoi, j'étais rendu ailleurs. »

Au bout de quelques semaines, le frère Latendresse décida de faire répéter ses enfants pour préparer le chœur aux cérémonies dominicales. Auparavant, il faisait réciter les prières en groupe, mais cette fois-là, il avait décidé de jauger le niveau de connaissances de chacun en les passant en revue l'un après l'autre.

Si le petit Jacques réussissait à cacher ses faiblesses au sein du groupe, il ne pourrait en faire autant en audition individuelle. L'exercice s'avéra une véritable catastrophe. Jacques ne put réciter aucune prière au complet. C'est à peine s'il était en mesure de prononcer des bouts de phrase.

Hors de lui, le frère Latendresse le semonça sans ménagement et le somma d'aller faire ses devoirs correctement afin d'être prêt pour la prochaine audition. « Et je t'aurai particulièrement à l'œil », le prévint-il d'un ton menaçant.

Jacques se mit à l'étude, mais rien n'y fit. Incapable d'assimiler la matière, il se dirigeait vers le précipice. Là où le frère Latendresse allait se faire un plaisir de le pousser. Et il ne s'en priva pas, ne faisant pas davantage dans la dentelle. Il se montra insensible aux états d'âme du gamin et ne chercha aucunement à connaître les causes de ses difficultés. Tout ce qui l'intéressait, c'est que l'enfant de chœur devant lui sache réciter par cœur des prières en latin même s'il n'y comprenait pas un traître mot. Et au diable la compassion !

« Tu n'es qu'un imbécile dénué de toute intelligence. Tu ne veux pas apprendre, espèce d'innocent », lui mitrailla-t-il dans les oreilles pendant des jours, jusqu'à ce que Jacques abandonne son projet de servir dans le monde religieux.

Ces paroles blessantes, prononcées devant ses amis par le frère Latendresse, le plongèrent dans un profond chagrin. Il se sentait incompris. Jacques confie aujourd'hui avoir flirté avec le désespoir à la suite des colères du frère. Il avait déjà entendu toute cette litanie d'insultes de la bouche de son père et, dans une certaine mesure, il s'en croyait immunisé, mais subir pareil traitement par la voix d'un représentant du Seigneur le rendit effroyablement malheureux.

« Je voulais tellement réussir parmi les enfants de chœur. J'étais prêt à tout pour cela. Ce n'était pas une question de volonté, mais de capacité. Ma condition m'empêchait d'apprendre comme les autres. Me faire dire, par une personne en autorité comme le frère Latendresse, que j'étais stupide, imbécile et pas intelligent fut un choc, car c'est à partir de ce moment-là que je l'ai vraiment cru. Mon père pouvait m'abaisser sans que j'y croie réellement, mais dans ma tête d'enfant, si un frère le disait, ça ne pouvait qu'être la vérité. J'étais un nul. Il venait de me déposséder du peu de confiance qu'il me restait. Cet échec m'a hanté une bonne partie de ma vie sur le plan de la confiance. »

Lettre D

À mes enfants Mylène, Brandy, Stefanie et Jason

En m'adressant à vous, chers enfants, j'ai le sentiment d'avoir beaucoup à me faire pardonner.

La vie a voulu que je ne sois pas un père très présent pour vous et j'en ressens, encore aujourd'hui, un certain regret. J'ai l'impression d'avoir passé à côté de quelque chose d'important alors que vous étiez jeunes. Je me dis aussi que vous avez peut-être souffert de mon absence, ce qui m'attriste tout autant.

En raison de mes échecs amoureux avec votre mère, il m'a été impossible de remplir mon rôle de père selon les traditions. Il fut un temps où ma carrière au hockey prenait la grande majorité de mon temps et c'est sans doute ce qui explique les problèmes matrimoniaux dans lesquels vous vous êtes malheureusement retrouvés. Permettez-moi de m'excuser pour les inconvénients que cela a pu vous occasionner.

Toutefois, je vous remercie d'avoir compris que, malgré tout, papa vous aimait très sincèrement et que, même au loin, jamais il ne vous oubliait dans son cœur et ses pensées. Plus tard dans ma vie, lorsque la situation a pu le permettre, j'ai tenté de faire amende honorable en vous aidant à ma façon. J'ai contribué à votre mieux-être avec tout l'amour que je ressentais (et que je ressens toujours) pour vous. C'était peut-être trop peu, trop tard, mais ça venait du fond du cœur.

Aujourd'hui, je sens que nous nous sommes beaucoup rapprochés et cela me comble de bonheur. Nos rencontres sont chaleureuses, joyeuses et respectueuses. De plus, vous m'avez chacun fait l'honneur de devenir grand-père, ce dont je suis très fier.

Je me réjouis aussi du fait que vous respectiez ma femme Debbie, car c'est très important pour moi et pour elle qui vous apprécie grandement.

Par ailleurs, dans ce livre, vous allez sans doute apprendre qui a été et qui est vraiment votre père. Il y a des aspects de ma vie que je n'ai jamais abordés avec vous, sans doute par gêne et par pudeur. Je ne veux pas que vous me preniez en pitié, car, au bout du compte, toutes mes épreuves ont fait l'homme que je suis aujourd'hui.

Finalement, Mylène, Brandy, Stefanie et Jason, je veux vous dire que je suis très fier de vous et que j'aime la façon dont vous menez vos vies. Vous êtes de très bons enfants et je dois remercier vos mères respectives pour la façon dont elles vous ont élevés. Bravo !

Papa qui vous adore

Chapitre 5

Que de souvenirs !

Ce n'était pas le paradis, mais tout n'était pas noir dans la vie de Jacques Demers. Il lui arrivait d'oublier ses malheurs. Même que parfois il pouvait agréablement composer avec cette réalité difficile. « Ma vie n'était pas un jardin de roses mais ce n'était pas l'enfer perpétuel », précise-t-il. Au compte-gouttes, il lui arrivait de toucher à des parcelles de bonheur. Du reste, Jacques découvrait peu à peu certains petits trésors de la vie.

Au premier chef, il y avait ses sœurs Claudette et Francine qu'il chérissait tellement, même s'il leur faisait endurer parfois certaines épreuves « initiatrices ». S'il partageait avec elles les secrets familiaux, le trio n'en était pas réduit à broyer du noir à longueur de journée.

Durant l'été, ils aimaient se retrouver dans le champ situé à l'arrière de la conciergerie, où ils jouaient à cache-cache. Si Jacques apercevait par hasard une couleuvre, il se montrait ravi et espiègle. Il saisissait le reptile de ses mains et partait à la chasse de ses frangines et de leurs amies. Inutile de dire que le champ se vidait alors rapidement de ces jeunes filles apeurées !

« C'était fait sans méchanceté, dit Francine, la cadette. Jacques avait du plaisir avec ses couleuvres. Je pense qu'il ne réalisait pas que nous étions vraiment effrayées. Pour lui, c'était un jeu d'enfant. Je conserve un bon souvenir en le voyant rire de si bon cœur. »

Jacques se servait aussi de ses sœurs comme partenaires de sport. Il les invitait à jouer au baseball dans le voisinage ou au *touch football* dans les passages de la conciergerie.

« Moi j'étais un peu *Tom Boy*, rappelle Francine. Il me *bardassait* dans les corridors et ma mère devait toujours intervenir pour qu'il ménage ses élans. Mais au fond, j'aimais ça. »

« Il nous demandait de jouer au baseball dans un objectif très précis, ricane pour sa part Claudette. En fait, il frappait des balles avec des amis et il nous réquisitionnait pour les récupérer dans le fond du champ. Comme on disait dans le temps, il nous envoyait *à la vache* ! On avait rarement le loisir de s'élancer au bâton. »

Si Jacques s'amusait dans le voisinage avec ses sœurs, il ne lui était jamais venu à l'esprit qu'il pourrait partager avec son père sa passion pour les différents sports. Encore qu'il eût fallu que son père sache que son rejeton s'intéressait au sport.

« Du plus loin que je me souvienne, il n'est venu qu'une seule fois me voir jouer au baseball au parc Kent. C'était à ma demande et il était parti après trois manches. Je ne peux pas dire que j'ai eu beaucoup d'encouragement là-dedans. Pour lui, j'étais surtout un employé. Pas question de me valoriser dans le sport. »

C'est sans doute ce manque d'attention paternel qui a permis à Jacques Demers d'emmagasiner dans ses souvenirs quelques beaux moments de loisirs avec des étrangers. Parmi ceux-là, il y avait certes, comme nous les avons déjà évoqués, ces samedis après-midi au stade Delorimier avec Jean Carrière, l'ami de cœur de tante Jeannette, mais Demers se souvient également de certains moments avec l'ancien joueur du Canadien, Floyd Curry, un petit attaquant qui a endossé l'uniforme tricolore pendant onze années (de 1947 à 1958), tout en remportant quatre coupes Stanley.

« Floyd Curry demeurait dans le même immeuble que mon bon ami Joe Csizmadia. Nous étions voisins en quelque sorte. Ce n'était pas Maurice Richard ni Jean Béliveau, mais, pour nous, il était une grande vedette. À l'époque où la province n'en avait que pour le numéro 9 du Rocket et le numéro 4 du Grand Jean, pour nous, les enfants du quartier, notre idole et notre modèle, c'était plutôt le numéro 6 du Canadien : Monsieur Curry. »

Floyd Curry aimait profondément les jeunes, selon Jacques. Il menait une vie rangée durant l'hiver, de sorte que le voisinage le voyait très peu. Mais durant la saison estivale, il ne ratait jamais une occasion de s'amuser avec les gamins.

« J'entends encore la sonnerie du téléphone lorsque mon ami Joe m'appelait pour me dire que M.Curry venait de l'inviter avec ses amis à disputer une partie de baseball au terrain vacant en face de chez nous. Je ne faisais ni une ni deux, et je me précipitais au champ sans attendre. On avait du plaisir parce que M. Curry était un bon athlète et qu'il nous montrait comment jouer. C'était un homme simple, sans prétention, et un véritable gentilhomme.»

Le comble du bonheur pour Jacques et quelques amis privilégiés, c'était lorsque Curry décidait de leur lancer une invitation pour assister à un entraînement du Canadien au vénérable Forum de Montréal.

«Ce furent mes premiers contacts avec le Forum, raconte Jacques. Je n'avais pas l'occasion d'aller au hockey voir le Canadien. Imaginez ce qui passait dans nos têtes lorsqu'on avait le privilège d'être invités par l'un de ses joueurs à une *pratique*. C'était la fête de voir de près les Plante, Harvey, Bouchard, Geoffrion, Béliveau, Richard, Moore, Saint-Laurent, Talbot et le grand Toe Blake sur la glace. C'était la grande époque des Glorieux.»

Quelque quarante ans plus tard, le sort a voulu que Jacques croise Floyd Curry dans les corridors du Forum. Jacques était devenu l'entraîneur du Canadien. Curry était alors malade et souffrait de la maladie d'Alzheimer.

«C'était à mes débuts avec le Canadien en 1992-1993. On s'était parlé longuement. Avec lui, j'ai passé en revue tous les beaux moments qu'il nous avait fait vivre dans notre jeunesse. Je lui ai dit qu'il nous avait fait réaliser un rêve impossible en nous permettant d'assister aux entraînements du Canadien. Sur le plan plus personnel, je lui ai raconté qu'en jouant avec moi au baseball dans un champ du quartier Côtes-des-Neiges, il avait fait, sans le savoir, ce que j'aurais toujours souhaité faire avec mon propre père. Bien entendu, j'ai profité de l'occasion pour le remercier très sincèrement de s'être occupé de nous, les gamins peu fortunés de la rue Van Horne. Floyd Curry est encore gravement malade aujourd'hui, mais en revisitant ma jeunesse, j'ai toujours une pensée pour lui.»

* * *

Il arrivait occasionnellement à la famille Demers de partir le dimanche pour partager des moments ensemble. Parfois, Emmanuel et Mignonne emmenaient leur progéniture à la plage Sainte-Barbe, à Oka, ou encore au Parc Belmont.

Les jeunes n'avaient jamais eu la chance de goûter au plaisir d'une baignade en mer, du côté Atlantique, comme c'était souvent le cas pour les enfants des riches, mais ils appréciaient autant ces séjours à Oka que s'ils avaient été sur les plages du Maine ou des Maritimes.

À Oka, Francine, Claudette et Jacques passaient la majeure partie de la journée dans l'eau. Ils n'en ressortaient que pour le pique-nique du midi que Mignonne avait préparé.

On avait aménagé une glissoire dans l'eau pour amuser les enfants. Jacques avait expérimenté le manège à quelques reprises. Il savait qu'au point de chute on devait composer avec certaines « difficultés ». À cet endroit, en effet, le fond du lac était constitué de glaise et de matières visqueuses peu ragoûtantes. Il n'en avait dit mot à personne cependant.

Après le dîner, il invita sa jeune sœur Francine à tenter l'aventure de la glissoire. Après avoir insisté quelque peu, il sut la convaincre. Francine s'exécuta. Mais malheur à elle ! Après une glissade qui avait à peine duré trois secondes, la gamine se retrouva à l'eau mais ses deux jambes restaient coincées dans la glaise jusqu'aux mollets. Non loin de là, Jacques riait à s'en tordre les boyaux pendant que Francine, affolée, gesticulait et criait au secours.

De la plage, Mignonne vit bien qu'il se passait quelque chose et, quelque peu inquiète, ordonna à son aîné de cesser ses folies et d'aller secourir sa sœur. Jacques réalisa la gravité de la situation et se précipita à la rescousse de Francine.

« Je n'étais vraiment pas très à l'aise dans l'eau et je craignais de me noyer, dit Francine. Pour Jacques, il s'agissait simplement d'une bonne blague. J'en ris aujourd'hui, mais durant quelques secondes, à l'époque, j'en ai été traumatisée. »

Leur visite au Parc Belmont était d'une tout autre nature. Le légendaire parc d'attractions jouait le même rôle pour les Montréalais de l'époque que La Ronde pour les jeunes d'aujourd'hui. Les enfants pouvaient y lâcher leur fou et vivre des sensations fortes.

Pendant que les enfants couraient partout à la découverte d'un nouveau manège ou d'un jeu d'adresse, Mignonne et Emmanuel s'installaient sur le gazon dans un coin paisible et ombragé au pied des arbres.

Avant le départ de la maison, Mignonne avait pris soin de préparer un repas que la famille dégusterait en pique-nique le moment venu. Ces rares escapades au Parc Belmont s'avéraient de doux instants à partager en famille. Mais la sortie pouvait bien tourner au vinaigre.

En fait, tout se déroulait selon un scénario presque invariable d'une fois à l'autre. Lorsque la famille partait le matin, tout n'était que pure excitation. Mais au fur et à mesure que la journée avançait, le bonheur familial s'effritait...

Répondant aux exigences de son mari, Mignonne devait toujours préparer deux glacières pour le pique-nique. Une était constituée de victuailles et l'autre était remplie de boissons. Aussi bien dire que pour chaque gobelet de jus pour les enfants, on retrouvait trois bouteilles d'Indian Pale Ale pour le père !

Inévitablement, ce qui devait arriver arrivait... Pendant que les enfants s'amusaient à corps perdu aux quatre coins du parc, Emmanuel, camouflé sous un arbre, vidait ses bouteilles jusqu'au moment, où, troublé par l'alcool, il se comportait comme un malotru.

« Pour mon père, c'était un autre prétexte pour prendre une *brosse*, se souvient Jacques. C'est comme s'il était incapable de se retenir. Il nous conduisait au Parc Belmont pour nous faire plaisir, mais il nous plaçait continuellement dans l'embarras. »

Jacques se rappelle que son plaisir au Parc Belmont a toujours pris fin autour de 14 heures. « À cette heure-là, je n'avais plus la tête au jeu. Je pensais déjà au retour à la maison. Comme mon père n'était plus en état de *chauffer le char*, c'était moi qui devais m'acquitter de cette tâche ! »

Aussi invraisemblable que cela puisse paraître, c'est un enfant de 14 ou 15 ans à peine qui devait conduire la voiture avec les deux autres enfants et les deux parents à bord pour ramener tout le monde sain et sauf à la maison. « Il me semble qu'on ne peut même pas imaginer cela de nos jours », marmonne Jacques en se revoyant au volant.

* * *

Des moments de loisir, Jacques Demers en avait peu comme on l'a mentionné, mais il en a tout de même goûté quelques-uns. « En fouillant un peu, je dirais que j'ai joui de certains moments de détente et de liberté, mais c'étaient toujours de trop courts instants de bonheur », tient-il à préciser.

Quoi qu'il en soit, comme pour la grande majorité des garçons québécois à cette époque, la période de l'hiver rimait avec le hockey sur glace. Jacques a fait ses débuts sur une petite patinoire extérieure située au coin des rues Pratte et Van Horne. Il s'y rendait occasionnellement avec un équipement de fortune pour apprendre à patiner.

« Nous étions trop pauvres pour que j'aie des patins neufs, dit-il. J'avais des patins usagés et je m'exerçais souvent en solitaire de façon à ne pas avoir trop l'air fou lorsque viendrait le temps de jouer avec les copains.

«Je me souviens de nos parties de soir et d'après-midi avec les amis du voisinage à Côte-des-Neiges. On jouait à la bonne *franquette*. Il n'y avait pas de ligues organisées. On divisait les joueurs sur place. Ce n'est que plus tard, dans les rangs juvéniles, je crois, que j'ai commencé à jouer au hockey organisé à Outremont. Mais je n'étais pas assez talentueux pour évoluer au hockey junior même si je *bardassais* un peu sur la glace!»

En définitive, Jacques aimait pratiquer le hockey lorsqu'il en avait le temps, mais rien, à ce moment-là, ne le destinait à faire carrière dans le monde du hockey…

* * *

C'est à la pré-adolescence que Jacques découvrit les plaisirs du… football et de son dérivé, le *touch football*. Les ados du coin y jouaient au parc Kent. Il ne s'agissait pas d'une ligue organisée, mais plutôt de matchs improvisés entre copains.

Malgré ses différentes occupations à la boucherie de M. Wolf, à la conciergerie où il habitait sur la rue Van Horne et à la conciergerie de la rue Darlington où il avait obtenu en exclusivité le contrat d'entretien (le propriétaire lui avait octroyé le contrat après l'avoir retiré à son père qui ne s'acquittait pas adéquatement de sa tâche), Jacques trouvait parfois le temps d'aller jouer au football au parc Kent.

Ce jour-là, Jacques avait réservé son temps pour cette activité. Le groupe était composé d'une quinzaine de jeunes. Il en manquait un pour former des équipes de huit joueurs de chaque côté.

Apercevant son meilleur ami Joe Csizmadia qui traînait dans le voisinage, Jacques lui demanda d'intégrer les rangs de façon que chaque formation bataille à forces égales. Mais cette journée-là, Joe n'avait pas le goût de jouer au football, Dieu sait pourquoi.

Jacques insista auprès de son ami, mais sans obtenir le résultat souhaité. La moutarde lui monta au nez et il rappliqua auprès de Csizmadia d'une voix menaçante. Mais la décision de l'ami Joe n'était pas négociable.

Éprouvant soudainement une montée de colère incontrôlable, Jacques se précipita sur son ami et lui administra deux coups de poing en plein visage, dont l'un eut pour effet de faire gicler le sang du nez de sa victime. Une violente bagarre s'ensuivit entre les deux copains.

«En l'espace de 30 secondes, j'ai perdu un *chum* pour six mois, raconte l'agresseur aujourd'hui, en riant néanmoins de la situation. Deux minutes après l'incident, je regrettais mon geste. J'ai tenté de m'excuser des dizaines de fois auprès de Joe, mais il ne voulait plus rien savoir de moi. Je ne le blâme pas. C'est moi qui avais mal contrôlé mon agressivité. »

Cette anecdote amène aujourd'hui Jacques Demers à réfléchir sur son attitude belliqueuse d'adolescent :

« Je me suis souvent chamaillé avec les amis du voisinage. À l'époque, j'étais incapable de verbaliser mes émotions. Pas plus que j'étais en mesure de canaliser ma rage. La façon de m'exprimer, c'était de frapper à coups de poing. J'étais comme un volcan en menace constante d'éruption. À la longue, les autres ne voulaient plus jouer avec moi. J'étais trop agressif.

« Je vais raconter une chose terrible que je n'ai jamais dévoilée à personne, ajoute-t-il, en prenant une très longue pause. Ce que je faisais subir à d'autres garçons de mon âge, c'est ce que j'aurais voulu faire à mon père, en réalité. C'est épouvantable de dire une telle chose mais c'est la vérité. J'aurais voulu le *tapocher*, surtout après avoir été témoin des sévices qu'il infligeait à ma mère.

« Devant mon père, j'étais un agneau, un trouillard. J'avais peur. Il m'avait fait uriner dans mon pantalon une fois et il aurait pu le faire encore des dizaines de fois, tellement je le craignais. Ça démontre comment un père ou une mère peut affecter directement le comportement positif ou négatif d'un enfant. »

Jacques soutient qu'il n'a jamais levé le petit doigt en direction de son père, bien que l'envie l'eût tenaillé en quelques occasions un peu plus tard dans sa vie. « C'est étrange, mais je n'ai jamais franchi la ligne. Une petite voix me disait que, quoi qu'il arrive, on ne frappe pas sur son père... »

* * *

Si les sorties au Parc Belmont ou à la plage de Sainte-Barbe à Oka étaient conditionnées par le bon vouloir d'Emmanuel, il en était autrement pour deux autres activités annuelles fort prisées des enfants et de Mignonne. D'abord, il y avait le fameux défilé du 24 juin de la Saint-Jean-Baptiste, sur la rue Sherbrooke, puis le non moins fameux réveillon de Noël chez l'oncle Léo Demers, le 24 décembre.

« Bon an, mal an, on assistait à une grande fête de famille à tous les six mois, raconte Claudette, l'aînée des sœurs de Jacques. On ne vivait, en quelque sorte, que pour savourer ces moments-là, deux fois l'an. »

Le défilé de la Saint-Jean était particulièrement féerique. Il rassemblait toute la famille. Il était sacré pour grand-mère Albertine de réunir tous ses descendants pour faire la fête. Il faut dire qu'elle avait de quoi attirer les visiteurs. À titre de locataire du 1372 de la rue Sherbrooke, elle jouissait d'une position très enviable pour assister au spectacle. Son appartement était doté d'un immense balcon au premier étage qui donnait directement sur la rue Sherbrooke. Les Demers étaient assis aux premières loges, tout juste en face du parc Lafontaine. Tout se passait à leurs pieds.

« Pour la famille, c'était l'événement par excellence de l'été, se remémore tante Jeannette. Bien souvent, les festivités commençaient la veille par des feux d'artifice au parc Lafontaine. Puis la journée du défilé débutait très tôt le matin. Il y avait beaucoup d'animation dans le voisinage. C'était aussi très coloré. »

Déjà à cette époque, les vendeurs de souvenirs et de friandises étaient omniprésents. Et ils faisaient des affaires d'or.

« Les enfants étaient très fébriles, poursuit tante Jeannette. On leur achetait des ballons, on les maquillait, on leur offrait du *pop corn* et des liqueurs. Ma mère préparait un gros buffet pour tous ses enfants, leurs conjoints et, surtout, tous ses petits-enfants. Même notre voisine, une dame Landry, en profitait pour donner des caramels aux enfants. Ça faisait partie de la tradition. »

En plus de toutes les gâteries de circonstance, la famille Demers avait droit à un long défilé de plus de deux heures qui se terminait toujours en apothéose lorsque le « vrai » Jean-Baptiste, bien en chair et avec sa belle et longue chevelure bouclée, faisait son apparition dans le dernier char allégorique.

« Nous avions des sièges V.I.P., se souvient Claudette encore émerveillée. On faisait l'envie de tous. On en avait plein les yeux et plein le ventre. Surtout, ça riait et ça s'amusait dans la bonne entente. Bien honnêtement, je dirais que c'était le bonheur total. »

« Sur le plan familial, affirme sans détour Jacques, les journées du défilé de la Saint-Jean-Baptiste chez grand-mère furent les plus belles de toute ma jeunesse. »

Si Jacques conserve de si beaux souvenirs de ces moments, c'est que le succès de la fête reposait sur un ingrédient essentiel et plutôt inhabituel pour lui, ses sœurs et sa mère. En ces journées de retrouvailles en famille, Emmanuel restait immanquablement sobre devant sa mère, ses frères et ses sœurs.

« Sans être un boute-en-train, mon frère était plutôt agréable lorsqu'il était à jeun, souligne tante Jeannette. On a appris beaucoup plus tard qu'il n'était pas *du monde,* notamment avec sa femme et avec ses enfants lorsqu'il était *en boisson.* Or, s'il avait fallu que la chose se sache, personne ne l'aurait acceptée. À commencer par ma mère. Emmanuel était bien docile devant ma mère. Il la redoutait. »

Avec le recul, tante Jeannette constate que sa belle-sœur Mignonne n'était jamais aussi resplendissante que la journée du traditionnel défilé de la Saint-Jean. « Je l'ai vue rire aux éclats ces journées-là. Mignonne semblait vraiment heureuse. J'ai compris plus tard pourquoi on ne la voyait que trop rarement sous ces dehors-là… »

« On avait hâte, précise Claudette, de se présenter à cette fête annuelle parce qu'on était assurés d'avoir du plaisir sans que ça se termine en engueulade ou en chicane. On avait cette quiétude et cette assurance du fait qu'on se sentait protégés par la famille. »

Sans renier ces épisodes euphoriques, Jacques y va de son côté d'un jugement lapidaire : « Mon père a toujours joué à ce petit jeu devant les membres de sa famille. Sans être affectueux, il était au moins gentil avec nous. C'était en fait tout le contraire de ce que nous vivions à la maison. C'est probablement pourquoi il n'était pas très chaud à l'idée de visiter les membres de sa famille et, encore moins, de les inviter à la maison. Seul avec nous à Côtes-des-Neiges, il exerçait son contrôle et sa domination. J'ai toujours trouvé son attitude franchement hypocrite. »

* * *

Le réveillon de Noël chez l'oncle Léo Demers était une fête familiale sensiblement de même nature que celle du défilé de la Saint-Jean. Cet oncle était connu de tous sous le nom de Léo, mais il s'agissait du diminutif de Louis-Émile.

Léo était l'aîné des garçons, mais le second de la famille Demers. Seule sa sœur Alice était plus vieille parmi les dix enfants. Le grand-père de Jacques, Michel Demers, était décédé le 1er janvier et, depuis, c'est Léo qui en quelque sorte faisait office de patriarche de la famille. C'était un homme qui avait bien réussi dans la vie, un homme ouvert aux autres, tout à l'opposé de son jeune frère Emmanuel.

Il était gérant d'une taverne très fréquentée de la rue Beaubien, à Montréal, et demeurait comme locataire au deuxième étage de l'immeuble qui abritait le débit de boisson. Son appartement était immense. Léo était aussi juge de courses attelées à l'hippodrome Blue Bonnets et au circuit du Parc Richelieu. Il y avait emmené son neveu Jacques à quelques occasions.

Léo et sa femme Blanche avaient une fille, Pauline, et ils appréciaient la présence des enfants d'Emmanuel.

Comme pour le défilé de la Saint-Jean chez grand-mère Albertine, le réveillon de Noël chez Léo était un rendez-vous traditionnel que personne ne voulait manquer. Personne, sauf peut-être Emmanuel, qui n'avait pas vraiment la fibre familiale et qui s'en serait sans doute passé, mais qui se faisait tout de même une obligation de conduire sa petite famille aux célébrations.

« La soirée de Noël chez Léo était fabuleuse, raconte Jacques. C'était pas mal *coat à queue* ! Tout était parfait. Tante Blanche et oncle Léo décoraient généreusement la maisonnée. C'était illuminé. Il y avait de la musique, des rires, de la bonne humeur. Et on mangeait abondamment. On goûtait à toutes sortes de choses. Et on courait partout dans cet appartement d'une dizaine de pièces. On avait de la place et la liberté de s'énerver. »

Naturellement, les hôtes prenaient soin de décorer le salon d'un sapin de Noël sous lequel trônaient une multitude de cadeaux bien emballés. Les enfants n'avaient d'yeux que pour la table garnie de desserts habilement cuisinés par tante Blanche et pour les nombreux présents sous le sapin.

« Que de beaux souvenirs ! raconte Francine, la sœur cadette de Jacques. Aller chez oncle Léo et tante Blanche nous excitait beaucoup. C'était comme assister à une fête de gens riches. Pour des enfants comme nous, qui vivions très modestement, c'était magique.

« Lorsqu'on se retrouvait avec les autres membres de la famille, on avait beaucoup de plaisir. On avait l'impression de toucher au bonheur », ajoute Claudette.

Bien entendu, la clé d'une fête réussie pour Mignonne, Jacques, Claudette et Francine reposait en grande partie sur le comportement du paternel. Or, de mémoire des enfants, Emmanuel plaçait ce rendez-vous annuel chez son frère sous le signe de la modération. Il pouvait lui arriver de tremper ses lèvres dans une bouteille de houblon, mais pas au point d'en abuser et de faire ressortir sa véritable personnalité.

« Ça m'a toujours intrigué de savoir comment il arrivait à contrôler sa dépendance et sa maladie, mentionne Jacques. Pendant qu'on s'amusait, je crois qu'au fond mon père devait souffrir. »

Lettre E

À mes sœurs Francine et Claudette

Très chères Kikine et Clo,

Il me semble qu'il y a si longtemps que je n'ai pas eu l'occasion de vous dire combien je vous aime et combien je suis fier d'être votre frère.

Nous avons traversé plusieurs épreuves ensemble à travers les années et je suis heureux de constater que, malgré notre jeunesse difficile, nous avons bien frayé notre chemin dans la vie, chacun à notre façon.

Je vois en vous deux très bonnes personnes, deux filles sensibles et généreuses, deux sœurs que je ne changerais pour rien au monde.

Au moment de son décès, maman m'avait demandé de prendre soin de vous, ce que j'ai tenté de faire de mon mieux jusqu'à ce que vous puissiez voler de vos propres ailes. Ironiquement, c'est vous qui, à tour de rôle, plus tard dans ma vie, m'avez aidé à surmonter des épreuves. Quoi qu'il en soit, je sais que je n'ai pas été parfait, je ne le suis toujours pas, mais un fait demeure : je vous adore et j'apprécie votre présence dans ma vie.

Dans ce livre, chère Francine et chère Claudette, j'ai parlé de la façon dont j'avais vécu mon enfance et mon adolescence. C'est donc ma propre lecture de la situation qu'on retrouve dans cette biographie. Vous avez peut-être un autre point de vue des choses et loin de moi l'idée de vous imposer ma version. J'espère simplement que vous comprenez le pourquoi de ma démarche.

Cela dit, Kikine et Clo, vous prenez une place très importante dans mon cœur et vous savez que vous pouvez toujours compter sur moi.

Jacques

Chapitre 6

« Reste avec nous, maman »

Comme il le faisait tous les vendredis depuis plus de deux ans à la fin de la semaine scolaire, Jacques s'empressait de récupérer tous ses effets qu'il empilait pêle-mêle dans son sac avant de quitter la classe d'un pas rapide. Il ne perdait pas une seule minute pour se rendre à l'appartement où il déposait ses livres avant de prendre la direction de l'épicerie de la rue Darlington. L'épicier Maurice Wolf s'enorgueillissait de compter sur ses services consciencieux et ponctuels.

Jacques en était à sa huitième année scolaire et fréquentait l'école Saint-Luc. Il avait 17 ans et avait dû redoubler quelques années. Ses résultats scolaires n'étaient guère plus reluisants que par les années antérieures. Il éprouvait depuis longtemps beaucoup plus de plaisir à travailler qu'à étudier.

Les Demers venaient une fois encore de déménager, pour des raisons obscures. Ils habitaient maintenant sur la rue Barclay, non loin de la rue Van Horne, dans ce même quartier Côtes-des-Neiges où ils avaient passé la majeure partie de leur vie. La famille vivait dans un appartement de cinq pièces et demie situé au troisième étage, à l'arrière d'un immeuble de vingt et un logements. Il s'agissait d'une conciergerie plus récente et plus coquette que celles qu'ils avaient habitées auparavant.

Une fois ses effets scolaires déposés à la maison, Demers se présentait le plus tôt possible à l'épicerie où le gérant, Gilles Robinson, l'attendait avec une multitude de tâches à accomplir. Il en avait surtout trois : d'abord placer les produits sur les tablettes; puis faire des livraisons à bicyclette, enfin veiller à ce que le plancher de cette petite épicerie de quartier soit bien propre. C'était un travail de soutien, mais essentiel à la bonne marche du commerce.

* * *

Ce jour-là, l'adolescent plaçait machinalement les conserves dans les étagères de l'épicerie. Il était quelque peu perdu dans ses pensées, l'esprit tourné vers l'hôpital St. Mary, où était alitée sa mère depuis trois semaines.

Nous étions au début du mois de mars 1962 et, vingt-huit mois plus tôt, Mignonne avait donné naissance à un quatrième enfant, un garçon qu'on avait prénommé Michel, en hommage au grand-père Michel Demers, décédé le 1er janvier 1950.

Le petit Michel avait vu le jour au mois de novembre de 1959, au terme d'une grossesse fort éprouvante pour Mignonne. La nouvelle maman était déjà très frêle, voire chétive, et affichait des problèmes de santé depuis fort longtemps. Malgré sa situation précaire, elle tenait encore à mener sa grossesse à terme, ce qu'elle avait accompli courageusement, avec de grands moments de faiblesse en cours de route.

Au cours de sa grossesse, elle s'était soumise à une série d'examens sans que la médecine puisse trouver l'origine de ses indispositions. Après l'accouchement, elle ne parvint pas à reprendre ses forces. Elle était continuellement fiévreuse, amorphe, sans énergie.

Comme la situation avait tendance à empirer, elle consulta de nouveau les médecins quelques mois après la naissance de Michel. On l'examina dans tous les sens et sous toutes les coutures jusqu'à ce qu'on réussisse enfin à établir un diagnostic au mois d'avril 1961. Un terrible diagnostic : Mignonne était atteinte de leucémie, ce très grave cancer des cellules du sang.

Jacques reçut la nouvelle comme un coup de poing, lui qui, quelques semaines plus tôt (le 23 mars 1961), avait éprouvé une grande tristesse lors du décès de sa grand-mère adorée, Albertine. Il avait encaissé plusieurs coups durs au cours de sa vie, mais la perspective de perdre sa mère si jeune lui paraissait irréelle et même inhumaine. « Ma mère et ma grand-mère étaient les deux femmes les plus importantes de ma vie. J'étais complètement désemparé », confesse-t-il.

Combative, Mignonne décida de s'accrocher aux minces espoirs de survie que lui avaient laissé miroiter les médecins et se plia à une série de traitements appropriés pour l'époque. Il s'agissait principalement de transfusions sanguines à intervalles réguliers.

Ainsi, à partir du mois d'avril 1961, elle se rendait régulièrement à l'hôpital pour les séances transfusionnelles. Elle y demeurait quelques jours, le temps de reprendre des forces, et revenait à la maison pour vaquer aux occupations quotidiennes. Sa nouvelle réalité l'avait toutefois forcée à demander de l'aide pour veiller aux soins du petit dernier.

Sa belle-sœur Blanche et son beau-frère Léo s'étaient portés volontaires. Elle savait que Michel serait entre bonnes mains auprès du couple bienveillant. Mais aussitôt qu'elle en sentait la force, elle exigeait la présence de son poupon à ses côtés.

Les semaines s'écoulèrent sans que Mignonne puisse vraiment remonter la côte. Elle ressentait des bouffées d'énergie, mais ses élans de vigueur étaient pour le moins éphémères. « Les médecins nous avaient laissé entendre qu'elle ne serait pas parmi nous pour la période des Fêtes, rappelle Jacques. Pourtant, et bien qu'affaiblie, ma mère était parmi nous pour les célébrations du Noël 1961 », ajoute-t-il fièrement.

L'état de santé de Mignonne amorça toutefois une chute irréversible au début de l'année 1962. Toujours fiévreuse, fatiguée et apathique, la brave mère tentait de combattre du mieux qu'elle pouvait, mais la leucémie gagnait du terrain.

De guerre lasse, Mignonne Bergeron-Demers fut admise à l'hôpital St. Mary à la mi-février 1962, dans l'espoir ultime que la médecine réussisse à mater le mal. Fragile et lourdement minée par la maladie, elle prit place dans une chambre du deuxième étage de l'édifice où elle pourrait se reposer et être traitée aux petits soins. Mais on redoutait un séjour prolongé. Désormais, et dans un langage à peine voilé, le personnel médical parlait plutôt d'atténuer les souffrances de cette patiente que de la guérir…

* * *

Depuis trois semaines, Jacques se faisait un devoir d'aller visiter sa mère à l'hôpital tous les jours. Selon sa disponibilité, il s'y rendait le matin, l'après-midi ou le soir. Quoi qu'il advienne, ces visites étaient sacrées pour lui et probablement tout autant pour la souffrante.

En raison de son état précaire et des dangers d'infection, Mignonne ne pouvait pas toujours recevoir ses enfants à l'intérieur de sa chambre. Lorsqu'elle était contrainte de « filtrer » ses visiteurs, elle s'y soumettait à contrecœur, mais non sans avoir négocié quelques permissions avec les infirmières.

À défaut de pouvoir s'entourer de toute sa progéniture en même temps, elle demandait qu'au moins un enfant, chaque jour, puisse venir à ses côtés. De cette façon, Jacques, Claudette, Francine et bébé Michel pouvaient visiter à tour de rôle leur maman dans sa nouvelle demeure « temporaire ». Ils avaient droit à un bref instant avec elle sans jamais l'entendre se plaindre. Elle préférait plutôt s'enquérir des derniers développements de la vie de chacun. C'est là que toute sa bonté se manifestait.

À 43 ans à peine, elle ne pesait plus que 90 livres. Elle se savait à la fin de sa vie sur terre et, malgré une existence difficile, elle ne manifestait aucun signe d'amertume ou de rancœur. Pas même à l'endroit d'Emmanuel, qui se montrait lui aussi très présent.

Lorsque Mignonne ne pouvait accueillir tous les siens en même temps, elle demandait immanquablement qu'on la place en bordure de la petite fenêtre de sa chambre qui donnait sur le stationnement. En quittant l'hôpital, le cœur en bataille de n'avoir pu rencontrer leur mère, les enfants retrouvaient un tantinet le sourire en l'apercevant derrière la fenêtre. De là, la faible Mignonne saluait vigoureusement et généreusement de la main tous les siens. Et ces derniers lui rendaient la pareille avec force gestes.

« J'ai des souvenirs très précieux et très précis de ces quelques secondes où j'envoyais la main à ma mère de l'extérieur de l'hôpital, relate Jacques. J'avais le cœur brisé, mais je m'efforçais de sourire et même de rire pour lui faire voir que je restais fort. Elle aussi me souriait, mais je la soupçonne d'avoir essuyé des larmes aussitôt que j'avais le dos tourné. Moi, en tout cas, c'est ce que je faisais. »

* * *

Ce vendredi 9 mars 1962, Jacques était donc affairé à l'épicerie de M. Wolf. Il avait les deux mains dans les conserves, mais ses pensées étaient au deuxième étage de l'hôpital St. Mary. Il devait travailler jusqu'à 20 heures et se demandait comment se passerait sa brève visite à l'hôpital, en soirée. La veille, Mignonne affichait une condition inquiétante.

On était en milieu d'après-midi et la clientèle de fin de semaine commençait à envahir les lieux. Dans ce début de brouhaha, le gérant Gilles Robinson apparut à l'extrémité de l'allée où Jacques était accroupi devant des boîtes de macédoine de légumes qu'il devait ranger sur la deuxième tablette de l'étagère. Robinson se dirigea vers lui d'un pas feutré avant de l'aborder. « Jacques, dit-il d'une voix calme et d'un ton réconfortant. Viens à l'arrière, j'ai un message pour toi. »

Après l'avoir conduit à l'écart et loin du regard des clients, il lui fit part des derniers développements : « Les gens de l'hôpital viennent d'appeler et demandent que tu t'y rendes immédiatement. Ta mère tient à te voir dans les plus brefs délais. »

Robinson n'en savait pas davantage, mais pour lui et Jacques, c'était suffisant pour comprendre que la situation était grave. Mignonne n'avait jamais dérangé son fils dans son travail à l'épicerie et si cette fois elle le faisait, ce n'était sûrement pas par caprice.

D'un air inquiet, Jacques fixa les yeux de son patron comme pour quémander sa permission de partir. Il ne voulait pas abandonner son travail de la sorte, au risque de perdre son emploi. Il savait que toute la maisonnée, ses sœurs comme son père, avait besoin des retombées de ce travail. Robinson était conscient de la situation et se fit rassurant. « Jacques, lui dit-il, vas-y immédiatement et prends tout le temps qu'il faut. Nous allons nous organiser. La priorité en ce moment, c'est ta mère. Et elle veut te voir. Allez, pars. »

Sans attendre, Jacques quitta son lieu de travail prestement. Nerveux, il se dirigea à bicyclette vers l'hôpital, qui était situé à environ dix minutes de là. Haletant, il grimpa trois à trois les marches des escaliers menant au deuxième étage et se rua vers la chambre de sa mère où il aperçut, dans le couloir attenant, son père les yeux hagards. Emmanuel fit un signe du menton en indiquant la chambre de Mignonne comme pour lui confirmer que sa mère l'attendait impatiemment. Dans les instants suivants, Jacques allait vivre les secondes les plus intenses de sa vie. Il raconte, très ému :

« C'est arrivé si rapidement. À mon arrivée dans la chambre où elle était couchée, maman a ouvert péniblement les yeux et m'a fait signe de m'installer à côté d'elle. J'ai rapidement compris qu'elle était mourante. Je pleurais et répétais sans cesse : "Maman, maman" comme pour lui dire : "Maman, ne pars pas, reste avec nous, maman."

« Elle a saisi ma main et l'a serrée très fort. Elle parlait à voix basse. J'avais peine à l'entendre. Je me suis approché d'elle, elle a serré ma main encore plus fort, puis elle m'a dit : "Jacques, prends bien soin de tes deux sœurs." Elle a refermé les yeux comme si elle s'était endormie. Littéralement paniqué, j'ai pesé à répétition sur le bouton d'urgence. Les infirmières sont arrivées rapidement. Elles m'ont fait sortir. Je sanglotais, j'étais inconsolable, car je savais que je venais de perdre la personne la plus importante dans ma vie. »

Quelques minutes plus tard, les médecins venaient confirmer au père et au fils ce qu'ils savaient depuis peu : Mignonne Bergeron-Demers était décédée le 9 mars 1962, à l'âge de 43 ans et deux mois, des suites d'une leucémie.

«Cet appel à l'épicerie de M. Wolf est le pire souvenir de ma vie, raconte Jacques. En quittant mon travail, j'avais le pressentiment que c'était fini. Tout ce que j'espérais, c'était de pouvoir parler à ma mère une dernière fois avant qu'elle parte. Elle ne m'a pas déçu. Ma mère ne m'a jamais déçu.

«Je ne suis pas le premier adolescent à perdre sa maman, mais lorsque ça arrive de la sorte – dans le contexte où nous vivions –, c'est une plus grande tragédie encore.

«Je savais que je ne pouvais pas compter sur mon père. Ma grand-mère était décédée, elle aussi. Je n'avais donc personne sur qui m'appuyer. D'ailleurs, même le jour de la mort de ma mère à l'hôpital, je n'ai pas reçu de réconfort de la part de mon père qui me voyait pourtant démoli. Ce n'était pas dans sa nature.»

Jacques Demers prend une pause, tout en s'interrogeant sur les raisons de sa très grande détresse de l'époque : «Je vais vous le dire : ma mère, c'était mon héroïne, mais surtout, elle était... mon seul espoir dans la vie. Dans une très large mesure, elle était ma raison de vivre. Son départ fut terrible à supporter.»

Tout semblait s'écrouler dans la vie de l'adolescent, mais cette rencontre ultime avec sa mère avait eu quelque chose de salutaire. Consciente et inquiète de l'avenir de sa petite famille, elle avait confié un mandat très précis à son aîné : «Prends soin de tes deux sœurs», avait-elle insisté.

«Dans les derniers moments de sa vie, je crois que maman était consciente que sa mort m'affecterait énormément. C'est pour cela qu'elle voulait me parler avant de mourir. Je suis persuadé qu'elle voulait me secouer, me dire de me redresser, de ne pas abandonner afin de veiller sur mes sœurs.»

Dans son message ultime, Mignonne n'avait pourtant pas mentionné le nom de son fils cadet, Michel. Elle s'était surtout attardée à Claudette et à Francine, qui avaient respectivement 15 ans et 12 ans.

«Elle ne m'a pas parlé précisément de Michel, notre jeune frère, alors âgé de 28 mois, sans doute parce qu'elle avait la certitude qu'il serait élevé dans l'amour et la tranquillité par tante Blanche et oncle Léo. Je suis certain qu'elle avait la certitude et la confiance de voir grandir Michel auprès d'eux.»

Puisant dans ses souvenirs, Jacques se rappelle d'ailleurs les sentiments qu'il avait éprouvés quelques années plus tôt, au moment où sa mère lui avait annoncé qu'elle donnerait naissance à un petit frère.

« J'étais heureux d'avoir un petit frère, mais pas complètement. Michel n'était pas encore né que je m'en faisais déjà pour lui. J'étais inquiet. Je craignais qu'il grandisse dans le même contexte que moi. Je me disais qu'un jour je partirais de la maison et que Michel prendrait ma suite aux yeux de mon père. Et ce n'est surtout pas l'enfance que je lui souhaitais. Les événements de la vie ont fait que Michel a heureusement grandi dans un contexte plus serein, avec tante Blanche et oncle Léo. D'ailleurs, une bonne partie des révélations de ce livre lui est inconnue et lui sera probablement très difficile à lire... »

Et Jacques d'insister : « Michel et moi sommes nés à plus de 15 ans d'intervalle. Malgré l'écart d'âge qui nous sépare, il est mon meilleur ami dans la vie. Je l'adore et il le sait. Notre relation est basée sur la confiance et un respect mutuel. Je crois qu'il n'est pas entièrement d'accord que je lève le voile sur toute cette enfance trouble. Il sait toutefois que ce livre est basé sur la franchise et qu'il me sert en quelque sorte de thérapie. Malgré certaines réticences, Michel respecte ma décision. Je le remercie pour cette belle générosité. »

Dans cette même veine, Claudette commente ainsi l'initiative de son frère Jacques : « Des gens vont lire notre histoire et vont se reconnaître. D'autres pas. Je ne dis pas que c'était un calvaire quotidien, mais c'était régulier. Ça faisait partie de notre réalité. Or, lorsqu'on est impliqué là-dedans, on est malheureux mais surtout on éprouve de la honte. On s'imagine même être seul à vivre une telle chose. Et à la limite, on se croit responsable. Personnellement, j'ai eu recours à une thérapie pour évacuer mes souffrances du passé. J'ai conseillé à Jacques d'en faire autant, mais il a toujours refusé. Il a choisi de collaborer à un livre sur sa vie pour se libérer. J'appuie sa démarche. »

* * *

Quoi qu'il en soit, si ce livre ne devait pas permettre à Jacques Demers de parvenir à une certaine paix intérieure, il lui aura fourni la plus belle occasion de rendre un vibrant hommage à sa mère Mignonne : « J'ai besoin de dire ce que je pense d'elle et ce qu'elle a représenté dans ma vie », a-t-il souvent répété.

Ne ratant pas l'occasion cette fois, il y va d'une longue tirade très inspirée, comme s'il avait attendu ce moment toute sa vie. Le monologue est si éloquent qu'il rappelle les longues envolées oratoires d'un acteur émérite, récitant les plus beaux textes de la dramaturgie universelle.

« Ma mère est une sainte femme, lance-t-il d'entrée. Elle a mené un combat intense pour sa famille. Elle aurait mérité bien mieux dans sa vie. Elle ne parlait pas beaucoup, mais on pouvait ressentir toute son affection dans les gestes quotidiens. Elle ne m'a pas dit souvent qu'elle m'aimait, mais elle me l'a démontré des centaines de fois.

« J'ai ressenti son amour dans tout ce qu'elle faisait. Sa bienveillance se percevait dans chacun de ses gestes. Elle la transmettait par sa joie, sa tristesse, sa solitude, son regard, ses silences, son écoute, sa délicatesse, son isolement, ses prises de bec avec mon père, ses repas bien concoctés, son support qu'elle donnait pour nous aider à faire nos devoirs et nos leçons, sa minutie à repriser le linge, son réconfort, sa compréhension, sa foi chrétienne et, surtout, par l'étincelle qui jaillissait de ses yeux pour que jamais ne s'éteigne en nous l'espoir d'une vie meilleure.

« Pourtant ma mère ne menait pas une belle vie. Elle a connu trop peu de moments de bonheur. Dieu qu'elle aurait mérité de se faire gâter. Ça me manque beaucoup de n'avoir pu le faire. De nos jours, je suis financièrement à l'aise et il m'arrive de rêver à toutes les gâteries que j'aurais pu lui offrir. En fait, il n'y a rien que je n'aurais pas fait pour ma mère. Vraiment rien. Même si j'ai toujours travaillé en bas âge pour l'aider à subvenir aux besoins de la famille, j'aurais pu en faire plus. Plus de quarante ans après sa mort, je ressens un très grand vide ; celui de ne pas en avoir assez fait pour maman.

« De nos jours, au hasard des nombreuses rencontres que je fais avec les gens, il m'arrive de me faire dire que je suis un homme bon. Ça me touche parce que la bonté, ça vient de ma mère. C'est le principal héritage qu'elle m'a légué. »

« Sans vraiment le dire, ajoute Claudette, maman nous montrait de différentes façons qu'elle nous aimait. Elle était là pour nous. C'est principalement ce qu'un enfant attend de ses parents. Elle ne cherchait pas le grand luxe. Elle désirait simplement que nous menions une vie normale. »

Quant au mandat que Mignonne avait confié à Jacques dans les dernières minutes de sa vie, Claudette et Francine soutiennent que leur frère aîné, malgré des petites colères passagères, a su maintenir la famille très unie.

« Notre mère serait très fière de lui, ont-elles témoigné en chœur. Jacques a très bien pris soin de nous. Il a rempli sa mission de belle façon. Il a été fidèle aux volontés de notre mère. »

* * *

Dès les premiers instants du projet d'écriture de ce livre, Jacques Demers a indiqué certaines priorités. L'une d'entre elles voulait qu'on traite des sévices physiques et psychologiques dont sa mère a été victime.

« J'en ai discuté quelque peu en famille mais certaines personnes de mon entourage émettaient des doutes sur la pertinence d'en parler. Je ne sais pas si c'est un appel de ma mère, mais moi je ressens la responsabilité d'en parler. Si j'étais demeuré un col bleu, je n'aurais probablement jamais pu faire ma petite part à ce niveau. Aujourd'hui, la vie m'a choyé. J'ai atteint un statut qui me permet de m'exprimer, tout en ayant une bonne chance d'être écouté par un grand nombre de personnes.

« Je me sers donc de cette tribune formidable par respect pour les femmes violentées et, surtout, par amour pour ma mère. Mon humble façon d'intervenir dans ce problème délicat est de dénoncer la situation. Je veux surtout dire aux femmes et aux enfants confrontés à ce phénomène de ne pas l'accepter une seconde de plus et de dénoncer les hommes violents. »

Comme bien des enfants qui ont été témoins de violence conjugale, Jacques se sentait infiniment petit pour s'interposer à l'époque. Il n'acceptait pas la situation, mais se retrouvait dans un cercle vicieux.

« Je voyais clair, mais ma mère, par souci de garder la famille unie, se résignait à son sort. Plus encore, il s'agissait d'un sujet tabou à la maison. Au lendemain d'une nuit qui avait été très houleuse entre mes parents, on se levait et ma mère faisait toujours comme si rien ne s'était produit. »

La belle-sœur de Mignonne, la vénérable tante Jeannette, raconte que la famille avait des soupçons à ce sujet, mais que, comme la principale victime ne s'en plaignait jamais, on n'osait trop aborder la question.

« On a eu quelques indications ici et là, mais sans que Mignonne en parle, dit-elle. En fait, mon frère avait un gros problème de boisson. En état d'ébriété, il n'était pas du monde. C'est surtout Mignonne qui écopait de ses sautes d'humeur.

« J'ai appris très tard que mon frère était un batteur de femme, poursuit-elle. Mignonne était malade, elle était au début de sa grossesse de Michel. Pour une rare fois, j'étais allée chez elle. C'est ce jour-là qu'elle s'est ouverte pour la première et la dernière fois. En apprenant tout cela, j'ai tenté par toutes les façons de la convaincre de ne plus accepter cela. Je lui ai même ordonné de ne plus rester une journée de plus avec mon frère. Je lui ai dit : "Mignonne, tu vas te séparer de lui, tu vas venir chez moi avec les enfants et je vais t'aider pour un certain temps". Mais elle n'a jamais voulu. »

Jacques constate à regret que c'est souvent le lot des victimes de violence conjugale de se replier sur elles-mêmes, de refuser d'en parler et d'en sortir. Il raconte un incident révélateur à cet égard.

« Après le décès de ma mère, nous demeurions sur la rue Barclay et nous avions des voisins qui se chamaillaient souvent. Ça me rappelait mon enfance et ça m'agaçait royalement. Un bon dimanche matin, la chicane était vraiment prise au sein du couple. On entendait *bardasser* de l'autre côté, la femme criait et les enfants pleuraient. J'étais avec mon ami Jacques Juneau, et je lui ai dit que je ne pouvais pas supporter cela.

« On s'est dirigés chez les voisins et j'ai attaqué l'homme physiquement. Au moment où j'ai empoigné son mari, la femme s'est littéralement tournée contre moi et s'est mise à me pousser et à m'engueuler. Je n'en revenais pas. J'étais venu pour l'aider, mais elle refusait mon aide. Pire, elle défendait son propre bourreau. Ça m'a fait comprendre tout le chemin qu'il faut parcourir pour se sortir de ces situations-là. »

Si Jacques était intervenu cette fois-là, il admet toutefois regretter de ne pas l'avoir fait pour sa propre mère à l'époque : « Je ne peux refaire l'histoire, mais j'éprouve un grand regret, une certaine culpabilité même, de ne pas avoir défendu ma mère lorsqu'elle était violentée. J'avais peur moi aussi, et je me disais continuellement qu'on ne frappe pas sur son père. »

Comme si tout était tracé dans sa tête, il profite de la situation pour, dit-il, faire amende honorable.

« Je n'ai pas aidé ma mère dans ce genre de situation, je n'ai pas eu le loisir de la gâter comme je l'aurais tellement souhaité, mais je tiens à ce que des femmes et des enfants violentés puissent profiter de ce que la vie m'a donné par la suite. En conséquence, j'ai le plaisir d'informer les lecteurs qu'au nom de Mignonne Bergeron-Demers, je céderai le tiers de mes revenus de ce livre à un organisme venant en aide aux femmes et enfants violentés. J'espère que ceux et celles qui profiteront de mon humble contribution auront une bonne pensée pour ma mère. J'aimerais que cet argent serve à procurer des loisirs à des femmes et à des enfants afin qu'ils vivent de petits moments de velours en toute quiétude. Ces personnes recevront une partie de ce que j'ai toujours souhaité offrir à maman. »

Au-delà de ce don qui, l'espère-t-il, pourra atténuer les douleurs de ses bénéficiaires, Jacques dit souhaiter que la lecture de cet ouvrage puisse encourager au moins une personne à se sortir de la violence.

« L'argent est passager, dit-il. Une journée on en a, et le lendemain il n'y en a plus. Toutefois, si ce livre peut permettre de faire cesser de façon définitive et permanente la violence au sein d'une famille, je serai encore plus fier et satisfait.

« Et j'aimerais que ce livre puisse inciter un parent violent à faire un examen de conscience afin de prendre les moyens de mettre un frein à sa violence. Même si cela ne devait arriver qu'à une seule personne, ce serait merveilleux. Ce livre n'aurait pas été vain.

* * *

Mignonne Bergeron-Demers fut exposée au salon Magnus Poirier au coin des rues Papineau et Rachel. Depuis plus de quarante-deux ans, elle repose au Cimetière de l'Est où elle a été portée en terre quelques jours après son décès. Son mari Emmanuel Demers n'a jamais abordé la question de la violence qu'il a infligée à sa femme et à ses enfants.

Lettre F

À ma mère Mignonne

Très chère maman,

Je t'écris cette lettre 43 ans après ton décès pour te dire que tu restes encore très présente à ma mémoire et que je ne t'ai jamais oubliée.

Du plus loin que je puisse remonter dans le temps, tu es et tu demeures le plus beau souvenir de toute ma jeunesse. Je t'ai profondément aimée et respectée, maman. J'ai souvent souffert en silence avec toi car je croyais que tu méritais une bien meilleure vie que celle qui a été la tienne.

Dans ce livre sur ma vie, j'ai dévoilé une partie de notre intimité, non pas par sensationnalisme ou par souci d'attendrir le lecteur, mais bien pour aider les femmes victimes de violence conjugale à se sortir de cet enfer en constatant qu'elles ne sont pas seules à avoir vécu une telle situation. Je me suis servi de ton exemple pour aider, bien humblement, cette cause qui me tient à cœur.

Tu sais très bien que si j'ai continuellement ressenti le besoin d'aider au cours de ma vie, c'est grâce à toi, maman. C'est l'une des grandes valeurs que tu m'as inculquées. Tu m'as aussi aidé à être honnête et à ne jamais abandonner quoi qu'il arrive. Ce sont trois principes qui ont guidé tout mon parcours de vie et je t'en suis très reconnaissant.

Je voudrais tellement que tu sois là présentement pour te remercier de tout ce que tu as fait pour moi, pour Claudette, pour Francine et pour Michel. Tu as été une maman aimante, malgré ton existence difficile et ta santé fragile. L'image que je conserve de toi, c'est celle de la Vierge Marie. Tu étais la bonté incarnée. Lorsque je pense à toi, il m'arrive de fredonner une chanson que nous écoutions dans notre jeunesse et qui disait : « Maman tu es la plus belle du monde, aucune autre à la ronde n'est plus jolie… ». Cette chanson correspond très bien à toi…

Je veux te dire en terminant que je vais bien. Je suis fier de dire que ton fils a gagné la coupe Stanley avec le Canadien, une équipe que tu aimais tant. Ma vie a été parsemée de hauts et de bas, mais tout s'est généralement bien passé. De nos jours, tu serais grand-mère de mes quatre enfants (et arrière-grand-mère de sept petits-enfants) et je suis sûr qu'ils t'aimeraient beaucoup s'ils te connaissaient.

Repose en paix, maman, car tu l'as bien mérité...

Ton fils qui t'aime,

Jacques

Chapitre 7

«Hé! le jeune, *starte* le *truck*»

À tous points de vue, l'hiver avait été long et difficile, mais à l'aube d'un printemps qui s'annonçait généreux, on pouvait entrevoir un été magnifique partout au Québec. Du reste, toutes les prévisions le laissaient présager.

Nous étions à la mi-mars de 1962 et, par une belle journée ensoleillée, Jacques Demers se préparait à enfourcher sa bicyclette de livraison pour se rendre chez un client de l'épicerie Wolf. Depuis une semaine à peine, sa mère Mignonne avait quitté ce bas monde et, difficilement, la plaie commençait à se cicatriser. La douleur était toujours vive, mais comme bien d'autres orphelins avant lui, Jacques apprenait à composer avec son absence.

À la maison, ça se passait relativement bien. Claudette et Francine mettaient la main à la pâte pour s'occuper de la maisonnée. Dans le quartier Villeray, à vingt minutes du quartier Côte-des-Neiges, en compagnie de tante Blanche, d'oncle Léo et de leur fille Pauline, le petit Michel semblait mener une vie de pacha.

Absent du travail depuis une semaine, Jacques avait repris ses occupations à l'épicerie de la rue Darlington les jeudis et vendredis après-midi, de même que toute la journée du samedi. Comme du temps du vivant de sa mère, il ne touchait pas un sou des fruits de son travail, mais ses efforts permettaient de revenir à la maison avec des victuailles. Les quelques dollars qui restaient de sa paie hebdomadaire étaient remis, comme toujours, à l'administrateur de la maison, c'est-à-dire son père Emmanuel.

Ce dernier s'était adouci à la maison. Désormais, les enfants le surprenaient à méditer seul dans un coin de l'appartement. S'il ne verbalisait pas ses états d'âme, Emmanuel montrait tout de même des signes de repentir pour l'existence regrettable qu'il avait infligé à sa défunte épouse. À défaut de faire acte de contrition, le jeune veuf paraissait tourmenté, au point de laisser transparaître une certaine dose de remords. Ce qui en soi témoignait de sa fragilité intérieure malgré des dehors impassibles.

Dans une certaine mesure, Emmanuel faisait pitié. Se gardant bien de l'exprimer, il traversait un moment de remise en question au cours duquel il aurait eu besoin de tendresse et, surtout, de compassion. Et sans doute, c'était là son drame. La réalité lui rebondissait en plein visage : Emmanuel ne pouvait recevoir de ses enfants ce que, trop souvent et même systématiquement, il avait lui-même négligé de faire.

La vie de Jacques avait radicalement changé depuis une semaine. Il avait regagné les bancs de l'école quelques jours à peine après le service funèbre, mais le cœur n'y était vraiment plus. Surtout que les succès scolaires, aussi mitigés soient-ils, se faisaient toujours attendre. Le jeune homme n'était pas doué pour les études, et il éprouvait toujours de sérieuses difficultés à lire et à écrire, même s'il montrait plus de facilité pour les mathématiques. Désormais, il n'avait plus le goût de s'accrocher à une situation qui, selon lui, était perdue d'avance. Sa décision était prise : à la première occasion, il en sortirait.

* * *

Jacques s'apprêtait donc à partir faire une livraison à bicyclette lorsque le gros camion de la compagnie Coca-Cola se présenta devant l'épicerie. Il dut alors remettre à plus tard sa livraison puisqu'il était indiqué dans sa définition de tâches qu'il devait prioritairement aider au chargement et au déchargement des caisses de liqueurs. Le travail demandait non seulement une certaine force physique, mais aussi une bonne vitesse d'exécution, deux qualités qu'il possédait.

Dès l'arrivée du camion, Jacques s'affaira à sortir les nombreuses caisses de bouteilles vides du magasin pour que l'employé de Coca-Cola les charge à bord en les empilant. Par la suite, le vendeur-livreur s'en fut discuter avec le propriétaire de l'épicerie pour connaître ses besoins. Jacques se consacra alors à d'autres tâches dans l'épicerie tout en surveillant du coin de l'œil le livreur qui faisait la navette entre le camion et l'établissement pour réapprovisionner le magasin en boissons fraîches. Entre deux allers-retours, Jacques aborda l'employé de Coca-Cola : « Vous n'auriez pas du travail pour moi ? » se risqua-t-il à demander.

L'homme en question s'appelait Raymond Morel. C'était un travailleur méthodique, réservé et attentif. Un homme très fier de représenter la compagnie Coca-Cola. Il devait être âgé d'une trentaine d'années. Il accueillit la question de son jeune interlocuteur avec un certain intérêt.

Morel aimait bien ce jeune homme qu'il fréquentait de temps à autre à l'épicerie de M. Wolf. Chaque fois qu'il avait eu à faire équipe avec lui, il le trouvait dévoué et travailleur. Intrigué par la demande de Jacques, il répliqua par une série de questions : « Tu m'apparais bien jeune, commença-t-il par dire. Quel âge as-tu ? À ton âge, tu ne vas plus à l'école ? Et puis, tu n'aimes pas ton travail ici chez M. Wolf ? »

Comme l'homme semblait vouloir entamer un dialogue, Jacques sauta sur l'occasion pour répondre à toutes ses questions dans le moindre détail. Il lui expliqua de long en large sa nouvelle situation et ses projets :

« J'ai 17 ans et je célébrerai mes 18 ans le 25 août prochain. Je viens de perdre ma mère et je dois travailler pour aider ma famille. Je vais encore à l'école, je suis en 8e année [2e secondaire de nos jours], mais ce n'est pas mon intention de terminer l'année scolaire. J'ai beaucoup de difficulté à assimiler les matières et ça ne date pas d'aujourd'hui. J'ai vraiment perdu intérêt pour l'école. Je veux travailler, je n'ai pas peur de l'ouvrage et je suis prêt à mettre les heures qu'il faut pour répondre aux exigences de mon emploi. D'ailleurs, M. Morel, je serais très fier de travailler pour Coca-Cola. Ça me semble une belle *job*. En tout cas, c'est une grosse compagnie qui pourrait me faire vivre pendant plusieurs années. Ici chez M. Wolf, c'est un bon travail, mais ça se limite à la fin de semaine. »

Raymond Morel avait écouté le petit boniment de son interlocuteur sans intervenir. Il le trouvait déterminé et plutôt bon vendeur. De là à lui confirmer un emploi chez Coke, il y avait toutefois une marge que Morel ne pouvait franchir.

« Écoute jeune homme. Pour le moment, j'aurais plutôt tendance à t'encourager à poursuivre tes études. De toute façon, tu ne peux postuler un emploi régulier chez Coke avant d'avoir atteint tes 18 ans. Toutefois, au cours de l'été, nous faisons souvent appel à des étudiants pour nous venir en aide. Il faudrait que tu poses ta candidature le plus rapidement possible pour obtenir une chance. Le temps venu, j'essaierai d'intervenir en ta faveur. »

Les propos de l'employé de Coca-Cola n'étaient pas tombés dans l'oreille d'un sourd. Aussitôt qu'il fut parti, Jacques sauta sur sa bicyclette pour livrer ses commandes et revint rapidement au magasin. Profitant de quelques minutes d'accalmie, il se dirigea vers la cabine téléphonique au coin des rues Darlington et Soissons. Il empoigna le combiné et composa le numéro que lui avait refilé Morel.

« Bonjour, dit-il à la réceptionniste. J'aimerais savoir comment m'y prendre afin de postuler un emploi d'été. »

La dame au bout du fil lui expliqua qu'il devait remplir un formulaire d'embauche auquel il devait joindre son baptistaire. Elle lui précisa qu'il pouvait se rendre à l'usine Saint-Jacques, à Montréal-Ouest, pour obtenir ledit formulaire, ou qu'elle pouvait le lui faire parvenir par la poste. Comme il ne pouvait quitter son travail immédiatement, Jacques mentionna à la dame qu'il serait là de bonne heure le lendemain, vendredi, pour quérir les documents.

Sur le chemin du retour à la maison, ce soir-là, le jeune homme trottinait dans la rue d'un air léger en s'imaginant déjà avec le traditionnel uniforme brun des employés de Coke sur le dos. À son arrivée à l'appartement de la rue Barclay, il affichait une mine triomphante. Bien que Morel ne lui ait fait aucune promesse, Jacques avait déjà la certitude qu'il deviendrait sous peu un salarié de la grande firme américaine. Son optimisme qui, plus tard, lui vaudra le sobriquet de *Monsieur Positif*, se manifestait déjà à cet âge !

Sans attendre, Jacques fit part de sa discussion avec Raymond Morel à ses sœurs Francine et Claudette, de même qu'à son père Emmanuel. À l'entendre, ses interlocuteurs auraient pu croire qu'ils avaient devant eux le président de la compagnie !

« Je vais récupérer le formulaire d'embauche demain matin, leur annonça-t-il. Je vais le remplir et le retourner avec mon baptistaire aussitôt que possible. On m'a parlé d'un travail d'étudiant pour la période de l'été, mais dès que j'aurai eu mes 18 ans à la fin du mois d'août, je pourrai postuler un emploi régulier. »

Pendant que son fils l'informait de ses projets, Emmanuel, assis sur une chaise au coin de la table de cuisine, avait déjà les idées ailleurs.

« C'est pas merveilleux ça, papa ? insista Jacques pour se faire plus convaincant. Je vais pouvoir obtenir un travail à temps plein dans une grosse compagnie. Cela va me permettre de gagner plus d'argent pour le bien-être de tout le monde ici. Au fait, je dois bien avoir un baptistaire, non ? Il est où exactement ? »

Conservant un calme inhabituel, Emmanuel mit fin aux élans de son fils en lui conseillant de rester réaliste. Il éluda la question et invita Jacques à la prudence. Il lui promit de rediscuter avec lui de ses projets plus tard : « Va chercher les papiers et on en reparlera. Je ne sais pas s'il s'agit d'une bonne idée pour le moment. Et puis, qu'arrive-t-il avec tes études ? »

« Mais papa, c'est la chance de ma vie. De toute façon, tu sais qu'à l'école ce n'est pas la mer à boire. Je n'y comprends rien et je n'aime pas ça. »

* * *

Comme toujours, Jacques se réveilla à l'aube le vendredi matin. Sa décision était prise. Il ne se présenterait pas à l'école. Il se dirigerait plutôt en autobus vers Montréal-Ouest, où un formulaire d'embauche pourrait lui permettre de transformer sa vie. C'est ce qu'il fit.

Il revint en avant-midi à l'appartement de la rue Barclay où, tant bien que mal, il répondit aux questions inscrites sur le formulaire. Puis il s'en alla en milieu d'après-midi chez M. Wolf où il devait travailler jusqu'à 21 heures. Bien entendu, il n'avait parlé de ses projets à personne à l'épicerie.

À son retour à la maison en soirée, il examina le formulaire avec ses sœurs de façon à savoir s'il avait bien compris les questions et s'il y avait bien répondu. Puis il annonça à ses sœurs qu'il projetait d'aller remettre lui-même, en mains propres, sa candidature aux autorités de la compagnie dès le lundi matin suivant.

Songeur, Emmanuel surveillait du coin de l'œil les faits et gestes de son fils. Avant que la question du baptistaire ne refasse surface, il prit son courage à deux mains et invita son fils à discuter.

C'est ce soir-là, au cours d'une très brève discussion, que Jacques apprit qu'il ne possédait pas un baptistaire comme les autres. Ce baptistaire comportait des irrégularités qu'Emmanuel s'engagea à corriger dans les plus brefs délais. Mais le paternel n'en dit pas plus à son rejeton.

L'obscure et énigmatique intervention d'Emmanuel, homme de peu de mots, déconcerta Jacques. Non seulement cette nouvelle situation mettait un frein à ses projets immédiats, mais toute la question de ses origines remontait à la surface.

« Je croyais que mon père ne me disait pas toute la vérité. Déjà que le lien de confiance entre nous n'était pas tricoté serré. J'avais la très sérieuse impression, voire la conviction, d'avoir été adopté. Mon père n'était pas allé dans le détail des choses et sa courte déclaration soulevait bien plus de questions qu'elle n'apportait de réponses. »

Cette fois cependant, Emmanuel disait vrai. Il n'avait pas nécessairement la bonne façon de verbaliser les faits, mais, dans la pleine mesure de ses moyens, il avait joué franc-jeu avec son fils. D'ailleurs, de façon à permettre à Jacques d'y voir plus clair, il l'encouragea à en parler avec sa tante Jeannette.

Jacques communiqua aussitôt avec sa tante adorée pour en savoir davantage et même pour la prier de lui dire tout ce qu'elle savait. Il était inquiet et tourmenté.

«Ma mère venait de mourir et là, c'était comme une autre tuile qui s'abattait sur moi. Je me demandais qui j'étais réellement. Je craignais surtout qu'on me cache des histoires pas très correctes.

«L'idée que tante Jeannette et son copain Jean Carrière aient été mes parents biologiques m'a très souvent trotté dans la tête. C'est dans la discussion assez corsée que j'ai eue avec elle, et dont j'ai déjà parlé, qu'elle m'a juré que Mignonne et Emmanuel étaient mes véritables parents. En réalité, c'est tout ce que je voulais savoir. Pour le reste, j'avais un baptistaire irrégulier, mais c'était sans importance à mes yeux. Je n'ai donc pas posé de questions supplémentaires.»

Bien qu'encore dans le doute Jacques accepta les dires de tante Jeannette sans chercher à en savoir davantage. Ce n'est que quarante et un ans plus tard, dans les premiers moments de la rédaction de ce livre, qu'il apprit exactement les circonstances de sa naissance et la teneur des informations contenues dans ce premier baptistaire.

«Je me suis souvent demandé ce qui s'était passé avec ce fameux baptistaire, mais je n'ai jamais osé aller plus loin. Peut-être par peur de découvrir une réalité que je ne voulais pas connaître. Si je le lui avais demandé, j'imagine que tante Jeannette me l'aurait dit. Il reste que c'est étrange d'apprendre, à 58 ans (en 2002), que j'ai été baptisé Joseph, Émilien, Jacques Brissette plutôt que Joseph, Émilien, Jacques Demers.»

Peu après que Jacques eut obtenu confirmation qu'il était bien le fils d'Emmanuel et de Mignonne, son père et sa tante entreprirent de faire corriger son baptistaire dans les archives officielles. Le dossier connut sa conclusion très rapidement. C'est le mercredi 21 mars 1962 que Jacques Brissette devint officiellement Jacques Demers.

«Le nouveau baptistaire a été délivré le 21 mars 1962 et nous avons dû le recevoir par la poste dans les jours qui ont suivi», se souvient vaguement tante Jeannette.

* * *

Dès qu'il l'eut reçu, Jacques s'empressa d'en faire une copie pour la joindre à son formulaire de demande d'embauche chez Coca-Cola. À la première occasion, il se rendit prestement aux bureaux de la compagnie pour y remettre ses documents. Personne dans la famille ne s'interposa, tant sa motivation pour obtenir cet emploi était grande.

Le jeune homme s'installa alors dans une période d'attente. Naïvement, il croyait obtenir des nouvelles dans les jours à venir. Comme s'il était le seul étudiant à postuler un tel emploi !

À la moindre sonnerie du téléphone, ses oreilles se dressaient telles celles d'un renard aux aguets. Excité et fébrile, il espérait sans relâche l'appel salvateur de son futur employeur. Mais le téléphone avait décidé d'aiguiser sa patience. Et manifestement, Coca-Cola aussi !

Comme l'appel tant attendu tardait toujours à se faire entendre, Jacques dut poursuivre son travail à l'épicerie les week-ends et s'astreindre à fréquenter l'école quelques semaines encore.

À la fin du mois d'avril ou au début du mois de mai (le souvenir est imprécis) de cette année 1962, le jeune homme endeuillé décida de porter un grand coup. Au lendemain d'une série d'examens scolaires désastreux, il annonça tout bonnement à sa famille que l'école comptait désormais un nouveau déserteur. Sa décision était irrévocable. Il n'avait plus rien à faire de ses multiples difficultés d'apprentissage et de ses échecs répétés. Depuis fort longtemps, il savait qu'il n'avait rien du parfait disciple de Charlemagne. Pourtant il n'avait pas l'intention de végéter ni de devenir oisif. Bien au contraire.

« Je n'avais pas les aptitudes et les capacités voulues pour réussir à l'école, reconnaît-il. Je savais toutefois que j'étais vaillant et déterminé. C'étaient mes deux principaux atouts. À défaut d'être instruit, j'allais miser là-dessus pour me frayer un chemin dans la vie. »

Jacques se présenta un bon matin à l'épicerie pour informer M. Wolf de sa nouvelle disponibilité. Peu étonné, l'avisé propriétaire s'en désola, mais fit montre d'une certaine compréhension. Il lui indiqua toutefois que ses services n'étaient pas requis pour d'autres tâches que celles déjà convenues, du jeudi au samedi. Il lui réitéra sa satisfaction, mais lui expliqua que ses besoins à l'épicerie ne justifiaient pas un poste à plein temps. L'homme et le jeune homme se comprenaient.

Jacques poursuivit néanmoins son travail de soutien à l'épicerie comme au temps où il fréquentait l'école. Il lui arrivait même de travailler une journée de plus, de temps en temps, quand des employés étaient malades ou absents. Il accomplissait ses tâches le plus consciencieusement possible, mais son plus grand désir était de voir arriver, un de ces quatre matins, le gros camion de Coke à l'avant du commerce. Il piaffait d'impatience d'informer Raymond Morel de sa nouvelle situation et de lui répéter son désir de se joindre à la compagnie.

C'est par une journée de mai 1962 qu'il put finalement croiser l'homme qui représentait à ses yeux son mentor et, surtout, son espoir. À l'arrivée du camion rouge écarlate, il se précipita devant l'épicerie pour s'assurer que le chauffeur était bien Raymond Morel. L'apercevant débarquer du camion, son visage s'illumina. Il s'empressa d'aller à sa rencontre et, dans un flot de paroles ininterrompu, lui fit part de ses dernières démarches :

« M. Morel, j'ai finalement laissé l'école et je suis disponible en tout temps pour travailler. J'ai acheminé le formulaire d'embauche avec mon baptistaire à la compagnie il y a plus d'un mois, et depuis, j'attends des nouvelles. Avez-vous besoin d'aide ces temps-ci ? »

Le vendeur-livreur était sensible au discours du jeune homme, mais, dans une certaine mesure, il était impuissant à combler ses attentes immédiates. Qu'à cela ne tienne, Morel lui injecta une bonne dose d'espoir en lui promettant d'y voir très rapidement : « Écoute jeune homme, le printemps est à nos portes, ce qui est le gage de journées de travail très occupées pour des distributeurs de liqueur douce comme nous. Très bientôt la demande sera grande, et très bientôt les employés vont prendre congé pour les vacances estivales. On aura besoin d'aide à coup sûr. Fais-moi confiance, je m'occupe de ça. »

Il n'en fallait pas plus à Jacques pour se remettre à rêver. Un rêve qui devint réalité quelques semaines plus tard lorsque Morel en personne communiqua avec le jeune homme : « On a besoin de bras pour le début de la semaine prochaine, lui annonça-t-il. Es-tu d'attaque pour nous seconder ?, questionna-t-il en sachant d'avance la réponse de son interlocuteur. Présente-toi à l'usine de très bonne heure lundi matin. Je t'attends à 6 h 30. Tu travailleras avec moi les deux premiers jours. Après, on verra. »

Ce coup de fil providentiel eut un effet des plus tonifiants sur Jacques. De fait, il ne se souvenait pas d'avoir été habité par un si grand bonheur depuis le jour où on l'avait accepté chez les enfants de chœur de l'église Saint-Germain d'Outremont. Une expérience qui, au bout du compte, s'était pourtant avérée catastrophique. Mais cette fois, le jeune homme avait la ferme intention de faire de cette opportunité un succès.

« Dans ma tête, je venais de trouver un filon qui me permettrait d'améliorer mon existence. Grâce à Raymond Morel, je pouvais aspirer à une vie meilleure. C'était, en quelque sorte, mon Klondyke, mon billet gagnant de la 6/49 ! », se rappelle-t-il avec fébrilité.

C'est ainsi que Jacques Demers amorça sa carrière chez Coca-Cola au printemps de 1962. Les deux premiers jours avec Raymond Morel se déroulèrent comme sur des roulettes. Même que Morel était vivement impressionné par la capacité de travail de son apprenti. À la réunion matinale des vendeurs-livreurs, il n'avait pas hésité à louanger le jeune homme auprès de ses confrères : « Si l'un de vous a besoin d'un *helper*, je vous recommande fortement ce petit Demers. Il est de commerce agréable et, à vrai dire, j'ai rarement côtoyé un jeune aussi désireux de travailler. »

L'intervention de Morel avait fait son effet au sein de la confrérie, de sorte que, tour à tour, les vendeurs-livreurs tentèrent l'expérience avec Jacques. Au bout de trois semaines, le mot était passé à la compagnie : quiconque avait besoin d'aide s'informait de la disponibilité du jeune Demers. Bien entendu, c'est Morel qui avait le premier choix. Demers était sa recrue, son poulain ! Et le duo était complice comme si les deux hommes avaient travaillé ensemble depuis dix ans !

De cette façon, Jacques put se faire la main pendant une bonne partie du printemps et de l'été 1962 chez Coke. Il n'avait pas laissé son travail de week-end à l'épicerie Wolf, mais, de plus en plus, il devait s'en absenter puisqu'on le demandait fréquemment à son nouvel emploi.

« Ma vie a changé à partir de là, constate Jacques. J'ai d'abord quitté l'école parce que je n'apprenais rien. Je la fréquentais pour faire plaisir à ma mère. Maintenant qu'elle était décédée, c'était autre chose. J'en avais marre de tricher, de ne rien comprendre et de faire rire de moi. J'avais un problème d'apprentissage, mais on me prenait pour un innocent. Même le frère Latendresse me l'avait dit. »

* * *

Employé surnuméraire à la compagnie d'embouteillage depuis quelques mois, Jacques regardait avec impatience les jours s'égrener au calendrier, à la veille de célébrer ses 18 ans. Quand arriva enfin le jour de son anniversaire, le 25 août 1962, il poussa un soupir de soulagement : c'était un grand jour puisqu'il pouvait, à partir de ce moment, passer à la deuxième étape de son plan de carrière, soit postuler un poste permanent chez Coke. Il avait confié son projet à Raymond Morel, qui avait fait des représentations auprès de la direction pour lui permettre de passer les examens d'usage.

Prévoyant, Jacques avait pris rendez-vous quelques semaines auparavant avec la direction l'usine pour le lundi matin 27 août, afin de présenter sa candidature. Il avait les appuis nécessaires de la confrérie des vendeurs-livreurs, mais ces derniers n'avaient aucun contrôle sur les critères d'embauche. En d'autres termes, on voulait bien lui fournir les bonnes recommandations mais, en définitive, c'est Jacques lui-même qui tenait son sort entre ses mains. Tout ce qu'il devait éviter, c'était d'échouer aux tests.

Le postulant s'était présenté très tôt à l'usine où l'attendait un responsable des entrevues. Jacques lui expliqua en long et en large son désir de faire partie de l'équipe régulière de livraison, mais l'homme un peu bourru l'écoutait à peine.

« Écoute bien le jeune, fit-il en l'interrompant, si tu veux travailler ici, tu dois te soumettre à quelques tests d'aptitude sur lesquels je vais t'évaluer. Tu n'es pas le premier, ni le dernier adolescent à vouloir te placer les pieds ici. Alors, avant de perdre ton temps à m'expliquer que tu serais bien content d'avoir la *job*, passe les examens et, après, d'autres jugeront si tu peux travailler en équipe ou si tu es assez fiable et sérieux. »

Le ton était plutôt sec, ce qui contribua à refroidir les ardeurs de Jacques.

« La seule chose qui m'intéresse à ton sujet, mon p'tit Demers, reprit l'homme, c'est de savoir comment tu te débrouilles au volant d'un camion de livraison chargé. Suis-moi, on s'en va au garage. »

En l'espace de quelques secondes, Demers crut que tout son monde venait de s'écrouler. Il suivit néanmoins son examinateur qui lui semblait aussi sympathique qu'une mouffette sur le point d'arroser. Sans aucune cérémonie, l'homme grimpa du côté du passager tout en faisant signe au candidat de prendre place derrière le volant. Il lui refila les clés de l'engin et, désinvolte, lui ordonna de s'exécuter.

« Hé ! le jeune, *starte* le *truck*. »

Tremblotant et littéralement en sueur, Jacques fit mine de démarrer, mais à la dernière seconde, il posa les clés sur le siège entre les deux hommes avant de basculer les épaules et la tête sur le dossier. Puis il prit son courage à deux mains et attaqua le problème de front. Dans un discours qui aurait fait rougir les plus grands plaideurs devant une cour de justice, il supplia l'évaluateur de l'écouter.

« Là monsieur, vous allez me laisser parler deux minutes, implora-t-il. Je ne peux pas passer ce test-là. Je n'ai pas mon permis de conduire. Il m'est arrivé à quelques occasions seulement de conduire l'auto de mon père, mais sans plus. Pour avoir travaillé avec Raymond Morel, je sais que la conduite de ce camion rempli de bouteilles est très difficile et compliquée. Si je commets une mauvaise manœuvre, les bouteilles vont se mettre à valser et on risque de renverser le chargement. Comment voulez-vous que j'y arrive, moi qui n'ai presque pas idée du fonctionnement de l'embrayage sur un tel camion ? »

L'homme écoutait Jacques sans broncher comme s'il se foutait éperdument de ses doléances. Mais le jeune n'avait pas terminé : « Écoutez monsieur, cette *job*-là, il me la faut. Je viens de perdre ma mère, j'ai laissé l'école parce que je n'y comprenais rien, mon père est alcoolique, il n'a pas d'argent et il a même besoin de mon salaire pour subvenir aux besoins de ma famille. Je ne bois pas, je ne fume pas, je suis ponctuel et travailleur. Il faut que je réussisse ce test. Comprenez-vous ? Il le faut. Pour cela, j'ai besoin que vous me donniez une chance. De la façon dont ça fonctionne depuis mon arrivée ce matin, je n'y arriverai pas. J'ai besoin de votre aide et de votre compréhension. »

Jacques savait qu'il prenait un très grand risque en révélant à l'examinateur qu'il ne possédait pas son permis de conduire. Celui-ci aurait pu tout simplement lui indiquer qu'il ne satisfaisait pas au premier critère d'embauche et qu'il ne pouvait rien faire pour lui. Mais sous ses airs intransigeants, le bougon personnage était conciliant. Du moins, il perçut que son voisin était en véritable état de panique.

« Monsieur, ajouta Jacques, je vous promets que dès aujourd'hui je vais me rendre au bureau des licences pour obtenir mon permis. »

D'un regard impassible, l'homme l'intima de quitter le garage au volant du camion : « *Pars le truck*, on va faire un petit tour de ville », ordonna-t-il sans ambages.

Jacques inséra la clé dans le démarreur et, dans un état de nervosité extrême, il embraya le mastodonte pour quitter le garage sur la rue Saint-Jacques. Il était environ 7 heures du matin et la ville commençait à grouiller d'activités dans ce coin affairé de Montréal.

« Je me souviens très bien de ce qui m'est venu à l'esprit en quittant l'usine au volant du camion ce matin-là, dit Jacques. Dans ma tête, je jouais ma vie. Rien de moins ! »

Le départ s'effectua sans encombre et plutôt bien. « Ma seule crainte, c'était d'*étouffer* le camion. » Heureusement, le jeune homme ne cala pas.

Il démarra doucement et manœuvra bien avec la pédale d'embrayage. Après quelques virages à droite et à gauche, son copilote lui demanda d'emprunter la rue Sherbrooke, là où la circulation était dense et les arrêts fréquents. Jacques s'exécuta et, sans parler de perfection, il se comportait plutôt bien au volant. Trente minutes après son départ, le camion revenait au bercail avec ses deux occupants et toute sa marchandise en bon état. Les mains moites et le cœur battant, le postulant gara le véhicule exactement là où on le lui avait ordonné et s'empressa de couper le moteur avant de prendre une longue respiration. Du coin de l'œil, il regarda son évaluateur, qui restait de marbre. Aucun signe d'encouragement ou de réprobation. «Il avait conservé sa face de bois», ricane Jacques, quarante ans plus tard.

Les deux hommes se dirigèrent ensuite vers les bureaux administratifs de la compagnie où le responsable était chargé de remettre son rapport. L'évaluateur pointa du doigt une chaise dans la salle d'attente.

«Attends ici, on va venir te voir», marmonna-t-il.

C'est assis sur cette chaise, dans l'attente des résultats d'un examen qui pouvait changer sa vie, que Jacques Demers vit soudain surgir dans sa mémoire un souvenir troublant. «La dernière fois qu'on m'a ordonné de m'asseoir sur une chaise sans bouger, j'ai uriné dans mon pantalon, songea-t-il. Même si je suis intimidé, ça n'arrivera pas cette fois-ci.»

Une quinzaine de minutes plus tard, l'évaluateur réapparaissait, accompagné du patron des vendeurs-livreurs, Doug Whiteside, auquel il remit son évaluation. Marchant d'un pas pressé, il se tourna brusquement vers Jacques : «Mon *p'tit tabarnak*, t'es mieux de *passer tes licences*!» lui lança-t-il avant de tourner les talons.

Ce à quoi Jacques acquiesça avec de grands gestes affirmatifs de la tête, accompagnés d'un large sourire de conquérant.

«Je ne me rappelle pas le nom de cet homme. J'ignore même s'il est encore vivant. Il me paraissait très dur, mais, au fond, je crois qu'il avait bon cœur. Il aurait pu me refuser de passer ce fameux test routier, mais, ce matin-là, il a décidé de me donner une chance. Où qu'il soit, je tiens à le remercier très sincèrement.»

* * *

La bataille n'était toutefois pas encore gagnée. Il restait une étape importante à franchir avant de pouvoir crier victoire, soit obtenir un permis de conduire en bonne et due forme. Et c'est là précisément que les insuccès scolaires referaient surface, même si Jacques avait abandonné l'école.

Après avoir brièvement discuté avec son nouveau patron, Doug Whiteside, Jacques sauta à bord du premier autobus pour se rendre au bureau des licences le plus près. Il était situé au centre-ville de Montréal.

Là encore, il dut user de persuasion pour se voir accorder le fameux document. Cette fois-ci, il croisa sur son chemin un fonctionnaire compréhensif. « Je crois que c'est ma mère qui a placé ces deux âmes bienveillantes sur ma route en ce lundi matin du 27 août 1962 », pense-t-il.

Avant toute chose, l'homme lui expliqua qu'il devait réussir un test écrit pour avoir son permis. Pour Jacques, cela signifiait immédiatement un échec annoncé. Alors, comme il l'avait fait avec l'examinateur de Coca-Cola, il recommença son monologue expliquant sa situation et en rajouta même un peu.

« Je lui ai expliqué ce qui venait de m'arriver chez Coke et pourquoi je voulais tant obtenir ce travail. Je lui ai avoué que je savais à peine lire et écrire, et que, s'il ne m'aidait pas à faire le test écrit, tout serait foutu. »

Étrangement, Jacques sentit chez cet homme toute la compréhension qu'il n'avait jamais eue d'un père.

« Tout s'est passé très vite. L'homme m'a pris sous son aile. Il m'a aidé à lire les questions, tout en me conseillant pour mettre mes X aux bons endroits sur le formulaire. En fait, il m'a pratiquement fait passer un test oral plutôt qu'écrit. »

Restait à passer l'examen pratique au volant d'une voiture. De ce côté-là au moins, Jacques bénéficiait d'un peu d'expérience puisqu'il lui était arrivé à quelques reprises de devoir ramener la famille du Parc Belmont ou de la plage d'Oka lorsque son père avait trop bu.

« À ce moment-là, je me suis dit que les *brosses* de mon père avaient au moins ça de bon ! Sinon, j'aurais été plutôt nerveux au volant, ce qui n'a pas été le cas. »

L'examen pratique se déroula donc sans problème, malgré quelques petites erreurs acceptables, de sorte qu'en plein milieu de l'après-midi, en ce 27 août 1962, Jacques Demers put ressortir du bureau des licences de la rue Sherbrooke avec l'indispensable et précieux permis de conduire dans sa poche.

« Lorsque je suis revenu chez Coke vers 16 heures ce jour-là, j'avais une *job*. Ma vie prenait un nouveau tournant. Quel bonheur ! »

Dans les jours suivants, Jacques fut convoqué au bureau de la compagnie d'embouteillage pour commencer son travail d'employé permanent. On l'habilla des pieds à la tête. Comme second, il devait porter le pantalon, le veston, la chemise et la cravate aux couleurs (brunes) de la compagnie. Certains vendeurs-livreurs, eux, avaient droit à une chemise blanche pour les distinguer.

Sa première mission consistait à seconder le vendeur senior, George Dent, dans la livraison. « Nous alimentions tous les gros édifices du centre-ville. J'étais dans l'action et je m'entendais très bien avec George. J'ai aussi travaillé en compagnie de plusieurs autres vendeurs-livreurs, dont René Dussault, Rémi Pilon et d'autres encore. Nous avions énormément de plaisir. J'adorais ce travail. Nous étions bien rémunérés pour l'époque et jouissions d'une belle sécurité d'emploi. J'avais une période de probation de six mois à accomplir et, une fois cette obligation remplie, je me voyais un employé de Coke pour le reste de ma vie. »

Le destin allait toutefois en décider autrement…

Lettre G

À Raymond Morel et à mes amis chez Coca-Cola

Il y a maintenant 33 ans que j'ai quitté mes collègues de la compagnie Coca-Cola pour tenter ma chance dans le monde du hockey professionnel.

Lorsque je passe en revue le déroulement de ma vie, je ne peux faire autrement que me souvenir des très bons moments que j'ai passés en compagnie de toute l'équipe avec laquelle je travaillais chez Coca-Cola. Pour moi, c'était devenu une véritable famille. Nous avions autant de plaisir à travailler qu'à faire du sport ensemble. Je dirais même que c'est dans ce contexte que j'ai commencé à me valoriser par le sport.

Toute cette belle aventure de dix ans chez Coca-Cola n'aurait pas été possible sans la compréhension et l'ouverture de Raymond Morel, qui s'était avéré mon plus grand défenseur auprès des autorités de la compagnie et au sein du groupe des employés.

Mon cher Raymond, tu es arrivé comme une véritable bouée de sauvetage dans mon adolescence alors que je venais de perdre ma mère et que tout m'était très difficile sur les bancs d'école.

D'une certaine façon, je crois que tu as senti ma détresse à l'époque et que tu as tout mis en œuvre pour me donner le coup de pouce dont j'avais besoin pour me lancer dans la vie des adultes.

Raymond, tu as été un personnage marquant dans ma jeunesse et je tiens à te remercier de m'avoir permis de pratiquer ce beau métier de livreur de liqueurs douces au cours de mon passage chez Coca-Cola, dans les années 1960 et 1970.

Jacques

Chapitre 8

Des noces dramatiques

C'était un soir du mois d'août 1965. Jacques Demers allait célébrer ses 21 ans le mercredi de la semaine suivante. Il rentrait du travail et se préparait à casser la croûte, seul, à l'intérieur de l'appartement. Soudainement, le téléphone sonna.

C'était l'époque où il vivait ses premières fréquentations amoureuses. Il espérait recevoir un appel de sa blonde, Renée Moreau, pour planifier les sorties de la fin de semaine. Plutôt fébrile, il avait déjà plusieurs projets en tête. Renée était une collègue de travail de sa sœur Claudette, chez Bell Canada. C'est elle qui avait joué les entremetteuses entre les deux tourtereaux.

Excité, Jacques accourut vers l'appareil téléphonique dès le son du timbre. Pas question de faire attendre sa chère Renée. Il déchanta aussitôt quand il entendit une voix masculine.

« M. Demers ? » fit l'homme au bout du fil.

« Oui. »

« Vous êtes bien M. Emmanuel Demers ? » précisa l'inconnu.

« Non, ce monsieur Demers n'est plus ici. ».

« Pourtant, je suis bien chez M. Demers, domicilié au 2785 de la rue Barclay ? »

« Tout à fait, mais Emmanuel Demers était mon père. Or, il est décédé il y a trois semaines. »

« Euh… bredouilla l'homme, embarrassé. Je crois que nous avons un problème… »

* * *

Les choses se déroulaient plutôt bien pour Jacques et ses sœurs depuis plusieurs mois. La vie avait repris son cours normal et les plaies consécutives au décès de Mignonne étaient, à toutes fins utiles, refermées.

Ayant quitté son travail de week-end à l'épicerie pour un emploi permanent chez Coca-Cola, où il avait franchi avec succès sa période d'essai de six mois, Jacques était rapidement devenu un collègue estimé de tous. On appréciait sa bonhomie, son sens du devoir et ses qualités… athlétiques. Dès son entrée dans la compagnie, on l'avait recruté pour jouer au sein des clubs sportifs des employés. Il était particulièrement populaire dans l'équipe de hockey de la ligue *Labor*. Cette ligue industrielle comptait trois autres formations, soit celles de la Commission de transports, des Postiers et de la CIP. Les matchs étaient disputés surtout à l'aréna Roussin, de même qu'aux arénas de Montréal-Est et de Villeray.

À défaut d'un talent exceptionnel, Jacques affichait une détermination peu commune sur la patinoire. Bien souvent, son désir de victoire se transformait en agressivité. Sans être un géant, il était plutôt costaud. Ce patineur plutôt moyen ne reculait devant rien ni personne, de sorte qu'il était souvent impliqué dans des chicanes épiques. Il avait la *mèche courte* et l'adversaire le savait. On le faisait sortir de ses gonds plutôt facilement, mais sa propension à défendre ses coéquipiers coûte que coûte lui valait une certaine admiration.

De façon générale, Jacques se valorisait dans le travail et dans le sport. Depuis quelques années déjà, il jouait dans des ligues de hockey organisées. À la fin des années 1950, il avait notamment joué pour la formation du Rocket d'Outremont, au niveau juvénile. Il faisait équipe avec des copains du voisinage, dont Yvon Bisson et Roger Saint-Onge. Il revêtait le dossard numéro 9. C'était, bien entendu, le célèbre numéro du chandail de la légende vivante, Maurice *Rocket* Richard, au sein du Canadien de Montréal.

C'est surtout avec le Rocket d'Outremont que Jacques avait acquis une réputation de petite peste pour ses rivaux. Il aimait mettre de la vie dans le feu de l'action. Ses coéquipiers l'adoraient tout autant que ses adversaires le détestaient. « J'étais pas mal *achalant* pour les autres », ricane l'ancien joueur du Rocket.

Son style agressif et son tempérament intense étant connus de plusieurs, on l'avait rapidement invité à se joindre à l'équipe de la *shop* dans ses premières années chez Coke. C'est d'ailleurs au sein de cette équipe qu'il a connu les meilleurs moments de son humble *carrière* de hockeyeur, si on peut la qualifier ainsi.

Parmi ses coéquipiers de l'époque, on retrouvait, outre deux anciens amis et coéquipiers du Rocket d'Outremont, Yvon Bisson et Roger Saint-Onge, André Labelle (l'ancien lanceur de balle rapide chez les 4 Chevaliers O'Keefe), Jacques Boudrias (le cousin d'André, ancien joueur de la LNH), Richard Toupin, René Miron (un cousin), Roger Bertrand, Réal Poirier, Marcel Goyer (un autre ancien des 4 Chevaliers O'Keefe), Rémi Pilon, André Bergeron, Robert Mandeville et Gilles Picard (le père de Robert, l'ancien défenseur du Canadien) et d'autres encore.

Les joueurs étaient très unis, tant sur la glace qu'à l'extérieur. Il arrivait souvent que les matchs dégénèrent en bagarres. Et au centre des échauffourées se trouvait immanquablement Jacques Demers. Il était même en première ligne, la plupart du temps.

« J'ai mangé des coups, mais j'en ai donné en *tabarnouche* ! résume-t-il. Je n'étais pas un grand joueur, mais je me défonçais. C'était ma façon de me faire accepter dans l'équipe. Je donnais tout. Il m'arrivait toutefois de dépasser les bornes. »

Ces matchs se terminaient souvent par une sortie entre les *boys* dans un bar ou un restaurant du coin. Jacques s'y rendait par souci de camaraderie, mais il ne raffolait pas de ces débits de boisson.

« J'ai pris ma première bière à environ 21 ans, dit-il. Je n'aimais pas cela. De mon père, et de ses amis qui venaient boire avec lui, j'avais presque quotidiennement un mauvais exemple des conséquences de la consommation d'alcool. Moi, je ne touchais pas à cela. Pas plus que je ne fumais. À vrai dire, je détestais la cigarette. Nous vivions dans une maison toujours pleine de fumée et ça me répugnait. »

À choisir, Jacques préférait terminer sa soirée de hockey en se rendant dans un petit restaurant du centre-ville pour casser paisiblement la croûte avant de passer au lit. Mais tout n'était pas aussi paisible qu'il l'aurait souhaité.

C'est au cours d'une sortie bien tranquille, en compagnie de sa blonde, qu'il fut un jour impliqué dans une violente bagarre dans un restaurant situé à l'angle des rues Saint-Denis et Mont-Royal.

« J'étais assis tranquillement avec Renée. Nous étions accompagnés de Jacques Boudrias et de son amie. Nous mangions une petite pizza lorsque quatre hommes dans la vingtaine sont entrés. Les quatre ont commencé à faire la vie dure à la serveuse qui avait un certain âge. La dame me semblait sans défense. L'attitude de ces clients me dérangeait. J'avais dit à Jacques que je ne pouvais accepter une telle chose. La serveuse demeurait polie, mais on la sentait très nerveuse. Puis, j'ignore pourquoi, un gars du groupe avait traité cette dame *d'hostie de vache*. Elle s'était mise à pleurer.

« Elle avait cherché du réconfort auprès de son patron, mais sans succès. C'est là que j'ai sauté les plombs. C'est comme si je revoyais un film que j'avais vu plusieurs fois à la maison. Je me suis levé, j'ai empoigné le gueulard et je lui ai administré un de ces coups de poing dévastateurs. Je l'ai *knock-outé* sur-le-champ ! J'ai regardé les trois autres et les ai mis au défi. Personne n'a bougé. Je leur ai dit de ramasser leur *chum*, de payer, puis de foutre le camp. Et c'est ce qu'ils ont fait. »

Jacques prend une pause, avant d'ajouter : « Ce n'était pas très intelligent de ma part, mais le traitement dont avait été victime cette dame était inacceptable à mes yeux. »

Cependant, il lui arrivait rarement de donner libre cours à la violence physique à l'extérieur des plateaux sportifs – déjà qu'au hockey, au ballon sur glace, au football ou même au baseball, il ne donnait pas sa place. Pour lui, le sport servait d'exutoire. Il pouvait y expulser son anxiété trop souvent réprimée. C'était mieux ainsi.

Il reste que ces années à jouer au hockey avec les copains de Coca-Cola le comblaient amplement. « Je dirais que toute la bande chez Coke, que ce soit au travail ou dans les équipes sportives, était devenue ma grande famille. Je m'y plaisais en tout temps. »

Jacques aimait tellement ses collègues de travail qu'il organisa lui-même une rencontre entre un de ceux-là, René Dussault, et sa petite sœur Claudette. C'était en quelque sorte un retour d'ascenseur puisque Claudette avait fait de même pour lui et Renée Moreau quelques mois plus tôt.

Un jour qu'il était à l'hôpital pour subir une opération à un genou, due à des blessures de hockey, Jacques dressa un plan pour sa sœur et son collègue René Dussault. Comme il savait que Dussault voulait lui rendre visite à l'hôpital, il l'avait contacté pour lui demander de quérir sa sœur à la maison afin qu'elle puisse venir le voir elle aussi.

« Jacques était ratoureux, rigole Claudette. Ma mère lui avait demandé de s'occuper de nous, ses sœurs, et, cette fois-là en particulier, il avait été fidèle à sa volonté. Je crois qu'il avait examiné attentivement ses collègues et avait trouvé que René serait un *bon parti* pour moi ! Il ne m'avait rien dit, pas plus qu'à René. »

Ainsi, René Dussault s'était présenté à l'appartement de la rue Barclay afin de servir de chauffeur à la sœur de son collègue. Le couple, qui n'en était pas encore un, se rendit à l'hôpital où Jacques les accueillit d'un air triomphant. Claudette et René en profitèrent pour discuter. Quelques jours plus tard, Cupidon avait fait son œuvre. Jacques était ravi de son initiative.

La flèche était lancée. Restait maintenant à savoir comment tout cela allait tourner…

* * *

Il faisait un soleil radieux en ce vendredi 30 juillet 1965. Les prévisions pour le lendemain ne pouvaient être meilleures. On annonçait un ciel dégagé, une journée ensoleillée et une température oscillant autour de 85 degrés Fahrenheit. Que demander de plus pour Claudette Demers et René Dussault qui allaient convoler en justes noces à 11 heures à l'église Saint-Pascal-Baylon ?

Les fiancés avaient organisé une fête qui devait s'avérer la plus belle journée de leur existence. Tout avait été planifié et organisé dans les moindres détails. Pour la première fois de sa vie de travailleuse, Claudette avait réussi à conserver la totalité de ses deux dernières paies de Bell Canada, grâce à la permission de son père qui, en d'autres temps, prélevait sa part. Comme toujours, Emmanuel contrôlait l'argent à la maison. Même Jacques, qui allait bientôt avoir 21 ans, devait encore céder son pécule au grand argentier familial, qui, à son tour, en redonnait quelque peu à ses *fournisseurs* pour leurs petites dépenses hebdomadaires.

Emmanuel avait donc consenti à la future mariée le « privilège » de conserver la totalité de ses deux derniers chèques. C'est avec cet argent que Claudette avait pu payer la location de sa robe de mariée et qu'elle avait pu planifier avec son futur époux un voyage de noces à Wildwood, sur la côte est américaine. Dans un élan de générosité douteux, Emmanuel avait aussi décidé de recevoir la famille et les amis en grande pompe. Il avait réservé un grand hôtel sur le boulevard Décarie, à Montréal, où les convives allaient festoyer à ses dépens. Il désirait marier sa fille en première classe.

« On vivait dans un appartement de trois pièces et demie avec des meubles loués, rappelle Claudette. Je dormais avec ma sœur Francine dans le salon et Jacques dormait dans la même chambre que mon père. On n'avait pas une *maudite* cenne et tout le monde le savait. Mais lui, Emmanuel, avait décidé qu'on ferait une grande noce. Il avait même emprunté un peu d'argent de sa blonde de l'époque pour verser un acompte sur la location de la salle et pour le buffet. Il faisait un *trip* de millionnaire ! Mais c'était un faux millionnaire et un vrai irresponsable. »

Quoi qu'il en soit, tout était organisé à la perfection, bien que personne ne sache comment Emmanuel réussirait à s'acquitter des factures au bout du compte. C'est une chose que les fiancés redoutaient de voir rebondir tôt ou tard, mais, pour le moment, ils avaient décidé de composer avec la situation, quitte à recoller les pots cassés plus tard.

Plus que les factures à payer, un élément tracassait passablement les esprits de la future mariée et de son frère Jacques en cette veille de la cérémonie. Comment le paternel allait-il se comporter aux noces ? Pour Jacques en particulier, il n'était pas question que son père vienne gâcher la plus belle journée de la vie de sa sœur. C'était clair à ses yeux. Et il allait s'en assurer.

« Pour la première fois de ma vie, ce soir-là, j'ai sérieusement mis en garde mon père, raconte-t-il. Il n'était pas question qu'il vienne nous faire honte devant tout le monde en cette journée spéciale. Je lui ai dit qu'on ne voulait pas qu'il vienne faire du trouble et qu'il était hors de question pour lui de boire durant la noce. »

Bien que quelque peu contrarié, Emmanuel avait accepté les conditions imposées par son fils et sa fille, qui s'était jointe à la discussion. À moins d'avis contraire, Emmanuel allait demeurer sobre. En soi, cela assurait la réussite de la journée.

* * *

C'est Jacques qui devait conduire la mariée et son père jusqu'à l'église. Le trio monta à bord de la Pontiac noire 1959 décapotable qui appartenait à Emmanuel. La veille, Jacques lui avait redonné tout son éclat en la faisant briller d'un pare-chocs à l'autre. Il avait aussi effectué le *grand ménage* à l'intérieur du véhicule. Comme dirait l'autre, la voiture était *Spic'N Span*.

En cette magnifique journée ensoleillée, Jacques avait pris soin d'ouvrir le toit, avant de faire monter la vedette du jour et son témoin, Emmanuel, sur la banquette arrière. Claudette était pétillante et son père était de fort belle humeur. Tous les ingrédients étaient là pour faire de cette journée, un moment inoubliable.

La cérémonie religieuse se déroula dans la joie et l'ordre, chacun des acteurs s'acquittant de son rôle à merveille. Jusque-là, Jacques était fier de voir que son père avait respecté les volontés de la princesse du jour. Mais il était sur ses gardes.

Au sortir de l'église, après la traditionnelle pluie de confettis sur le parvis, Jacques avait le mandat de conduire les nouveaux mariés à la salle de réception. Ce qu'il accomplit avec un bonheur indescriptible.

« Comment pouvais-je être plus heureux ? C'est moi qui avais présenté René à Claudette et, quelques mois plus tard, je me retrouvais au volant de la voiture pour les conduire à leur *party* de noces. J'étais heureux que cette rencontre ait si bien réussi. »

En présence des membres de la famille des mariés et de nombreux amis, la réception prit des allures de joyeux carnaval. Tout se déroulait dans l'allégresse et la gaieté. Bref, c'était une fête bien arrosée, doublée d'un repas abondant et délicieux. Et au diable la dépense !

Chaque fois qu'il en avait l'occasion, Jacques surveillait d'un regard furtif son père qui se mêlait parfaitement aux convives. Solide, Emmanuel honorait sa promesse. Du reste, personne de ses proches ne réussit à le prendre en flagrant délit de consommation. Ce qui, pour plusieurs, constituait l'exploit du jour !

Pressés de vivre leur première nuit de noces, les nouveaux mariés avaient prévu quitter la cérémonie en milieu d'après-midi. Ils devaient partir le lundi matin pour Wildwood, mais, dans l'intervalle, ils avaient l'intention de vivre quelques heures d'intimité. Ils avaient réservé une chambre dans les Laurentides, à Sainte-Adèle précisément, pour un séjour de deux nuits, après quoi ils reviendraient à Montréal le lundi matin, passeraient à la banque pour cueillir des devises américaines et se mettraient en route vers les plages du New Jersey.

Après avoir salué tous les invités, les mariés partirent pour Sainte-Adèle, et Claudette remercia sa sœur Francine et son frère Jacques d'avoir contribué au succès de la fête. Elle se montra surtout très reconnaissante envers son père qui avait dignement respecté sa journée.

Les mariés étaient partis depuis dix minutes à peine qu'Emmanuel se dirigea vers son fils. « Jacques, je voudrais que tu viennes me reconduire à la maison », demanda-t-il.

Le fils accepta sans poser de questions, sachant qu'il ne serait absent qu'une petite demi-heure, le temps de faire le trajet aller-retour entre la maison et la salle de réception.

À son tour, Emmanuel se plia aux salutations et aux remerciements d'usage avant de prendre place du côté du passager dans la décapotable noire.

* * *

Si Jacques croyait avoir subi le plus grand stress de sa vie au volant d'un véhicule le jour où il avait dû passer son examen d'admission chez Coke à bord d'un camion de livraison, ce n'était rien en comparaison de ce qu'il allait vivre au cours des minutes suivantes.

Le duo venait à peine de quitter la salle qu'Emmanuel formula une étrange demande à son rejeton alors que la voiture était immobilisée à un feu de circulation.

« Jacques, referme le toit du *char*, j'ai froid », dit l'homme de 50 ans.

« Mais papa, il fait entre 85 et 90 degrés Fahrenheit dehors ! Tu ne peux pas avoir froid. »

« J'te dis que j'ai froid, répliqua sèchement le père. Ferme le toit. »

Intrigué sinon éberlué, Jacques gara le véhicule et se plia aux volontés de son père, malgré l'incongruité de sa demande. Puis il reprit la route vers l'appartement de la rue Barclay.

À l'intérieur de l'automobile, on aurait pu entendre une mouche voler. Le poste de radio était éteint et aucun des deux occupants n'ouvrait la bouche. À défaut de pouvoir discuter avec son père, Jacques passait en revue la journée extraordinaire qui venait de se dérouler. Il était ravi pour sa sœur et pour toute la famille.

Quelque peu égaré dans ses pensées, il sursauta tout à coup lorsque le côté gauche de la tête d'Emmanuel heurta le volant, avant d'atterrir mollement sur sa cuisse droite.

« Mais qu'est-ce que tu fais là, papa ? s'écria Jacques. C'est dangereux, on pourrait avoir un accident », ajouta-t-il, décontenancé.

Tout en poursuivant sa route à basse vitesse, il tenta de replacer son passager en position assise, en même temps qu'il lui lançait des paroles bien senties : « Voyons donc, papa, réveille-toi ! Réveille-toi ! »

Le quinquagénaire n'avait aucune réaction, tandis que Jacques s'inquiétait. Il appuya légèrement sur l'accélérateur de façon à arriver plus rapidement à destination, mais, quelques secondes plus tard, le corps inanimé d'Emmanuel bascula vers l'avant et son front heurta violemment la console de la voiture.

Paniqué, Jacques tenait le volant de la main gauche et, de sa droite, il redressa son père et le poussa contre la portière droite, avant de la verrouiller. Il trouvait que son teint avait passablement pâli, mais il le croyait simplement évanoui, victime d'un coup de chaleur.

Il fit demi-tour à la première occasion et partit en trombe à travers la ville, empruntant les rues à contresens afin de regagner la salle de réception dans les plus brefs délais. Chemin faisant, il s'époumonait à prononcer, à répétition, le nom de son père dans l'espoir de le réveiller. La folle course dura à peine dix minutes, qui lui parurent une éternité.

Finalement, il arriva sur les chapeaux de roue dans le stationnement de la salle de réception où il immobilisa le véhicule promptement. Il ouvrit sa portière, avant même de fermer le contact, et sortit de la voiture en catastrophe. Dans sa mire, il aperçut son oncle Jean Bergeron (le frère de Mignonne) qui profitait du beau temps à l'extérieur.

« Venez m'aider, *mononcle* Jean, papa est malade, implora-t-il. Je ne sais pas ce qui lui est arrivé, mais il est sans connaissance. »

Quelques convives étaient en compagnie de Jean Bergeron à l'extérieur et, le temps de le dire, tous les invités de la noce étaient là. Oncle Jean ouvrit la porte, tout en prenant soin de retenir Emmanuel afin qu'il ne tombe pas contre le sol asphalté. Il redressa son beau-frère contre la banquette et, de façon élémentaire, lui tâta le pouls au niveau du poignet, puis au cou. Le geste avait quelque chose de grave et sentencieux. Jean Bergeron avait fermé les yeux de façon à pouvoir mieux se concentrer sur les pulsations cardiaques d'Emmanuel. Puis il lui souleva les paupières. C'est alors qu'il se releva péniblement et que, l'air dépité, il regarda son neveu avant de dire :

« Jacques, je crois que c'est très grave. Son cœur ne bat plus. Il faut se rendre à l'hôpital au plus vite. Appelle l'ambulance. ».

Affolés, les convives se précipitèrent sur le premier appareil téléphonique pour appeler les secours. Des ambulanciers eurent tôt fait d'arriver et de transporter le malade dans leur ambulance pour aussitôt prendre la route de l'hôpital. À bord de la Pontiac 1959, Jacques et oncle Jean suivirent le véhicule d'urgence. Dès son arrivée à l'hôpital, Emmanuel fut pris en charge par les préposés aux urgences.

Si Jacques s'accrochait encore à un espoir, son oncle s'était résigné. Constatant l'état du mourant, le médecin de service pratiqua immédiatement une trachéotomie (opération consistant à faire une incision verticale dans la trachée pour permettre au patient de respirer). Il s'évertua aussi à exécuter plusieurs massages cardiaques, mais ses manœuvres ne semblaient mener à rien. Il quitta la salle d'opération et se présenta dans la salle d'attente. Redressant la tête, il s'adressa solennellement à Jacques et à Jean.

« Messieurs, je suis désolé. Il n'y a rien que nous puissions faire. M. Demers a été victime d'une violente attaque cardiaque. Il est décédé. Je suis vraiment désolé. »

Littéralement assommé par cette nouvelle, Jacques s'effondra puis plongea dans un état d'affolement. Il se mit à crier et à taper sur les murs de l'hôpital. Puis il saisit une lourde machine à écrire noire (sans doute une vieille Underwood, pour les amateurs nostalgiques) et la projeta furieusement contre un mur. Ensuite, il se recroquevilla au sol avant d'éclater en sanglots. Il demanda alors au médecin s'il pouvait voir son père, une autorisation qu'on lui refusa puisque le défunt était déjà en route pour la morgue.

« J'avais plusieurs reproches à formuler à mon père, mais, cette journée-là, je ne voulais pas qu'il meure. À vrai dire, je crois qu'on n'est jamais préparé pour la mort d'un de ses parents. Et ce, peu importe la relation qu'on a eue avec lui. En ce 31 juillet 1965, on avait passé une superbe journée en famille. Tout le monde était heureux. Mon père avait été très correct avec ma sœur. Il n'avait pas pris de boisson. Toutefois, j'ai le sentiment qu'il a combattu ses démons toute la journée et c'est pourquoi il voulait retourner à la maison aussitôt que les mariés eurent quitté la réception. J'ai l'impression qu'il avait extrêmement soif et que ce combat intérieur a provoqué l'attaque cardiaque. »

Il ajoute : « J'ai vieilli énormément ce jour-là. Je me retrouvais orphelin avec une petite sœur de seize ans, Francine, et un petit frère de quatre ans et demi, Michel, qui habitait chez oncle Léo et tante Blanche. Dans le cas de Claudette, sa vie prenait un nouveau tournant avec son mari René. Claudette a partagé sa vie avec René pendant vingt-neuf années.

« Il reste que je trouvais tout cela injuste. Trois ans plus tôt, ma mère était décédée en me serrant la main et, cette fois, mon père avait rendu l'âme sur mes genoux dans la voiture. Bien peu de gens peuvent dire que leurs deux parents sont morts entre leurs mains. »

Bien entendu, cet événement dramatique mit fin aux célébrations à l'hôtel. La famille devait maintenant se mettre en frais d'organiser des funérailles. Et il fallait expressément joindre Claudette qui avait pris la route de Sainte-Adèle pour un hôtel dont elle avait tenu le nom secret.

Malgré des efforts répétés qui, notamment, mirent à contribution la Sûreté du Québec, on ne réussit pas à retracer les nouveaux mariés. Ce n'est que le lundi matin, soit près de 40 heures plus tard, que Claudette apprit la triste nouvelle, tout juste avant de partir pour Wildwood.

« Ma famille savait que je devais passer à la Caisse populaire le lundi matin pour obtenir des devises américaines. C'est là qu'on m'a retracée et que j'ai tout appris », raconte Claudette qui, du coup, voyait son voyage prendre fin avant même d'être partie.

Comme il se devait, Jacques, Claudette, Francine et Michel Demers rendirent un dernier hommage à leur paternel avant de le porter en terre au Cimetière de l'Est, à côté de leur mère inhumée trois ans et demi plus tôt. Les enfants reçurent de l'aide de la famille Demers et, plus particulièrement, de tante Jeannette.

« On l'a exposé au salon Magnus Poirier au coin des rues Rachel et Papineau avant de lui organiser un service en bonne et due forme. On lui a donné le respect qu'un père doit recevoir de ses enfants jusqu'à son dernier repos », mentionne l'aîné de la famille.

Sur ce, Jacques affiche une mine tristounette comme s'il éprouvait des regrets d'avoir dû composer avec un père qui n'en était pas un. Sans vouloir l'excuser, il reconnaît que son géniteur était handicapé : « Mon père était malade. Il souffrait d'alcoolisme. Lorsqu'il prenait une bière, il lui en fallait vingt. Comme plusieurs, il refusait de l'admettre et de se soigner. Je ne l'ai jamais dit, mais je sais que la veille des noces, il s'était passablement *payé la traite* après qu'on lui eut fait promettre de rester sobre le lendemain. Au fond, il était malheureux. Aujourd'hui, je trouve triste le genre de vie qu'il a vécue. »

Encore ces dernières années, au moment de la préparation de ce livre, on pouvait percevoir chez Jacques un certain malaise, pour ne pas dire une certaine rancœur, à l'égard de son père.

« J'ai vécu des situations pas très agréables avec lui sur le plan personnel. Sur le plan familial, on déménageait souvent parce que le loyer était impayé ou parce que le travail à la conciergerie n'était pas fait adéquatement. Pendant des années, on a ramassé la "merde" des autres, on a vécu dans un climat de boisson et de boucane qui menait souvent à la violence. Sans compter qu'on était constamment sur le qui-vive : une journée mon père travaillait, le lendemain il avait perdu son emploi. D'ailleurs, il lui est même arrivé de nous impliquer dans ses histoires d'absentéisme au travail ou de factures impayées : des jours qu'il ne voulait pas, ou ne pouvait pas, aller au travail, ou lorsque des créanciers couraient après lui pour se faire payer, il nous faisait répondre au téléphone qu'il n'était pas là. J'essaie depuis longtemps d'oublier tout cela, mais plusieurs *flashes* de cette époque me reviennent en tête. »

La sœur de Jacques, Claudette, dit aussi avoir traversé des périodes où le ressentiment prenait le dessus. Mais un jour, elle a décidé de vider la question afin de repartir à neuf.

« Des gens vont lire son histoire et, par ricochet, la nôtre, et ils vont se reconnaître, dit Claudette. J'ai vécu longtemps avec un sentiment de honte.

Comme bien d'autres dans cette situation, je m'imaginais être seule à avoir vécu pareille chose et, à la limite, je me croyais responsable.

« De nos jours, je n'éprouve pas beaucoup de respect pour mon père, mais j'ai *dealé* avec mes problèmes. Heureusement, j'ai suivi une thérapie pour évacuer mes souffrances. Je me suis acharnée auprès de Jacques afin qu'il en fasse autant. Il ne l'a pas fait. Ce livre, je crois, lui sert de thérapie et lui fera un grand bien. Du moins, je l'espère. »

Dans toute sa sagesse, Claudette ose même prétendre que, en fin de compte, Jacques Demers doit énormément à son père.

« Un jour, j'ai dit à Jacques que s'il était devenu ce qu'il est aujourd'hui, il devait, au fond, remercier son père. C'est lui qui lui a forgé le caractère. Je crois qu'il s'est donné la mission d'être le contraire de son père. Ça en a fait un homme bon, généreux et, surtout, responsable.

« Mon père était malade. Sa violence incontrôlée venait probablement du fait qu'il était malheureux à l'intérieur. Tout est là. Il faut se sentir bien à l'intérieur. »

Cela dit, Claudette admet qu'en vieillissant Emmanuel était devenu plus agréable : « Il s'est adouci après le décès de ma mère. Remarquez qu'il n'avait pas le choix. Il avait besoin de nous ! Il n'avait pas intérêt à ce qu'on parte de la maison. On travaillait et il ramassait nos payes au complet. »

* * *

Bien que les enfants Demers fussent devenus orphelins de mère et de père, la vie allait et devait continuer pour eux. Désormais, Francine habitait avec les nouveaux mariés, Claudette et René Dussault, alors que le petit Michel, âgé de quatre ans et demi, restait toujours chez Léo et Blanche. Quant à l'aîné, Jacques, il avait décidé de conserver le logement de la rue Barclay, où il demeurait seul.

Bien entendu, il n'était pas question d'héritage. Emmanuel n'avait pratiquement rien à lui. Sans assurances ni liquidités, il laissait quelques meubles et son automobile, la Pontiac noire décapotable 1959. Ce qui n'était pas grand-chose.

Pourtant, Jacques récupérait la totalité de son salaire d'employé de Coca-Cola (qui se chiffrait à environ 125 $ par semaine). Fini le temps où il devait refiler son chèque au paternel !

Si Jacques avait mis plusieurs mois à se rétablir du départ de sa mère, son deuil fut beaucoup plus expéditif dans le cas de son père. À peine plus de deux semaines s'étaient écoulées depuis l'inhumation d'Emmanuel que déjà son rejeton était passé à autre chose.

«Je me souviens de m'être ennuyé de mes sœurs et de mon frère, mais pas nécessairement de mon père», admet-il.

Il faut dire que depuis quelque temps il avait beaucoup d'occasions pour meubler son temps et fuir l'ennui. D'abord, son travail sur le camion de livraison de Coke le comblait entièrement; il y consacrait toutes les heures voulues. De plus, à chaque matin, il éprouvait un plaisir fou à se retrouver avec ses confrères de travail qui, pour plusieurs, étaient devenus des amis. Parallèlement à son travail, sa nouvelle flamme, Renée Moreau, occupait passablement ses pensées.

Sur le plan monétaire, il avait gagné plus de liberté puisqu'il pouvait désormais disposer de la totalité de ses revenus. En contrepartie, il devait s'acquitter des comptes, ce qui incluait le loyer, le téléphone, l'électricité, l'épicerie et certaines autres dépenses de la vie courante. Mais il lui restait suffisamment d'argent pour pouvoir s'offrir des petites sorties au cinéma et au restaurant avec sa blonde.

* * *

C'est d'ailleurs à la perspective d'une soirée au cinéma Outremont avec Renée qu'il songeait quand le téléphone sonna ce soir-là du mois d'août 1965. Déçu d'entendre une voix masculine en lieu et place de la douce voix de sa charmante Renée, il ne tarda pas à voir resurgir d'un passé qu'il préférait oublier la figure de son défunt père.

«Je suis bien chez monsieur Emmanuel Demers, domicilié au 2785 de la rue Barclay?, avait demandé l'homme au bout du fil.

Jacques lui avait expliqué que son père venait de mourir, mais ce fut en entendant «Je crois que nous avons un problème...» qu'il comprit qu'il n'était pas encore débarrassé du paternel.

L'homme disait vrai. Le problème était bien réel.

Peu enclin à discuter, il expliqua rapidement à Jacques que son père affichait un compte en souffrance depuis quatre mois chez une compagnie de location de meubles et qu'il avait été chargé par cette entreprise de récupérer les biens.

«Que dites-vous là? objecta Jacques. Les meubles qui sont ici nous appartiennent. C'était la propriété de mon père et c'est moi qui en ai hérité», insista-t-il.

« Vous n'avez sûrement pas hérité des meubles, M. Demers, parce que les meubles ne lui ont jamais appartenu. Ils étaient loués, argumenta-t-il. Nous avons donné plusieurs chances à votre père, nous lui avons fait confiance, mais, à maintes reprises, il n'a pas rempli ses obligations. Si vous voulez conserver les meubles, il faudra payer les arrérages et la location pour deux autres mois à l'avance. Vous avez jusqu'à demain pour décider. Sinon, nous serons là vendredi pour récupérer nos biens. »

Abasourdi, Jacques raccrocha et pesta contre son défunt père qui revenait le hanter, même à six pieds sous terre.

« C'est la goutte qui a fait déborder le vase, dit Jacques aujourd'hui. Même mort, mon impossible père avait trouvé le moyen de me causer du trouble. J'étais dans tous mes états. Cette journée-là, je crois l'avoir profondément détesté. »

Incapable de réunir l'argent nécessaire en 24 heures, Jacques se résigna à accueillir les employés de la compagnie de location deux jours plus tard. Impassible mais le cœur en broussaille, il les surveilla pendant qu'ils vidaient le logement.

« Ce fut un coup difficile à accepter pour Jacques, se rappelle Claudette. Il me semble que, pour le peu qu'on avait, cette compagnie de location de meubles aurait pu lui donner une chance en lui accordant plus de temps. »

« En quelques minutes, je me suis retrouvé dans un logement vide, se souvient le dépouillé. Il ne restait qu'un réfrigérateur et un poêle qui étaient fournis par le propriétaire de l'immeuble. Je n'avais plus rien : plus de table, plus de chaises, plus de lit, plus de bureau, plus de divan, plus de téléviseur. Plus rien. Ce qui me choquait le plus, c'était de voir que je devais encore ramasser les pots cassés de mon père. »

Jacques tenta tant bien que mal de s'organiser pendant quelques semaines, mais, de guerre lasse, il quitta le logement avant la fin du bail et se réfugia quelque temps chez sa tante Bérangère dans l'est de la ville, sur la rue Rachel, près de Delorimier.

« Je n'ai pas habité là très longtemps puisque ça me prenait un temps fou pour me rendre au travail, raconte-t-il. J'ai finalement emménagé dans le même immeuble que ma sœur Claudette sur la rue Helmhurst à Notre-Dame-de-Grâce. Ce n'était pas très loin de l'usine de Coke sur la rue Saint-Jacques où je travaillais. Claudette et René m'ont prêté des meubles et j'en ai acheté peu à peu. »

Par la suite, Jacques dit avoir vécu dans une sorte d'inquiétude permanente, redoutant que le fantôme de son père ne vienne encore se manifester à tout moment.

«J'en ai eu pour plusieurs jours à craindre la sonnerie du téléphone. Sacré père! Même décédé, il exerçait encore une certaine pression psychologique sur moi. J'avais vraiment hâte d'en sortir.»

Jacques et ses sœurs en ont finalement eu le cœur net quelques semaines plus tard au moment où ils devaient se prononcer sur la succession de leur père. «Il était tellement criblé de dettes qu'on a refusé la succession! C'était plus payant pour tout le monde d'agir de la sorte. Ou moins coûteux.»

Lettre H

À mon frère Michel

Le sort a voulu que nous soyons séparés à ton très jeune âge, Michel, en raison du décès de maman et de papa alors que tu étais encore enfant.

La vie nous a toutefois donné une très belle compensation parce qu'aujourd'hui, mon cher Michel, tu es devenu mon meilleur ami.

Je sais qu'une certaine partie de ce livre t'est étrangère puisque tu n'as presque pas connu nos parents, mais je sais aussi que tu comprends ma démarche et que tu m'appuies dans mon projet.

Depuis mon retour à Montréal dans les années 1990, nous nous sommes beaucoup rapprochés au point d'être pratiquement des inséparables. J'apprécie beaucoup ta présence et ta compagnie parce que nous partageons plusieurs points en commun. De plus, tu es une personne avec qui je peux communiquer et à qui je peux faire confiance.

Je sais que je peux compter sur toi lorsque j'en ressens le besoin et je veux que tu saches que je serai toujours là pour t'aider et t'appuyer.

Michel, j'aime la façon dont tu mènes ta vie, toi qui occupes un emploi stable, toi qui respectes ta femme et toi qui adores tes enfants (tout autant que Jean-François, le fils de Francine). En somme, tu es un homme équilibré, honnête et sincère.

J'espère qu'on restera des chums jusqu'à la fin de nos jours.

Jacques

Deuxième période

LA LIGUE NATIONALE, ENFIN…

Chapitre 9

« Moi, un *coach* ? »

Bien installé dans le canapé du salon devant le téléviseur, Jacques Demers discutait allègrement de hockey avec son beau-frère Wilson Church pendant que le Canadien, encore dans ses années glorieuses, s'amusait à démolir les Blues de Saint Louis au Forum sur le petit écran. Les deux hommes étaient devenus beaux-frères quand Jacques avait épousé Renée Moreau deux ans plus tôt, et le destin avait voulu que Renée et l'épouse de Wilson Church, Gisèle, soient sœurs.

Les deux frangines s'entendaient à merveille, tout comme Jacques et Wilson. Il arrivait donc souvent à Gisèle d'inviter sa sœur et Jacques à passer la soirée du samedi en couple à Saint-Léonard ou à la résidence du père des deux sœurs, M. Moreau, à Montréal.

Nous étions au mois de novembre 1968 et Jacques avait 24 ans. La LNH avait procédé, un an plus tôt, à sa première expansion en accueillant les nouvelles équipes de Saint Louis, Philadelphie, Minnesota, Los Angeles, Pittsburgh et Oakland. Dans le salon de Wilson Church, on discutait fort. Les deux hommes admettaient que cette expansion avait dilué la qualité du hockey, mais par la même occasion, ils reconnaissaient que plus de joueurs avaient la chance de se tailler une place au soleil.

La discussion était à la fois joyeuse et enflammée entre les deux hommes, mais, dès qu'Henri Richard se présentait sur la patinoire, Jacques exigeait pratiquement un silence religieux pour voir s'exécuter son idole.

« J'ai beaucoup aimé le *Rocket*, Jean Béliveau, Bernard Geoffrion et, plus tard, Guy Lafleur, mais mon idole a toujours été Henri, souligne-t-il. Et Henri lui-même le sait. Je lui ai dit tellement souvent ! »

Redevenant un *fan*, Demers s'emporte encore aujourd'hui en parlant de son favori : « J'aimais tout en lui : sa vitesse, sa finesse, son cœur, sa fougue, son endurance, sa personnalité, son talent. J'ai toujours voulu être un joueur comme Henri, mais la Providence ne m'a pas doté des mêmes qualités. »

Avec son idole de toujours, Henri Richard. (Archives de Jacques Demers)

« Henri Richard, a déjà déclaré Demers à des journalistes de Detroit, c'est la volonté totale de faire le maximum chaque soir et de gagner. De lui, j'ai appris que quelle que soit ta taille, et même si tu pars de loin, tu peux réussir si tu travailles dur et si tu te donnes à fond. » Beau témoignage que celui-là !

Jacques demandait donc à son beau-frère de faire une pause dans la discussion lorsque le célèbre numéro 16 du Tricolore enjambait la rampe pour sauter dans la mêlée. Il tenait à épier chacun des gestes de son idole.

Demers s'était rapidement lié d'amitié avec Church, un ancien policier qui occupait désormais le poste de régisseur des sports à Saint-Léonard. Church était un passionné du hockey et, de près ou de loin, il était impliqué dans toutes les équipes de sa ville. Plus qu'un employé municipal, il s'avérait un bénévole de premier ordre à Saint-Léonard.

* * *

Après le décès de son père, Jacques avait continué à travailler chez Coca-Cola, où il prenait encore un énorme plaisir à l'ouvrage et, surtout, à côtoyer ses collègues et à faire du sport tout en poursuivant ses fréquentations avec Renée. C'est à l'été de 1966 que les tourtereaux avaient décidé d'unir leur destinée, ce qui ne faisait pas nécessairement l'unanimité autour d'eux. On les trouvait bien jeunes, et quelque peu immatures, pour s'engager de la sorte. Jacques avait 21 ans, bientôt 22, alors que Renée avait à peine 20 ans. Certains disaient même qu'en Renée, Jacques voulait combler le vide laissé par le décès de sa mère…

« Il y a beaucoup de vrai là-dedans, admettra Jacques près de 40 ans plus tard. Renée et moi étions de bons amis, mais nous nous sommes mariés pour les mauvaises raisons. »

Quoi qu'il en soit, Jacques recherchait une certaine stabilité affective et l'avait trouvé en Renée. Au travail, il filait le parfait bonheur. D'apprenti livreur-vendeur, il était devenu adjoint régulier. Il arrivait même qu'on lui demande d'être le livreur-vendeur responsable lorsque ses collègues étaient malades ou en vacances. Cela le valorisait grandement, lui qui était sans instruction et qui, se disait-il, était entré par la porte arrière en suppliant son supérieur de lui accorder une chance dans la vie. Au volant de son lourd camion, il avait l'impression d'avoir atteint le seuil de la respectabilité malgré son passé trouble et ses échecs scolaires répétés.

« J'avais encore des difficultés à lire et à écrire, mais je m'étais tracé un chemin dans la vie. J'étais comblé par ma réussite. Je n'en demandais pas plus. Il m'arrivait de croire que ma mère, de là-haut, éprouvait une grande fierté de me voir mener une vie noble et rangée. Parfois, j'avais l'impression qu'elle m'accompagnait à bord du camion. »

Déjà, au sein de ses équipes sportives ou au travail, Jacques Demers parlait abondamment et sa bonhomie était appréciée de tous. Bref, le jeune adulte avait l'impression d'être lancé pour de bon dans la vie, lui qui était maintenant marié, titulaire d'un emploi stable et parfaitement heureux parmi la grande famille des travailleurs de Coca-Coca ltée.

Il s'agissait d'un travail très dur puisqu'il devait charger et décharger des caisses de bouteilles à différents points de dépôt dans la ville. À l'époque, un camion contenait entre 200 et 300 caisses. Chacune des caisses de bois, remplies de ses bouteilles de verre, pesait 67 livres (environ 30 kg).

De façon à accélérer la livraison, les employés devaient porter deux caisses à la fois, soit une dans chaque main. Inutile de dire qu'un livreur de l'époque était inévitablement fort et en forme. Et s'il ne l'était pas, il le devenait ou… il perdait son emploi !

« D'aussi loin que je me souvienne, raconte Demers, j'ai toujours été très fier de me présenter dans mon uniforme et avec ma cravate chez un client. J'aimais vraiment mon travail. Les journées passaient rapidement. » À l'époque, Demers touchait autour de 6 500 $ par année, soit 125 $ par semaine à un taux horaire de 3,10 $, pour une semaine régulière de 40 heures.

À ses débuts, il livrait surtout dans les commerces du centre-ville de Montréal. La marchandise était exclusivement constituée de bouteilles de Coke de différents formats. Ce n'est qu'en 1967 que la compagnie a introduit de nouveaux produits comme les boissons de marque Sprite et Fanta.

C'est d'ailleurs en 1967 que Demers vécut l'un des plus beaux étés de sa jeune existence chez Coke à l'occasion de l'Expo 67, à Terre des Hommes. Un événement qui dura 185 jours, avec ses 90 pavillons, ses 62 pays représentés et, surtout, ses 50 millions de visiteurs.

« Nous avions l'exclusivité de la distribution de boissons gazeuses sur tout le site. Il s'agissait uniquement de produits en fontaine. Nous n'avions aucune caisse à manipuler, que des bidons de sirop [produit concentré] à livrer. Le site était bondé tous les jours, il faisait beau en permanence, de sorte que les besoins en approvisionnement étaient complètement fous. Nous avons travaillé comme jamais cet été-là. Montréal accueillait le monde. La ville était en effervescence. Les gens étaient fiers et joyeux. Nous avions l'occasion de circuler sur le site tous les jours. En fait, nous étions là surtout pendant la nuit puisque, en raison de l'achalandage monstre, toutes les livraisons devaient s'effectuer de nuit. On avait accès au site lorsqu'il était presque désert. C'était une époque fantastique.»

Comme l'Expo 67 avait connu un succès gigantesque, les autorités de la Ville de Montréal, le maire Jean Drapeau en tête, décidèrent de reconduire l'événement à l'été 1968, sous forme d'exposition réduite, puisque certains pavillons avaient été démolis. Les services de Demers furent donc requis pour cet été-là aussi, car la compagnie Coca-Cola avait pu renouveler son contrat.

* * *

C'est dans cet état d'esprit joyeux, voire euphorique, que Jacques Demers avait conclu sa deuxième saison à Terre des Hommes en octobre 1968 avant de recommencer à s'entraîner avec ses amis et coéquipiers de Coke pour une autre saison dans la Ligue *Labor* de Montréal.

Depuis quelques semaines, Demers insistait auprès de Wilson pour que ce dernier aille le voir jouer à l'aréna Villeray, situé non loin de Saint-Léonard où habitait son beau-frère.

Malgré ses nombreuses occupations, Church avait finalement accepté. Il s'était présenté un certain vendredi soir de la fin octobre pour assister à un match. «Ce jour-là, je suis tombé à la renverse en le voyant jouer», racontait-il à l'été 2003, peu de temps avant de mourir des suites d'une longue maladie.

«C'était une ligue très compétitive. Le calibre de jeu était très élevé pour l'époque. Jacques n'était pas nécessairement le plus grand et le plus gros, mais il avait du cœur à revendre. Il *bardassait* passablement. De nos jours, des joueurs comme Tie Domi et Darius Kasparaitis me font penser à lui. Il était vraiment *tough*! Je suis convaincu que si Jacques avait eu deux pouces de plus, il aurait pu jouer dans la LNH. Je sais qu'il n'est pas d'accord avec ça, mais c'est ce que je crois.»

Et d'ajouter Church avec une admiration bien sentie : «Avant tout, Jacques Demers était un gars d'équipe extraordinaire. Il n'y a rien qu'il n'aurait pas fait pour un coéquipier ou pour son équipe. C'est pourquoi les joueurs l'aimaient tant.»

Impressionné par le jeu de son beau-frère sur la glace, Wilson Church prenait désormais un plaisir renouvelé à discuter de hockey avec lui lors de leur rencontre familiale.

«On regardait les matchs du Canadien à la télévision et il aimait décortiquer le jeu, rappelle Church. Il analysait les entrées et les sorties de zone, de même que le jeu des équipes en avantage et en désavantage numériques. Ça m'impressionnait car je savais que Jacques n'avait jamais suivi d'école de hockey. C'était d'autant plus étonnant que, sur la glace, il n'était pas nécessairement un joueur, disons, "scientifique", mais dans le salon, il devenait un fin analyste.»

Jacques n'eut pas souvent l'occasion de voir son beau-frère l'encourager dans les estrades lors d'un match de la Ligue *Labor*. De son propre aveu, Church en avait «plein ses bottines» à remplir adéquatement son mandat de régisseur des sports à la Ville de Saint-Léonard, s'occuper de sa famille et faire généreusement du bénévolat pour la cause sportive de sa ville. C'est pour cette raison que les deux hommes se voyaient, hélas, peu souvent et qu'ils éprouvaient un si grand plaisir à se retrouver à la résidence de Church de temps à autre le samedi soir.

C'est lors d'une de ces visites, un samedi soir du début du mois de novembre 1968, dans le salon de son beau-frère et ami, Wilson Church, que la vie de Jacques allait changer à tout jamais.

* * *

La deuxième période du match entre le Canadien et les Blues venait de prendre fin et Jacques se préparait à se lever pour aller discuter, à la cuisine, avec sa femme Renée et sa belle-sœur Gisèle. Depuis le début du match, Church avait une idée en tête et cherchait le bon moment pour aborder la question. Au cours des deux premières périodes, il avait jonglé avec plusieurs scénarios, mais n'était pas arrivé à présenter son sujet dans la discussion. La soirée filait et, tel un pêcheur, se disait-il, il devait lancer sa ligne s'il voulait en avoir le cœur net.

Au moment où Jacques allait se lever, il saisit son bras et lui demanda de demeurer assis quelques minutes : «J'ai quelque chose à te dire.»

Demers le regarda d'un air inquiet, comme si quelque chose de grave venait de se produire. «Écoute le beau-frère, fit Church en guise d'introduction. Tu me parles des systèmes de jeu depuis le début de la soirée; tu analyses de fond en comble le jeu de puissance du Canadien, et tu me dis que tu ferais ceci ou cela si tu étais à la place de (l'entraîneur) Claude Ruel.

Il me semble que tu devrais faire un *coach*. Tu devrais arrêter de jouer dans ta ligue industrielle et prendre la responsabilité d'une équipe. »

Surpris, Demers dévisagea son interlocuteur comme s'il s'agissait d'un extra-terrestre : « Moi, un *coach* ? T'es malade ! Je ne connais rien là-dedans. Et puis, je n'ai pas le temps pour ça. Je ne suis pas disponible. Ça ne m'intéresse pas. De toute façon, je *coacherais* qui ? »

* * *

Dans le regard de son beau-frère, Wilson Church avait perçu une certaine étincelle. Même qu'il lui avait semblé marquer des points lorsqu'il lui avait expliqué les raisons qui lui faisaient croire en lui comme futur entraîneur de hockey.

Church avait le sentiment que Demers allait mordre à l'hameçon. Il n'allait surtout pas lâcher le morceau. Il fallait battre le fer pendant qu'il était chaud – ou plutôt remonter la ligne.

« Tu connais la *game,* Jacques, poursuivit Church d'un ton flatteur. Tu as de la vie. Tu es expressif et émotif. Tu es aussi un homme positif. Surtout, tu es un gars d'équipe. Il te suffirait de transmettre tout cela à tes joueurs et le tour serait joué. »

Pas peu fier du regard qu'il posait sur sa propre personnalité, Demers esquissa un sourire de circonstance, mais il n'était certainement pas disposé à se lancer dans une telle aventure.

« Écoute Wilson, lui répondit-il, je n'ai jamais vraiment dirigé des joueurs derrière un banc. Il m'est arrivé de remplacer mon oncle Jean Bergeron à l'époque du Rocket d'Outremont. J'étais le capitaine et je l'ai remplacé quelque temps quand il était malade. Mais pour moi, je n'étais pas "l'entraîneur". J'étais juste un capitaine qui faisait son travail de capitaine. Je *coachais* mes *chums*. C'était entre nous, entre amis. On avait du fun. Au fond, tout le monde *coachait* le club en même temps ! Mais dans mon esprit, ce n'était pas une vraie expérience de *coaching*. »

Ce soir-là, Wilson Church ne crut pas nécessaire d'insister davantage. Il avait placé ses premières pièces sur l'échiquier et, se disait-il, il reviendrait à la charge le temps venu. Mais il avait la certitude d'avoir touché une corde sensible chez son beau-frère. Il se permit d'ajouter simplement une conclusion qui plongea son vis-à-vis dans un état de grande perplexité : « Tu ne le réalises peut-être pas, Jacques, mais je crois sincèrement que tu as de la graine de *coach*. ».

Flatté, Demers répéta tout de même qu'il n'avait ni le temps, ni le désir de diriger une équipe de hockey. Mais, intrigué, il rajouta une question qui dissimulait mal son intérêt soudain d'explorer cette possibilité : « Admettons que ça m'intéresse, Wilson, je dirigerais qui exactement ? » répéta-t-il.

Fin négociateur, Church savait qu'il avait véritablement piqué la curiosité de son interlocuteur. Voyant qu'il était encore hésitant, il ne livra pas tout de suite les réponses qu'appelaient ses questions les plus pressantes. Il usa de stratégie afin de stimuler sa réflexion. Mais dans son for intérieur, il savait qu'il avait fait germer dans la tête de son beau-frère l'idée qu'il pourrait, bientôt, devenir entraîneur de hockey sur glace.

« Je suis convaincu que c'est au cours de cette première discussion survenue un certain soir d'automne de 1968 que Jacques Demers est devenu entraîneur de hockey, dira-t-il trente-cinq ans plus tard. Avec le recul, je crois que c'est ce soir-là que sa carrière a commencé. Il a peut-être même rêvé de coupe Stanley en se couchant le soir ! Allez donc savoir. »

Quoi qu'il en soit, Church devait trouver une réponse à la dernière question de Jacques. « Si un jour tu es vraiment intéressé, Jacques, il y aura toujours une équipe en attente d'un nouveau *coach* », fit-il d'un ton évasif, sans vraiment lui dévoiler sa véritable intention.

Car il avait un plan qui lui trottait dans la tête depuis la première seconde où il avait songé à son beau-frère comme entraîneur…

* * *

Le vin mousseux et la bière coulaient à flots dans le vestiaire euphorique des Panthères juvéniles de Saint-Léonard, en ce dimanche d'avril de 1969, à l'aréna du collège Roussin.

Déjouant toutes les prédictions du début de la saison, les Panthères avaient effectué une véritable *razzia* dans la ligue de la région de Bourassa pour enlever les honneurs de la saison régulière et ceux des séries éliminatoires.

Le fait saillant de cette saison s'était produit au mois de novembre lorsque les Panthères avaient procédé à un changement d'entraîneur. Malgré la présence de plusieurs joueurs de talent, l'équipe n'allait nulle part jusque-là. L'arrivée d'un nouveau pilote avait complètement transformé l'équipe.

Dans le vestiaire bondé et bruyant des champions, Wilson Church était au septième ciel. Cet homme ne jubilait pas, il jouissait ! Il s'enorgueillissait d'avoir pris les bonnes initiatives au bon moment.

« Je te l'avais dit que tu avais de la graine de *coach*, répétait-il sans cesse aux oreilles de Jacques Demers tout en lui servant des accolades qui ressemblaient davantage à des étreintes. Regarde tous ces jeunes comment ils sont heureux. Tu y es pour beaucoup dans leur succès et leur bonheur. »

* * *

L'aventure de Jacques Demers à la barre des Panthères juvéniles de Saint-Léonard avait débuté à la fin du mois de novembre 1968.

Dans les jours qui avaient suivi sa première discussion avec son candidat potentiel, Wilson Church avait rappliqué à plusieurs reprises auprès de Demers. C'était presque devenu de l'acharnement.

Toutefois, plus le temps avançait, moins Jacques se montrait catégorique dans son refus. Church le sentait bien et savait que son futur entraîneur manquait pour l'instant de confiance en lui. Il s'affairait à lui injecter une bonne dose de renforcement positif chaque fois qu'il en avait l'occasion.

« Je te dis que tu ferais *une bonne job*, insistait-il. Tu vas te faire accepter et respecter par les joueurs, j'en suis convaincu. »

Quelque peu agacé de toute cette pression, Demers décida d'en avoir le cœur net et d'aller droit au but : « Wilson, qu'as-tu réellement derrière la tête ? Dis-moi donc quelle équipe a besoin d'un *coach* à ce temps-ci de l'année ? »

C'est ainsi que Church expliqua à Demers ce qui se passait chez les Panthères de Saint-Léonard, une équipe inscrite dans une ligue dont le calibre était comparable à celui du midget AAA aujourd'hui. Cette formation connaissait un début de saison médiocre, ayant subi des défaites répétées contre ses rivaux de Montréal-Nord, Anjou, Pointe-aux-Trembles et Montréal-Est notamment.

« On a besoin d'un nouvel entraîneur pour changer la chimie du club et je suis persuadé que tu es l'homme tout indiqué. Viens seulement essayer. Si tu n'aimes pas ça, tu nous le diras et on passera à autre chose. »

Demers était passablement tiraillé par l'offre que lui présentait son beau-frère. D'une part il avait le goût de tenter l'aventure, mais d'autre part il se questionnait sur ses propres aptitudes à assumer un tel poste. Et il y avait toute la question de sa disponibilité et celle du transport.

« Je ne suis pas certain d'avoir vraiment le temps, fit-il. Ça demande beaucoup de temps, le soir et les fins de semaine. Or, tu sais que Renée ne raffole pas du hockey. De plus, je demeure dans l'ouest de la ville. Ça va me coûter une petite fortune juste à voyager. »

« Pour le transport, s'empressa de préciser Church, on va payer ton *gaz*. En ce qui concerne le temps à consacrer, tu vas voir, ce n'est pas si pire que ça. Et c'est tellement valorisant de travailler avec les jeunes. »

Demers n'était pas encore certain de pouvoir être à la hauteur des attentes de son interlocuteur et, pour s'en assurer, il lui demanda une autre fois si, vraiment, il le croyait en mesure d'occuper un tel poste : « Tu es sûr, Wilson, que je pourrais *coacher* des jeunes de 16-17 et 18 ans alors que j'ai seulement 24 ans ? »

« Si je n'étais pas certain, Jacques, je ne t'en aurais jamais parlé. »

Revigoré par ces propos encourageants, Demers prit une longue respiration et annonça sa décision : « C'est correct, j'y vais..., mais laisse-moi y penser encore ce soir. Je te reviens là-dessus demain. »

Mais Church ne lui accorda aucune chance de revenir sur sa première décision : « Tu n'as plus vraiment le temps d'y penser, mon cher Jacques, car tu as un entraînement à organiser pour demain soir et un match à diriger après-demain ! »

« Si vite que ça ? T'es pas sérieux ? »

« Je n'ai jamais été aussi sérieux », enchaîna Church en riant et plutôt fier de son coup.

« C'est comme ça que je suis devenu entraîneur de hockey ! » s'exclame Demers, trente-six ans après le début de sa carrière.

* * *

Jacques Demers rentra chez lui pour annoncer la « bonne » nouvelle à sa femme qui, soyons clair, ne sauta pas de joie au plafond. Une fois la question réglée, il communiqua avec son grand ami de chez Coca-Cola, Yvon Bisson, pour lui offrir de devenir son adjoint. Il sollicita également les services de son cousin, Gilles Miron, à titre de soigneur de l'équipe. Les deux hommes acceptèrent de sauter à bord du bateau.

Dès ses premiers contacts avec ses joueurs, Demers adopta la philosophie du rassembleur. C'est là qu'il prononça ses premiers discours de motivation. Une approche qui fera sa marque de commerce tout au long de sa carrière.

« Dès mon arrivée dans le vestiaire, je me suis présenté brièvement, mais j'ai tout de suite parlé du concept d'équipe. Il n'y a que ça qui comptait. Quoi qu'il advienne dans le feu de l'action, il fallait jouer les uns avec les autres et s'appuyer les uns sur les autres. C'était essentiel. Je me suis fait énergique et ferme, mais aussi très positif. Je pense que les jeunes ont apprécié mon approche. »

L'équipe s'est mise à bien jouer, remportant un premier match, puis un deuxième, un troisième et ainsi de suite, jusqu'à la fin du calendrier.

« C'était incroyable à voir, se souvient Church. Ce Demers avait le *coaching* dans le sang et il l'ignorait complètement. Il avait du charisme auprès des jeunes et de la fougue derrière un banc. Les joueurs voulaient jouer pour lui. C'était un motivateur hors pair. Moi je l'appelais Vince Lombardi junior !

« J'ai vu des matchs où les Panthères perdaient par trois buts en troisième période, avant de revenir de l'arrière pour l'emporter. On était sur une vague et on le devait tous à Jacques Demers. Même que parfois je me demandais quelle sorte de pilules il pouvait bien leur faire prendre avant le match, tellement les joueurs étaient intenses ! Blague à part, il avait vraiment le tour avec les jeunes. »

« C'est Wilson Church, confirme Demers, qui m'a donné le goût du *coaching*, mais je dois admettre que je n'ai pas mis dix ans à le développer. Dès mes premières semaines à la barre des Panthères de Saint-Léonard, j'avais la piqûre. Il faut dire que le succès aidait grandement à stimuler ma nouvelle passion. »

De sa première équipe, Jacques dit garder de très bons souvenirs de plusieurs de ses joueurs, les Laroque, Thériault, Coderre, Landry, Nadon, Saint-Jacques, Perron, Hénault et autres…

« Au risque d'en oublier, je veux tous les remercier pour l'effort qu'ils ont mis dans la pratique de leur sport cette année-là. D'une certaine manière, ils sont responsables de ce que je suis devenu par la suite. Si ces joueurs-là n'avaient pas "acheté" ma façon de faire, je serais retourné bien calmement dans mes petites affaires et probablement que ma carrière d'entraîneur aurait pris fin aussi rapidement qu'elle avait commencé. »

Lettre I

À mon ami Wilson Church

Plusieurs personnes m'ont offert des opportunités incroyables au cours de ma carrière, mais lorsque je passe en revue tout mon parcours dans le monde du hockey, mon cher Wilson, je ne peux faire autrement que te placer en tête de liste des personnes qui m'ont le plus aidé.

Dans ton cas, ton rôle est allé beaucoup loin qu'un simple coup de pouce. Tu es celui par qui tout a commencé. Sans toi, j'en serais sans doute à manipuler mes dernières caisses de liqueurs douces chez Coca-Cola avant d'amorcer ma retraite.

Les gens doivent savoir que c'est toi qui m'as initié au métier d'entraîneur dans les rangs juvéniles à Saint-Léonard. Tu semblais tellement croire en mes capacités qu'un certain soir j'y ai cru et j'ai plongé dans l'aventure sans plus jamais regarder derrière moi !

Wilson, tu as servi de véritable catalyseur à ce nouveau métier qui s'ouvrait à moi. Sans ta confiance inconditionnelle, sans ta persévérance à me convaincre, sans ton appui quotidien, j'aurais sûrement passé à côté de la plus belle aventure de ma vie.

Heureusement, j'ai eu l'occasion de te dire avant ta mort, il y a quelques années, combien tu avais été un personnage important dans ma carrière et combien j'avais apprécié mes nombreuses heures en ta compagnie à discuter de hockey. Où que tu sois présentement, accepte mes remerciements les plus sincères.

Jacques

Chapitre 10

Des échos motivants de monsieur Jacques

Les succès inattendus de Jacques Demers avec les Panthères avaient embrasé le tout Saint-Léonard sportif, de sorte que dès les premières semaines de l'été, la voix du peuple s'était fait entendre : on voulait désormais Demers pour relancer la concession moribonde des Cougars de Saint-Léonard, de la défunte Ligue Montréal junior.

Cette ligue junior se voulait l'antichambre de la Ligue de hockey junior majeur du Québec (LHJMQ), qui elle-même était le passage obligé pour espérer un jour faire carrière dans le milieu professionnel.

Pour un entraîneur en formation comme Demers, la première étape de son ascension vers les sommets de la profession consistait à diriger une formation dans la Ligue Montréal junior à la première occasion.

À titre de président des Cougars, Wilson Church était un défenseur de Demers, mais il ne parvenait pas à créer l'unanimité autour de sa candidature. Il se butait notamment au directeur général de l'équipe, Jean-Paul Savaria qui, sans être un adversaire de Demers, avait des réserves…

Qu'à cela ne tienne, Church réussit à imposer ses vues. Au début de l'été 1969, sans faire languir davantage les amateurs, il annonça l'embauche de Demers à titre d'entraîneur en chef des Cougars pour la prochaine saison.

* * *

Cette nomination fit la joie de presque tout l'entourage de Demers, mais elle s'avéra catastrophique pour la survie du foyer qu'il venait de fonder avec Renée. Cette dernière n'en pouvait plus du rythme de vie que les occupations de son mari la forçaient à endurer. Après deux ans de fréquentations et de vie commune, le couple s'essoufflait rapidement et les conjoints en vinrent à la décision de se quitter à l'amiable.

Le couple n'avait pas toujours la vie facile, en effet. Après quelques années à travailler de nuit à Terre des Hommes, à bord de son gros camion de Coca-Cola, Jacques s'apprêtait à changer de secteur de travail : il était désormais affecté à Châteauguay, où il ferait des livraisons pour les épiceries, les dépanneurs, les restaurants, de même que les établissements détenant un permis de vente d'alcool.

Cette nouvelle tâche l'obligeait à des journées de travail plus longues puisque Châteauguay était plus éloigné du centre-ville que Terre des Hommes. Pour Renée, ce n'était pas une bonne nouvelle… même si son mari retrouvait un travail de jour.

Et comme Jacques consacrait presque toutes ses soirées à sa nouvelle passion d'entraîneur, on comprendra qu'il y avait peu de place pour une vie de couple intense. Demers reconnut que ses occupations multiples le rendaient peu disponible pour Renée et, sans faire d'éclats, les conjoints conclurent qu'il était préférable de continuer leur route dans des directions différentes.

« Je prends toute la responsabilité de l'échec de mon union avec Renée. Nous nous sommes mariés trop jeunes et pour les mauvaises raisons. Je cherchais tout simplement une mère pour s'occuper de moi, pas une amoureuse. Je n'étais pas prêt pour la vie de couple. J'étais trop jeune, trop "ailleurs", résume Demers, comme pour s'excuser.

« J'ai vécu ce divorce comme un échec et un affront envers ma propre mère, ajoute-t-il. Malgré tout ce qu'elle avait pu vivre en compagnie de mon père, ma mère, par honneur sans doute, avait refusé de le laisser et de se séparer. Elle était prête à endurer plutôt que de divorcer. Et moi, au premier signal de détresse, je décidais d'abandonner le bateau. J'avais un peu honte de ma faiblesse, surtout face à l'exemple de ma mère. »

* * *

Chose certaine, Demers était plus doué pour faire équipe avec des joueurs de hockey qu'avec une épouse. Il exploita ses talents à la barre des Cougars et, le temps de le dire, il faisait l'unanimité dans ce milieu très partisan de Saint-Léonard. « Même Jean-Paul Savaria s'est rapidement rallié à ma cause, dit-il en riant. Je l'avais convaincu – c'est lui-même qui me l'a dit un de ces soirs – et nous sommes devenus de bons amis par la suite. »

« L'atmosphère était électrique, se souvient Wilson Church. Les sièges de notre aréna était vides l'année précédente et, un an plus tard, nous faisions presque continuellement salle comble. On retrouvait des foules qui oscillaient entre 900 et 1300 personnes par *match*. Nous étions devenus l'attraction numéro un dans notre ville. Pour une équipe junior de deuxième niveau (catégorie junior AAA de nos jours), c'était tout un exploit. »

Cette année-là, en 1969-1970, les Cougars terminèrent au 4ᵉ rang de la ligue qui comptait 10 équipes, à 11 points de la tête. Dans l'ordre, le classement final était le suivant : Lachine, Saint-Victor, Saint-Jean, Saint-Léonard (les Cougars), Saint-Hyacinthe, Saint-Michel, Montréal-Est, Boucherville, Pointe-aux-Trembles (Roussin) et Dorval. En séries, les Cougars s'inclinèrent en quatre matchs (série 3 de 5) contre Boucherville.

« Compte tenu des circonstances, c'était fantastique, se souvient Church. Deux ans auparavant, nous avions terminé dans les bas-fonds du classement et l'année suivante, sans Jacques, nous avions fini au 9ᵉ rang. »

Demers était plutôt fier de sa troupe et de lui-même à l'issue de sa première saison dans les rangs juniors. Il s'enorgueillissait surtout d'avoir fait taire plusieurs intervenants de la Ligue Montréal junior qui lui avaient prédit les pires misères et une carrière des plus courtes.

« Entre autres choses, je me souviens qu'après avoir battu Saint-Victor, leur entraîneur, Gilles Picard (le père de l'ancien défenseur Robert Picard), avait déclaré que le "jeune blanc-bec à la barre des Cougars n'irait nulle part comme entraîneur". Il parlait de moi, évidemment ! Le sort a voulu que je dirige son fils, Robert, à sa dernière saison dans la LNH, en 1990, à Detroit ! »

* * *

Encore sous le charme de Demers et nourri par l'adrénaline des succès répétés, Wilson Church entrevoyait la saison 1970-1971 avec optimisme même si l'équipe avait perdu certains bons joueurs.

Les deux hommes, qui n'étaient plus beaux-frères depuis le divorce de Jacques, se voyaient moins fréquemment durant la période estivale, mais Church était convaincu que Demers reviendrait à la barre des Cougars pour une deuxième saison.

Demers travaillait beaucoup plus fort sur son camion de livraison en été, la demande étant nettement plus forte. Parmi ses nouveaux clients à Châteauguay figurait le restaurateur Jules Dumouchel, qui s'était élevé au rang de notable influent de la place. Son restaurant, le Rustik, était couru des amateurs de bonne chère et de musique. Il offrait régulièrement des soupers-spectacles. La colonie artistique de Montréal l'avait inscrit à son carnet de tournée. C'était devenu un incontournable. Tous les milieux s'y retrouvaient.

Dumouchel était aussi impliqué dans plusieurs secteurs d'activités de sa communauté, mais il avait un faible pour le milieu sportif. Il faisait partie de la direction des Ailes de Châteauguay, de la Ligue junior du Richelieu. Il avait noté, l'année précédente, les performances des Cougars de Saint-Léonard et de son pilote Jacques Demers.

Demers s'arrêtait souvent au restaurant de Dumouchel pour prendre son lunch du midi. Il aimait se retrouver dans cette ambiance où le sport alimentait souvent les discussions. Il cassait la croûte en compagnie de ses partenaires de travail et avec les clients de l'établissement. Dumouchel se mêlait fréquemment aux discussions et appréciait la présence de Jacques. Un jour, il lui parla d'un projet qui allait changer sa vie...

Auparavant, le restaurateur avait discuté avec les hauts dirigeants des Ailes de Châteauguay, Jean-Louis Bougie, Roger Désiel et Tom Leblanc. Les quatre hommes avaient conclu unanimement qu'il leur fallait un nouvel entraîneur charismatique qui puisse transmettre sa fougue aux joueurs et aux partisans si l'on voulait relancer l'équipe – qui en avait besoin. Selon le quatuor, l'homme qui correspondait le mieux à cette exigence s'appelait Jacques Demers.

Dumouchel n'hésita pas à aborder la question avec le principal intéressé au mois d'octobre. Quelques semaines après le début de la saison, il lui offrit le poste d'entraîneur des Ailes avec des conditions qui étaient difficiles à refuser.

À Saint-Léonard, Jacques ne recevait aucun salaire pour diriger les Cougars. On s'organisait pour payer ses frais de déplacement et quelques factures de restaurant. Malgré ses succès aux tourniquets, l'équipe n'avait pas les moyens financiers d'assurer un salaire à l'entraîneur. L'offre des Ailes était bien différente : elle allait lui permettre de recevoir des revenus suffisamment substantiels pour arrondir ses fins de mois.

«Disons que les Ailes m'ont présenté une offre généreuse, résume Demers, sans se souvenir de la somme exacte. Au-delà du salaire, cette offre arrivait à point. En l'acceptant, je pouvais envisager de m'établir à Châteauguay, le secteur où je travaillais pour Coca-Cola. »

Pourtant, il n'accepta pas sur-le-champ. Il en parla avec Wilson Church et ce dernier, déçu mais résigné, lui recommanda de prendre la direction de Châteauguay : « Même si je te faisais attendre des semaines, Jacques, je sais qu'en fin de compte nous serons incapables de te présenter une offre équivalente. Fais ton choix, mais les Cougars de Saint-Léonard ne peuvent se permettre d'égaler la proposition des Ailes de Châteauguay. »

Bien que tourmenté à l'idée de quitter les Cougars en début de saison, Demers communiqua finalement à Dumouchel son désir d'accepter l'offre de se joindre aux Ailes. Ce dernier fit le nécessaire afin qu'il signe rapidement l'entente avec les dirigeants. Ainsi Jacques Demers passa-t-il de la Ligue Montréal junior à la Ligue junior du Richelieu en novembre 1970.

* * *

Là encore, le défi était de taille. À son arrivée, annoncée à grand renfort de publicité, les Ailes accusaient un retard considérable sur les Éperviers de Laprairie, détenteurs du premier rang.

Dans un élan d'optimisme qui l'a toujours caractérisé, Demers avait promis à ses nouveaux employeurs que l'équipe serait en tête à la période des Fêtes. Comble de bonheur, il tint promesse grâce à une séquence de dix-sept victoires consécutives.

L'aréna Maple de Châteauguay était rempli à craquer pour chacun des matchs des Ailes. Plusieurs centaines de partisans accompagnaient même l'équipe à l'extérieur. L'euphorie avait gagné la ville. On n'en avait que pour les joueurs des Ailes et son entraîneur, Jacques Demers.

Cette année-là, les Ailes remportèrent finalement le championnat de la saison régulière au terme d'une lutte chaudement disputée entre quatre des cinq équipes. Châteauguay dominait avec 51 points, suivi de Laprairie (48 points), Longueuil (44 points) et Valleyfield (40 points). La cinquième formation du circuit, Iberville, fermait la marche avec un maigre 13 points.

En séries, les Ailes balayèrent tout sur leur passage, éliminant d'abord Longueuil de façon expéditive, avant de l'emporter en finale face aux Éperviers de Laprairie en six matchs. La quatrième et décisive victoire fut acquise le 11 avril 1971, en territoire ennemi, à l'Olympia de Laprairie.

Cette victoire permit aux Ailes de représenter la Ligue du Richelieu au championnat provincial des équipes juniors B, où elles s'inclinèrent en demi-finale contre les Braves de Thetford Mines, qui devinrent champions par la suite. Les Ailes avaient été battues notamment par un jeune gardien de 15 ans (!), répondant au nom de Mario Lessard. Quelques années plus tard, ce même Mario Lessard succédera à Rogatien Vachon pour défendre le filet des Kings de Los Angeles, dans la LNH.

Parmi les joueurs qui portaient les couleurs des Ailes à l'époque, on retrouve les Jean Touchette, Louis Delisle, Denis Myre, Francis Keenan, Michel Roy, Richard Lebœuf, Bobby Renzo, Peter Quinn, Christian Laberge, Yves Laberge, Pierre Léonard, John Lahache, Dany White, Barry Burchell, Réjean Gilbert, Pierre Gélineau, Réjean Tardif, Paul Lefort et Michel Dubuc.

«On faisait la pluie et le beau temps, ce fut une belle saison», évoque Demers.

Le capitaine des Ailes du temps, Jean Touchette, conserve lui aussi un souvenir impérissable de cette année magique.

«L'équipe, rappelle-t-il, avait tout gagné au sein de notre ligue. Et sur le plan personnel, j'avais remporté le championnat des pointeurs avec une récolte de 40 buts et 40 aides en 40 matchs. Mais plus que les succès collectifs ou individuels, j'ai fait la connaissance d'un entraîneur extraordinaire cette année-là. J'ai joué au hockey toute ma vie. Je joue encore à 52 ans. J'ai joué dans la Ligue de hockey junior majeur du Québec, avec Drummondville, j'ai évolué dans les ligues professionnelles mineures et j'ai aussi joué en Europe. Pourtant, je n'ai jamais rencontré un aussi grand *motivateur* que Jacques Demers. Il savait parler aux joueurs et trouvait toujours la façon de soutirer le maximum de chacun. On se serait tous battus pour lui.

«On l'aimait parce qu'il était humain, ajoute Touchette. Jacques était surtout un homme juste. J'étais le capitaine et je peux dire que je contribuais grandement en marquant ma part de buts. Pourtant, un soir que j'avais raté le couvre-feu de trente minutes, il m'a pris sur le fait. Or, au match suivant, il m'a rayé de la formation par souci d'équité. Même si j'étais son capitaine et son meilleur marqueur, il n'y avait pas de passe-droit. C'est une leçon que j'ai retenue toute ma vie. Et je n'ai jamais raté un couvre-feu par la suite!»

Touchette rapporte qu'en 2001 la fameuse édition des Ailes de 1970-1971 a procédé à des retrouvailles, trente ans après leur conquête : «Tout le monde y était, même Jacques, dans le cadre d'un match-bénéfice. Nous étions heureux de nous revoir et toujours aussi unis. C'est Jacques qui avait formé un tel esprit de famille au sein du groupe.»

* * *

Au cours de sa première saison, Demers déménagea donc à Châteauguay de façon à être plus disponible pour son équipe. Sa présence dans la communauté de Châteauguay lui permit de faire plusieurs belles rencontres. En fait, dans les mois précédant sa venue à Châteauguay, il avait fait la connaissance d'une femme qu'il trouvait bien intéressante.

Ce midi-là, Demers était attablé au café du restaurant de Dumouchel, Le Rustik, pour le lunch quand il entama, pour la première fois, une conversation avec la serveuse, Évelyne. Le client et l'employée établirent une bonne entente.

Jacques la trouvait particulièrement attirante et profitait de toutes les occasions pour revenir au restaurant. Son désir de la voir et de lui parler davantage grandissait sans cesse, d'autant qu'elle montrait des signes d'une certaine réciprocité. C'est ainsi que, tranquillement, l'homme et la femme développèrent une liaison amoureuse.

Cette liaison était une autre bonne raison de déménager à Châteauguay. D'ailleurs, peu après leurs premières sorties, Évelyne se retrouva enceinte et devait accoucher à la mi-octobre, selon les prévisions.

Outre ses autres qualités, Jacques appréciait qu'Évelyne aime le hockey. Il pourrait ainsi donner libre cours à sa principale passion, contrairement à la situation qui avait prévalu avec Renée. « Évelyne assistait à tous nos matchs, se souvient-il. Elle aimait le hockey et on avait du plaisir ensemble. »

* * *

La saison suivante, en 1971-1972, les Ailes répétèrent leurs exploits en saison régulière. L'équipe rafla un deuxième championnat consécutif dans une Ligue junior du Richelieu qui comptait désormais huit formations.

Les Ailes coiffèrent à l'arrivée leurs éternels rivaux de Laprairie par un seul point au classement. La formation de Demers avait récolté 63 points en 44 matchs, ne subissant que 6 revers au cours de la saison. Les Ailes et les Éperviers de Laprairie devançaient Cap-de-la-Madeleine, Longueuil, Valleyfield, Iberville, Belœil et Cowansville.

En séries, l'équipe fut éliminée par les Jets de Longueuil en ronde préliminaire, mais ce sont les Barons du Cap-de-la-Madeleine qui remportèrent les grands honneurs ultimement.

Au cours de cette deuxième saison à Châteauguay, Jacques avait perdu certains joueurs de l'édition précédente, mais il pouvait compter sur un bon groupe, formé de Peter Quinn, Réjean Tardif, André Laplante, Pierre Ostiguy, Bernie Saunders, John Saunders, Yves Laberge, Michel Roy, Gary Reed, Paul Lefort, Denis Myre, Pierre Lessard, John Lahache, Steve Heggison, Roger Desjeans et quelques autres.

Les succès répétés des Ailes ne firent qu'amplifier la popularité et la renommée de son entraîneur, alors âgé de 27 ans. Son nom était sur toutes les lèvres. Au cours de l'année précédente, Demers avait fait l'objet de petites nouvelles brèves dans les quotidiens montréalais qui vantaient son savoir-faire, sa fougue et ses talents de *motivateur*.

À ce titre, le réputé chroniqueur du *Journal de Montréal* Jacques Beauchamp en avait fait une de ses coqueluches depuis plus d'un an. Dans ses échos de chronique, Beauchamp ratait rarement l'occasion de le louanger : « Surveillez bien ce p'tit gars de Châteauguay, Jacques Demers, car j'ai l'impression qu'il ira loin », écrivait régulièrement le chroniqueur.

À l'époque, c'était tout un éloge de faire l'objet de tels propos de la part de Beauchamp. L'homme était *la* référence sportive à Montréal et son influence était certaine. Si Beauchamp avait décidé de *l'élire* dans son club des favoris, Demers devait se considérer choyé, ce qui n'était pas pour lui nuire, car les échos de monsieur Jacques, comme l'appelait son patron, Pierre Péladeau, avaient un effet encourageant et motivant pour celui qui en faisait l'objet.

« Je dois énormément à Jacques Beauchamp, souligne Demers. C'est lui qui m'a fait connaître du grand public. Régulièrement, je me retrouvais cité dans sa chronique, lui qui était le journaliste sportif le plus lu au Québec. C'est grâce à lui si mon nom a circulé un peu partout. »

Les propos de Beauchamp avaient retenti en effet jusqu'à Drummondville, où les Rangers manifestèrent leur intérêt pour Demers afin qu'il dirige cette formation de la Ligue de hockey junior majeur du Québec (LHJMQ).

C'est aussi à cette époque que le très réputé Jean Rougeau, propriétaire du National de Laval, offrit un poste à Demers pour prendre les rênes de son équipe de la LHJMQ.

Demers se retrouvait devant un douloureux dilemme. D'un côté, il brûlait d'envie de « graduer » dans la LHJMQ, mais, de l'autre, il devait être prêt à sacrifier une grande partie de sa stabilité financière.

Il gagnait 6 800 $ par année chez Coke, plus son revenu d'appoint chez les Ailes de Châteauguay. Le National lui offrait 5 000 $ par année, mais il devrait quitter Coca-Cola, puisqu'il s'agissait d'un poste d'entraîneur à plein temps. « J'ai demandé à mes patrons de Coke, Richard Saint-Jean et Denis Lett, de m'accorder une année sans solde afin de pouvoir tenter l'expérience, mais ce n'était pas dans la politique de la compagnie d'agir ainsi. C'est donc à regret que j'ai dû décliner l'offre de Laval. Je savais qu'en disant non à l'influent Jean Rougeau je risquais de me fermer plusieurs portes. »

* * *

Si Demers était si peu enclin à plonger dans l'aventure de la LHJMQ, c'est que sa situation familiale avait énormément changé. Il y a près d'un an, sa conjointe Évelyne avait donné naissance à une fille, Mylène. Il valait mieux pour Jacques, dans une perspective de sécurité d'emploi, miser sur les avantages que lui offrait la multinationale de liqueurs douces plutôt que de se risquer dans une expérience incertaine au hockey junior majeur.

« J'ai vraiment jonglé avec cette décision à m'en rendre malade. J'avais l'impression de passer à côté de quelque chose sur le plan professionnel, mais une petite voix me disait qu'il fallait d'abord assurer le bien-être de ma famille. »

Mylène avait vu le jour à la mi-octobre (le 14 octobre 1970) dans ce que Demers qualifie de l'un des plus beaux jours de sa vie, même si le Québec était alors plongé en pleine Crise d'octobre, l'une des périodes les plus sombres de son histoire.

« On a beau gagner tous les championnats qui existent, il n'y a rien qui puisse égaler la fierté de devenir parent. Avec le recul aujourd'hui, je ne regrette pas d'avoir pensé à ma famille plutôt qu'à ma petite personne. Je ne pouvais pas mettre en péril le bien-être de Mylène et d'Évelyne pour assouvir cette envie de devenir entraîneur dans la LHJMQ.

« Il y avait trop d'insécurité à diriger le National de Laval en laissant mon emploi chez Coke. Puisque le poste d'entraîneur des Ailes de Châteauguay me permettait de garder mon travail et mon salaire chez Coke, je suis demeuré avec les Ailes… et nous avons remporté un autre championnat en saison régulière en 1971-1972. Comme quoi je ne serai pas resté à Châteauguay juste pour la sécurité financière ! »

* * *

À ce moment-là, au début des années 1970, l'Amérique était en pleine transformation et le monde était en effervescence. Ça bougeait partout énormément. C'était l'époque de la musique pop, des Beatles, de Bob Dylan, de Pink Floyd, de la marijuana, de la pilule, des cheveux longs, des longs favoris, des chemises à carreaux et des bottes de travailleur, de l'amour libre, des pantalons à *pattes d'éléphant*, de la libération de la femme, de la minijupe et quoi encore…

Plus près de chez nous, on savourait les premières années des Expos et de la fabuleuse époque de Guy Lafleur chez le Canadien. Sur le plan politique, la Révolution tranquille favorisait la montée du nationalisme au Québec, au grand dam de Robert Bourassa et de Pierre Trudeau qui avaient dû composer avec des enlèvements et un assassinat politique au cours de la Crise d'octobre.

Sur le plan musical, les vinyles de Félix Leclerc, Robert Charlebois, Jim et Bertrand, Richard et Marie-Claire Séguin, pour ne nommer que ceux-là, tournaient beaucoup sur nos vénérables tourne-disques.

Pendant ce temps, aux États-Unis, deux hurluberlus, Gary Davidson et Dennis Murphy, annonçaient la fondation d'une ligue professionnelle de hockey qui visait à rivaliser la LNH. L'entreprise était audacieuse et ambitieuse.

Le 1er novembre 1971, on accordait des concessions à dix villes d'Amérique du Nord dont Calgary, Chicago, Dayton, Edmonton, Los Angeles, Miami, New York, Saint Paul, San Francisco et Winnipeg, mais après le transfert de certaines concessions et l'ajout de deux autres, l'Association mondiale de hockey (AMH) voyait le jour, en octobre 1972, avec 12 équipes, dont 4 au Canada. Il s'agissait des Oilers de l'Alberta, des Nationals d'Ottawa, des Nordiques de Québec et des Jets de Winnipeg. Les huit formations américaines étaient les Cougars de Chicago, les Crusaders de Cleveland, les Aeros de Houston, les Sharks de Los Angeles, les Fighting Saints du Minnesota, les Whalers de la Nouvelle-Angleterre, les Raiders de New York et les Blazers de Philadelphie.

Cette nouvelle ligue, qu'on eut tôt fait de qualifier de *circuit maudit*, se voulait une formidable occasion pour des joueurs et des entraîneurs de faire carrière au niveau professionnel. Plus qu'un tremplin, l'AMH allait permettre à des dizaines de joueurs de gagner leur vie avec le hockey, eux qui, pour la plupart, avaient été rejetés par l'une ou l'autre des 16 équipes de la sacro-sainte LNH et étaient destinés à croupir dans des circuits professionnels mineurs. L'invitation était plutôt grisante et l'aventure s'annonçait pour le moins exaltante.

Ce projet était regardé de très haut par les bonzes de la LNH, que dirigeait Clarence Campbell du haut de sa tour de verre. D'abord, on n'avait pas cru que l'AMH verrait le jour. On avait plutôt l'impression que le projet n'était que le fruit de l'imagination de quelques illuminés et qu'il serait mort-né après quelques tentatives plus ou moins spectaculaires.

Comme bien d'autres amateurs avertis, Jacques Demers avait entendu parler de cette ligue dont les fondateurs étaient, pour le moins, originaux. Pour lui comme pour plusieurs autres dans sa situation, l'AMH constituait une occasion rêvée de faire du hockey son gagne-pain. Mais dans son for intérieur, il reconnaissait que malgré l'ouverture, il n'avait pas encore les qualifications ni l'expérience pour faire le saut immédiatement.

* * *

Au cours de son séjour à Châteauguay, Jacques avait acquis une véritable reconnaissance populaire. Son mentor, Jules Dumouchel, contribuait beaucoup à sa notoriété. Le restaurateur ne ratait jamais une occasion de faire son apologie auprès des nombreux personnages influents du milieu.

Dumouchel appréciait sa compagnie. Les deux hommes étaient devenus inséparables. On les retrouvait souvent ensemble dans des cocktails, des réceptions, des activités communautaires et politiques, des conférences d'hommes d'affaires et des événements culturels.

Dumouchel profitait de ces rencontres pour présenter Demers aux différents intervenants du milieu sportif. Il le faisait toujours avec une fierté bien sentie. C'est au hasard de ces rencontres qu'il plaça sur le chemin du jeune entraîneur deux hommes fort importants, Philippe Myre et Jacques Viau.

Myre gardait le filet du Canadien de Montréal et avait fondé une école de hockey à Châteauguay qui fonctionnait durant la saison estivale. Cette école était très populaire auprès des jeunes hockeyeurs puisque plusieurs joueurs vedettes de la LNH venaient y donner des cours pratiques.

C'est au contact de ces joueurs et entraîneurs professionnels que Jacques commença à s'intégrer au « grand » milieu du hockey de Montréal et, du même coup, à ressentir les premières aspirations à devenir entraîneur de carrière.

« Philippe Myre est à la source de mon entrée dans le milieu du hockey professionnel, insiste-t-il. Il m'a embauché à son école de hockey, car il voyait que mes équipes connaissaient beaucoup de succès au niveau junior, à Châteauguay. En me faisant entrer dans son école, il m'a permis de côtoyer d'autres entraîneurs et joueurs de la LNH. »

Avec Philippe Myre, un ami et un homme important dans son évolution d'entraîneur. (Photo : Daniel Tremblay, Journal de Montréal)

Myre et Demers sont rapidement devenus de bons amis.

« On discutait constamment de hockey, relate Demers. Philippe était un bon analyste. J'étais très ami avec lui et sa copine Nicole (qui est devenue sa femme). J'observais sa façon de se comporter comme joueur professionnel. C'était un athlète très consciencieux. Il a décidé de m'amener au Forum pour assister aux entraînements du Canadien. J'y suis allé un peu plus souvent et de plus en plus régulièrement. Je surveillais Claude Ruel, Al MacNeil ou Scotty Bowman diriger les entraînements. C'était une belle occasion pour moi d'apprendre. Je questionnais souvent Philippe sur les méthodes utilisées chez les professionnels. »

Demers se nourrissait des propos de Myre, qui avait un grand sens du détail : « Il m'a appris beaucoup de choses. À son contact, je suis devenu un étudiant du hockey. Autant j'avais été impressionné par Floyd Curry dans ma jeunesse quand il jouait à la balle-molle avec nous, autant la simplicité et l'intégrité que démontrait Philippe Myre au hockey me fascinaient. Myre était un vrai et ce n'est pas pour rien qu'il a longtemps roulé sa bosse dans le hockey de la LNH à titre de dépisteur et de conseiller pour les gardiens de but. Il a même été mon adjoint à Detroit au milieu des années 1980. Philippe l'ignore peut-être, mais il a joué un rôle majeur dans ma carrière et je tiens à l'en remercier dans ce livre.»

En compagnie d'un vieux complice, Jacques Viau. (Photo : Normand Pichette, Journal de Montréal)

L'autre personnage que lui présenta Dumouchel et qui allait influencer sa vie était Jacques Viau. Cet agent régional de la brasserie Molson était connu comme Barabbas dans la Passion. Son agence desservait la grande région de Châteauguay-Valleyfield. Il n'y avait pratiquement aucune activité sportive sur son territoire qui n'avait pas profité de sa commandite. Plusieurs sportifs se trouvaient un emploi occasionnel au cours de l'été à l'agence de Jacques Viau. L'homme était connu, impliqué et aimé. Et il avait des contacts.

Viau représentait un bon contact et Dumouchel le savait très bien. Il croyait que Jacques pourrait tôt ou tard profiter de ses multiples relations et entrées. Ce qui arriva d'ailleurs quelque temps plus tard…

« En rétrospective, je considère que Jules Dumouchel a agi comme un père à mon égard. Un peu comme Jean-Claude et la famille Morrissette l'ont fait avec Bob Hartley et Michel Therrien à Laval. Je lui dois beaucoup.

« Si Wilson Church m'a lancé dans le monde du *coaching*, c'est Dumouchel qui m'a propulsé dans le monde des grands. Grâce à ses contacts, j'ai pu côtoyer des vedettes de l'époque, j'ai pu me frotter aux hommes influents du milieu du hockey. Philippe Myre et Jacques Viau en sont deux bons exemples. »

* * *

Il était encore tôt ce jour-là quand Jacques Demers prit le volant de sa voiture pour emprunter la route qui séparait Châteauguay du centre-ville de Montréal. Comme tous les matins de la semaine, il partait de bonne heure afin de gagner les bureaux de Coca-Cola où il devait prendre possession de son poids lourd pour commencer sa journée de travail.

Il vivait le petit train-train quotidien, mais, au volant de son mastodonte, il se surprenait désormais à songer à la possibilité de se joindre à une équipe de hockey professionnel…

* * *

Depuis que Gary Davidson et Dennis Murphy avaient annoncé en conférence de presse la naissance de l'AMH, les 12 équipes de la ligue s'étaient mises au travail de recrutement. Parmi celles-là, il y avait les Cougars de Chicago dont le directeur gérant, Eddie Short, un ancien homme de baseball, avait déjà dirigé les White Sox de Chicago et était un ami du propriétaire de l'équipe.

Ce Short, qui n'était pas vraiment en terrain familier au hockey, connaissait, de réputation, Marcel Pronovost puisque ce dernier avait roulé sa bosse pendant deux décennies dans la LNH. Rapidement, il lui offrit le poste d'entraîneur des Cougars. L'année précédente, Pronovost avait mis fin à sa longue carrière de défenseur dans la LNH. Il avait disputé 21 saisons avec les Red Wings de Detroit et les Maple Leafs de Toronto.

Comme Pronovost passait une grande partie de ses étés dans la région de Montréal, il revoyait continuellement ses vieux amis. L'un de ceux-là était Jacques Viau, l'agent de Molson de Valleyfield, pour qui il travaillait à l'occasion durant la saison morte. Au fil d'une conversation, Viau lui avait recommandé de donner une chance à un jeune homme de Montréal qui semblait destiné à une belle carrière d'entraîneur. Cet homme s'appelait Jacques Demers.

Dans les jours qui suivirent sa discussion avec Viau, Pronovost lut la chronique de Jacques Beauchamp dans laquelle le réputé journaliste disait souhaiter qu'une équipe de l'AMH ait une pensée pour des entraîneurs québécois, et où il mentionnait, entre autres, le nom de Demers. La chose intrigua Pronovost qui contacta Viau pour obtenir les coordonnées de Demers.

« Aussitôt que Marcel Pronovost eut appelé Jacques Viau, ce dernier m'a tout de suite joint pour me dire de me préparer à recevoir un appel des Cougars de Chicago. Je n'en revenais tout simplement pas, se souvient un Demers encore tout excité.

« À 28 ans seulement, une opportunité de faire du hockey professionnel se pointait à l'horizon. Tout allait si vite. Et si bien. C'était presque trop beau pour être vrai ! »

Comme prévu, Pronovost contacta Demers pour en savoir davantage sur lui. Les deux hommes ne se connaissaient guère même si Jacques fréquentait à l'occasion son frère, Jean Pronovost, qui jouait avec les Penguins de Pittsburgh et qui participait, l'été venu, à l'école de hockey de Philippe Myre.

« Ce premier coup de fil de Marcel Pronovost a réellement été un tournant dans ma carrière. Sans rien me promettre, Marcel a mentionné son intérêt pour ma personne. Pour quelle fonction ? Lui-même l'ignorait encore. L'équipe avait des besoins à plusieurs niveaux et Pronovost disait que je comptais parmi ses candidats pour combler un des postes. C'était inouï. »

Pronovost ne pouvait toutefois s'engager officiellement avec qui que ce soit puisque l'AMH n'était pas encore certaine de voir le jour. C'était déjà un gros nuage noir qui assombrissait la situation. Plusieurs des équipes de la future ligue présentaient des propriétaires excentriques, sinon douteux. Certains d'entre eux avaient même déclaré qu'ils comptaient se lancer à la poursuite de joueurs vedettes de la LNH afin de les convaincre de changer de camp. Ils se disaient prêts à y mettre « le paquet ».

Pour la première fois dans l'histoire du hockey professionnel, une équipe, les Jets de Winnipeg, parlait de verser un million de dollars à un joueur. Cette perspective apparaissait invraisemblable. C'était pratiquement de la démence aux yeux de certains puisque les très bons joueurs de la LNH, en ce temps-là, touchaient des salaires oscillant entre 50 000 $ et 100 000 $ par année. On était loin du million !

La stratégie consistait à donner de la crédibilité à une ligue qui avait tout à faire et à prouver. Mais c'était un couteau à deux tranchants. Si l'AMH ne réussissait pas à enrégimenter des joueurs vedettes, ou pire, si elle ne parvenait pas à trouver les fonds nécessaires pour concrétiser ce qu'elle promettait publiquement, c'est sa réputation qu'elle risquait de voir entachée à jamais.

« Marcel Pronovost a été très franc avec moi, relate Jacques. Il m'a dit que les Jets préparaient un coup d'éclat qui allait ébranler la LNH et qui allait donner l'élan à l'AMH pour se lancer dans l'aventure. En fait, les Jets allaient annoncer qu'ils en étaient venus à une entente de cinq ans avec la grande vedette des Blackhawks de Chicago, Bobby Hull. »

Le contrat de Hull était arrivé à échéance avec les Hawks et les Jets lui garantissaient un salaire de 200 000 $ par année pendant cinq ans. À Winnipeg, on avait trouvé l'argent pour se payer celui qu'on surnommait la *Comète blonde*. Le hic, c'est que les Jets craignaient une poursuite des Hawks et de la LNH.

« Lors de ce premier entretien, Marcel Pronovost m'a dit textuellement : "Écoute, Jacques, si la mise sous contrat de Bobby Hull est légale et que les Jets peuvent aller de l'avant, je te garantis qu'il y aura une Association mondiale de hockey dans le paysage en octobre 1972. Et si l'AMH voit le jour, j'aurai du travail pour toi. Je te reparle aussitôt que j'obtiens des nouvelles de tout cela." »

* * *

Jacques était au volant de sa voiture en direction de l'usine Coca-Cola à Montréal quand il se surprit à ébaucher des plans pour son départ à Chicago.

Comme tous les matins en se rendant au travail, il écoutait la radio, à l'affût des dernières nouvelles du sport. Et la nouvelle tomba, soudainement, comme une bouffée d'air frais : Bobby Hull allait officiellement jouer avec les Jets de Winnipeg, devenant le premier transfuge de renom à se joindre à l'AMH. Jacques en eut le souffle coupé.

« J'étais assis dans mon auto lorsque j'ai appris le départ de Hull vers l'AMH. Je n'en croyais pas mes oreilles. Il a même fallu que j'arrête sur le bord de la route pour reprendre mes esprits. J'étais fou de joie. »

L'anecdote est tout de même cocasse. C'est par la radio de sa voiture que Demers a appris, un certain matin d'été 1972, qu'il allait mettre les pieds dans le grand cercle du hockey professionnel !

« Je ne tenais plus en place, exulte-t-il encore aujourd'hui. Je flottais sur un nuage. Je me suis présenté chez Coke et, tout de suite, j'ai joint mon bon ami Yvon Bisson pour l'informer de ce qui se passait. »

Pourtant, à part un engagement verbal, il n'avait conclu aucune entente avec les Cougars de Chicago. Il n'y avait donc pas lieu de célébrer trop rapidement. Il lui restait à savoir si Marcel Pronovost allait respecter sa parole et lui faire signe…

Lettre J

À Jules Dumouchel

Il y a de ces rencontres agréables qu'on fait dans notre vie, et celle que j'ai réalisée avec toi au début des années 1970 à Châteauguay, Jules, en fut une des plus marquantes.

Plusieurs personnes l'ignorent sans doute, mais tu t'es avéré le personnage clé qui a mené à ma carrière au hockey professionnel. Non seulement tu m'as permis de diriger une très bonne formation junior B à Châteauguay (les Ailes), mais tu m'as présenté et fait connaître à des personnes influentes telles que Jacques Viau, Philippe Myre, Jacques Beauchamp et Marcel Pronovost. Aussi, tu as posé des gestes qui m'ont permis de faire carrière dans les grandes ligues.

D'ailleurs, je tiens à ce que les gens le sachent, car, sans toi, il m'aurait été très difficile d'accepter le pari risqué que représentait l'Association mondiale de hockey en 1972.

Lorsque les Cougars de Chicago m'ont offert de joindre leur organisation, j'hésitais sérieusement, car je devais quitter mon emploi stable chez Coca-Cola pour me diriger vers un avenir incertain. J'espère que tu te souviens, Jules, que c'est toi qui m'as donné le coup de pouce qu'il me fallait en m'encourageant à tenter l'expérience et en me promettant un emploi dans l'éventualité où l'aventure tournerait au vinaigre.

C'est grâce à toi, Jules, que j'ai pu quitter Montréal l'esprit en paix, en sachant que, quoi qu'il advienne, je pourrais revenir gagner ma vie dans la région.

Merci pour ton appui, Jules, et, même si tu nous as malheureusement quittés il y quelques années, tu demeures une des personnes les plus importantes de ma vie.

Jacques

Chapitre 11

L'AMH : quelle épopée !

Au début de 1973, Dieu qu'il en avait coulé de l'eau sous les ponts depuis l'annonce de la venue de Bobby Hull avec les Jets de Winnipeg, l'été précédent. Contre vents et marées, l'AMH avait bel et bien amorcé sa première saison, trois mois plus tôt. Et contre toute attente, pas moins de 70 joueurs de la LNH avaient *sauté la clôture* et s'étaient joints au *circuit maudit*. Outre Bobby Hull, des grands noms avaient déserté pour la folle aventure de l'AMH. Parmi ceux-là, on retrouvait Bernard Parent, John McKenzie, André Lacroix, Gerry Cheevers, Larry Pleau, Derek Sanderson, Jean-Claude Tremblay et Rosaire Paiement.

Paiement était un gaillard qui avait joué cinq saisons dans la LNH, à Philadelphie et à Vancouver. Coulé dans le roc, il en imposait par sa force, sa stature et sa ténacité. Les Cougars de Chicago en avaient fait leur capitaine. L'homme était très respecté par ses coéquipiers et ses employeurs.

Ce matin de janvier 1973, Jacques Demers était sur la glace avec les joueurs des Cougars. Dans un anglais très rudimentaire, il tentait de diriger l'entraînement de son mieux. Les Cougars éprouvaient des difficultés tant sur la glace qu'aux guichets, et plusieurs vétérans, en fin de carrière, n'aidaient pas vraiment la cause de l'équipe. Plusieurs prenaient la chose à la légère.

C'était le cas d'Eric Nesterenko, un vétéran de vingt et une saisons dans la LNH qui avait connu ses années de gloire avec les Blackhawks, l'équipe favorite des amateurs de hockey de Chicago. Il y avait aussi le rude Reggie Fleming qui avait roulé sa bosse douze ans dans la LNH et qui était un dur à cuire craint de tous.

Pour la première fois chez les professionnels, Demers devait ce matin-là diriger l'exercice des Cougars puisque Marcel Pronovost était absent. Ce dernier, aux prises avec un problème de consommation d'alcool, faussait parfois compagnie à son équipe. Demers était alors appelé pour le remplacer lors des séances d'entraînement même si, en réalité, il n'était pas entraîneur adjoint mais plutôt directeur du personnel.

Au cours de l'entraînement, il se rendit compte très rapidement qu'il n'avait pas l'écoute des joueurs. Plusieurs regardaient de haut ce jeune francophone de 28 ans qui, pour seule feuille de route, avait dirigé des équipes de calibre junior B dans la région de Montréal. Fleming avait même marmonné qu'il n'était pas intéressé à être dirigé par un jeune *Frenchie* sans expérience. À vrai dire, Demers n'avait pas grand-chose à offrir pour prouver le contraire et certains joueurs tentaient de tirer profit de la situation pour se payer une petite journée de repos.

Après plusieurs séquences de jeu ratées en raison d'un manque évident de concentration des joueurs, Demers tenta de ramener l'attention de ses troupes, mais rien n'y fit. Le jeune entraîneur suppléant essayait de garder son calme, mais il bouillait littéralement en constatant que certains hockeyeurs avaient décidé de se payer sa tête. À bout de patience, il fit résonner son sifflet et regroupa les joueurs au centre de la patinoire.

« J'ai fait mon premier *speech* chez les professionnels cette journée-là, ricane-t-il. J'ai essayé de faire comprendre aux joueurs que je n'étais pas un rapporteur officiel pour Marcel Pronovost, ni son porteur de valises. Je leur ai dit que, comme plusieurs d'entre eux, j'étais à Chicago pour essayer de faire carrière dans le monde du hockey. L'AMH m'offrait cette fabuleuse chance et j'avais l'intention de la saisir. J'ai ensuite mentionné qu'ils n'étaient pas obligés de m'aimer, mais qu'ils devaient respecter le fait que j'étais en autorité lorsque Marcel me demandait de le remplacer, malgré mon âge et mon inexpérience. »

Tout en discourant, Demers surveillait du coin de l'œil les joueurs les plus réfractaires à sa présence. L'influent Reggie Fleming était un de ceux-là. Le fanfaron personnage écoutait à peine ses propos et, les seules fois où il osait croiser le regard de Demers, il esquissait un sourire condescendant qui trahissait très mal la faible opinion qu'il avait de lui. Bref, il n'en avait rien à cirer de ce jeune entraîneur, à l'anglais douteux, qui n'avait aucune lettre de créance chez les professionnels.

Demers ravalait sa colère, mais il n'en avait plus pour longtemps à se retenir. Quand Fleming osa une fois de plus lui offrir son plus beau sourire arrogant, il explosa.

« J'ai pris le sifflet que j'avais autour du cou et je le lui ai *garroché* en pleine poitrine. Puis, d'un ton ferme et sec, je lui ai lancé : "Si tu es si fin que ça, *run*-la, la maudite *pratique.*" »

Si Fleming venait de prendre la mesure de l'homme, c'est dans les minutes qui ont suivi que Jacques, lui, a appris quel genre d'homme était Rosaire Paiement, le capitaine de l'équipe.

La tension était à couper au couteau. Jacques Demers venait de défier, devant tous les joueurs, le dur de l'équipe, Reggie Fleming, une des vedettes des Cougars et un coéquipier apprécié dans le vestiaire. Demers jouait gros. À sa première journée comme *entraîneur de pratique* chez les professionnels, c'était rien de moins que sa carrière qui était en jeu ! C'était un baptême de feu, disons, fort épicé.

Fleming resta figé par l'intervention de Demers. Puis, nonchalamment, il se risqua à se pencher sur la glace pour récupérer le sifflet. Qu'allait-il faire ? Le relancer à la figure de Demers en signe de provocation ? Si c'était le cas, les heures du jeune entraîneur étaient comptées…

Se rendant bien compte que la situation était explosive, Paiement s'interposa au centre de l'attroupement, et précéda Fleming en se penchant et en empoignant le sifflet avant lui. Puis d'une voix solennelle, il commanda une réunion d'urgence de tous les joueurs dans le vestiaire.

C'est au cours de cette réunion qu'il sauva la peau de Jacques Demers. Sans son intervention, la carrière de ce dernier serait mort-née. Dans le vestiaire, le capitaine des Cougars, que ses coéquipiers appelaient *Rosie*, savonna les traîne-savates. Il provoqua même le robuste Fleming en l'invitant au combat devant tous les autres !

« On m'a raconté plus tard, relate Demers, ce que Rosaire avait dit : "Ce jeune Demers est comme plusieurs joueurs ici. Il a besoin de cette opportunité pour monter chez les *pros*. Donnez-lui au moins une chance de faire ses preuves. À partir de maintenant, lorsque Demers va diriger les entraînements, on va l'écouter comme si c'était le *coach*. Et cette règle-là, ça vaut aussi pour toi, Reggie". Voilà en substance ce qu'il avait dit. »

Selon ce qu'on raconte, Fleming ne rouspéta point et rentra dans le rang. L'attitude de Paiement avait eu l'effet escompté.

« Les joueurs sont revenus sur la patinoire après quinze minutes de réunion et je n'ai jamais eu de problèmes de la sorte par la suite, soupire Demers. Rosaire a joué un rôle important dans ma carrière, ajoute-t-il. S'il n'avait pas agi ainsi pour calmer la tempête et remettre Fleming à sa place, je n'aurais sans doute pas travaillé plus longtemps dans le hockey. Nous étions dans une situation de *ça passe ou ça casse*. C'est grâce à Rosaire si les choses n'ont pas cassé. Je lui en serai toujours très reconnaissant. »

* * *

Si, en ce début du mois de janvier 1973, Demers avait officiellement rejoint les rangs des Cougars à titre de directeur du personnel des joueurs, sa venue à Chicago n'avait pas été aussi rapide qu'il l'avait espérée.

Après l'annonce de l'arrivée de Bobby Hull à Winnipeg, Demers avait discuté avec Marcel Pronovost, mais ce dernier était demeuré vague sur ses tâches futures. Pronovost ne pouvait lui promettre un travail à plein temps dans un avenir immédiat. Il l'invitait néanmoins à se rendre au camp des Cougars, à Hibbing, au Minnesota, où il agirait comme entraîneur invité. Ce que Jacques fit dès la mi-septembre 1972.

« Lors de la première réunion, Pronovost m'a présenté aux joueurs comme entraîneur invité. Plusieurs me regardaient de haut. J'étais francophone, je m'exprimais plutôt mal en anglais et je n'avais aucune expérience comparable aux joueurs en place. Mon seul fait d'armes était d'avoir gagné avec une équipe junior B ! Si au moins j'avais dirigé une équipe dans la Ligue de hockey junior majeur du Québec. Ce n'était malheureusement pas le cas. J'avais donc beaucoup à faire pour gagner le respect des joueurs. »

Demers n'en savourait pas moins pleinement ses premiers moments dans le grand monde du hockey : « J'étais comme un gamin. Je prenais l'avion et je vivais à l'hôtel pour la première fois. On faisait du hockey du matin au soir. C'était fabuleux. Que du hockey. Du hockey. Et du hockey. Du matin au soir. C'était donc ça la vie chez les *pros*. Quelle vie ! Dès ces premiers moments savoureux, j'ai senti que c'était vraiment le métier que je voulais pratiquer dans la vie. »

L'enthousiasme de Demers subit toutefois un contrecoup lorsque Pronovost et le directeur général Eddie Short lui proposèrent, pour le moment, un poste de… dépisteur au Québec. Cela signifiait qu'il devrait retourner vivre à Châteauguay après le camp d'entraînement des Cougars et reprendre le travail de livraison chez Coca-Cola, tout en dirigeant, à temps partiel, les Ailes de la Ligue junior du Richelieu. Lorsqu'on a goûté, ne serait-ce que trois semaines, à la vie trépidante du hockey professionnel, ce n'est pas le scénario idéal pour un homme comme Jacques Demers.

Il reprit néanmoins ses activités, mais, curieusement, ses Ailes juniors éprouvèrent de sérieuses difficultés à s'envoler en début de saison.

L'équipe, après deux années à faire rêver, avait subi une transformation en profondeur puisque quinze nouveaux joueurs s'y étaient greffés.

En même temps qu'il dirigeait son équipe et qu'il besognait pour le compte de Coke, Demers se rendait régulièrement à différents matchs amateurs pour dénicher les talents au profit des Cougars. Il était alors très occupé.

À la mi-décembre, il devait se rendre à Chicago pour livrer un rapport de dépistage au directeur général, Eddie Short. Au cours de la conversation, ce dernier lui fit part de ses intentions. Il désirait lui offrir un poste d'employé à plein temps. Une tâche de directeur du personnel des joueurs l'attendait, s'il le voulait. On lui offrait 25 000 $ par année, lui qui en faisait à peine 7000 $ chez Coca-Cola.

Jacques ne tenait plus en place. Cette fois, son rêve devenait réalité. Il aurait l'occasion de gagner sa vie grâce au hockey. Oui, faire du hockey, du matin au soir ! Il fit part de sa volonté d'accepter le poste, mais, dans son for intérieur, il voulait réfléchir encore.

Il profita de son retour en avion pour mûrir son choix. D'une part, il savait que cette décision ne plairait pas entièrement à Évelyne, encore jeune maman (Mylène avait à peine plus de deux ans). D'autre part, il n'était pas encore convaincu qu'il devait tout laisser pour un travail dans une ligue qui serait peut-être morte dans trois mois.

Dès son arrivée à Montréal, il tenta de plaider sa cause auprès de Coca-Cola, mais, pour une deuxième fois, la compagnie lui refusa un congé sans solde. Tourmenté, il se tourna vers son père spirituel à Châteauguay, Jules Dumouchel, auquel il expliqua ses réticences. Si Dumouchel ne pouvait se prononcer sur les raisons d'ordre familial, il pouvait se montrer avisé sur un autre plan.

« Jacques, dit Dumouchel, tu ne peux laisser passer une telle occasion. Tu arrives dans une période où plusieurs postes sont disponibles. Prends tout ce qui passe, si c'est du hockey que tu veux faire. Pour le reste, ne t'inquiète pas. Tu peux laisser ton poste chez Coke. Si ça ne marche pas dans l'AMH, j'aurai toujours du travail pour toi dans ma compagnie. »

« Ces mots de Jules Dumouchel résonnent encore en moi, dit Demers. Par son soutien, il m'a donné le coup de pouce qui me manquait pour plonger dans l'aventure. Advienne que pourra, Dumouchel m'assurait un emploi en cas d'échec, me suis-je dit. C'était la situation la plus confortable que je puisse imaginer. »

Cette fois, le choix de Demers était clair et sa décision, prise. Il se rendrait à Chicago au début de janvier 1973 pour entreprendre ses nouvelles fonctions à plein temps dans le monde du hockey professionnel.

Toutefois, il lui restait un problème à régler. Il lui fallait convaincre Évelyne d'aller s'installer dans une mégapole américaine avec une fillette de deux ans et un mari constamment absent en raison des nombreux déplacements. Déjà qu'Évelyne n'était plus très chaude à l'idée de cette vie chez les professionnels. Quelques mois plus tôt, avant même que Pronovost prenne contact avec Jacques, le couple avait planifié l'achat d'une première résidence. La maison avait été choisie, le contrat signé, ne restait plus qu'à l'habiter. Le projet fut annulé dès que Jacques eut obtenu un engagement verbal de Marcel Pronovost. Évelyne avait encaissé le choc douloureusement. Son rêve d'habiter une maison à Châteauguay avec son homme et sa fille prenait une tournure inattendue.

Après une discussion au cours de laquelle Demers lui relata la promesse de Dumouchel si l'aventure de l'AMH tournait au vinaigre, Évelyne accepta de faire sa valise et de partir pour Chicago. Elle devait arriver dans la fameuse Ville des Vents un mois après son mari, soit en février 1973.

* * *

La saison des Cougars était désastreuse lorsque Demers se présenta à Chicago au début de janvier 1973. L'équipe perdait constamment et les gradins étaient presque vides au International Amphitheatre, un aréna vieillot d'à peine 9000 sièges.

De toute façon, les Cougars et l'AMH ne suscitaient pas les passions. On accordait peu d'espace à l'équipe dans les journaux, contrairement aux Blackhawks qui avaient pourtant perdu leur joueur vedette, Bobby Hull. Et lorsqu'on parlait de l'AMH, c'était souvent pour la tourner en ridicule.

Dans ce climat un peu déprimant, Marcel Pronovost semblait avoir lancé la serviette. Il ratait régulièrement des entraînements. Et dans ces moments, c'est Jacques qui était dépêché en renfort.

Pronovost avait beau compter sur Demers, il n'en demeure pas moins que les propriétaires des Cougars, les frères Jordan et Walter Kayser, n'appréciaient pas les absences répétées de leur entraîneur. Le jour vint où ils décidèrent de renvoyer Pronovost.

Parce que Rosaire Paiment était le capitaine et le joueur le mieux payé de l'équipe, les frères Kayser le convoquèrent à leur bureau pour lui demander qui de Reggie Fleming ou d'Eric Nesterenko ferait le meilleur entraîneur ? Voilà ce que Paiement leur répondit, selon ce qu'il a confié au chroniqueur Réjean Tremblay, dans *La Presse* du 11 juin 1992 : « J'ai dit aux Kayser que Fleming et Nesterenko ne valaient pas *cinq cennes* comme *coach*. Pourquoi ne prendriez-vous pas le jeune Demers ? Il dirige de bonnes pratiques, il est travaillant comme dix et il veut gagner. Je le sais, je le vois aller. »

C'est de cette façon que Demers obtint le mandat de terminer la saison (quelques matchs à peine) à la barre des Cougars. L'intervention de Paiement auprès des propriétaires les avait convaincus d'opter pour Demers plutôt que pour Fleming ou Nesterenko.

« Je suis celui qui a donné sa première chance à Jacques Demers dans le hockey professionnel, a raconté Paiement à ce sujet. Je pense que Jacques n'était même pas au courant de cette histoire avec les frères Kayser. »

Au terme de la saison 1972-1973, qui s'était soldée par une cinquantaine de défaites, les propriétaires des Cougars tentèrent à leur tour un très grand coup en incitant un vétéran aguerri et populaire des Blackhawks à déserter la LNH pour se joindre à eux. Cet homme était le défenseur étoile Pat Stapleton. Pour l'accueillir, Jordan et Walter Kayser durent piger dans leur bas de laine. Ils consentirent à Stapleton un contrat garanti de cinq ans à raison de 120 000 $ par année. Stapleton doublait instantanément son salaire annuel en acceptant cette offre.

Dans l'intervalle, les frères Kayser avaient aussi congédié le directeur général Eddie Short, également aux prises avec un problème d'alcool. Stapleton s'amena donc chez les Cougars avec la triple fonction de directeur général, entraîneur et joueur ! Disons que c'était beaucoup pour un seul homme.

Sur la recommandation des frères Kayser, Stapleton décida de garder Demers dans l'organisation, se permettant même de lui offrir une promotion. Il le nomma officiellement adjoint et lui confia la responsabilité de diriger l'équipe derrière le banc au cours des matchs. En prime, on lui offrit un contrat de deux ans à un salaire de 35 000 $ la première année et 37 000 $ l'année suivante.

C'est au cours de cette deuxième saison des Cougars, en 1973-1974, que de bons joueurs vinrent se greffer à Paiement et à Stapleton. Parmi ceux-là, il y avait Ralph Backstrom, Dave Dryden et Jos Hardy.

Sous les ordres de Stapleton et Demers, les Cougars connurent la meilleure saison de leur courte histoire. Cette année-là, ils atteignirent la finale de la coupe Avco, s'inclinant devant les Aeros de Houston, menés par Gordie Howe et ses fils Mark et Marty.

« J'ai vraiment appris à travailler avec des professionnels en cette saison de 1973-1974, soutient Demers. C'est en côtoyant les Stapleton, Backstrom, Dryden, Hardy et Paiement que j'ai réellement fait mes classes au point de me sentir à mon aise chez les pros. »

Comme pour ajouter à cette saison bien remplie, Pat Stapleton avait fait l'éloge de Demers dans les médias lorsqu'il avait tracé le bilan de la saison.

« Les mots d'encouragement de Stapleton se voulaient un genre de consécration, relate Demers. Selon ce grand joueur, j'avais apporté une bonne contribution aux succès de l'équipe. C'était très valorisant à mes yeux car cela m'apportait la crédibilité que j'avais cherché à bâtir auprès des joueurs. »

* * *

Demers avait fait des progrès énormes au chapitre de la reconnaissance, à un tel point que lorsqu'il soumit aux dirigeants des Cougars le projet de faire passer à l'équipe quelques jours à Châteauguay durant le camp d'entraînement, il reçut leur assentiment sans aucun problème, Pat Stapleton en tête. Ainsi, à l'automne 1974, les Cougars débarquèrent dans la petite municipalité de Châteauguay pour trois jours d'entraînement.

« Les gens de Châteauguay avaient été très bons pour moi lors de mon passage là-bas. C'était devenu mon patelin d'adoption. J'y retournais toujours l'été. L'occasion était belle d'amener une équipe professionnelle à l'aréna où j'avais eu tant de succès. Et d'ailleurs les joueurs avaient adoré l'expérience. »

La direction des Ailes de Châteauguay profita de l'occasion pour rebaptiser l'équipe, lui donnant le nom de Cougars de Châteauguay, en hommage à Jacques Demers, le meilleur entraîneur de leur histoire.

« Mon nom ne figurait nulle part, mais je savais que cette nouvelle appellation était un clin d'œil en mon honneur. J'ai toujours apprécié cette belle marque de reconnaissance. »

* * *

Si, sur le plan professionnel, Demers vivait des moments exaltants, il en était tout autrement de sa vie conjugale, qui n'était pas à la hauteur des attentes d'Évelyne. Celle-ci se retrouvait souvent seule avec sa petite fille dans un appartement exigu d'une banlieue de Chicago où elle ne connaissait personne et où elle s'ennuyait comme les pierres. Son mari étant souvent parti, elle se sentait bien loin de son petit Châteauguay douillet.

Souvent, depuis le début de la troisième saison à Chicago, Évelyne faisait mention à Jacques des difficultés d'adaptation qu'elle éprouvait. Il en était conscient depuis un certain temps, mais ce qu'il vivait sur le plan professionnel était si intense qu'il accordait moins d'importance au bien-être de sa conjointe.

Un soir, Évelyne décida qu'elle en avait assez. Elle avait pris la décision de revenir dans la région de Montréal avec Mylène. Triste scène pour Jacques qui, jusque-là, ne croyait pas que la situation fût devenue à ce point intolérable.

«Ma femme et ma fille sont parties comme ça, se remémore-t-il. Je n'ai rien à ajouter là-dessus. Je n'étais pas le mari qu'Évelyne souhaitait avoir. J'étais parti pour le hockey et je socialisais avec les joueurs. Le soir, je n'étais presque jamais à la maison. Encore aujourd'hui, je me sens mal d'avoir placé Évelyne dans une situation qu'elle n'avait pas méritée.»

Malgré cette rupture déchirante, Demers a toujours gardé contact avec Mylène. Il a régulièrement contribué à subvenir à ses besoins. Aujourd'hui, Mylène vit à Montréal et, grâce à elle, Jacques est grand-père d'un petit garçon, Tristan, qui a un peu plus de huit ans aujourd'hui (2005).

«Je n'ai pas été un père très présent physiquement pour ma fille Mylène, et ce, durant plusieurs années, mais je me suis organisé pour l'aider lorsqu'elle en a eu besoin, mentionne Demers. Je lui ai notamment payé des cours de musique (flûte) et j'ai payé les frais lorsqu'elle était pensionnaire à l'école Queen of Angels à Dorval. J'ai aussi fait l'achat de tous ses meubles lorsqu'elle s'est installée en appartement et je lui ai payé sa première voiture.

«Mais, plus que l'argent, j'ai fait un geste qui n'avait pas de prix à ses yeux. Lorsqu'elle a donné naissance à Tristan, il y a huit ans, j'étais à New York pour faire du dépistage pour le Canadien. J'ai pris le premier avion et je me suis rendu à Montréal pour célébrer ce grand moment dans sa vie. C'était aussi très spécial pour moi de devenir grand-père pour la première fois.»

* * *

La deuxième saison chez les Cougars avait été exaltante et la direction de l'équipe s'attendait à ce que la participation à la finale Avco donne un bon élan à la vente d'abonnements de saison. Il en fut tout autrement puisque les Cougars, après la fièvre du printemps à Chicago, retombèrent dans l'indifférence des amateurs l'automne venu.

L'équipe jouait devant des gradins vides malgré la présence des Paiement, Stapleton, Backstrom, Dryden, Gary MacGregor, Joe Hardy, François Rochon et d'autres. L'organisation n'était même pas assurée de terminer la saison.

Le 28 décembre 1974, les propriétaires des Cougars annoncèrent qu'ils venaient de vendre la concession et que les nouveaux propriétaires n'étaient nul autre que Pat Stapleton, Dave Dryden et Ralph Backstrom, trois joueurs des Cougars !

Surprise générale, puisque les joueurs impliqués risquaient très gros dans l'aventure. Ils devenaient leurs propres patrons. Or, sur le plan des affaires, les Cougars étaient en très sérieuse difficulté financière, au point où les propriétaires devaient constamment injecter de l'argent en raison des insuccès aux guichets. Dryden, Backstrom et Stapleton risquèrent la valeur du reste de leur contrat (moyenne de durée : deux ans chacun) en échange des actions de l'équipe.

Malgré tout, ce transfert de propriété ne stimula pas les amateurs, qui se firent toujours indifférents. Si les Cougars avaient accueilli 4600 et 5000 personnes en moyenne par match à chacune de leurs deux premières saisons (1972 et 1973), cette moyenne chuta radicalement à 3200 l'année suivante.

Les Cougars complétèrent de peine et de misère cette troisième campagne avec une fiche banale (30-47-1) et furent exclus des séries. Quelques jours après la fin de la saison, les propriétaires Dryden, Backstrom et Stapleton décidèrent de mettre la clé dans la porte.

C'était la fin de l'aventure des Cougars et de celle de Jacques Demers à Chicago.

* * *

Après la faillite des Cougars, les joueurs furent dispersés aux quatre coins de l'AMH, au bon vouloir des équipes qui voulaient bien les accueillir. L'entraîneur adjoint Demers n'eut pas cette chance. Après avoir laissé son emploi chez Coca-Cola en décembre 1972, après avoir traversé une séparation à l'hiver 1974, il se retrouvait, au printemps 1975, devant… rien.

Il pouvait toujours se rabattre sur son ami Dumouchel, mais cette solution, dans l'immédiat, n'était pas la plus désirable. Depuis sa venue à

Chicago, Demers avait commencé à développer un réseau de contacts dans le milieu du hockey. Son carnet d'adresses n'était pas volumineux, mais il avait établi de bons liens avec certains hommes de hockey. L'un de ceux-là était Jim Browitt, directeur général des Racers d'Indianapolis.

« J'ai appelé Browitt afin de lui faire part de ma disponibilité et de mon intérêt à travailler pour les Racers. J'étais prêt à faire n'importe quoi pour demeurer associé au hockey. Je venais de goûter au milieu professionnel et je voulais y rester. Je m'y sentais très bien. »

Browitt se montra réceptif à l'appel de Demers. Sans rien lui promettre, il lui indiqua qu'il lui trouverait du travail. Il lui suggéra de se montrer patient, puis, un peu plus tard, le nomma directeur du personnel.

Mais ce Browitt qui recommandait la patience fit très rapidement preuve d'impatience au début de la saison 1975-1976. Après cinq matchs seulement et une seule victoire, il congédia son entraîneur Gerry Moore et se tourna vers Jacques pour diriger sa troupe. Pour la première fois dans ce milieu du hockey professionnel, Jacques Demers allait être aux commandes de sa propre équipe. Il avait 31 ans.

C'était une nouvelle exaltante pour lui, même si Browitt avait déclaré aux médias que son nouvel entraîneur occuperait le poste par intérim. Or, un entraîneur par intérim est rarement en place pour longtemps et Demers le savait.

« J'ai dû convaincre mon directeur général que j'étais suffisamment qualifié pour garder le job, raconte-t-il. Sans être extraordinaire, nous avons finalement connu une bonne saison. Browitt m'avait confirmé dans ma fonction après un mois et demi à la barre de l'équipe. »

Le travail de Demers à la barre de cette formation de faible niveau suscita une certaine attention ailleurs dans l'AMH. On se passait le mot dans la confrérie : le jeune Demers qui dirigeait les Racers affichait un certain talent.

Malgré une fiche inférieure à .500 (34-35-6 en 75 matchs), Demers réussit à mener son équipe au premier rang de sa division. Les Racers s'inclinèrent en sept matchs, en quart de finale, face aux Whalers de la Nouvelle-Angleterre. Mais le fait d'avoir mené les siens aux séries, et même au premier rang de sa division, fut considéré comme un exploit à Indianapolis.

Cette performance valut même à Demers une nomination au titre d'entraîneur de l'année. C'est finalement Bill Dineen, à la barre des Aeros de Houston, qui l'emporta. Qu'à cela ne tienne, Demers pouvait s'enorgueillir d'avoir été considéré parmi les meilleurs de sa profession cette année-là. Ses semblables avaient reconnu ses talents de *motivateur* et de bon vendeur.

Jacques Demers travaillait à Indianapolis dans un contexte fort difficile et c'est cela que sa nomination au titre d'entraîneur de l'année avait aussi reconnu. Il lui avait fallu du cran, du doigté et des connaissances pour maintenir les Racers au seuil de la respectabilité. En d'autres termes, il avait réalisé un petit miracle dans les conditions actuelles. Sa venue tombait à point pour les Racers.

À Chicago, il avait pu commencer à imposer son style, même s'il n'était pas entraîneur en chef. Peu à peu, il mettait en pratique les méthodes qui lui avaient donné du succès à Saint-Léonard et à Châteauguay. C'est ce qu'il comptait poursuivre à Indianapolis.

Demers aimait jouer la carte du dialogue, lui qui était déjà un grand causeur. Il aimait apprendre en discutant. Il se faisait à la fois l'ami et le conseiller des joueurs, qui lui demandaient souvent des conseils tant sur le plan de leur vie personnelle qu'au niveau de la patinoire. Cette approche humaine lui avait réussi dans les rangs juniors et, tranquillement, semblait lui réussir aussi au niveau professionnel.

C'est avec un style enjoué, volubile et accessible que Jacques s'était présenté à Indianapolis. Il était aussi près du public que des médias et des joueurs. Avec lui, les amateurs découvrirent la jovialité de l'homme passionné par son métier et d'un enthousiasme communicatif derrière le banc. Le style Demers était né : entraîneur extraverti, verbomoteur au tempérament positif, misant d'abord sur la communication avec ses joueurs plutôt que sur la confrontation.

En plus de bien mener les siens sur la glace, Demers devint pour les Racers un bon vendeur de hockey dans la communauté d'Indianapolis. On aimait sa personnalité, sa bonhomie, son entregent. C'est à partir de ce moment qu'il est apparu sur des tribunes pour prononcer des discours ou pour vendre des produits et des idées.

Un bon vendeur, c'est ce qu'il était comme *coach* et cette approche faisait des petits à l'extérieur du hockey. Ce qui n'était pas banal pour le p'tit gars de Côte-des-Neiges.

Même si l'équipe n'avait pas la popularité souhaitée dans cette ville d'Amérique profonde où la course automobile fait figure de religion, les Racers étaient parvenus à entreprendre une nouvelle saison, bien que la concession ne nageât pas dans l'argent.

L'équipe ne comptait pas non plus sur de grands joueurs vedettes, les plus connus étaient Raynald Leclerc, Michel Parizeau, Darryl Maggs, Kim Clarckson, Hugh Harris, Blair McDonald, Reggie Thomas et Michel Dion. De façon à renforcer l'équipe, Jacques avait insisté auprès de ses patrons pour acquérir des anciens compagnons d'armes du temps des Cougars de Chicago. C'est ainsi que Rosaire Paiement, Pat Stapleton et François Rochon, notamment, rejoignirent les Racers. Mais malgré tous les efforts de Demers, il arrivait souvent aux Racers de jouer devant des sièges vides.

En 1976-1977, l'équipe termina la saison avec un dossier de 36-37-8 en 81 matchs, se classant au 3e rang de la section Est. Toutefois, le fait marquant de cette saison fut sans contredit la victoire inattendue des Racers contre les Stingers de Cincinnati en quatre matchs expéditifs en série quart de finale. Pourtant, les Stingers étaient largement favoris. Les Racers subirent ensuite l'élimination en cinq matchs face aux Nordiques de Québec en demi-finale. C'était l'année où les Nordiques remportèrent la coupe Avco aux dépens des Jets de Winnipeg.

Sur un plan plus personnel, Jacques Demers fut choisi pour diriger l'équipe de la section Est contre celle de l'Ouest dans le match annuel des étoiles disputé le 18 janvier 1977, à Hartford. Son équipe, au sein de laquelle on retrouvait notamment les Tardif, Cloutier, Keon, Stapleton, Tremblay, Bernier, Parizeau, Napier, Backstrom, Leduc et Subchuk, l'emporta par 4 à 2 sur celle de l'Ouest dirigée par Bobby Kromm. Les étoiles de l'Ouest avaient pour noms Hull, Howe, Nilson, Hedberg, Ftorek, Lacroix et Shmyr, entre autres..

* * *

Malgré la bonne tenue des Racers, les rumeurs de faillite planaient toujours autour de la concession. C'était courant dans le monde de l'AMH. Le climat était incertain. Demers avait vécu l'enfer à cet effet à sa dernière saison à Chicago. Et comme les Cougars, les Racers décidèrent à leur tour de cesser leurs activités à la fin de la saison et tous les employés se retrouvèrent le bec à l'eau.

Après cinq années chez les professionnels, Demers se retrouvait encore une fois sans emploi. Il ignorait où sa carrière le mènerait. Les offres des équipes professionnelles ne venaient pas. C'est alors qu'il reçut une offre du Canadien junior, de la Ligue de hockey junior majeur du Québec.

Le légendaire « professeur » Ronald Caron, dit *Le Prof*, avait pressenti Demers pour devenir l'entraîneur du Canadien junior. Caron était un employé du Canadien de Montréal et il était l'un des hommes de confiance de Sam Pollock. Ce dernier était impliqué dans les grandes décisions de l'équipe junior, incluant celle d'embaucher un entraîneur. Il fut d'accord avec la suggestion du *Prof* de soumettre une proposition à Jacques Demers.

Mais comme Jacques visait davantage un poste dans le hockey professionnel plutôt que dans la Ligue de hockey junior majeur du Québec. il déclina l'offre. « Ma décision de ne pas diriger le Canadien junior fut difficile à prendre, précise-t-il. En me joignant au Canadien junior, je pouvais entrer dans la prestigieuse et très fermée organisation du Canadien. C'était l'époque fabuleuse de Pollock, Bowman, Lafleur, Lemaire, Shutt, Robinson, Savard, Lapointe, Dryden et les autres. »

Il lui arrivait pourtant de rêver de devenir employé du grand Canadien. « Je me souviens d'avoir demandé au *Prof* Caron si le fait de diriger le Canadien junior signifierait que je ferais désormais partie de la grande organisation du Canadien. *Le Prof*, dans son langage très coloré, m'avait sèchement répondu : "Va pas trop vite, mon p'tit Jaaacques ; c'est pas d'même que ça maaarche !" »

Étonné de la réponse, mais surtout amusé du ton théâtral qui l'accompagnait, Demers avait alors demandé à Caron quelques journées de réflexion. « J'étais très intéressé d'accepter, mais mon petit doigt me disait que je devais tenter ma chance ailleurs dans l'AMH. »

Avant de donner sa réponse au Canadien junior, Demers décida de communiquer avec un de ses contacts chez les professionnels, soit le propriétaire des Stingers de Cincinnati, Bill Dewitt Jr. Ce dernier avait beaucoup de respect pour celui qui, à la barre des Racers, avait éliminé ses Stingers au printemps de 1977.

Jacques croyait que ses services pourraient être bénéfiques aux Stingers. Du moins, il voulait en convaincre Dewitt. Convaincant, il le fut sans doute, puisque, semble-t-il, le propriétaire des Stingers avait du travail pour lui pour la saison 1977-1978…

« Après ma discussion avec Dewitt, j'ai senti que je pourrais me recaser à Cincinnati et, de ce fait, demeurer chez les professionnels. J'ai alors recontacté *Le Prof* Caron pour lui dire que je n'accepterais pas le poste du Canadien junior. Je lui ai envoyé une lettre pour le remercier d'avoir songé à moi. Je n'étais pas certain de prendre la bonne décision, mais, à tout prendre, je préférais l'AMH à la LHJMQ. Le *Prof* ne m'a pas fait la leçon. Je pense qu'il comprenait. Il m'a simplement souhaité bonne chance. »

C'est de cette façon que Demers a raté son premier rendez-vous avec le fameux *Prof.* Il était plutôt rare qu'un jeune entraîneur québécois tourne le dos à la prestigieuse organisation montréalaise. Demers allait-il devoir en payer le prix un jour? C'était une question à laquelle le temps devait pouvoir répondre...

Sept ans plus tard, Demers constatera que *Le Prof* n'était pas rancunier. En réalité, il ne lui avait pas tenu rigueur de son refus à l'été 1977. Jacques Demers, grâce à Caron, allait jouir de cette fameuse deuxième chance, celle dont plusieurs athlètes et entraîneurs se plaignent de ne pas avoir obtenu dans leur vie. C'est cette chance-là qui l'a mené à des sommets sportifs et monétaires.

La lecture de la suite viendra vous en apprendre davantage...

* * *

Outre un emploi fort gratifiant, Demers trouva aussi l'amour à Indianapolis. Depuis sa séparation d'avec Évelyne dix-huit mois plus tôt, il avait vécu seul. Il n'était sans doute pas prêt à refaire sa vie immédiatement. À son arrivée à Indianapolis à la fin de l'été 1975, il élut domicile à l'hôtel Hilton du centre-ville. Ce sont en fait les Racers qui l'avaient installé en ces lieux jusqu'au début de la saison.

Il prenait régulièrement ses repas à l'hôtel où se trouvait une serveuse particulièrement pétillante... Et comme cela lui était arrivé à l'été 1969 avec Évelyne, il laissa parler son cœur jusqu'au moment où lui et Linda constatèrent qu'ils étaient devenus amoureux l'un de l'autre!

Le couple se mit en ménage rapidement, si rapidement en réalité que, lorsque Jacques dut déménager d'Indianapolis à Cincinnati, il dut emmener dans ses bagages une petite famille qui comprenait, outre Linda, deux fillettes, Brandy et Stefanie.

* * *

Quelque temps après le départ de Demers pour Cincinnati, les Racers furent sauvés *in extremis* par l'excentrique propriétaire Nelson Skalbania. Ce dernier désirait relancer les Racers, qui avaient connu une saison très ordinaire en 1976-1977. Skalbania n'entendait pas en rester là.

En vue de la nouvelle saison, le riche propriétaire décida de passer véritablement à l'attaque. Dans la surenchère incessante qui consistait à embrigader des vedettes au détriment du circuit rival, il réalisa le coup le plus fumant qui soit contre les propriétaires de la LNH.

Le 12 juin 1978, il fit signer un contrat à la jeune sensation du hockey junior canadien, Wayne Gretzky, des Greyhounds de Sault-Sainte-Marie. Le jeune homme n'avait que 17 ans, ce qui signifiait des complications juridiques. La LNH risquait de s'en mêler afin d'interdire à un joueur d'âge mineur d'évoluer chez les professionnels. Mais Skalbania s'en foutait éperdument et il mit à exécution son projet. Il amena Gretzky à Indianapolis et fit de même avec Mark Messier qui, lui aussi, n'était âgé que de 17 ans.

Avec la venue de *La Merveille,* l'euphorie gagna la ville d'Indianapolis, ce qui n'empêcha pas la catastrophe financière anticipée de se produire, assez vite au début de la saison. Dans un nouveau geste spectaculaire, Skalbania vendit les droits de Gretzky aux Oilers d'Edmonton et expédia Messier chez les Stingers de Cincinnati. Les Racers ne s'en relevèrent jamais. Peu de temps avant les Fêtes, l'équipe sombrait dans la faillite. Les Racers disparurent du paysage de l'AMH le 15 décembre 1978. Ils n'avaient disputé que 25 matchs.

« Si j'avais su que Wayne Gretzky s'amenait à Indianapolis, je serais resté une année de plus avec les Racers, ricane Demers. Je suis parti après que les Racers eurent déclaré une première faillite au mois de mai et avant qu'ils soient rachetés par Skalbania au mois d'août de l'été 1977. Même si on avait voulu que je revienne, je m'étais déjà entendu avec les Stingers dans l'intervalle. N'empêche que j'aurais aimé diriger Wayne Gretzky, même si je l'ai finalement fait à quelques occasions, dans des matchs d'étoiles ou internationaux.

* * *

Jacques quitta donc les Racers au cours de l'été 1977 pour se diriger vers Cincinnati où un simple poste d'adjoint l'attendait. Un poste qui allait rapidement se transformer en poste d'entraîneur en chef, mais il dut quand même attendre cinq matchs avant de prendre la barre de l'équipe.

Avant le début de cette saison 1977-1978, les Stingers avaient congédié leur entraîneur Terry Slator au cours de l'été et le propriétaire Dewitt (l'actuel propriétaire des Reds de Cincinnati) avait décidé d'accorder une chance à un dénommé Jerry Rafter. Ce dernier occupait la fonction de directeur général, mais il désirait obtenir l'occasion de diriger les Stingers derrière le banc.

C'est pourquoi Jacques dut amorcer la saison à titre d'adjoint. Mais comme Dewitt n'aimait pas la façon dont se comportaient ses Stingers sous Rafter, il lui suggéra fortement de céder sa place à Jacques et de se concentrer sur son travail de directeur général. Demers fut appelé à la barre après le cinquième match de la saison, alors que l'équipe présentait une fiche de 2-3-0.

Demers avait sous la main plusieurs bons joueurs dont Robbie Ftorek, Rick Dudley, Michel Dion, Normand Lapointe, Richard Leduc, Jamie Hislop, Peter Marsh, Mike Liut, Gilles Marotte, Jacques Locas, Claude Larose, Blaine Stoughton, Dennis Subchuk et un certain Barry Melrose. C'est ce même Melrose que Jacques retrouvera sur sa route, quinze ans plus tard, dans une certaine finale de la coupe Stanley… Mais n'anticipons pas.

Demers dirigea 75 matchs des Stingers cette année-là et présenta un dossier de 33-39-3. L'équipe termina au 7e rang du classement général, à deux points seulement du 6e rang occupé par Birmingham. Comme seules les six premières équipes étaient admises en séries, la saison des Stingers se termina hâtivement cette année-là.

Lettre K

À Marcel Pronovost

Je suis très conscient, mon cher Marcel, que sans ton ouverture je n'aurais jamais pu réussir un si beau voyage dans le monde du hockey professionnel.

C'est avec toi que j'ai effectué mes premiers kilomètres dans le monde des grands, alors que j'étais à tes côtés chez les Cougars de Chicago, aux débuts de l'Association mondiale de hockey (AMH).

Tu as montré beaucoup de courage en embauchant un jeune entraîneur de niveau junior B, qui n'avait pas évolué chez les professionnels et qui, en plus, était francophone avec très peu de connaissances de l'anglais. À vrai dire, Marcel, il fallait être un peu kamikaze pour retenir ma candidature qui avait été soumise par Jacques Viau, Jules Dumouchel et Jacques Beauchamp.

Merci de m'avoir offert cette opportunité que personne d'autre, je crois, ne m'aurait donnée à cette époque, compte tenu de ma modeste feuille de route jusque-là.

Par la même occasion, j'ai aussi une très bonne pensée pour Rosaire Paiement qui, dans un moment fort difficile à mes débuts à Chicago, est intervenu en ma faveur auprès des joueurs. Sans toi Marcel, et sans Rosaire, j'aurais sans doute connu une belle carrière chez Coca-Cola, mais je n'aurais pu réaliser mon objectif qui était de faire du hockey toute ma vie. Si j'ai vécu une kyrielle de très beaux moments dans le monde du hockey, c'est que tu étais là au début, Marcel, pour m'accorder cette toute première chance.

Jacques

Chapitre 12

« Parmi les miens ! »

L'incertitude concernant l'AMH n'avait jamais été aussi grande. Les équipes fermaient les livres l'une à la suite des autres depuis quelques années, surtout parce que les spectateurs tardaient à se manifester, si l'on excluait les quelques bons marchés qu'étaient Québec, Winnipeg, Edmonton et Hartford.

Comme plusieurs organisations avant eux, les Stingers de Cincinnati faisaient désormais face à un problème de liquidités et le spectre d'une dissolution commençait à montrer le bout de son nez. Dans le but de sauver la concession, les Stingers avaient organisé une vaste campagne d'achats d'abonnements saisonniers. C'était l'époque de la *Big Red Machine*, cette fabuleuse équipe des Reds, de la Ligue nationale de baseball. Les Stingers savaient qu'ils ne pouvaient pas rivaliser de popularité avec les Reds, mais ils tentaient de s'établir comme deuxième équipe professionnelle à Cincinnati. Les joueurs de hockey y jouissaient d'une certaine notoriété dans le public, ce qui était bien mieux que dans certaines autres villes américaines où les joueurs n'étaient nullement connus des amateurs.

Jacques Demers profita de son passage à Cincinnati pour se lier d'amitié avec le légendaire Sparky Anderson. L'homme, droit comme un chêne, était aussi populaire que les grands joueurs des Reds. Ce qui n'était pas peu dire à une époque où les Pete Rose, Tony Perez, Dave Concepcion, Johnny Bench et Ken Griffey composaient la puissante formation des Reds. Dans le cadre de cette promotion visant à fidéliser des clients pour l'année à venir, Demers avait également fait la rencontre de Rose.

«Quel homme enthousiaste! dit-il. Il était jovial et semblait aimer le hockey. Rose était Monsieur Baseball à Cincinnati. Dans le but de nous encourager, il avait acheté "les billets de saison" portant les numéros 3000, 3001, 3002 et 3003 pour la saison 1978-1979. Il faut se rappeler qu'au cours de l'été (le 5 mai 1978), Rose avait frappé le 3000e coup sûr de sa carrière avec les Reds. Le fait d'acheter le 3000e billet de saison des Stingers revêtait un caractère symbolique pour lui et pour notre équipe de hockey.»

Malgré l'intérêt de la communauté sportive, les Stingers ne furent pas en mesure de vendre suffisamment d'abonnements de saison au goût du propriétaire Dewitt. Ce dernier brandit la menace de fermeture quelque temps, mais lorsque la saison 1978-1979 prit son envol, les Stingers étaient au rendez-vous.

* * *

Au cours de l'été, le redoutable directeur général des Nordiques de Québec, Maurice Filion, avait eu vent du climat d'incertitude qui régnait à Cincinnati. Un an plus tôt, les Nordiques avaient remporté la coupe Avco, mais, en 1977-1978, ils avaient connu des ratés. Devant l'insatisfaction du public à Québec, Filion s'était retrouvé dans l'obligation de donner un coup de barre. Il avait sacrifié son entraîneur Marc Boileau, l'ancien des Penguins de Pittsburgh.

Pour le remplacer, il tendit une perche à Jacques Demers, dont l'avenir à Cincinnati était incertain en raison de la précarité financière des Stingers. Malgré l'élimination des Racers, dirigés par Jacques, en demi-finale contre les Nordiques en 1977, Filion avait apprécié son solide travail. Depuis lors, il le gardait dans sa mire, un congédiement d'entraîneur pouvant survenir à tout moment!

C'est ce qui arriva à l'été de 1978 lorsque Filion confirma le renvoi de Boileau… Et Demers de saisir la perche tendue…

* * *

Nous étions en janvier 1979 et, depuis des mois, il y avait des airs persistants de fusion dans l'air. L'Association mondiale de hockey perdait de plus en plus de plumes puisqu'il ne restait que six équipes. Seules les plus solides organisations avaient survécu jusque-là.

C'était le cas des Nordiques qui avaient vécu les débuts de l'aventure en 1972 et qui résistaient toujours. Trois autres équipes seulement pouvaient se targuer d'avoir survécu aux nombreuses tempêtes depuis la création de la ligue. Il s'agissait des Jets de Winnipeg (avec Bobby Hull), des Oilers d'Edmonton (avec Wayne Gretzky) et des Whalers de Hartford (avec Gordie Howe).

Chez les Nordiques, plusieurs bons joueurs formaient un noyau solide. Il s'agissait de Jean-Claude Tremblay, Marc Tardif, Réal Cloutier, Serge Bernier, Paulin et Christian Bordeleau, et Michel Dion. À eux s'ajoutaient les joueurs de soutien Danny Geoffrion, Richard Leduc, Richard David, Raynald Leclerc, Jim Dorey, Gilles Bilodeau, Pierre Lagacé, Jim Corsi, Alain Côté, Wally Weir, Normand Dubé, Dale Hoganson, François Lacombe, Bob Fitchner, Paul Baxter, Curt Brackenbury et quelques autres.

Les Nordiques connurent une saison à la hauteur des attentes. L'équipe se maintenait parmi les meilleures de la ligue, les gradins étaient remplis et Jacques Demers comblait les espoirs qu'on avait placés en lui.

* * *

Demers était devenu pilote des Nordiques à la suite d'une entente signée sur le coin de la table avec Filion. Les deux hommes s'étaient rencontrés dans un café de l'aéroport de Dorval à l'été 1978. Sans agent ni flafla ! Filion avait proposé à Jacques de prendre en main la destinée des Nordiques. Il lui offrait un contrat de deux ans à environ 40 000 $ par année.

« La négociation n'a pas duré des heures, raconte Jacques. Je n'avais aucune certitude quant à savoir s'il y aurait une équipe à Cincinnati pour le début de la saison 1978-1979 et voilà que Maurice Filion me proposait le poste le plus convoité pour un entraîneur francophone dans l'AMH.

« Je ne portais plus à terre ! J'étais fier. Je me disais que j'avais acquis assez de crédibilité à bûcher à Chicago, à Indianapolis et à Cincinnati pour qu'une organisation aussi compétente que les Nordiques puisse vouloir retenir mes services. Je n'avais donc pas fait toute cette traversée houleuse pour rien. »

En Jacques Demers, Filion voyait de nombreuses qualités : « J'avais eu l'occasion de le voir travailler dans l'AMH, rappelle l'ancien patron des Nordiques. J'aimais la manière avec laquelle il dirigeait ses équipes. J'aimais aussi la façon dont il s'adressait aux médias. Pour un marché médiatisé comme le nôtre, c'était un atout de plus. Jacques était parfaitement bilingue et il se donnait corps et âme à son équipe. C'était un entraîneur plein de vigueur et de commerce agréable. Je n'ai jamais regretté de l'avoir embauché. »

Pour Demers, se retrouver chez lui, au Québec, derrière le banc des Nordiques, représentait une forme d'aboutissement. « Depuis le début de mon association avec l'AMH, j'avais travaillé pour des organisations vivotant difficilement dans des villes où le hockey suscitait peu d'intérêt. Avec l'offre des Nordiques, je me joignais à une solide organisation dans un véritable marché de hockey qui, en plus, s'adonnait à être chez moi ! Que pouvais-je souhaiter de plus sur le plan professionnel ? »

Après avoir accepté l'offre des Nordiques, Demers était retourné à sa maison louée de Cincinnati pour apprendre la bonne nouvelle à sa conjointe Linda.

« J'étais tout feu, tout flamme de pouvoir revenir chez nous et Linda le sentait bien. Elle était Américaine, mais elle savait ce que ce poste représentait pour un petit Québécois comme moi. De plus, je me disais qu'elle aurait l'occasion de mieux connaître ma famille, car mon frère et mes sœurs, de même que ma fille Mylène, viendraient régulièrement nous voir à Québec. Et pour ajouter à tout cela, je me disais que mes filles Stefanie et Brandy auraient l'occasion d'apprendre le français à l'école. C'était le scénario idéal. »

Demers ne déçut personne au cours de sa première campagne chez les Nordiques, les menant au second rang de la l'AMH avec un dossier de 41-34-5 en 80 matchs. Sur le plan individuel, Réal Cloutier connut une saison du tonnerre, dominant la colonne des marqueurs de la ligue avec une récolte de 129 points, dont 75 buts. Il devançait au classement Robbie Ftorek (116 points) Wayne Gretzky (110), Mark Howe et Kent Nilsson (107 points chacun). Sur le plan défensif, les deux gardiens des Nordiques, Richard Brodeur (42 matchs) et Jim Corsi (40 matchs), détenaient les deuxième et troisième moyennes de buts alloués par partie. Seul Dave Dryden, des Oilers d'Edmonton, avait fait mieux.

Reconnaissant son bon travail, les dirigeants de l'AMH décidèrent d'inviter Demers à diriger l'équipe d'étoiles qui devait affronter le Dynamo de Moscou, à Edmonton, dans une série de trois matchs. Jacques était associé au pilote Larry Hillman dans cette aventure dont il conserve un très bon souvenir.

Les étoiles de l'AMH balayèrent la série en récoltant des victoires de 4 à 2, 4 à 2 et 4 à 3 au début du mois de janvier 1979. La formation nord-américaine était composée notamment de Gretzky, Ftorek, Gartner, Marsh, Dudley, Bernier, Howe (Gordie et Mark), Keon, Dryden, Shmyr, Ramage, Lee, Long et Lukowich. Bobby Hull, Réal Cloutier et Marc Tardif avaient été choisis, mais ils ne purent y prendre part en raison de blessures.

« J'ai eu l'occasion de diriger Gretzky, Howe, Ftorek et d'autres grands noms du hockey au cours de cette série. De ce fait, le milieu reconnaissait que je n'étais plus un entraîneur apprenti au hockey professionnel. J'étais devenu un entraîneur établi. J'avais atteint le seuil de la respectabilité. »

* * *

Les Nordiques comptaient parmi les équipes favorites pour remporter la coupe Avco, mais les protégés de Jacques Demers furent lessivés en quatre matchs en demi-finale contre la puissance du circuit, les Jets de Winnipeg. Ces derniers remportèrent la coupe Avco.

« On aurait pu faire mieux en séries, croit Filion, mais on savait déjà que nous allions joindre les rangs de la LNH à l'automne. Je crois que plusieurs membres de l'organisation avaient déjà la tête ailleurs au cours de ces dernières séries dans l'AMH. »

En effet, avant même que la finale de la coupe Avco ne fût disputée cette année-là, toutes les discussions et les rumeurs convergeaient vers un même point : l'AMH vivait ses derniers moments car des pourparlers de plus en plus sérieux avaient cours entre les dirigeants du circuit et ceux de la LNH. Le but avoué de tous était de conclure une fusion des deux circuits.

L'AMH, malgré ses difficultés, avait causé beaucoup d'embêtements à la LNH. Les salaires avaient fait un bond vertigineux. La masse salariale avait doublé presque partout en raison de la surenchère créée par l'AMH. La LNH comptait 17 équipes et plusieurs en arrachaient dont Colorado, Saint Louis, Atlanta, Minnesota et Washington. Il s'agissait de marchés où le hockey éprouvait des difficultés à percer. Or, la rumeur voulait que la LNH fusionne avec l'AMH à la condition qu'il ne reste que les quatre concessions les plus solides, installées dans des marchés viables.

Curieusement, les quatre concessions qui étaient les bienvenues étaient les seules à avoir participé à la fondation de l'AMH en 1972, soit Québec, Winnipeg, Edmonton et Hartford. Les discussions entre le nouveau président de la LNH, John Ziegler, et les autorités de l'AMH portaient strictement sur ces quatre équipes.

Finalement, les quatre furent intégrées dans la LNH, ce qui précipitait dans la tombe le *circuit maudit* à l'été 1979. Une nouvelle ère s'ouvrait désormais à Québec, à Winnipeg, à Edmonton et à Hartford, qui devenaient membres de la plus prestigieuse ligue de hockey professionnel du monde. Dans sa chute, l'AMH entraîna aussi la disparition des Stingers de Cincinnati et des Bulls de Birmingham.

* * *

De cette fabuleuse aventure de l'AMH, il ne reste plus grand-chose de nos jours. Seuls les Oilers d'Edmonton témoignent des vestiges de la défunte association, là où la concession a vu le jour. Depuis, les Nordiques sont devenus l'Avalanche du Colorado, les Jets ont déménagé à Phoenix (Coyotes) alors que les Whalers de Hartford ont pris la direction de la Caroline (Hurricanes).

Plus aucun joueur ayant joué dans l'AMH ne fait partie de la LNH aujourd'hui (2005), à l'exception de Mark Messier. Au moment de rédiger ces lignes, on ignorait si Messier poursuivrait sa carrière active dans la LNH en 2005-2006. Après sa première saison (1978-1979) à Indianapolis (il commença dans l'AMH en même temps que Wayne Gretzky) et à Cincinnati, Messier fut officiellement repêché par les Oilers d'Edmonton, qui venaient de rejoindre les rangs de la LNH. Il jouera dans cette ligue au moins 25 saisons, à Edmonton (12), New York (10) et Vancouver (3).

* * *

Jacques Demers conclut sa carrière dans l'AMH avec une fiche de près de .500 (144-145-22) en 311 rencontres régulières. Il présentait un dossier de 8-12 en 20 matchs en séries éliminatoires. Ces statistiques ne tiennent pas compte de son passage de trois saisons à Chicago où il n'occupait pas le poste d'entraîneur en chef. Au-delà de sa fiche, il fait partie de ceux qui ont défriché le terrain au fil du temps. Il était présent à la première et à la dernière heure de l'aventure.

« C'était *rock'n roll* par secousses, mais ce fut un voyage fabuleux, résume-t-il. aujourd'hui. Cette ligue n'a duré que sept ans, mais nous avons eu du plaisir pour vingt ! Même si nous vivions des situations abracadabrantes à l'occasion, nous étions heureux d'être là. On ne voyageait pas en vol nolisé comme dans la LNH, nous n'habitions pas les meilleurs hôtels, nous ne jouions pas dans les plus beaux amphithéâtres, mais les joueurs et les dirigeants étaient prêts à faire des compromis. Nous étions peut-être la risée de certains inconditionnels de la LNH, mais, au fond, joueurs, entraîneurs, arbitres et autres employés d'équipes avaient un objectif en tête : on voulait que cette ligue-là marche.

« Je ne renierai jamais mes débuts dans l'AMH, ajoute-t-il fermement. Cette ligue m'a permis de vivre du hockey pendant sept ans et elle m'a servi de tremplin pour une belle carrière dans la LNH par la suite. »

* * *

Relatant ce parcours étonnant, voire rocambolesque, Jacques Demers replonge dans ses souvenirs pour évoquer quelques anecdotes.

Rappelons le contexte. Le grand problème de l'AMH résidait dans la fragilité financière des propriétaires et de la ligue. Chez plusieurs équipes, les joueurs ne savaient même pas s'ils allaient être payés tous les mois. Les équipes tombaient à gauche et à droite par manque de fonds. À Chicago, les frères Jordan et Walter Kayser avaient les reins solides, disait-on, mais ils semblaient en avoir marre de ce gouffre sans fin des Cougars.

Un jour que l'équipe se dirigeait vers l'aéroport O'Hare à Chicago pour s'envoler vers Los Angeles, les joueurs et les dirigeants vécurent une situation plutôt embarrassante. À l'époque, il n'y avait pas de vols nolisés pour les équipes. Tout le monde devait prendre les vols commerciaux. Les avions étaient toujours bondés. Ce n'était pas le luxe que connaissent les joueurs d'aujourd'hui où chacun, à bord d'un jet à l'usage exclusif de l'équipe, jouit de deux sièges pour prendre ses aises.

Les membres de l'équipe se présentaient à un comptoir de l'aéroport, un préposé remettait tous les billets requis et un responsable de l'équipe sortait une carte de crédit des Cougars et payait sur-le-champ la facture du transport. Et Jacques de raconter en rigolant : « Cette journée-là, j'ai failli mourir de honte. Nous étions tous assis sur nos sièges dans l'avion. L'engin était bondé. Nous étions collés comme des sardines. Tout à coup, le commandant de bord a demandé au micro que tous les membres de l'organisation des Cougars quittent l'avion sur-le-champ.

« Les joueurs se demandaient bien ce qui se passait. Nous sommes revenus dans l'aérogare, pour nous apercevoir que la carte de crédit de nos propriétaires excédait sa marge de crédit ! Comme les compagnies d'avion n'acceptaient pas les chèques mais seulement l'argent comptant ou une carte de crédit, il a fallu se démener. Il n'était pas question de faire crédit aux Cougars, une équipe dont l'existence pouvait prendre fin à tout moment.

« Un employé a joint le bureau des Cougars. Il est parti à la hâte pour aller chercher l'argent pour payer les billets avant le départ. Le gars est revenu et on a finalement payé *cash* ! Nous avons pu nous rendre à

Los Angeles, mais seulement en soirée, après avoir payé. C'était complètement fou. »

Demers se souvient aussi d'un soir d'hiver au Minnesota, alors que son équipe rendait visite aux Fighting Saints de Saint Paul. Immédiatement après le match, les joueurs du Minnesota apprirent que l'équipe était en faillite.

« Cette fois-là, j'ai assisté à l'une des scènes les plus cocasses qui soit. En apprenant la nouvelle, le vétéran Mike Walton a saisi ses vêtements de ville dans le vestiaire, puis s'est dirigé directement à son auto avant de quitter les lieux en vitesse.

« Vous imaginez la scène ! Comme équipe visiteuse, nous étions dans le garage lorsque nous avons vu passer Walton qui se dirigeait vers une large rampe qui menait à l'extérieur du building. Walton avait encore ses habits de hockey sur lui. Il avait même gardé les patins aux pieds ! Ce Walton, qu'on surnommait *Shaky*, avait décidé qu'il ne perdrait pas tout. Il était parti avec l'équipement du club ! »

Par ailleurs, Jacques rit de bon cœur en se remémorant le soir où son dur à cuire, Reggie Fleming, reçut une rondelle en plein front alors qu'il était assis au banc des joueurs. Fleming et Demers n'étaient pas les plus grands amis de la terre, mais Fleming réussissait à le faire rire parfois. Ce Fleming était un costaud. Et il avait la tête dure. Dans tous les sens du terme. On l'appelait *The Cement Head* (la tête de ciment). Il recevait des coups à la tête ou au visage et jamais il ne s'en plaignait. Une forte tête !

« Ce soir-là, Reggie ne s'était même pas aperçu qu'il avait reçu une rondelle sur la tête. Ce sont ses coéquipiers qui, au bout d'une quinzaine de secondes, constatèrent qu'il saignait abondamment. En prenant connaissance de la chose, Reggie s'est passé la main à la tête pour essuyer le sang… puis il a recommencé à jouer. Il ne s'est jamais plaint. C'est ce qu'on appelle un vrai *tough.* »

Jacques se rappelle qu'en 1978-1979 les Bulls de Birmingham attisèrent le feu dans la guerre incessante que l'AMH menait à la LNH en mettant sous contrat un groupe de sept joueurs d'âge junior.

« La LNH commençait à trouver de plus en plus dérangeant ce *circuit maudit*. Je pense que cette chasse aux joueurs d'âge junior s'est avérée le dernier événement poussant les dirigeants de la LNH à s'entendre sur les principes d'une fusion. »

Les élus des Bulls étaient les défenseurs Rob Ramage, Craig Hartsburg et Gaston Gingras, les attaquants Michel Goulet, Louis Sleigher et Rick

Vaive, de même que le gardien Pat Riggins. Les sept joueurs avaient 18 ans et, en raison de leur jeune âge, on les surnomma *Baby Bulls*. Chacun des joueurs reçut 20 000 $ en prime de signature et un salaire annuel de 30 000 $. Pour des *ados*, c'était drôlement bien payé !

« Aucun de ces joueurs n'était admissible au repêchage amateur de la LNH. Ils étaient trop jeunes. Ils furent tous repêchés l'année suivante, en 1979, par la LNH, soit à l'été de la fusion des deux circuits. Ce qui m'étonne dans tout cela, c'est que le meilleur joueur de ce repêchage était le défenseur Raymond Bourque, bien supérieur aux défenseurs Ramage, Hartsburg et Gingras, et que les Bulls ne l'avaient même pas choisi. À n'en pas douter, il se passait des choses étranges dans l'AMH ! »

Lorsque Demers ressasse des souvenirs de l'AMH, il se met à rire en se remémorant quelques images fortes.

« Un jour, alors que j'étais avec les Cougars de Chicago et que nous visitions les Toros à Toronto, un de nos joueurs, Bobby Withlock eut l'idée de manger quelques hot-dogs sur le banc. Il avait demandé au soigneur au cours du premier entracte d'aller lui chercher de la nourriture dans une concession de l'édifice. À un certain moment, j'ai aperçu un hot-dog caché sous le gant de Withlock au bout du banc. J'étais alors l'entraîneur durant les matchs en compagnie de Pat Stapleton. J'ai demandé à Withlock ce qu'il faisait là, à manger des hot-dogs durant un match. Pour seule explication, ce drôle d'homme m'a répondu, le plus sérieusement du monde : "Euh... c'est que j'avais juste une petite fringale..." »

« Une autre fois, à Cincinnati, nous visitions les Stingers alors que je dirigeais les Racers d'Indianapolis. Les Stingers avaient pour mascotte une abeille. Avant les matchs, cette mascotte était sur la patinoire en patins et attendait les joueurs de l'équipe adverse. Lorsque nous nous présentions sur la glace, ce *toutou* nous pointait l'un après l'autre en imitant le bruit de l'abeille : *bzz...*, comme pour nous jeter un mauvais sort.

« Or, un des durs à cuire de mon équipe, Kim Clackson, un drôle de pistolet, n'était plus capable d'endurer cette mascotte. Il en faisait presque des boutons. Clackson était toujours le premier joueur à sauter sur la patinoire après les gardiens. Dans le vestiaire, avant la période d'échauffement, il avait annoncé aux joueurs qu'il s'agissait d'un soir de fête puisqu'il avait l'intention d'en finir avec la mascotte. Et il a tenu parole.

« En se présentant sur la glace, il administra toute une mise en échec à la mascotte qui se retrouva les quatre fers en l'air dans le coin de la patinoire. Feignant d'être désolé, Clackson s'excusa auprès de la mascotte ébranlée en disant qu'il ne l'avait pas vue ! Quoi qu'il en soit, c'est la dernière fois que la mascotte des Stingers s'est présentée sur la patinoire avant un match. Désormais, elle s'est avisée de se tenir exclusivement dans les gradins. »

Le vétéran Eric Nesterenko était lui aussi un *spécimen rare*. Il s'agissait d'un personnage solitaire et taciturne qui entrait souvent dans sa bulle et ne voulait pas se faire déranger. Jacques Demers relate à son sujet deux incidents qui révèlent bien le personnage. Rappelons que Nesterenko avait joint les rangs des Cougars de Chicago. Il était en fin de carrière, mais avait connu de très belles saisons à Toronto et surtout à Chicago avec les Blackhawks. En tout, il avait disputé vingt et une saisons dans la LNH.

« Un jour, dans un aéroport, Nesterenko était assis seul dans son coin et lisait des magazines comme il le faisait très souvent. À un certain moment, les agents de la compagnie aérienne ont appelé les passagers à bord pour le décollage. Nesterenko ne bougeait pas alors que les autres joueurs se dirigeaient à la queue leu leu vers la porte d'embarquement. Puis, il y a eu un deuxième appel, puis un troisième. Mais Nesterenko, plongé dans sa lecture, ne bougeait toujours pas. Comme prévu, l'avion a quitté l'aéroport sans lui ! »

Nesterenko était allé rejoindre ses coéquipiers et ses entraîneurs beaucoup plus tard. Impassible, il avait plaidé l'innocence. « Il nous a dit qu'il n'avait jamais entendu l'appel des agents de la compagnie aérienne. Pour lui, ce n'était pas un drame et personne n'avait raison de s'inquiéter, estimait-il. Il était vraiment dans sa bulle, celui-là…

« Je me souviens aussi d'un match contre les Sharks à Los Angeles. Pat Stapleton me donnait des directives avant le match, à savoir qui utiliser au sein de l'attaque massive ou des unités spéciales en désavantage numérique. Dans ce dernier cas, Nesterenko était l'un de nos joueurs de confiance. Or, ce soir-là contre les Sharks, nous avons écopé d'une pénalité et, sans attendre, j'ai tapé dans le dos de Nesterenko pour lui indiquer d'aller sur la patinoire. L'air tout étonné, il s'est retourné vers moi et, très sérieusement, m'a lancé : "Je ne tue pas les punitions, moi !"

« Je n'en revenais tout simplement pas. J'ai fait part de la chose à Stapleton et, au cours de l'entracte, ce dernier l'a savonné. Mais ça ne semblait pas trop le déranger. Ce soir-là, Nesterenko avait décidé qu'il n'avait tout simplement pas le goût de *tuer* les punitions ! »

* * *

Jacques a vécu un autre incident bien cocasse à la dernière année des Nordiques dans l'AMH, en 1978-1979. Lors d'un passage à Edmonton en saison régulière, les Nordiques devaient affronter les Oilers et *La Merveille*, Wayne Gretzky.

La veille du match, les Nordiques avaient dû rappeler Pierre Lagacé, un joueur des ligues mineures, pour combler la perte de joueurs blessés. Mais Jacques estimait que le joueur expédié en renfort par Maurice Filion n'était pas suffisamment remis d'une blessure pour pouvoir affronter les Oilers le dimanche après-midi. Il l'avait rapidement renvoyé à Québec au grand dam de son patron (Filion).

Ce n'est que le lendemain, à quelques heures du match, que Demers constata que ses effectifs seraient en nombre insuffisant pour le match s'il n'arrivait pas à dénicher un joueur rapidement. Dans le vestiaire, il fit le calcul pour savoir s'il avait le minimum requis pour participer à la période d'avant-match. Plus les minutes s'écoulaient, plus l'entraîneur devait se faire à l'idée que le compte n'y serait pas.

Sur la galerie de la presse, les journalistes de Québec, Michel Villeneuve, Claude Cadorette et Maurice Dumas notamment, surveillaient attentivement l'entrée sur la patinoire des Nordiques pour savoir comment Demers allait résoudre son problème. Si les Nordiques ne présentaient pas un minimum de quinze joueurs en uniforme, ils devraient payer une forte amende à la ligue.

Les journalistes étaient fébriles. Ils avaient leur histoire. Ils voyaient déjà les manchettes : *Les Nordiques à l'amende par manque de joueurs !* Mais les Nordiques n'allaient pas payer d'amende car Jacques leur réservait une surprise. Si les journalistes croyaient avoir une bonne histoire, il leur en réservait une meilleure encore… Michel Villeneuve, de TQS-TV, raconte :

« Nous sommes pratiquement tombés à la renverse sur la passerelle en apercevant arriver Jacques Demers en uniforme des Nordiques ! Jacques portait le numéro 23, mais je me rappelle surtout de quoi il avait l'air dans son chandail. C'était ni plus ni moins le *look* d'un joueur de ligue de garage… de niveau B ! »

De fait, Demers donnait de belles rondeurs au sigle des Nordiques qui ornait désormais son abdomen plutôt bedonnant.

« Si seulement il n'avait eu que ses rondeurs pour le trahir, ajoute Villeneuve en se marrant. Vous auriez dû voir son “élégant” coup de patin ! »

En le regardant s'élancer sur la patinoire, les joueurs des Oilers s'arrêtèrent sur la glace pour regarder le « spectacle » du petit nouveau aux formes grassouillettes. Les Gretzky, McDonald, Shmyr, Dryden, Sobchuk et compagnie étaient pliés en deux. Il en allait tout autant des joueurs des Nordiques, des spectateurs et des journalistes. «On riait aux larmes», insiste Villeneuve.

Jacques mit fin abruptement à sa *carrière* de joueur et remisa l'équipement dès le début de la première période.

«Aucun règlement ne nous interdisait de poursuivre le match à 14 joueurs, rappelle-t-il en riant. Toutefois, il fallait absolument avoir 15 joueurs en uniforme pour amorcer le match. Après la première mise en jeu, je me suis déclaré "joueur blessé"! Je suis retourné au vestiaire et Bob Fitchner a pris les commandes de l'équipe, le temps que je revête mes habits de ville.

«Mais s'il avait fallu, précise-t-il, que nous soyons obligés d'avoir 15 joueurs en uniforme pour toute la durée de la rencontre, j'ose croire que je me serais assis en uniforme au bout du banc pour… diriger le match! Je suis loin d'être certain que le *coach* en moi aurait accepté de lancer dans la mêlée un joueur de mon calibre!»

Quoi qu'il en soit, Demers a connu ses dix minutes de gloire au hockey professionnel ce soir-là et, en prime, les Nordiques ont facilement gagné la partie par le compte de 6 à 3.

«Je peux dire que j'ai déjà participé à un match de hockey professionnel à titre de joueur… même si mon expérience s'est limitée à la période d'échauffement», conclut Demers en rigolant.

«Après la victoire, il était fou de joie, assure Michel Villeneuve. Il savait que Maurice Filion n'était pas de très bonne humeur à Québec. S'il avait fallu que les Nordiques soient mis à l'amende et qu'en plus ils perdent le match, Jacques aurait sûrement eu droit à une poignée de bêtises de son patron. Mais les choses ont finalement bien tourné pour lui. Devant son succès, Jacques a pris tout l'argent qu'il avait en sa possession (l'argent pour les dépenses de l'équipe) et il l'a refilé à Bob Fitchner pour qu'il amène manger ses coéquipiers au grand *steak house* d'Edmonton, le Hy's Steak House. Pendant que ses joueurs se payaient tout un gueuleton, Jacques a pris la direction d'un comptoir de Mr Sub (genre Subway) en ma compagnie et celle de mon collègue André Côté. Pour clôturer une journée mouvementée, il avait choisi de rester loin de ses joueurs afin de ne pas se faire *tirer la pipe*!»

* * *

Le rude Steve Durbano était un être étrange qui faisait partie du monde folklorique de l'AMH. Un soir que les Stingers de Cincinnati de Jacques Demers recevaient la visite des Bulls de Birmingham, Dubarno, de l'équipe adverse, quitta le match prématurément, à la surprise de tous.

«C'est l'un des moments les plus bizarres qu'il m'ait été de voir au hockey professionnel, raconte Demers. Au cours du premier entracte, il semble que Dubarno ait reçu un appel de sa femme à la maison. Cette dernière, affolée, je ne sais trop pourquoi, avait menacé d'étrangler le chien de Durbano. Or, celui-ci devait vraiment tenir à son chien car il n'est pas resté une seconde de plus en uniforme. Il s'est déshabillé et a accouru à l'aéroport pour rentrer au plus vite à Birmingham !

«Nous étions bien contents de voir que Dubarno n'était pas là pour terminer le match, mais nous en avons ri un *sapré* bon coup en apprenant, après la rencontre, les motifs de son départ. Malheureusement, je n'ai jamais su ce qui était survenu de ce fameux chien en danger.»

* * *

À une certaine époque, les dirigeants de l'AMH voulaient innover à tout prix, mais leurs idées n'étaient pas toujours les plus brillantes.

«La ligue avait mis à l'essai des rondelles rouges pour se montrer originale, raconte Demers. Cette décision fut une véritable catastrophe. Nos gardiens ne voyaient presque plus la rondelle. On m'a même dit que certains gardiens simulaient une blessure lorsqu'ils devaient affronter Bobby Hull. La *Comète blonde* avait un tir foudroyant qui, déjà avec une rondelle noire, terrorisait les gardiens. Imaginez ce que c'était avec une rondelle rouge fluorescente !»

Autre bizarrerie ! Les Blazers de Philadelphie faisaient partie de l'AMH à ses débuts, mais ils jouaient à Cherry Hills, au New Jersey. Dans ce vétuste aréna aux commodités douteuses, le minuscule vestiaire du club visiteur ne comportait pas de douches.

«Les joueurs devaient revêtir tout leur équipement à l'hôtel, puis prendre un autobus et se rendre au match. Ça ne faisait pas sérieux. Après la rencontre, ils faisaient le trajet en sens inverse avec leur lourd équipement détrempé sur le dos ! C'est le genre de choses que les vedettes d'alors, Bobby Hull, Jean-Claude Tremblay, Gordie Howe, John McKenzie, Rosaire Paiement et autres n'appréciaient pas du tout, eux qui commandaient un minimum de respect. Heureusement, les Blazers n'ont pas fait long feu dans l'AMH ! »

* * *

Quoi qu'il en soit, Demers dit éprouver une profonde gratitude envers le *circuit maudit*. Sur un air de confidence, il y va d'ailleurs d'une réflexion qui témoigne de son état d'âme.

« Si je n'avais pas eu d'appel de Marcel Pronovost au moment de la création de l'AMH en 1972, j'en serais probablement à mes dernières années chez Coca-Cola ! Je serais sur le point de prendre ma retraite après plus de trente ans de service. L'AMH a complètement changé ma vie. Cette ligue a été trop importante dans ma carrière pour que je puisse me permettre de la dénigrer. J'ai plutôt un profond sentiment de reconnaissance pour ce qu'elle a été pour moi. »

Demers tient à rendre un vibrant hommage à l'unique Bobby Hull qui, au bout du compte, a permis que cette folle aventure devienne réalité.

« On doit tout à Bobby Hull. Si Bobby n'avait pas signé un contrat avec les Jets de Winnipeg en 1972, j'ai la nette impression que l'AMH serait morte avant même de voir le jour. Bobby Hull a permis à des hommes de hockey comme moi et à des joueurs destinés à faire carrière dans les ligues mineures de vivre la vie d'un vrai professionnel.

« Mais Hull a fait plus que cela. C'est grâce à lui que les salaires ont explosé au hockey. En obtenant un contrat d'un million de dollars dans l'AMH, il a fait réagir les joueurs de la LNH qui se sont mis à demander davantage à leur propriétaire. C'est lui qui a mis fin à l'époque où seuls les propriétaires se remplissaient les poches pendant que les joueurs étaient exploités sur le plan salarial.

« Aujourd'hui, l'Association des joueurs de la LNH devrait lui être plus reconnaissante. On devrait lui élever une statue ! Je blague à peine. En tout cas, l'Association ne devrait pas oublier que si les joueurs sont si bien traités de nos jours, c'est parce que Bobby Hull, un beau jour de l'été 1972, a décidé de changer le cours de l'histoire du hockey. »

Lettre L

À mes ex-conjointes

Ce n'est pas très facile de revenir en arrière et de parler de ma vie amoureuse puisqu'elle s'est avérée plutôt instable avant que je fasse la rencontre de Debbie, ma conjointe des vingt-deux dernières années.

J'ai vécu deux divorces d'avec Renée et Évelyne et une séparation avec Linda au cours des vingt premières années de ma vie adulte et j'ai toujours été mal à l'aise avec cela. En réalité, c'est la partie de ma vie dont je suis le moins fier.

Je suis déçu de ne pas avoir été à la hauteur des attentes de mes conjointes de l'époque. Mes humeurs changeantes, mon travail et mes occupations au niveau du hockey ont eu raison de mes unions. Je m'aperçois, en rétrospective, que je n'ai pas su offrir à celles avec qui j'ai vécu, la vie que je leur avais fait miroiter.

À cet égard, je n'ai pas fait le travail malgré mes bonnes intentions de départ. Je tiens à m'en excuser auprès d'elles et j'espère qu'elles ont tourné la page puisque la vie continue…

J'aimerais simplement ajouter une chose très importante au sujet de mes ex-conjointes, particulièrement à propos d'Évelyne (Mylène) et de Linda (Brandy, Stefanie et Jason), qui sont les mères de mes quatre enfants. Je veux leur dire que j'ai été choyé malgré nos divergences puisque Évelyne et Linda, qui avaient la garde des enfants, ont accompli un très bon travail avec ces derniers.

Si je peux jouir de la présence de quatre beaux enfants équilibrés et généreux de nos jours, je le dois en très, très grande partie à Évelyne et à Linda.

Merci.

Jacques

L'Hôtel Central, à L'Orignal, en Ontario, propriété des grands-parents paternels de Jacques Demers, Albertine Fournier et Michel Demers. (Archives de Jacques Demers)

Grand-maman Albertine, affectueusement surnommée « Mémère » par son petit-fils Jacques. (Archives de Jacques Demers)

Le petit Jacques dans les bras de sa mère Mignonne, en 1945. (Archives de Jacques Demers)

1947. La famille Demers s'agrandit : dans les bras de son père, le petit Jacques ; dans ceux de sa mère, Claudette. (Archives de Jacques Demers)

Un moment d'heureuse insouciance. Le petit Jacques dans son carré de sable. (Archives de Jacques Demers)

Première communion de Jacques, le 28 avril 1951. (Archives de Jacques Demers)

Au second anniversaire de naissance de son petit frère Michel, de quinze ans son cadet. (Archives de Jacques Demers)

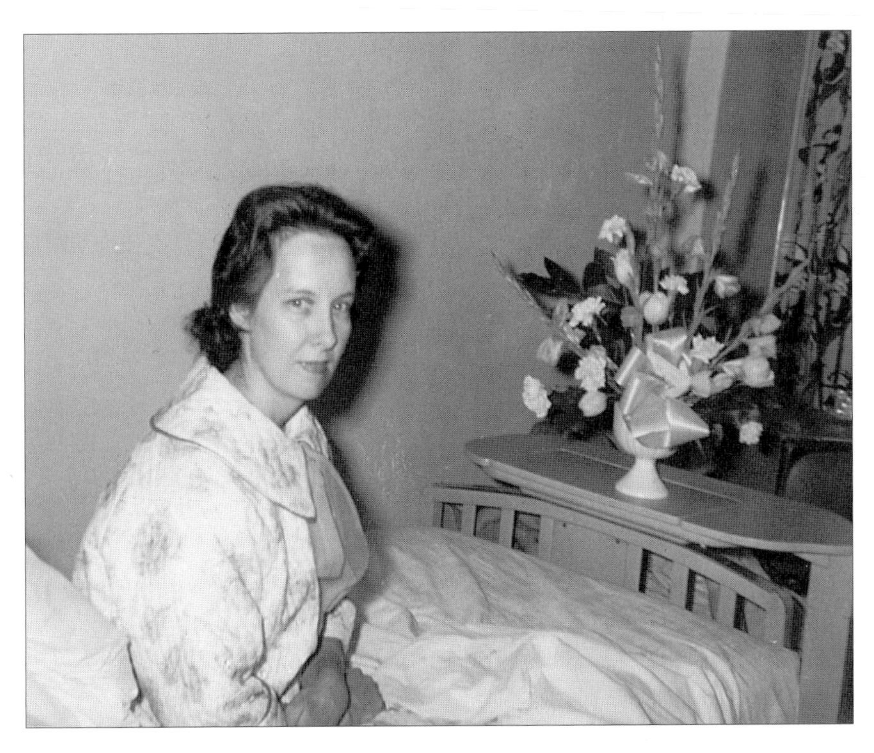

Hiver 1962. Mignonne, la mère adorée, à l'hôpital, quelques semaines avant son décès prématuré. (Archives de Jacques Demers)

Tante Jeannette Demers et oncle Jean Carrière, en 1957. Tante Jeannette jouera un rôle déterminant dans l'éducation et la vie de son neveu Jacques. (Archives de Jacques Demers)

Tante Jeannette, le 10 février 2002, célébrant son 80e anniversaire de naissance en bonne compagnie. De gauche à droite : Jacques, son frère Michel, ses sœurs Claudette et Francine, son cousin Yvan Caron et sa cousine Pauline Demers. (Archives de Jacques Demers)

Jacques et Debbie, le 29 août 1986, jour de leur mariage. À gauche et à droite, leurs témoins et amis David et Jennifer Webber. (Archives de Jacques Demers)

Les quatre enfants de Jacques réunis à Detroit pour Noël 1989. Brandy, Stefanie et Mylène portent le chandail du capitaine des Red Wings, Steve Yzerman ; Jason, le numéro 24 de Bob Probert… le dur à cuire de l'équipe. (Archives de Jacques Demers)

Les mêmes, en 1994. Dans l'ordre habituel, Jason, Mylène, Brandy et Stefanie. (Archives de Jacques Demers)

Un moment important savouré en famille : le jour de sa nomination au poste d'entraîneur du Canadien de Montréal, le 11 juin 1992. De gauche à droite : sa fille Mylène, sa sœur Claudette, son épouse Debbie, sa sœur Francine et son frère Michel. (Photo : Raynald Leblanc, Journal de Montréal)

Avec son fils Jason, en 1994. (Photo : André Bonin, Journal de Montréal)

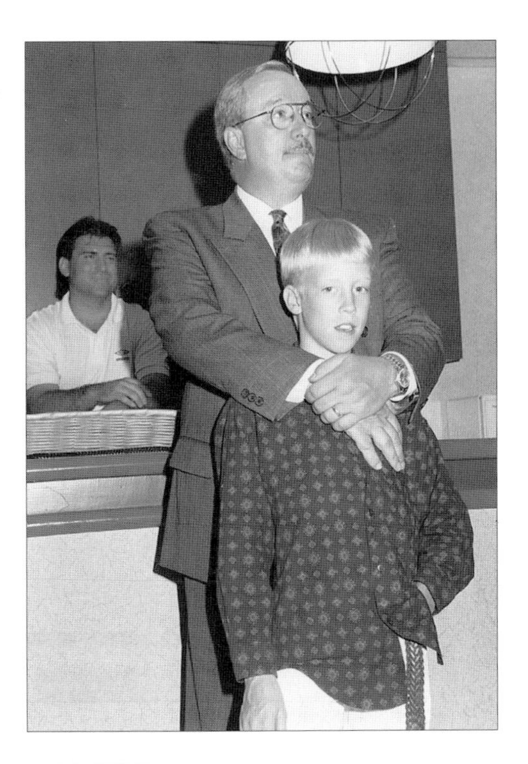

Aux funérailles de Jean-Claude Tremblay, en compagnie du Cardinal Turcotte, le 28 décembre 1994. (Photo : Jacques Bourdon, Journal de Montréal)

Été 2004. Avec son fils Jason et son frère Michel. (Archives de Jacques Demers)

À la maison, avec son chien... Coach, en 2004. (Archives de Jacques Demers)

Chapitre 13

Dans la Ligue nationale

Depuis plus d'un an, Demers vivait avec sa famille dans une maison qu'il avait louée à Charlesbourg, en banlieue est de Québec. Mais depuis quelques mois, son statut avait changé. Il était demeuré le même homme, mais le fait de diriger désormais une équipe dans la prestigieuse LNH lui conférait une notoriété qu'il ne pouvait espérer du temps où il travaillait dans l'AMH.

Ce matin du 10 octobre 1979, Demers quitta la maison très tôt pour se rendre à son bureau du Colisée. La journée était historique. En soirée, ses Nordiques disputeraient leur premier match dans la LNH. Ils recevaient la visite des Flames d'Atlanta qui, eux, avaient joint les rangs de la LNH la même année (1972-1973) que la création de l'AMH.

Les Flames de l'époque étaient menés par Guy Chouinard, Curt Bennett, Ivan Boldirev, Jacques Richard, Willie Plett, Kent Nilsson, Daniel Bouchard, Tom Lysiak, Eric Vail, Phil Russell et quelques autres. Leur entraîneur était Al McNeil.

Dans le camp des Nordiques, les principaux joueurs de l'édition précédente, les Tardif, Cloutier, Côté, Bernier, David, Weir, Leduc, Larivière, Baxter, Hoganson et Lacombe étaient de retour. À ceux-là s'étaient ajoutées de nouvelles figures, parmi lesquelles le talentueux ailier gauche de 18 ans, Michel Goulet, de même que Robbie Ftorek, Michel Dion, Goran Hogosta, Gerry Hart, Pierre Plante et Dave Farrish.

Mais la plus grande décision que l'organisation avait dû prendre avant d'entreprendre cette première campagne dans la grande ligue avait été de mettre un terme à son association de sept ans avec le défenseur étoile Jean-Claude Tremblay.

* * *

Tremblay s'était joint aux Nordiques dès leur adhésion à l'AMH en 1972. À la mi-juillet de cette année-là, le président des Nordiques, Jean Lesage, et son directeur général, Marius Fortier, avaient tenté le grand coup avec le magicien défenseur qui évoluait dans la cour du voisin, le Canadien de Montréal, depuis treize ans.

Les Nordiques avaient consenti à Tremblay un contrat de cinq ans à raison de 120 000 $ par année. Il en touchait la moitié (60 000 $) avec le Canadien. De plus, on lui octroyait immédiatement une somme de 100 000 $, en guise de boni à la signature du contrat. Il s'agissait d'une petite révolution pour l'époque.

À la fin de son contrat qui venait à échéance au printemps 1977, les Nordiques avaient renouvelé leur entente avec Tremblay pour une autre période de deux ans. *Jici*, comme on le surnommait, avait considérablement ralenti, mais il avait rendu de loyaux services aux Nordiques. Combien de fois avait-il épaté la foule par ses passes savantes, sa dextérité sur patins et son aisance sur la glace ? Des centaines de fois.

C'était un véritable général que plusieurs considéraient comme trop talentueux pour jouer dans l'AMH. Mais *Jici* s'amusait à Québec, il empochait les dollars et faisait les délices des journalistes par son franc-parler et ses sautes d'humeur. C'est lui qui, un jour, après une série de défaites des Nordiques, avait pété les plombs en qualifiant ses coéquipiers de « sans-talent ». Aux journalistes qui lui demandaient, à titre de capitaine, ce qui n'allait pas au sein de l'équipe, Tremblay y était allé d'une répartie qui fait encore date : « Faites le tour du vestiaire, avait-il dit aux journalistes en pointant ses coéquipiers. Si on ne gagne pas, c'est que nous manquons de talent. On ne peut pas faire du verre taillé avec de la *cruche* ! » avait-il lancé.

Quoi qu'il en soit, Tremblay s'était avéré un fier soldat, mais après vingt ans chez les professionnels (depuis 1959) il n'avait plus, lui non plus, la grande finesse… du verre taillé !

Dans les bureaux des Nordiques, les discussions étaient houleuses à son sujet. La direction le croyait rendu au bout du rouleau, mais on se demandait si, par respect pour les services rendus, on ne devrait pas lui faire vivre la première saison de l'équipe dans la LNH. Après tout, c'est beaucoup grâce à lui si les Nordiques avaient pu s'élever au sein de la poignée d'organisations crédibles sinon valables de l'AMH.

Après plusieurs réunions, Maurice Filion, de concert avec le président Marcel Aubut, décida que l'association entre les Nordiques et Tremblay n'irait pas plus loin. *Jici*, qui était reconnu comme un bon vivant mais aussi un *bougonneux* notoire, dut alors quitter, non sans amertume, les Nordiques et le hockey. Il en a voulu longtemps à l'organisation… À ce sujet, Demers mentionne qu'il s'était fait le défenseur du vétéran arrière :

«Ce sont des choses que je peux dévoiler aujourd'hui. Jean-Claude a longtemps pensé que j'étais le principal responsable de son départ des Nordiques. Or, dans les discussions, j'étais de ceux qui croyaient qu'il pouvait encore nous aider au sein de l'attaque massive. Et j'en demeure encore convaincu aujourd'hui.»

Quoi qu'il en soit, Demers profita de la première visite des Nordiques au Forum de Montréal, en octobre 1979, pour rendre hommage à Tremblay. Il affirma que Tremblay, Guy Lafleur et Jean Béliveau avaient été les trois grands noms qui avaient ouvert la voie à l'accession de la ville de Québec dans la grande Ligue nationale de hockey : «C'est grâce à eux si les Nordiques ont le grand plaisir d'affronter le Canadien. Et je crois qu'à Québec les exploits de Jean-Claude durant toutes les sept années de l'AMH sont comparables à ce qu'ont fait Guy Lafleur et Jean Béliveau, à des périodes différentes, avec les Remparts et les As de Québec.»

Demers profita aussi de la présence des nombreux médias pour formuler le souhait de voir retirer le chandail numéro 3 porté par Tremblay chez les Nordiques. Il était le premier à le faire publiquement. Son vœu se réalisera finalement un peu plus tard.

Demers relate que l'opinion de Tremblay au sujet de son rôle dans son départ lui revenait souvent en tête : «Je ne voulais pas que Jean-Claude pense ça.» Il eut l'occasion de clarifier la situation avec le principal intéressé dans les derniers instants de sa vie, en décembre 1994.

«Je dirigeais alors le Canadien et nous savions que Jean-Claude était très malade. Je me suis rendu avec André Boudrias et Serge Savard à l'hôpital où il était alité. C'est à ce moment-là que je lui ai dit combien j'aurais apprécié l'avoir avec nous pour la première saison des Nordiques dans la LNH.»

Jean-Claude Tremblay est décédé dans les heures qui ont suivi, le 7 décembre 1994.

* * *

En ce 10 octobre 1979, jour du match inaugural des Nordiques dans la LNH, la fébrilité avait gagné toute la région de Québec. Il faut dire que le tout Québec était *sur le party* depuis au moins six mois. Le 30 mars 1979 à New York, la LNH avait officiellement confirmé la fusion avec l'AMH, et Québec faisait partie des quatre villes élues.

« Le président du conseil d'administration des Nordiques, Jean Lesage, avait confié les rênes de l'équipe à Marcel Aubut, qui succédait à John Dacres, rappelle Demers. À notre dernière saison dans l'AMH, Marcel était constamment à New York pour concocter la fusion. »

Au moment de l'annonce de la fusion, les Nordiques disputaient la victoire aux Jets, à Winnipeg. Ce fut l'euphorie autant à Winnipeg qu'à Québec. Les Nordiques étaient revenus le lendemain à Québec et Marcel Aubut avait organisé une grande soirée pour souligner l'événement.

« Je me souviendrai toujours de cette soirée où il nous avait tous convoqués pour nous annoncer les résultats de la plus grande bataille de sa carrière. Ce soir-là, tous les dirigeants des Nordiques y étaient : de Jean Lesage à Gilles Léger, en passant par Maurice Filion, Marius Fortier, Réjean Bergeron et les autres actionnaires de l'équipe. C'était l'euphorie lorsque Marcel a confirmé notre adhésion à la LNH. Quel grand moment pour tous ! »

Pour souligner la chose, les Nordiques avaient organisé une série de réceptions pour les amateurs et les hommes d'affaires au cours de l'été.

« Nous étions accueillis par le public comme des dieux, affirme Demers. Les gens de Québec étaient tellement heureux. On sentait que nous étions en train de vivre un moment historique. »

Outre les Nordiques, on vivait de grandes années sportives au Québec en cet automne 1979 : les Expos fonctionnaient à plein régime, Gilles Villeneuve était sur le point de confirmer sa deuxième place au championnat des pilotes de F-1 lors du Grand Prix des États-Unis disputé à Watkins Glenn. C'était aussi l'année de la découverte d'un grand phénomène du hockey québécois, Raymond Bourque, qui amorçait ce même automne sa carrière dans la LNH. Finalement, on en était aux derniers mois de préparation du fameux combat de boxe Leonard-Duran, qui devait avoir lieu au Stade olympique en juin 1980. Il s'agissait de l'événement par excellence de la décennie sportive au Québec.

Sur le plan social, le gouvernement avait finalement nationalisé les compagnies minières de l'amiante pour former la Société nationale de l'amiante. Dans cette foulée, le gouvernement Lévesque était au plus fort de la campagne référendaire sur l'avenir national des Québécois. Les clans du *Oui* et du *Non* étaient partout au Québec pour défendre leur option ou attaquer celle de l'autre.

* * *

Ce premier match de la saison, le 10 octobre 1979, s'inscrivait donc dans la trame d'une douce euphorie collective, même si les Nordiques n'avaient pas remporté une seule victoire en sept matchs préparatoires (0-6-1).

Tous les membres de l'organisation vivaient la journée comme un grand événement. Demers était entouré de sa femme Linda et de ses filles Brandy et Stefanie. Des amis de Montréal, dont Jules Dumouchel, étaient là. Il y avait aussi des membres de la famille Demers, dont son frère Michel et ses sœurs Francine et Claudette. La fameuse tante Jeannette, pilier de sa jeunesse, faisait aussi partie des invités.

Le match fut précédé d'une longue cérémonie où l'on rendit hommage aux architectes de ce fabuleux cheminement qui avait mené à la LNH. La fanfare du Royal 22e Régiment était sur la patinoire, le premier ministre du Québec, René Lévesque, était sur place, lui qui serra la main à tous les joueurs au moment où ils se dirigeaient du vestiaire à la patinoire pour amorcer le match. Toutes les femmes dans l'édifice reçurent une rose rouge. Les joueurs furent acclamés à tout rompre lors de la présentation d'avant-match. Bref, la joie était sensible partout dans le Colisée, bondé de 10 350 spectateurs, et se faisait sentir ailleurs dans la ville de Québec.

Dans son bureau du Colisée, sous les gradins, Demers entendait la foule s'exciter collectivement avant le début de la rencontre. Il songeait à tout ce parcours cahoteux mais enivrant, qui l'avait mené jusqu'à ce jour bien spécial.

« On vivait un moment magique, se souvient-il. J'étais excité, les joueurs étaient excités, tout le monde était excité. Jamais je n'oublierai la fierté qui se dégageait des amateurs de Québec de voir leur équipe faire son entrée dans la sacro-sainte Ligue nationale de hockey. »

* * *

Au cours de la cérémonie d'avant-match, plusieurs personnalités prirent la parole dont le président de la LNH, John Ziegler. À titre de représentant des joueurs, le vétéran Robbie Ftorek s'adressa aussi au public, avec quelques mots en français.

Ftorek avait été nommé capitaine de l'équipe *in extremis* lorsque Marc Tardif, dans un geste qui avait pris tout le monde par surprise, avait démissionné de son poste deux jours avant le début de la saison. Il était capitaine de l'équipe depuis cinq ans.

« Le travail de capitaine est beaucoup plus exigeant qu'il n'en a l'air, avait-il raconté au journaliste Albert Ladouceur, du *Journal de Québec*. Je préfère me concentrer uniquement sur mon jeu car il s'agira, pour nous tous, d'une saison très importante. »

Après la cérémonie et juste avant de procéder à la première mise en jeu du match, les équipes, tradition oblige, se levèrent pour écouter les hymnes nationaux. À ce moment, à quelques minutes de diriger son premier match dans la prestigieuse LNH, Jacques ressentit une grande bouffée d'émotions.

« J'ai eu une pensée pour ma mère, Mignonne, et ma grand-mère. J'aurais tellement aimé qu'elles puissent vivre ça à mes côtés de leur vivant. Et puis aussi, curieusement, j'ai pensé à mon père. C'est lui qui m'avait dit que je ne serais jamais bon à rien. J'étais fier de lui montrer que, malgré tous les sévices et toutes les menaces, j'étais devenu un meneur d'hommes dans la LNH. »

Ce premier match historique se solda par un revers des Nordiques au compte de 5 à 3. Les Nordiques sauvèrent finalement la face après avoir accusé un recul de quatre buts après deux périodes. C'est la jeune vedette locale, Réal *Buddy* Cloutier, qui offrit tout un spectacle pour garder les siens dans le match. Il marqua les trois buts des Nordiques.

« Le pire, c'est qu'il l'avait lui-même prédit sur le banc, relate Demers. Il avait dit : "C'est assez, je vais aller en *scorer* trois." Et il l'avait fait ! »

Ce Cloutier avait été le champion pointeur de l'AMH l'année précédente avec une récolte de 129 points, dont 75 buts. On ne parlait pas d'un pied de céleri, mais il avait parfois tendance à avoir les *pieds dans le céleri jusqu'aux genoux*, de sorte qu'il s'exposait à la critique. Il avait la réputation de ne pas avoir toujours « le pied à fond sur l'accélérateur », mais comme entrée dans la LNH il réussit le test plutôt avec brio, n'en déplaise à ses détracteurs…

Ce premier match historique à Québec eut cependant beaucoup moins d'échos à Montréal, car le Canadien avait profité de la journée pour annoncer la retraite de son capitaine, Yvan Cournoyer.

Étrange coïncidence ! On dit que c'est de là qu'est née la compétition entre les deux équipes. À partir de ce moment, les deux organisations ont commencé à établir des stratégies de communication afin de gagner la guerre des médias.

Pour les médias de Montréal, il était plus intéressant, cette journée-là, de faire les manchettes avec la retraite de Cournoyer plutôt que de parler de la naissance des Nordiques dans la LNH. L'auguste organisation du Canadien venait de marquer un premier point contre sa rivale de *l'autre bout de la 20.*

* * *

Dès le match suivant, l'autobus des Nordiques eut le loisir d'emprunter cette fameuse autoroute 20, rebaptisée autoroute Jean Lesage en l'honneur de l'ancien premier ministre du Québec. Les Nordiques allaient participer à leur premier affrontement québécois, si longtemps attendu, dans l'est du Québec en particulier.

D'un strict point de vue sportif, c'est à partir de ce premier match, à Montréal, qu'a démarré la plus belle rivalité de l'histoire du hockey professionnel. Cette rivalité toute québécoise, entre le Canadien et les Nordiques, est citée en exemple partout où l'on parle des grandes rivalités de l'histoire du sport.

Le 13 octobre, Jacques Demers débarqua donc avec ses Nordiques sur la rue Atwater à Montréal, à la conquête du Forum, le temple sacré du Canadien. L'équipe reçut un très bel accueil des amateurs en début de rencontre.

Ce premier match fut l'affaire du Canadien, qui était dirigé par le légendaire Bernard *Boom Boom* Geoffrion, tout juste nommé à ce poste. Le Tricolore l'emporta facilement par 3 à 1. Heureusement, le gardien des Nordiques, Michel Dion, était là pour garder ce pointage dans des limites « décentes ». Néanmoins, les joueurs du Canadien furent surpris par la force de leur nouvel adversaire.

« C'est bon de voir que les Nordiques ont une équipe très respectable, confia l'illustre Serge Savard au journaliste André Rousseau, du *Journal de Montréal*.

La première année de la grande rivalité Canadien-Nordiques se solda en faveur de l'équipe montréalaise, avec deux victoires, un revers et un verdict nul en quatre matchs.

Les Nordiques obtinrent leur première victoire contre le Tricolore le 28 octobre au Colisée, un gain serré de 5 à 4. Puis, le 14 février au Forum, la troupe de Jacques Demers essuya un cinglant revers de 5 à 1.

La visite du Canadien au Colisée, le 6 avril, coïncidait avec le dernier match de la première saison régulière des Nordiques dans la LNH. Un but de Réal Cloutier dans les dernières minutes permit aux Fleurdelisés de livrer un match nul de 4 à 4. Personne ne garde le souvenir du déroulement exact de ce match, finalement sans histoire, mais sa date reste mémorable pour Demers, car, ce 6 avril 1980, il avait dirigé son dernier match chez les Nordiques…

* * *

Cette première saison s'était déroulée en deux temps. La première moitié s'était avérée au-delà des attentes de tous. L'équipe avait maintenu une moyenne de .500 (17-17-6) en 40 matchs. Mais, décimés par les blessures et le manque de ferveur de certains vétérans, les Nordiques chutèrent brutalement en deuxième moitié du calendrier, ne réussissant à obtenir que 8 victoires en 40 matchs (8-27-5). À leur 11 derniers matchs, ils ne récoltèrent que 2 victoires contre 7 défaites et 2 nulles.

La fiche globale des Nordiques s'établissait à 25 victoires, 44 revers et 11 verdicts nuls en 80 matchs. L'équipe termina au 5e et dernier rang de la section Adams, à 14 points du 4e rang détenu par les Maple Leafs de Toronto. Ce qui n'était pas suffisant pour participer aux séries. Buffalo (110 points), Boston (105 points), Minnesota (88 points) et Toronto (75 points) terminèrent devant Québec (61 points).

Malgré tout, Réal Cloutier clôtura la saison avec 88 points (42-44) en 67 matchs. Il se situait au 20e rang de la colonne des marqueurs de la LNH. Marcel Dionne et Wayne Gretzky se retrouvaient *ex æquo* en tête avec 137 points, mais le nombre de buts marqués par Dionne (53) comparativement au total de Gretzky (51) détermina l'octroi du championnat à Dionne.

Pour sa part, le Canadien (107 points) terminait au premier rang de la section Norris et prenait la troisième place au classement général, juste derrière les Flyers de Philadelphie (116 points) et les Sabres de Buffalo (110 points).

C'est en ce printemps de 1980 qu'une nouvelle puissance, en pleine ébullition, se manifesta. C'est en effet au cours des séries de 1980 que la domination des Islanders de New York se fit sentir pour la première fois. Les Islanders remportèrent la première d'une séquence de quatre coupes Stanley, un exploit peu banal. Leurs succès répétés élevèrent les Islanders au rang de dynastie du hockey, une rare consécration que seuls le Canadien, les Maple Leafs et les Red Wings pouvaient se vanter d'avoir connue pour leurs exploits passés.

Du même coup, il s'agissait de la première équipe de l'histoire des expansions dans la LNH à obtenir un tel statut, les trois autres dynasties du hockey jouissant d'un passé qui remontait à plus de cinquante ans. Pour le hockey, il était rafraîchissant de voir de nouvelles concessions comme les Islanders (arrivés dans la LNH en 1972-1973) accéder au summum de l'excellence.

Les Islanders du début des années 1980, c'était l'époque fabuleuse des Bossy, Trottier, Gillies, Potvin, Nystrom, Bourne, Goring, Tonelli, Howatt, Morrow, Smith, Resch et compagnie. La victoire des Islanders sur les Flyers dans la finale de 1980 fut le premier jalon des grands exploits de cette dynastie de Long Island. Elle mettait aussi un frein à une séquence de quatre conquêtes consécutives de la coupe Stanley par une autre dynastie de l'époque, celle-là plus familière des grands honneurs, celle du Canadien et du controversé Scotty Bowman.

Lettre M

À Marcel Aubut

Lorsque je pense à toi, Marcel, je revois l'image triomphante de ton combat remporté à l'hiver de 1979 alors que tu avais réussi à compléter la fusion entre l'Association mondiale et la Ligue nationale afin de permettre aux Nordiques d'intégrer le plus grand circuit de hockey du monde.

Tu avais l'air d'un véritable gamin énergique au moment de la réunion où tu nous as fait connaître les grandes lignes de cette fusion.

D'ailleurs, c'est sous ta présidence à Québec que j'ai finalement atteint l'un de mes objectifs de carrière, celui de diriger une équipe dans la prestigieuse Ligue nationale de hockey.

Si j'ai pu vivre ces moments exaltants des premiers coups de patin des Nordiques dans la LNH, c'est aussi parce qu'un homme, Maurice Filion, m'avait fait confiance un an plus tôt en m'offrant de diriger les Nordiques à leur dernière saison dans l'AMH. Je me souviens encore de cette rencontre à l'aéroport de Dorval où nous nous étions mis d'accord, Maurice et moi, sur les termes d'un contrat signé... sur une simple serviette de table ! C'était l'AMH et on vivait à la bonne franquette !

Cela dit, Marcel, mon association avec les Nordiques ne s'est pas terminée de la façon dont je l'aurais souhaitée, mais j'ai pu constater, quelques années plus tard, que tu me respectais, toi qui avais entrepris des pourparlers pour que je devienne le directeur général de ton équipe alors que j'étais l'entraîneur des Red Wings de Detroit.

Plus tard encore, tu m'as ouvert les portes dans le monde des médias en acceptant que je devienne l'analyste des matchs des Nordiques à la radio de Québec, sur la recommandation de Michel Tremblay, du réseau Radiomutuel.

Entre-temps toutefois, tu m'avais fait damner en apprenant que tu exigeais une forte compensation des Blues de Saint Louis en retour de mes services. Pour quelques heures seulement, je ne peux dire que je t'appréciais ! Heureusement, le dossier s'était terminé à la satisfaction des Blues et des Nordiques.

Quoi qu'il en soit, Marcel, je constate que tu as généralement eu une incidence positive sur mes deux carrières, celle d'entraîneur et celle de joueurnaliste, *et je t'en remercie.*

Jacques

Chapitre 14

Congédié pour sa franchise

C'est en avril 1980 que prit fin la première saison des Nordiques, disputée sous le signe de… l'irrégularité.

* * *

Ayant retrouvé le style énergique qui avait fait sa marque de commerce dans les rangs juniors à Saint-Léonard et à Châteauguay, Jacques Demers dirigea sa troupe avec le même doigté et le même enthousiasme lors de sa première saison dans la LNH.

Avec une équipe dite « d'expansion », il soutirait le maximum de ses hommes. La presse en parlait comme d'un entraîneur de premier plan, lui dont la fiche d'équipe oscillait constamment autour de .500. C'est dire que les Nordiques ne perdaient pas plus souvent qu'ils ne gagnaient lors de leurs affrontements avec des équipes pourtant aguerries de la LNH. En soi, c'était une réussite pour une nouvelle équipe provenant de la défunte mais néanmoins jeune AMH.

Le chroniqueur du *Soleil* de Québec, Claude Larochelle, aujourd'hui décédé, osa même comparer Demers à l'unique Scotty Bowman. Ce qui indisposa quelque peu le controversé entraîneur du Canadien.

Il n'y avait pas que la presse et le public pour apprécier les talents de Demers. La direction était fière d'avoir misé sur lui pour cette première saison. Le président, Marcel Aubut, organisa même une grande réception à Edmonton pour les joueurs, les entraîneurs, les journalistes et la direction de l'équipe soulignant que l'équipe avait franchi la moyenne de .500.

Il existait une ambiance de franche camaraderie entre les joueurs, les entraîneurs et les journalistes. Tous étaient passés au travers d'une épopée parfois rocambolesque, mais tout de même assez grisante dans l'AMH. Les liens étaient tricotés serrés.

Les journalistes fraternisaient agréablement avec l'entraîneur lors des déplacements à l'étranger. Il n'était pas rare qu'ils mangent ou prennent un verre avec lui. Certains jouaient même aux cartes avec Demers pour tuer le temps les soirs de grisaille.

Dans ce contexte plus détendu et moins aseptisé que celui qui prévaut de nos jours entre les journalistes et les entraîneurs, Demers accordait une confiance absolue aux journalistes. C'étaient des amis à qui il pouvait confier certaines choses sous le couvert de la confidentialité. On vivait à une époque où les relations entre les journalistes et l'entraîneur allaient au-delà du métier de chacun. Il se créait des liens de confiance et d'ouverture, contrairement à aujourd'hui où chaque parcelle d'information est filtrée à travers une batterie de conseillers en communication avant d'être rendue publique.

Malgré tout, la confiance de Demers fut mise à rude épreuve à la fin de la saison 1979-1980, alors que son équipe connaissait une période de grande léthargie et se dirigeait vers une fin de saison décevante.

* * *

Le 27 mars 1980, à Philadelphie, Québec se préparait à affronter les puissants Flyers, la meilleure formation de la LNH en saison régulière. Cette année-là, les Flyers, dirigés par Pat Quinn, établirent un record de la LNH en disputant trente-cinq matchs consécutifs sans subir de défaite. C'est un record qui tient encore de nos jours.

Personne ne donnait cher de la peau des Nordiques, qui termineraient leur saison dans les semaines à venir. Il était environ 15 h 30 et Demers quitta sa chambre pour aller prendre un léger goûter au café de l'hôtel avant de se rendre au Spectrum. Au café, il croisa le journaliste de *La Presse,* Michel Blanchard, qui avait été dépêché par son quotidien pour suivre les activités régulières de l'équipe.

Demers entretenait une bonne relation avec Blanchard. Les deux hommes se confiaient souvent l'un à l'autre. Bon et empressé, Demers rappelait souvent ce journaliste montréalais pour lui répéter ce qu'il avait raconté aux autres journalistes dans la journée lorsque Blanchard avait été absent. C'était un service qu'il lui rendait, car, disait-il, «je crois à ça, de bien traiter les journalistes».

Cet après-midi de mars 1980, avant le match contre les Flyers, Blanchard rejoignit Demers à sa table et les deux hommes discutèrent librement, comme à leur habitude. En cours de conversation, la discussion tourna sur l'équipe et Demers mentionna que les Nordiques ne gagneraient pas tant et aussi longtemps que certains journalistes protégeraient les vedettes locales, soit Marc Tardif et Réal Cloutier.

«J'avais pourtant bien précisé à Michel que tout ce que je lui racontais était *off the record*. Cette discussion devait rester entre nous. Pour moi, c'était sacré. J'avais souvent parlé *off the record* aux journalistes et tout le monde, jusque-là, avait préservé la consigne. C'était "entre nous" et pas pour publication dans les médias.»

Demers n'avait pas lieu de s'inquiéter des propos qu'il venait de tenir puisque Blanchard faisait partie de ceux qui avaient toujours respecté la consigne. Il partit donc pour se rendre à l'amphithéâtre, sans se soucier outre mesure de ce qu'il avait dit à Blanchard. Pour lui, la discussion était déjà oubliée. Il se concentrait désormais sur le match contre les Flyers.

Ce soir-là, les Nordiques s'inclinèrent par 5 à 2 devant les redoutables Flyers. L'équipe devait passer la nuit à Philadelphie avant de se rendre le lendemain à Detroit où elle devait affronter les Red Wings de Ted Lindsay.

Entre-temps, Blanchard était rentré à Montréal pour quelques jours de congé. En raison de la piètre saison des Nordiques, son journal ne l'avait pas dépêché à Detroit. Jusque-là, tout était sous contrôle, même si les Nordiques avaient subi, la veille, leur quarantième défaite de la saison.

À Detroit, l'équipe s'installa au centre-ville, à l'hôtel Pontchartrain, à quelques mètres du Joe Louis Arena. Le jour de l'affrontement, sur le coup de 11 heures, Demers était dans le lobby de l'hôtel en train de discuter avec des joueurs et des journalistes à quelques heures du match et l'atmosphère était conviviale. Demers était loin de savoir qu'il était au bord de la catastrophe. Il ignorait que Blanchard avait décidé de publier le contenu de leur conversation de l'avant-veille à Philadelphie.

* * *

Il faut rappeler que Marc Tardif et Réal Cloutier étaient les préférés du public à Québec même si les deux joueurs n'offraient plus autant d'émotions fortes qu'à leurs belles saisons dans l'AMH. Tardif était vieillissant et avait beaucoup ralenti – sans compter que son allure efflanquée lui donnait un style nonchalant qui portait flanc à la critique. Mais il avait été un si grand joueur que les amateurs s'accrochaient encore au souvenir de ses prouesses du passé.

Tardif n'était plus le même joueur depuis qu'il avait subi une charge furieuse et sauvage du matamore Rick Jodzio, des Cowboys de Calgary, en 1975. L'attaque avait infligé de multiples blessures à Tardif, qui était demeuré longtemps hospitalisé. Quoi qu'il en soit, il était une icône à Québec, il avait été capitaine de l'équipe pendant cinq ans, et il était pratiquement impensable de s'attaquer à lui publiquement.

Or, en disant qu'il y « avait des joueurs chez les Nordiques qui contribuaient à alimenter un esprit défaitiste », Demers visait notamment les vétérans Tardif et Cloutier. Et c'était le sous-entendu qui transpirait de tout le texte rédigé par Michel Blanchard.

Cloutier et Tardif avaient essuyé des critiques durant une bonne partie de la saison. Ils étaient au centre de toutes les controverses des Nordiques, notamment dans cette deuxième moitié de saison qui se révélait fort éprouvante.

Si Tardif avait simplement ralenti avec les années, Cloutier, lui, dans la fleur de l'âge à 23 ans, n'offrait pas la constance recherchée pour prendre le *leadership* qu'on attendait de lui. Dans les bureaux des Nordiques, on était généralement irrités par l'attitude et la tenue des deux joueurs, mais on se gardait bien d'en débattre publiquement.

C'est pourquoi la direction de l'équipe, même si elle partageait tout à fait l'avis de Demers retransmis dans le papier de Blanchard, était demeuré silencieuse sur le sujet. On ne devait pas critiquer le niveau de jeu ni le degré d'intensité de ces joueurs. Dans le cas de Cloutier, Demers se désolait de voir un joueur de si grand talent fournir si peu d'efforts, mais, encore là, on gardait le silence. « Je l'aimais comme homme car c'était un bon *kid*, dit Demers. Mais c'était frustrant de voir qu'il avait toutes les qualités pour devenir le leader de l'équipe et qu'il refusait d'y mettre toute sa concentration et ses énergies. »

Malgré ses défauts, Cloutier était lui aussi considéré comme un dieu du stade à Québec. D'autant qu'il se voulait un produit local, étant originaire de Saint-Émile. C'est lui qui jouissait de la plus forte cote de popularité auprès du public. On adorait Réal *Buddy* Cloutier.

C'est dans ce contexte qu'il faut comprendre les événements qui vont suivre.

* * *

Alors que Demers et un attroupement de joueurs et de journalistes discutaient à l'hôtel de Detroit, les journalistes Claude Larochelle, du *Soleil de Québec*, et Michel Lemieux, de l'hebdomadaire *Dimanche Matin*, arrivèrent en coup de vent dans le lobby. Lemieux rejoignait toujours l'équipe sur la route pour le match du samedi puisque son journal était publié le dimanche matin, comme son nom l'indiquait.

Lemieux et Larochelle traînaient sous leur bras les quotidiens du matin de Québec et de Montréal. Et les nouvelles n'étaient pas très bonnes… Ils s'empressèrent de montrer à leurs collègues ce que contenaient les pages sportives de *La Presse* du 29 mars 1980.

Dans un long texte intitulé « Demers met sa tête à prix », Michel Blanchard citait l'entraîneur au sujet des « grosses vedettes locales » (qu'on pouvait facilement identifier comme étant Tardif et Cloutier). Dans son texte, il s'avérait que Demers écorchait aussi la haute direction des Nordiques. Le contenu de sa discussion de l'avant-veille à Philadelphie était étalé au grand jour. Par son article, Blanchard avait semé une belle pagaille tout en s'éloignant de l'équipe pour regagner Montréal.

Blanchard citait Demers comme suit : « J'ai trop de respect pour le métier que j'exerce pour le faire à moitié. Il y a des joueurs au sein des Nordiques qui n'ont pas leur place. Qui contribuent à alimenter cette espèce d'esprit défaitiste que l'on y retrouve… Les Nordiques ne vont nulle part et n'iront nulle part si certains joueurs ne quittent pas les lieux. C'est mon devoir de le dire. »

Et Demers (à travers Blanchard) en avait rajouté : « C'est me respecter de démissionner si les égoïstes et les *loosers* ne changent pas de camp… Des journalistes, lorsque nous évoluons à l'extérieur surtout, n'en reviennent pas du peu de professionnalisme affiché par certains. Je me contente de leur souligner d'écrire ce qu'ils ont vu. Pourtant, à chaque fois, le lendemain, rien de tout cela ne transpire dans les journaux. Certaines vedettes sont protégées. On renseigne mal le public, d'où les fortes pressions qu'on a à subir des amateurs si, à bout de patience, on décide de sévir. »

« J'ai connu une année d'enfer, avait encore rapporté Blanchard. J'en suis rendu à ne plus parler à ma femme tellement il m'est impossible de laisser mes problèmes au bureau. Je n'ai pas le droit de lui faire ça. Comme je n'ai pas le droit de diriger des joueurs que je ne respecte plus… »

Oh boy !

La lecture de cet article atterrit comme une tonne de briques sur la tête de Demers. Non seulement venait-il de se mettre à dos les Tardif et Cloutier, mais il avait osé s'en prendre à toute la presse de Québec. De quoi perdre l'appui de ceux qui l'avaient toujours défendu !

Il n'y avait pas que les joueurs vedettes et les journalistes pour se sentir froissés ; la direction de l'équipe n'avait pas du tout apprécié de telles remarques de la part de son entraîneur.

« Je me souviens, raconte Maurice Filion, avoir lu ses propos alors que j'étais à mon bureau de Québec, car je n'avais pas accompagné l'équipe à Philadelphie et à Detroit. C'est une histoire qui avait "brassé" à Québec. Tout le milieu était remué. Ce n'était pas une petite vague, mais un véritable raz-de-marée dans nos bureaux. Moi-même, au début, je ne croyais pas que Demers ait pu déclarer de telles choses à un journaliste. »

Et Demers de commenter, encore abasourdi par toute cette affaire : « En l'espace de deux minutes, tout mon petit monde a basculé. J'ai immédiatement communiqué avec Linda, à notre maison de Charlesbourg. Je lui ai raconté la situation et lui ai dit de se préparer à faire face à une vraie tempête dans les jours à venir. »

Ce qui ne manqua pas d'arriver. Dans les quotidiens du lendemain, Demers était passé à la moulinette par les journalistes malgré tous les efforts qu'il avait déployés la veille pour minimiser la crise.

« J'ai complètement paniqué. Je ne savais plus quoi dire aux journalistes. J'avais eu une discussion confidentielle avec un journaliste et là, je me sentais trahi. Ce fut le début de mes problèmes avec les Nordiques. »

Quelques jours plus tard, pendant qu'il marchait en compagnie de son directeur général, Maurice Filion, en direction de l'Auditorium de Buffalo pour l'avant-dernier match à l'étranger, Demers lui demanda comment il devait envisager l'avenir à la barre de l'équipe.

« Jacques, je ne crois pas que tu seras de retour l'an prochain », murmura Filion avec une certaine désolation.

Demers apprécia la franchise de Filion, même s'il aurait préféré que son patron le défende puisqu'il savait que Filion, Gilles Léger et Marcel Aubut partageaient son avis sur la question de Tardif et de Cloutier.

* * *

Avec le recul, Jacques Demers jette un regard plus nuancé sur les événements, vingt-cinq ans plus tard.

« J'en ai voulu terriblement à Michel Blanchard. Il n'avait pas été honnête. Il ne pensait sans doute pas que toute cette affaire allait me coûter mon poste, mais il devait savoir qu'il transgressait une entente sacrée que j'avais avec les journalistes. J'ai tenté de le joindre à quelques reprises. Pour seule explication, il m'a simplement dit que ses patrons de *La Presse* avaient mis excessivement de pression sur lui pour qu'il publie l'histoire. »

Demers dit avoir rencontré Blanchard en quelques occasions par la suite. « On s'est parlé. Je n'ai jamais nié avoir tenu de tels propos. En ce sens-là, je reconnais ma faute. C'était à moi de faire attention. Je faisais aveuglément confiance dans ce temps-là. Par la suite, je suis devenu plus prudent. »

Par ailleurs, Demers soutient que si l'histoire était tombée entre les mains de journalistes de Québec, la situation aurait été différente. « Dans le contexte d'alors, les journalistes de Québec, qui suivaient pas à pas l'équipe depuis les premiers jours, étaient offusqués de voir l'histoire sortir à travers un collègue de Montréal. Je me mets à leur place et je comprends leur frustration. Tout le monde m'a passé au savon. Mais dans l'ensemble, personne n'a demandé ma tête. Maurice Dumas, du *Soleil,* m'a presque démoli pour la façon dont les choses se sont produites, mais il a ajouté à la fin de son article qu'il souhaitait mon retour la saison suivante. Claude Cadorette, du *Journal de Québec,* a écrit sensiblement la même chose. »

Quant aux chroniqueurs Claude Larochelle et Claude Bédard, ils avaient été plus virulents. Ils s'en étaient pris au fond plutôt qu'à la forme. Pour eux, Tardif et Cloutier étaient des monstres sacrés qu'il valait mieux ne pas attaquer. Mais ni l'un ni l'autre n'a exigé la tête de l'entraîneur.

Cela dit, Demers tient à préciser qu'il a toujours entretenu une bonne relation avec son vétéran Marc Tardif : « Marc n'était plus le même joueur, mais il figurait encore parmi les meilleurs éléments de l'équipe. Avec le recul, j'y suis allé un peu fort. Marc Tardif ne m'a jamais fait de problème. Il m'a toujours respecté. Je connais bien Marc. C'est un gentleman qui a bien réussi dans la vie et que je rencontre à l'occasion avec beaucoup de plaisir. Au cours d'une carrière, il y a des épisodes dont on aime moins se souvenir. Celui-ci en est un. Si j'ai fait du mal à Marc ou aux membres de sa famille par mes propos, j'aimerais lui présenter mes excuses. Je n'ai jamais voulu attaquer un joueur sur le plan personnel et surtout pas Marc Tardif. »

* * *

La saison des Fleurdelisés prit fin le 6 avril contre le Canadien et la direction de l'équipe fit un bilan de saison devant la presse de Québec dans les journées qui suivirent. Au cours de cette rencontre, les journalistes interrogèrent la direction sur l'avenir du pilote Jacques Demers. La version officielle se résumait au cliché habituel : « Demers est sous contrat avec les Nordiques et il n'est pas question de congédiement. »

Dans l'intervalle, Filion et Marcel Aubut avaient dit à Demers qu'ils souhaitaient le voir incessamment afin de préparer la prochaine saison. Demers savait très bien qu'il serait question de son avenir puisque Filion lui-même lui avait confié ses doutes quant à son retour derrière le banc.

Pourtant, Demers avait été passablement réconforté à la suite d'une discussion avec Gilles Léger, l'adjoint de Filion en plus d'occuper la fonction de directeur du personnel.

* * *

Gilles Léger était devenu un ami personnel de Demers. À force de se fréquenter au sein des activités sociales de l'équipe, les conjointes des deux hommes avaient aussi tissé de forts liens d'amitié. Les deux couples étaient à ce point intimes que, plus tard, Jacques et Linda demanderont à Gilles et à sa femme, Élisabeth, de devenir le parrain et la marraine de Jason, qui naîtra le 13 octobre 1981 (ce sera le seul fils de Jacques et sa naissance sera un moment de grande fierté). « On discutait de tout avec Gilles et Beth, sa femme, relate Demers. Nous avons eu des soupers très agréables. »

C'est au cours de l'un de ces soupers à la maison des Léger, à Cap-Rouge, que Demers avait repris confiance quant à ses chances de revenir à la barre des Nordiques pour la saison 1980-1981. « Depuis quelque temps, Linda et moi cherchions une maison. Pour nous, il s'agissait d'un premier achat puisque jusqu'alors nous avions toujours été locataires. »

Les Demers avaient remarqué que la maison voisine des Léger à Cap-Rouge était en vente. Ce soir-là, les deux couples discutaient lorsque Jacques fit savoir aux Léger que cette maison les intéressait au plus haut point. Sans hésiter, Gilles Léger invita Demers à présenter une offre d'achat. L'attitude de Léger eut l'effet d'un baume réconfortant dans l'esprit tourmenté de Demers. Il savait que Léger était très près du président Aubut et que, souvent, il avait le privilège d'être dans le secret des dieux.

« Je me disais que si mon ami Gilles m'avait invité à présenter une offre d'achat pour une maison, c'est que la décision de me congédier n'avait pas été retenue au sein de la haute direction ou alors qu'il n'en savait tout simplement rien. Sinon, Gilles ne m'aurait pas laissé embarquer dans une dépense aussi importante.»

Mais Demers se trompait peut-être...

* * *

Après trois semaines d'incertitude, la secrétaire de Marcel Aubut convoqua finalement Jacques Demers au bureau du patron, Place Québec, situé au centre-ville de Québec. Les Nordiques n'avaient plus de bureau au Colisée, qui subissait alors une cure d'agrandissement et de rénovations. Aubut avait déménagé au centre-ville, tandis que le reste des employés avaient élu domicile temporairement dans des bureaux de l'Atrium, un centre commercial de Charlesbourg.

Le rendez-vous avait été fixé à 9 heures et Jacques était en lieu et place à l'heure dite pour cette rencontre d'importance. La secrétaire le fit asseoir dans la salle d'attente, qui portait bien son nom cette journée-là.

Demers «attendit» en effet pendant une première heure. Puis deux et même trois heures sans que ni Aubut ni personne ne lui fasse signe. Contrarié, il interrogea la secrétaire, qui n'avait aucune explication à fournir. Aubut était comme ça. Il planchait sur plusieurs dossiers en même temps. On avait l'habitude de ses rendez-vous retardés.

Vers midi, Aubut appela pour faire savoir que la réunion serait reportée à quelques jours plus tard, dans les bureaux de l'équipe au centre commercial de Charlesbourg.

«C'est là que j'ai vraiment réalisé que quelque chose d'anormal se tramait, raconte Demers. Le fait de reporter la réunion en présence de Maurice Filion et de Gilles Léger en disait long sur ce que Marcel Aubut avait l'intention de faire.»

Demers fut finalement congédié le lundi 12 mai 1980, soit à huit jours de la tenue du référendum tenu par le Parti québécois sur l'avenir du Québec. L'annonce de son départ prit l'allure d'une mascarade. En réalité, on l'invita à céder sa place, mais, sur la place publique, son renvoi fut maquillé en démission. «Demers démissionne», titraient d'ailleurs les quotidiens de Québec et de Montréal le lendemain.

Demers avait participé à une réunion avec Filion et Léger le vendredi précédent, soit le 9 mai 1980, réunion au cours de laquelle il avait appris qu'il n'était plus l'homme de la situation. On lui avait suggéré de rentrer chez lui pour le week-end afin de réfléchir à la façon dont il désirait que la chose soit présentée dans les médias. On lui avait proposé de remettre sa démission pour que, dans un tel contexte, il puisse rester au sein de l'organisation dans une fonction à définir.

Demers démissionna le lundi matin pour sauver les apparences et s'assurer de conserver un emploi dans la grande famille des Nordiques et du hockey de la LNH. Au cours d'un point de presse, il se fit beaucoup moins volubile que d'habitude pour expliquer les raisons de son départ. Voici ce qu'il raconta au journaliste Claude Cadorette, du *Journal de Québec*, en ce 12 mai 1980 : « J'ai rencontré Maurice et Gilles vendredi dernier. Suivant la discussion que j'ai eue avec eux, je devais prendre une décision. J'ai passé une fin de semaine d'enfer. J'aimais tellement diriger les Nordiques. Pour moi, c'était un rêve, un peu comme Bernard Geoffrion à Montréal. Mais pour une raison que je veux garder secrète, il me fallait démissionner. Tout ce que je sais, c'est qu'on me donne la possibilité de rester dans l'organisation et d'y faire carrière. »

Très curieusement, les Nordiques eux-mêmes n'avaient même pas convoqué la presse pour expliquer le départ de leur entraîneur en chef. On s'était contenté d'émettre un communiqué laconique, comme s'il s'agissait du simple renvoi d'un joueur marginal.

Quelques heures plus tard, le journaliste Cadorette réussit à entrer en contact avec le directeur général de l'équipe, Maurice Filion. Ce dernier maintint la consigne corporative en s'en tenant au point de vue officiel de l'organisation : « Quand on congédie quelqu'un, on ne le garde pas dans l'organisation. Nous, on veut garder Jacques Demers avec nous. Il est jeune et il a du potentiel. Des gars comme Claude Ruel ou Al McNeil ont cessé de *coacher* pendant plusieurs années, puis ils ont repris le collier. Jacques les cite lui-même en exemple pour expliquer sa décision. »

Mais Filion rajouta quelques explications qui laissaient croire que la décision de Demers avait probablement été influencée : « Jacques est conscient que ses déclarations de la fin de la saison [la référence à Tardif et Cloutier] lui ont nui considérablement. Il sait que l'an prochain, tout serait plus ardu pour lui. La moindre erreur lui aurait été remise sur le nez. Puis il y a eu quantité de déclarations de joueurs qui n'ont pas aidé. Il a donc décidé qu'il était plus sage pour lui de ne pas revenir et j'espère qu'il a pris la bonne décision. S'il a vécu des heures angoissantes, intenables, et qu'il ne veut plus revivre de telles expériences, c'est son affaire à lui et je ne le blâme pas. Mais qu'on ne nous dise pas qu'on l'a congédié. »

Le capitaine des Nordiques, Robbie Ftorek, réagit plutôt mal au départ de Demers : « On a éliminé un entraîneur, mais on n'a pas éliminé les problèmes de l'équipe, dit-il lorsque joint à sa résidence de Phoenix. Que les Nordiques ne s'imaginent pas qu'ils viennent d'améliorer l'équipe en se départant de Demers. Je suis convaincu que Jacques n'était pas le nœud du problème. »

* * *

Aujourd'hui, vingt-cinq ans plus tard, Demers et Filion lèvent le voile sur ce qui s'est réellement passé au printemps 1980.

« Je n'ai pas démissionné, on m'a congédié, confirme Jacques. J'avais trop parlé concernant l'avenir des Nordiques avec Réal Cloutier et Marc Tardif, et on ne l'avait pas pris. Mon plus grand regret dans cette histoire, c'est que j'ai servi de bouc émissaire car tout le monde pensait la même chose au sein de l'organisation. Ça incluait Marcel Aubut, Maurice Filion et Gilles Léger. Toutefois, j'étais celui qui l'avait dit ouvertement dans les médias, et pour sauver la face, j'avais écopé. »

Et Filion de rajouter : « Peu importe si ce fut une démission ou un congédiement, il reste que Jacques s'était placé dans une situation de non-retour avec ses déclarations sur Marc Tardif et Réal Cloutier. C'eut été très difficile pour moi de faire tourner le vent de bord en sa faveur. »

Encore aujourd'hui, Filion refuse de dire si les propos de Demers au sujet de Tardif et de Cloutier étaient entérinés par les membres de l'état-major des Nordiques : « C'est possible que Jacques ait raison, mais ce n'est pas à moi de le confirmer. Ma philosophie est simple à ce sujet : que ce soit pour n'importe quelle histoire, je trouve qu'il y a des choses qui doivent demeurer à l'intérieur d'une organisation. On peut défendre des points, on peut crier dans les bureaux, mais on ne peut pas travailler sur la place publique. C'est très dangereux. S'il fallait qu'une organisation se mette à parler contre ses joueurs, ces derniers risqueraient de se tourner contre l'organisation. Et à ce moment-là, ce serait le bordel. »

C'est en raison de la position vulnérable de Demers que Filion l'a invité à prendre la sortie de côté. « Les Nordiques en étaient à leur deuxième saison et on voulait rebâtir la confiance de l'équipe sur une nouvelle base, de rappeler Filion. On ne voulait surtout pas que ça recommence à s'invectiver dans les journaux en revenant avec le même entraîneur. Le retour de Jacques était risqué. Si nos quatre ou cinq meilleurs joueurs avaient décidé de se retourner contre leur entraîneur, Jacques n'aurait rien pu faire. On aurait eu sa tête. Il était *mort*. Or, au lieu de risquer un changement d'entraîneur en cours de saison, je préférais repartir sur des nouvelles bases tout de suite. »

* * *

Ce dont Demers se souvient de cette rencontre où il a appris son congédiement, c'est qu'il devait démissionner afin de pouvoir demeurer dans l'organisation. « On m'avait dit qu'on aurait prochainement une équipe-école dans la Ligue américaine et que j'y serais affecté. Dans l'intervalle, on me conseillait de laisser passer la tempête, de faire retomber la poussière, et que, le temps venu, j'obtiendrais une autre chance de diriger dans la LNH. »

Et d'ajouter le fond de sa pensée sur l'identité de celui ou ceux qui ont décidé de son congédiement : « J'ai été convaincu pendant longtemps que c'est uniquement Marcel Aubut qui m'avait congédié. Toutefois, je pense aujourd'hui que Maurice Filion avait eu son mot à dire. Plus tard dans ma carrière, je me suis aperçu que Marcel Aubut n'avait pas fait une croix définitive sur moi. En 1988, il avait fait des démarches auprès des Red Wings de Detroit pour que je devienne le directeur général des Nordiques. Puis, en 1990, il avait donné son accord au réseau Radiomutuel pour que je sois l'analyste des matchs à la radio des Nordiques. »

Et Filion de renchérir : « Vingt-cinq ans plus tard, c'est encore une question de régie interne, insiste-t-il. Je ne veux blâmer personne. Je ne serais pas honnête si je le faisais. Je respecte ce que Jacques dit, mais ce n'est pas à moi de confirmer ou d'infirmer ses dires. Les décisions au hockey doivent toujours se prendre en fonction de l'équipe et non en fonction des individus. Parfois tu adores ton *coach*, mais, pour le bien de l'équipe, tu dois procéder à un changement. Ça ne veut pas dire que le *coach* est un pourri du jour au lendemain. C'est plutôt le contexte qui ne se prête plus à sa présence. Je connais Jacques. Il est intelligent et je crois qu'il a compris ça. »

Les Nordiques ont donc amorcé leur deuxième saison avec un nouvel entraîneur, soit nul autre que… Filion lui-même ! Entre-temps, ils avaient acquis les services de Michel Bergeron, des Draveurs de Trois-Rivières. Filion le voyait déjà derrière le banc, mais il se résigna à en faire son adjoint pour amorcer le calendrier. Six matchs après le début de la saison, il cédait sa place à Bergeron, une place que *Le Tigre* occupera pendant six saisons consécutives. Filion commente aujourd'hui :

« Nos décisions ont bien tourné, mais il est faux de prétendre qu'on était assurés de ne pas se tromper. L'important, c'était de ne pas persister dans une situation qui s'annonçait explosive. Nous avons eu raison en bout de ligne, heureusement, mais ç'aurait pu tourner autrement. Il reste que cette histoire de Michel Blanchard a fait très mal à Jacques. »

Bien des années plus tard, en 2005, en des temps moins difficiles : le « Tigre » Michel Bergeron, Me Marcel Aubut et Jacques. (Archives de Jacques Demers)

Lettre N

Aux journalistes

J'ai été entraîneur pendant 23 ans au niveau professionnel, dont 14 années dans la Ligue nationale. J'ignore à combien de points de presse et d'entrevues j'ai pu participer au cours de ma carrière, mais je risque le chiffre de 10 000 sans trop de crainte de me tromper.

Chose certaine, je les ai assez côtoyés pour prétendre très bien connaître les journalistes. En plus de ma carrière d'entraîneur que j'ai passée en compagnie des journalistes, je fais maintenant partie de leur cercle à titre d'analyste à la radio, dans les journaux et à la télévision.

Je tiens à dire que, de façon générale, j'ai toujours été très bien traité par les représentants de la presse, que ce soit à Saint Louis, à Detroit, à Montréal, à Québec, à Tampa Bay, à Indianapolis, à Cincinnati ou ailleurs.

Très rapidement, j'ai compris qu'il me fallait collaborer avec la presse dans une industrie de divertissement qui avait besoin des médias pour vendre son produit. Dans une certaine mesure, je considérais que les journalistes faisaient partie de la grosse machine du sport spectacle. Pour moi, un journaliste n'était pas un ennemi. C'était plutôt le lien entre l'organisation que je représentais et nos partisans. Les journalistes avaient un travail à accomplir et je m'organisais pour faciliter leur travail.

Puisque j'avais de la facilité à m'exprimer verbalement, les journalistes m'ont sollicité à profusion dans la plupart des villes où j'ai travaillé. Et j'ai collaboré de mon mieux.

J'ai toutefois vécu quelques expériences moins heureuses avec certains journalistes, mais comme je ne suis pas rancunier, j'ai tourné la page assez rapidement de façon à ne pas envenimer le climat. Certains me reprocheront d'avoir été trop gentil avec eux, mais j'ai toujours cherché à ce que nos relations soient harmonieuses. Et je ne le regrette pas parce que les journalistes, pour la plupart, ont été très corrects à mon égard. Je profite de l'occasion pour les remercier de m'avoir traité avec honnêteté.

Cela dit, j'ai bâti de très bonnes relations avec plusieurs journalistes au fil des années. Bertrand Raymond, Philippe Cantin, Alain Crête, André Rousseau, Cynthia Lambert, Roy Cummins, Mitch Album, Maurice Dumas, Claude Cadorette, François Lemenu, Pierre Ladouceur, Mitch Melnyk, Pat Hickey, Michael Farber, Marc de Foy, Ron Fournier, Marc Labrecque, Chantal Macchabée et quelques autres sont de ceux-là.

Toutefois, je ne croyais pas qu'un jour il m'arriverait de faire équipe avec un journaliste d'une façon aussi étroite que je l'ai fait avec mon biographe Mario Leclerc dans le cadre de la préparation de ce livre.

Lorsqu'on décide de raconter sa vie, il faut trouver la bonne personne en qui on a confiance, une personne qui ne vous jugera pas avant même de connaître les faits. C'est cette sensibilité-là que j'ai trouvée chez Mario et c'est pourquoi je me suis livré si ouvertement. Sans lui, j'ignore si j'aurais pu présenter un portrait aussi complet de ma vie et de ma carrière. Mario est devenu un ami personnel et il fait partie des belles rencontres de ma vie. Je luis dois un remerciement très particulier.

Jacques

Chapitre 15

Bonne sainte Anne !

Par un lundi matin plutôt maussade de la fin du mois de mai 1980, Jacques Demers entra dans l'imposante basilique de Sainte-Anne-de-Beaupré, dans la région de Québec. Ce lieu de culte était visité par des milliers de fidèles qui témoignaient de leur dévotion à sainte Anne chaque année. L'endroit était connu dans le monde entier, mais, pour Demers, il s'agissait d'une première visite.

Deux semaines plus tôt, il venait de perdre son poste à la barre des Nordiques. Dans l'intervalle, le 20 mai 1980, le Québec avait voté NON au référendum historique sur l'avenir politique des Québécois.

Jacques ressentit une certaine tranquillité de l'âme et de l'esprit en pénétrant dans les lieux. Avant de s'agenouiller pour prier, bien discrètement il fit le tour de ce lieu de pèlerinage fort populaire auprès des fidèles. Malgré son congédiement, il demeurait une figure connue et généralement populaire à Québec. Mais dans ce lieu sacré, les pèlerins respectaient son intimité, de sorte qu'il pouvait se recueillir sans risque de se faire déranger…

* * *

Demers vivait des moments fort difficiles depuis son congédiement. Il s'était enfermé dans sa résidence de Charlesbourg, où il restait pratiquement cloîtré. Il faisait tout pour éviter les rencontres. Il était devenu taciturne, même avec ses voisins. Depuis une dizaine de jours, il avait même commencé à noyer sa déprime dans l'alcool. Il buvait quotidiennement, ce qui n'allait pas sans créer certaines frictions dans la maison où vivaient Linda et ses enfants, Brandy et Stefanie.

« J'avais nettement l'impression que ma carrière était finie. Je me disais que je venais de passer à côté de ma seule et unique opportunité de diriger dans la LNH. J'avais raté ma chance et je ne voyais pas comment je pourrais y revenir. J'étais foutu. Ma carrière était en déclin sinon finie. Je l'acceptais très mal. »

Après avoir éclusé quelques bières, Demers dépassa les bornes un certain dimanche soir en vidant pratiquement tout le contenu du bar dans lequel se trouvaient, notamment, quelques bouteilles de cognac. Il était ivre mort.

« Je buvais seul. Je me laissais aller. Il n'y avait plus rien de très intéressant dans la vie. J'étais sans instruction, j'avais raté mon coup dans la LNH, et l'AMH n'existait plus. J'avais trois enfants, dont Mylène qui vivait à Montréal, et j'étais tourmenté, me demandant ce que je pourrais faire pour subvenir dorénavant aux besoins des miens. »

Au lendemain de cette cuite en solitaire qui lui avait fait passer une bonne partie de la nuit en étroite relation avec la cuvette de toilette, Demers se leva avec un mal de bloc carabiné.

« Physiquement, j'étais tout croche. Mentalement, j'avais l'image de mon père qui me revenait continuellement en tête. C'était l'image d'un ivrogne. J'étais en train de devenir comme lui et ça me déplaisait énormément. »

C'est au lendemain de cette cuite qu'il eut son premier contact avec la basilique de Sainte-Anne-de-Beaupré. Jusqu'alors, il connaissait très peu ce haut lieu de pèlerinage. À Québec, on en parlait beaucoup, mais il n'y avait jamais mis les pieds.

« C'est ce matin-là que j'ai eu comme une illumination. Les gens me demandent souvent d'où m'est venue cette croyance en sainte Anne et je peux dire que c'est précisément en ce matin de la fin du mois de mai 1980 que j'ai senti que cette dame pouvait me faire du bien. »

Lorsqu'on lui demande d'en parler davantage, Demers définit la sainte comme une grande protectrice : « Sainte Anne était la mère de Marie. Elle était donc une grand-mère. Jésus était son petit-fils. Pour moi, sainte Anne c'est comme une grand-mère. C'est comme ma grand-mère Albertine que je voyais me protéger. Ma grand-mère et ma mère Mignonne sont les personnes que j'ai le plus admirées dans ma vie. Je voyais la bonté de ma mère et de ma grand-mère dans sainte Anne. »

Ce matin-là donc, encore mal remis de sa *brosse* en solitaire et honteux de son état lamentable, Demers ressentit une forme d'appel venant de la basilique de Sainte-Anne-de-Beaupré. Sans vraiment parler de ses intentions à Linda, il quitta sa résidence de Charlesbourg de bonne heure pour s'y rendre. C'est là que, par une journée maussade, il s'apprêtait à s'agenouiller à l'intérieur de l'édifice.

« Avant même de me mettre à genoux au sol pour me recueillir, j'ai aperçu un petit tas d'argent qui traînait sur le plancher. Après l'avoir ramassé, j'ai constaté qu'il y avait 15 $. En d'autres temps, j'aurais peut-être mis les 15 $ dans mes poches. Ou j'aurais pu aller m'acheter de l'alcool. Du moins j'aurais pu le garder. Or, ce matin-là, j'ai aussitôt pris l'argent et je suis allé le porter aux offrandes à sainte Anne. Et je me suis senti très bien. »

Après sa donation, Demers est allé s'agenouiller et put finalement commencer à prier. Mais le jeune entraîneur déchu n'était pas allé à la rencontre de sainte Anne pour simplement prier ou la remercier de ses bienfaits. En réalité, il avait surtout des demandes à lui formuler… Lesquelles ?

« Je me demande encore ce qui m'a vraiment poussé à faire ça, mais je me suis ouvert à sainte Anne, confie-t-il. Je lui ai parlé comme j'aurais parlé à ma mère ou à ma grand-mère si elles avaient encore été vivantes. »

Dans son monologue, Demers ouvrait son cœur et racontait ses malheurs. Il traversait la période la plus noire de sa vie d'adulte ; il était humilié par son congédiement, le premier qu'il ait vécu ; il avait l'impression que sa carrière était finie et qu'il avait raté sa chance ; il n'arrivait plus à communiquer avec autrui, lui qui était pourtant reconnu pour sa loquacité et ses talents de communicateur ; mais le pire, c'est que, accroché à l'alcool, il avait l'impression de devenir son père. Bref il posait un regard sombre sur son avenir où il n'entrevoyait aucune issue sinon la fuite dans l'alcool. Ce sentiment d'irresponsabilité et d'impuissance le répugnait puisque c'était ce qu'il avait toujours reproché à son père.

« Maintenant que je vous ai tout raconté sur mes états d'âme, dit Demers à la sainte dans sa confession, j'ai besoin de vous. Aidez-moi, bonne sainte Anne. »

C'est de cette façon que Jacques mit fin à son premier « entretien » avec la sainte de la Côte de Beaupré. À partir de ce matin-là, il se pointa à Sainte-Anne-de-Beaupré tous les jours pendant une période de trois semaines consécutives.

« J'y allais toujours seul. C'était ma sortie du jour. Je me plaisais dans ce lieu. Je n'avais jamais l'impression d'être jugé. J'avais moins honte de moi. »

Cette dévotion à sainte Anne est toujours présente dans la vie de Demers. Comme c'était son habitude avec sa tante Jeannette, du temps de son enfance, il rate désormais très rarement la messe dominicale.

« J'avais délaissé la religion lorsque j'ai quitté Montréal pour Chicago à 28 ans. Durant ce temps-là, je ne fréquentais presque jamais les églises. Mais à partir de ma première visite à la basilique, j'ai recommencé peu à peu à assister à la messe. Aujourd'hui, j'y vais régulièrement. Et j'ai toujours une pensée pour sainte Anne. Ça m'apporte une paix intérieure. Je ne juge pas ceux qui n'y vont pas, mais moi, ça me fait du bien. »

On verra plus loin à quel point son étroite relation avec les saints n'était pas vaine, bien qu'elle ait fait « jaser » le milieu sportif pendant des lustres…

* * *

La saison estivale tirait à sa fin. Demers avait repris une certaine assurance. Il lui arrivait moins souvent de ressentir des relents de dépression. Mais lorsque ça se produisait, il avait encore tendance à lever le coude…

Les Nordiques se préparaient à une nouvelle saison dans la LNH. Maurice Filion avait décidé d'occuper le poste d'entraîneur en chef, mais il avait embauché Michel Bergeron pour lui servir d'adjoint. Déjà des rumeurs circulaient selon lesquelles Bergeron prendrait les commandes de l'équipe en cours de saison. Pendant ce temps, Gilles Léger et Jacques Demers travaillaient à la mise sur pied d'une concession de la Ligue américaine à Saint-Jean, au Nouveau-Brunswick, qui deviendrait le club-école des Nordiques. Il avait été convenu, lors de sa « démission-congédiement », que Jacques en serait l'entraîneur.

Les choses se présentaient bien et on demanda à Demers d'aller s'installer au Nouveau-Brunswick pour préparer la saison. Au début de septembre 1980, il déménagea donc ses pénates avec Linda, Brandy et Stefanie.

Auparavant, il avait décliné une proposition de diriger les Saguenéens de Chicoutimi, de la LHJMQ. Deux personnages impliqués dans le dossier, le vétéran animateur de radio à Chicoutimi Robert Quenneville (le père de Claude, qui a décrit les matchs de hockey à la télé), de même que Réjean

Bergeron, alors agent O'Keefe au Saguenay, avaient fait des représentations à cet effet.

«On m'avait présenté une offre très alléchante, mais je désirais poursuivre mon aventure au niveau professionnel et je croyais que les Nordiques m'en offraient l'occasion au Nouveau-Brunswick», mentionne Demers.

La situation tourna toutefois au vinaigre...

«À Saint-Jean, j'ai vécu les pires moments de ma carrière au hockey, raconte-t-il. Après plusieurs pourparlers, la ville n'obtint pas la concession dans les délais requis et les Nordiques se retrouvèrent sans club-école, de sorte que les jeunes espoirs de l'organisation furent répartis à gauche et à droite dans la Ligue américaine et la Ligue internationale.

«Comme il n'y avait plus d'équipe à diriger, on m'a mandaté pour faire du dépistage dans les ligues mineures de hockey. Mais je devais rester à Saint-Jean, puisque je m'y étais acheté une petite maison avec Linda. J'assistais donc à plusieurs matchs de la Ligue américaine dans les Maritimes et à certains matchs de la Ligue internationale, puis, je faisais quelques rapports de dépistage à mon patron immédiat, Gilles Léger.»

Durant cette période, Léger représentait le seul contact de l'organisation des Nordiques avec Demers. Celui-ci se trouvait donc isolé à Saint-Jean, n'entendant parler de rien ni de personne de Québec. Il avait été *tassé* sur la voie d'évitement au Nouveau-Brunswick et jamais on ne le consultait pour quoi que ce soit. Dans l'intervalle, Maurice Filion avait, comme prévu, cédé sa place au fougueux Michel Bergeron qui, rapidement, était devenu fort populaire à Québec. *Le Tigre* obtint le poste le 20 octobre 1980, après les six premiers matchs du début de la saison.

Comme les rénovations du Colisée n'étaient pas complétées, les Nordiques avaient dû amorcer la saison en disputant leurs neuf premiers matchs à l'étranger. Ce qui, même pour une bonne équipe, était plutôt risqué. Au cours de ses premiers matchs, Filion ne put donner l'élan à son équipe. Après avoir livré un match nul de 4 à 4 à Winnipeg le 19 octobre, il décida de passer aux actes dès le lendemain. Il convertit Bergeron, son jeune adjoint, en entraîneur en chef.

Le Tigre prit les commandes alors que l'équipe n'affichait qu'une seule victoire à son dossier. Après neuf matchs sur la route, l'équipe n'en avait pas davantage (1-6-2). Bergeron dirigea son premier match au Colisée le 29 octobre, lors de la visite des Canucks de Vancouver, et la soirée se solda par un verdict nul de 3 à 3.

De fait, Bergeron mit du temps à récolter sa première victoire dans la LNH. Elle ne survint qu'à son 10e match, contre les Jets de Winnipeg au Colisée. C'est la venue du gardien Daniel Bouchard, à la fin du mois de janvier 1981, qui changea radicalement l'équipe. Bouchard est arrivé alors que les Nordiques affichaient un pitoyable dossier de 11-26-13 en 50 matchs. Mais il participa à 29 des 30 derniers matchs de la saison au cours desquels il conserva une fiche exceptionnelle de 19-5-5 !

En fin de compte, Bergeron, avec l'aide de Bouchard, avait replacé la barque des Nordiques qui, à la fin de la saison, présentaient un dossier de 30-32-18 en 80 matchs, pour un total de 78 points au classement. Cette récolte permit aux Nordiques de prendre le 4e rang de la section Adams et de participer aux séries éliminatoires pour la première fois de leur histoire. Mais la troupe de Michel Bergeron s'inclina dès le premier tour contre les Flyers de Philadelphie en cinq matchs.

N'empêche que Michel Bergeron avait gagné le cœur des amateurs québécois. Pour ces derniers, Jacques Demers n'était plus qu'un souvenir... Oublié au Nouveau-Brunswick et devant la popularité grandissante de Bergeron, Demers avait désormais la conviction que la page des Nordiques s'était refermée sur lui et qu'il lui fallait envisager de faire carrière ailleurs.

« J'ai fait mon boulot du mieux que j'ai pu à Saint-Jean, mais j'avais la nette impression d'être dans le *champ gauche*. À l'écart, au cours de cette saison 1980-1981, je me sentais complètement inutile. Je ressentais aussi une certaine indifférence à mon égard. Les Nordiques avaient du succès, ils devaient participer aux séries pour la première fois de l'histoire, et Michel (Bergeron) était devenu le favori de la foule. J'avais besoin d'un défi autrement plus stimulant que le poste de dépisteur. »

* * *

Depuis qu'il n'était plus l'entraîneur en chef des Nordiques, Demers se trouvait sous la responsabilité de Gilles Léger, qui était devenu son patron immédiat. Les deux hommes se parlaient souvent et il arrivait à Léger de se payer une tournée dans les Maritimes.

« De cette façon, on a recommencé à se voisiner, raconte Demers. Linda aimait beaucoup Beth et Gilles. On s'organisait pour se voir à l'occasion tous les quatre ensemble. »

Demers entretenait parfois des doutes sur la solidité de son amitié avec Léger depuis le jour où il lui avait conseillé de présenter une offre d'achat pour une maison à Québec... On connaît la suite : la « démission-congédiement » et l'exil au Nouveau-Brunswick !

C'est à Saint-Jean que fut conçu le dernier-né de la famille, Jason, qui devait voir le jour en avril 1981. Malgré leurs doutes, Jacques et Linda gardaient tout de même une certaine considération pour Gilles et sa femme, au point de leur demander de devenir le parrain et la marraine du petit Jason. Les Léger acceptèrent avec plaisir et, au moment du baptême, Gilles et Élisabeth Léger étaient sur place pour jouer leur rôle.

« Il fut un temps où j'ai passé l'éponge sans jamais avoir clarifié la situation avec Gilles. Toutefois, j'ai toujours entretenu un certain doute à savoir si Gilles savait ou non à propos de mon congédiement. Si c'est le cas, il a manqué d'honnêteté en m'encourageant à faire une offre d'achat quelques jours avant mon renvoi. »

Aujourd'hui, et depuis longtemps, Jason Demers n'a que de très rares contacts avec ses parrain et marraine, Élisabeth et Gilles Léger...

* * *

Cette première saison en dix ans loin du monde du hockey professionnel ne fut toutefois pas de tout repos pour Demers. Il connaissait peu de gens à Saint-Jean et personne ne l'appelait. Pour la première fois depuis qu'il avait laissé l'école à 17 ans, il travaillait très peu, lui le grand nerveux incapable de tenir en place. Sa situation était plutôt ennuyante et, surtout, peu valorisante. Le « repos », c'était « fatigant » pour un homme comme lui !

Dans ce contexte, il lui arrivait parfois de renouer avec la dive bouteille et de faire des excès. Et dans ce temps-là, à Saint-Jean au Nouveau-Brunswick, il faut l'admettre, il se trouvait bien loin de Sainte-Anne-de-Beaupré et du doux réconfort maternel qu'il trouvait auprès de sa sainte préférée.

* * *

Quoi qu'il en soit, le purgatoire de Demers tirait à sa fin puisque les Nordiques avaient pu obtenir une concession de la Ligue américaine de hockey dans la ville de Fredericton pour l'année 1981-1982. L'Express était né et c'est Demers qui obtint le mandat de développer les espoirs de l'organisation pour en faire des joueurs de la LNH.

« Je m'étais rendu à Fredericton pour organiser le bureau, la chambre des joueurs, et pour préparer mon premier camp d'entraînement dans les ligues mineures. Pendant ce temps, Linda était demeurée à Saint-Jean, devant donner naissance à Jason quelques semaines plus tard. »

Les Nordiques avaient convié Demers à Québec, en septembre, pour assister aux premiers jours du camp d'entraînement de l'équipe. C'est au cours de ce camp d'entraînement, en 1981-1982, que Demers flirta une première fois avec l'idée d'occuper le poste d'entraîneur en chef du... Canadien de Montréal !

L'année précédente, le Canadien avait disputé une très bonne saison en calendrier régulier, mais il avait été éliminé en ronde préliminaire par les Oilers d'Edmonton, en trois matchs expéditifs. Et il y avait de la grogne à Montréal...

C'est au cours de cette série que Richard Sévigny avait annoncé avec grande conviction que Guy Lafleur mettrait Wayne Gretzky dans sa poche ! Mais en lieu et place, les Oilers avaient balayé la série et le jeune Gretzky avait été bien supérieur à un Lafleur vieillissant.

À la suite de cette élimination, plusieurs amateurs et journalistes pointèrent du doigt l'entraîneur Bob Berry. C'est vers Berry que le directeur général Irving Grundman s'était tourné pour succéder à Claude Ruel à la barre du Tricolore, la saison précédente. La nomination de Berry n'avait pas fait que des heureux. Et les mécontents étaient encore plus nombreux après l'échec contre les Oilers.

Durant le camp d'entraînement des Nordiques donc, Demers reçut un appel du journaliste Bill Donavan, de Saint-Jean, au Nouveau-Brunswick, qui soutenait avoir eu vent d'une rumeur le plaçant en tête des candidats pour succéder à Berry à Montréal.

« En recevant cet appel, j'étais bouche bée, raconte Demers. J'ai dit au journaliste : "Tabarnouche, je suis flatté d'entendre ça, mais je n'ai jamais, au grand jamais, discuté avec le Canadien." »

Même si la chose paraissait étonnante, Demers ressentait tout de même un petit velours à savoir que son nom circulait dans certains milieux à Montréal. Il commença même à élaborer des scénarios au cas où l'information se concrétiserait. Mais sa douce euphorie s'effondra complètement lorsqu'il reçut un deuxième appel dans sa chambre d'hôtel, quelques heures plus tard.

« Le journaliste en question m'a rappelé pour me dire que..., euh, il avait mal entendu et il s'était trompé de nom ! En réalité, c'est de Jacques Lemaire qu'on parlait à Montréal. Pas de moi ! Imaginez ma déception.

« C'est en ce jour de septembre 1981 que je me suis mis à rêver, ne serait-ce que très brièvement, au poste d'entraîneur du Canadien de Montréal. Ça sonnait plutôt bien à mes oreilles... Du moins jusqu'au deuxième appel du journaliste ! »

* * *

Au camp d'entraînement des Nordiques, Demers se faisait plutôt discret. Il longeait pratiquement les murs. Il n'avait pas le sentiment de faire partie des décideurs de l'organisation. Il se tenait à l'écart et peu de gens lui parlaient, si l'on fait exception des politesses d'usage qu'il recevait ici et là au Pavillon de la Jeunesse et au Colisée de Québec. Le nouvel entraîneur de l'Express de Fredericton travaillait à épier les jeunes de l'organisation, puis il rentrait à l'hôtel où il passait, seul, ses soirées.

Au troisième jour du camp, tôt le matin, Demers croisa Michel Bergeron dans les corridors du Colisée. Bergeron en était à son premier camp d'entraînement à titre d'entraîneur en chef, puisque l'année précédente, c'est Maurice Filion qui avait mené les troupes au moment du camp automnal.

Bergeron demanda à Demers comment se déroulaient les choses pour lui et à quoi il occupait ses soirées. C'est au cours de cet entretien que Demers put apprécier l'ouverture de Bergeron à son égard.

« Michel a deviné combien je pouvais me sentir à l'écart depuis deux jours. Il n'avait pas aimé cela. Il m'a invité sur-le-champ à prendre part à toutes les réunions des entraîneurs le matin, l'après-midi et le soir. Il m'a dit : "Je ne veux plus te voir tout seul en haut des gradins à regarder les entraînements. Tu vas venir avec le personnel, tu vas discuter avec nous et tu vas émettre tes opinions. Je veux te voir là. Je veux que tu fasses partie des décisions. Ça commence tout de suite. Tu t'en viens avec moi dans le bureau des entraîneurs. On a des beignes et du café. Et on a des choses à discuter." »

Cette invitation aida considérablement Demers à recharger ses batteries.

« Je me sentais très mal au sein de l'organisation depuis mon congédiement. J'avais l'impression d'être sur une tablette. C'est Michel qui m'a redonné de l'importance. »

Et Demers insiste pour exprimer sa gratitude envers Bergeron : « Je ne sais pas réellement ce que Michel pense de moi aujourd'hui. Mais en

1981, j'ai trouvé qu'il avait été courageux en me ramenant dans le giron des décideurs de l'organisation des Nordiques. Il voulait faire équipe avec moi pour que je développe adéquatement les espoirs des Nordiques et il s'était organisé pour que je sois au même diapason que les autres membres du personnel du département de hockey. C'est Michel qui m'a ramené dans le groupe. Il n'était pas obligé de le faire, moi qui étais son prédécesseur. Je lui en ai été reconnaissant et je le suis encore aujourd'hui.»

* * *

Revigoré, Demers quitta finalement Québec le 20 septembre 1981 en direction de Fredericton où devait s'amorcer, deux jours plus tard, le camp du club-école des Nordiques au Aitkins Center, un amphithéâtre d'environ 4000 sièges.

Avant son départ, il confia au journaliste Michel Magny, de *La Presse*, qu'il s'était senti utile à Québec : «Cette année, j'ai vraiment senti que je faisais partie des Nordiques. Michel Bergeron et Martin Madden (le nouvel adjoint de Maurice Filion) m'ont fait participer aux discussions et je me suis vraiment impliqué avec eux.»

À sa première journée au camp d'entraînement à Fredericton, le 22 septembre, il accueillait une quinzaine de joueurs, mais, disons-le, aucun n'avait l'étoffe pour devenir un second Wayne Gretzky. Le talent était plutôt dilué, c'est le moins qu'on puisse dire.

Les premiers joueurs libérés par les Nordiques qui se présentèrent au camp avaient pour noms René Labbé, André Côté, Mark Young, Garry Carr, Michel Bolduc, Yvan Charbonneau, Pierre Girard, Pierre Thibault, Mark Pletts, Michel Côté, Bruce Campbell, Russ Brownridge, Yves Pérusse, Sylvain Côté, Peter Marrin et Bernie Saunders. Toute une brochette... d'inconnus ! Aussi bien dire que cette première moisson n'avait rien pour laisser entrevoir un championnat !

Le désastre annoncé eut d'ailleurs lieu. À sa première année, l'Express fut lamentable. Les ressources de la jeune organisation n'étaient pas suffisantes en termes de talent pour alimenter une équipe compétitive dans la Ligue américaine. L'Express clôtura la saison avec un dossier misérable de 20 victoires, 55 défaites et 5 verdicts nuls en 80 matchs. Il prenait le cinquième et dernier rang de la section Nord et était naturellement exclu des séries.

«Il n'y avait pas de quoi pavoiser, mais, de façon générale, l'organisation des Nordiques ne me pointait pas du doigt pour les insuccès sur la patinoire», relate Demers. Tout était à construire. La profondeur faisait grandement défaut. On manquait de joueurs de talent sinon même du calibre de la Ligue américaine.»

«Il ne nous a jamais traversé l'esprit de congédier Jacques après cette première saison lamentable à Fredericton, assure Maurice Filion. Il n'était pas responsable des déboires de l'équipe. Nous n'avions tout simplement pas assez de joueurs pour être suffisamment compétitifs. Ce n'était pas de sa faute et on voulait qu'il revienne la saison suivante.»

Filion corrigea la situation au cours de la saison morte. Il conclut une entente avec son homologue des Canucks de Vancouver, Harry Neale, afin de partager avec eux le club-école de Fredericton. La manœuvre consistait d'une part à réduire les coûts d'exploitation et, d'autre part, elle assurait la présence d'un plus grand nombre de joueurs de talent pour former une équipe compétitive.

Au cours de la négociation entre les deux organisations, les Nordiques conservèrent le droit de choisir l'entraîneur en chef de l'Express et Demers fut désigné pour poursuivre le travail en 1982-1983.

* * *

À sa deuxième saison à Fredericton, Demers cumulait la double fonction d'entraîneur et directeur général, même s'il devait encore rendre compte à Gilles Léger. Il n'avait pas d'adjoint mais le président de l'équipe, Dany Grant, un ancien du Canadien, des North Stars, des Red Wings et des Kings, lui apportait son aide à l'occasion.

Il n'en demeure pas moins qu'il était fort occupé. Il passait presque tout son temps à remplir ses fonctions. Pendant qu'il vivait sa passion du hockey et qu'il renouait avec le succès, les relations allaient moins bien à la maison; avec Linda, la situation se gâtait. Après quelques tiraillements, Linda et Jacques en vinrent à la conclusion qu'ils ne pouvaient plus vivre ensemble. Son fils Jason avait à peine 18 mois.

Vers la fin de l'hiver, Demers renoua donc avec le célibat. Linda était demeurée au Nouveau-Brunswick jusqu'à la fin des classes avant de retourner chez elle, à Indianapolis, où elle vit toujours, avec ses enfants.

Avant la rupture, Jacques prit l'engagement ferme de pourvoir aux besoins de Linda et des enfants. Il s'en faisait un devoir personnel, même si le salaire qu'il recevait (autour de 35 000 $ par année) lui laissait très peu de manœuvre.

« Je me retrouvais avec l'obligation de subvenir aux besoins de quatre enfants (Mylène était avec sa mère Évelyne à Montréal, alors que Jason, Stefanie et Brandy allaient se retrouver à Indianapolis avec Linda). J'avais vraiment de la difficulté à joindre les deux bouts. Certains croyaient que je faisais la grosse vie au hockey professionnel, mais ce n'était pas du tout le cas. Au moins, je faisais ce que j'aimais. Ce qui n'était pas négligeable. »

* * *

C'était un soir de grandes célébrations dans le vestiaire joyeux de l'Express en cette troisième semaine de mars de 1983 : pour la première fois depuis la saison 1971-1972, soit depuis sa conquête avec les Ailes de Châteauguay, Jacques Demers renouait avec l'odeur d'un championnat. L'Express de Fredericton avait complètement renversé la vapeur et avait joué une saison du tonnerre. L'équipe avait terminé avec une fiche éloquente de 45 victoires, 27 revers et 8 verdicts nuls en 80 matchs, et avait ravi le championnat de la section Nord avec une récolte de 98 points. Cette section comprenait aussi les équipes du Maine, de la Nouvelle-Écosse, des Adirondacks, de Moncton et de Sherbrooke.

Depuis ses succès à Châteauguay, onze ans plus tôt, Demers avait remporté un championnat de la très faible section Est de l'AMH, à sa première saison à Indianapolis. Son équipe avait acquis le premier rang malgré une fiche déficitaire de 35 victoires, 39 revers et 6 verdicts nuls en 80 matchs. C'est pourquoi il n'avait jamais eu le goût de célébrer ce *championnat des pauvres*. Mais cette fois-ci, c'était différent. Il avait mené sa troupe à une grande victoire dans une division des plus compétitives. Il avait la conviction qu'il était un maillon important de la chaîne du succès, comme cela avait été le cas avec les Ailes de Châteauguay.

C'est aussi au cours de cette deuxième année à Fredericton qu'il avait renoué avec son style démonstratif et énergique. C'était le style de ses années junior à Saint-Léonard et à Châteauguay qui lui avait procuré tant de succès.

« Remporter un championnat apporte un *feeling* incroyable pour des athlètes et leur entraîneur. On a l'impression d'avoir accompli notre mission. À Fredericton, on avait tous le sentiment du devoir accompli, surtout après avoir connu l'enfer, l'année précédente, en ne remportant que 20 victoires en 80 matchs. »

Le travail de Demers fut récompensé à la fin de la saison lorsque la Ligue américaine de hockey lui décerna le titre d'entraîneur par excellence de la saison. La revue spécialisée *The Hockey News* en avait fait aussi l'entraîneur et l'administrateur de l'année de tous les circuits professionnels mineurs.

L'Express amorça ses premières séries en affrontant les Red Wings d'Adirondack en quart de finale, qu'il élimina en six matchs. Mais la saison de l'équipe s'arrêta au tour suivant quand elle fut éliminée, en six matchs également, par les Mariners du Maine.

Malgré tout, on estimait partout que Demers avait fait du bon travail à Fredericton et l'organisation des Nordiques se disait satisfaite de son entraîneur.

C'est dans les jours qui ont suivi le championnat que Demers fut particulièrement encensé par ses propres joueurs, les Richard David, Clint Malarchuk, Louis Sleigher, Tony Curry et compagnie. On vantait surtout son approche humaine.

« J'ai déjà avoué ma grande admiration pour Jacques, déclara Malarchuk, et rien ne me fera changer d'idée. Tous les joueurs aiment Jacques Demers. Je me suis confié à lui en plusieurs occasions au niveau professionnel et pour des problèmes personnels. Je sais qu'on lui a reproché dans le passé d'être trop gentil avec ses joueurs. Certains voient ça comme un défaut, mais j'estime que c'est une belle qualité. »

Richard David en rajouta : « Jacques a toujours mis l'accent sur la collectivité plutôt que sur le vedettariat. Avec l'Express, les joueurs défensifs étaient aussi importants que les joueurs offensifs. »

Le combatif ailier Louis Sleigher était aussi un admirateur de son pilote : « Jacques sait comment encourager et améliorer la confiance d'un joueur. C'est une tâche difficile pour un entraîneur aux prises avec des athlètes qui ne sont pas toujours très heureux de se retrouver dans la Ligue américaine. »

* * *

Ce concert d'éloges résonnait souvent à l'unisson à l'endroit de Demers. Dans le monde du hockey, il était redevenu quelqu'un.

Après avoir été chassé de Québec et de la LNH, après avoir vécu une saison dans l'incertitude à Saint-Jean, au Nouveau-Brunswick, après avoir dirigé une formation minable pendant une saison à Fredericton, il récoltait enfin quelques moments de gloire. Et il ne les avait pas volés.

Ce succès revisité allait-il lui permettre de mettre un terme à son long chemin de croix dans les ligues mineures ?

C'est ce qu'on allait pouvoir vérifier dans les mois suivants…

Lettre O

À Michel Bergeron

Lorsque je fais un retour sur mon parcours de vie, je constate, mon cher Michel, que nous avons toujours mené des carrières en parallèle toi et moi.

D'abord, après avoir tous deux été camionneurs au début de notre vie d'adulte, nous nous sommes retrouvés à diriger des équipes dans la LNH. Plus tard, nous sommes revenus à Montréal pour mener une carrière dans le monde des médias sportifs. Comme quoi nous avons de la suite dans les idées !

Je suis fier de dire qu'il existait seulement deux entraîneurs francophones qui travaillaient sur une base régulière dans la LNH au cours des années 1980 : c'était toi et moi, Michel. Chacun à notre façon, nous avions bûché pour nous insérer à l'intérieur de ce groupe très fermé. Nous savons tous deux à quel point la commande était difficile.

Au cours de cette décennie 1980, tu as même dirigé plus de matchs que moi dans la LNH puisque j'avais dû effectuer mon purgatoire dans les ligues mineures pendant trois ans.

D'ailleurs, le sort a voulu que tu sois appelé à me succéder à Québec et je dois admettre que tu as imprégné ton style très rapidement à la barre des Nordiques.

C'est à cette époque que j'ai appris quel genre d'homme tu étais, Michel. J'ai toujours apprécié ce que tu as fait pour moi au cours du camp d'entraînement des Nordiques à l'automne de 1981, moi qui me sentais très peu désiré au sein de l'organisation à l'époque.

Chez les Nordiques, j'avais été placé, en quelque sorte, sur la voie d'évitement. J'étais alors entraîneur de l'équipe-école à Fredericton, mais on s'intéressait peu à mon opinion. C'est toi, Michel, qui m'as ramené au sein du personnel de hockey en m'impliquant dans les décisions de l'équipe en cet automne de 1981. Ce sont des choses qui ne s'oublient pas.

Plus tard, le sort a voulu que je sois nommé à la barre du Canadien dans une course à la succession de Pat Burns dont tu faisais partie. Encore là, nos destins étaient intimement liés. J'ai finalement obtenu le poste d'entraîneur du Tricolore et je me considère encore très chanceux. J'espère seulement que tu ne m'en as pas voulu pour cela.

De nos jours, sans prétendre que nous sommes des amis proches, nous pouvons dire que nous sommes de bonnes connaissances qui se respectent et qui prennent un certain plaisir à se côtoyer au hasard de nos rencontres. Nous menons des carrières de joueurnalistes *depuis un certain temps parce que nous avons marqué, bien humblement, le petit monde du hockey professionnel auprès des amateurs de chez nous. C'est de quoi on peut être fiers, je crois.*

Dernièrement, tu as moussé ma candidature pour mon élection au Panthéon du hockey. Rien ni personne ne t'obligeait à le faire, mais j'en ai été très touché et très flatté, Michel. Je t'en remercie très sincèrement.

Jacques

Troisième période

LA COUPE STANLEY, ENFIN…

Chapitre 16

Renaissance à Saint Louis

La lumière des caméras de télévision s'était allumée à la vitesse de l'éclair dès son entrée dans l'aéroport de Saint Louis. En ce jeudi 12 juin 1986, la présence des médias dans l'aérogare avait créé un effet de panique chez Jacques Demers, qui traînait dans sa valise un secret bien gardé.

L'entraîneur des Blues pressait le pas pour se rendre au comptoir de la compagnie aérienne pendant que les lentilles des caméras pointaient en sa direction. Quelque peu affolé, Demers n'osait pas affronter la meute journalistique comme il l'avait pourtant fait au cours des trois dernières saisons à la barre des Blues. Il fixait plutôt le sol et tentait de dénicher un pieux mensonge à raconter aux journalistes.

« Mais qu'est-ce que je vais leur dire ? se répétait-il intérieurement. Qu'est-ce qu'ils font tous ici à 3 heures de l'après-midi ? Quelqu'un a sûrement vendu la mèche. »

Feignant de les ignorer, il passa en coup de vent à côté des représentants de la presse et, à sa grande surprise, aucun d'entre eux ne l'intercepta pour tenter de lui soutirer un commentaire. Ils se contentèrent de le saluer poliment.

Demers poursuivit sa marche accélérée sur une quinzaine de mètres, intrigué, avant de se retourner pour s'assurer qu'on ne le pourchassait pas. À son grand soulagement, il constata que toute cette présence médiatique ne s'était pas déplacée pour lui, mais pour la star du tennis professionnel féminin, Martina Navratilova, qui était attendue à la même heure.

« *Simonac*, je l'ai échappé belle ! » se dit-il en souriant.

Il se dirigea vers la porte d'embarquement avant de sauter à bord de l'avion qui devait le conduire à Detroit. Son aventure de trois saisons à la barre des Blues de Saint Louis venait de prendre fin... mais la presse l'ignorait encore.

* * *

Ce séjour à Saint Louis s'était avéré une véritable renaissance dans sa carrière. Tout avait commencé au début du mois d'août 1983 par un appel de son patron Maurice Filion, alors directeur général des Nordiques de Québec. Demers dirigeait le club-école des Fleurdelisés à Fredericton où il venait de connaître une saison du tonnerre.

« Jacques, dit Filion, je viens de recevoir un appel de Ronald Caron qui désire s'entretenir avec toi. Je lui ai accordé la permission. Tu peux le joindre à son bureau, voici son numéro de téléphone. »

Après une longue carrière dans l'organisation du Canadien, Caron, dit *Le Prof*, avait obtenu le poste de directeur général des Blues, succédant à Émile *The Cat* Francis. Les Blues étaient finalement demeurés à Saint Louis après avoir été menacés d'un transfert et même d'une dissolution. On avait notamment évité le déménagement à Saskatoon quelques mois plus tôt. La menace de dissolution était à ce point réelle que les Blues, à l'été de 1983, ne s'étaient pas présentés au repêchage annuel des joueurs amateurs, le 8 juin, au Forum de Montréal. L'équipe avait vraiment frisé la catastrophe.

Le nouveau propriétaire, Harry Ornest, avait acheté à la sauvette, et pour une bouchée de pain, la concession appartenant à la multinationale Ralston Purina. Si le mystérieux Ornest n'était pas intervenu à la toute dernière minute, les Blues seraient devenus la propriété d'un ancien dirigeant de l'Association mondiale de hockey, « Wild » Bill Hunter, qui désirait installer l'équipe en Saskatchewan.

Ornest était un personnage louche et extrêmement pingre, et la LNH le savait. Mais le président d'alors, John A. Ziegler jr, et ses associés avaient préféré entériner cette transaction risquée afin de maintenir une assise de la LNH dans un grand marché américain plutôt que de la voir se retrouver dans le marché moins attrayant de Saskatoon.

Ce coup de fil de Maurice Filion arrivait comme un cadeau du ciel pour Jacques. Assis dans son appartement de Fredericton, il raccrocha et déjà, son cœur tournoyait comme une turbine du barrage LG-2 à la Baie James.

Demers savait pertinemment que *Le Prof* Caron venait de prendre les commandes chez les Blues et qu'il était à la recherche d'un entraîneur. Cet appel n'avait donc pas pour but de l'inviter à une partie de pêche. Si *Le Prof* désirait s'entretenir avec lui, c'était sûrement en relation avec le poste disponible.

Excité, il ne fit ni une ni deux et s'empressa de communiquer avec Caron. Franc, direct et expéditif comme toujours, le directeur général des Blues ne laissa planer aucun doute sur ses intentions. Il raconte :

« Après quelques jours en poste, mon propriétaire Harry Ornest m'avait demandé qui serait mon entraîneur pour la saison 1983-1984. Je savais qu'il ne voulait pas payer cher ! J'avais suivi de loin le travail de Jacques à Fredericton, où il était en quelque sorte "sur la tablette". Je n'avais pas beaucoup d'argent à offrir à mon entraîneur, mais je savais que, comme moi, Jacques désirait revenir dans la LNH sans égard au salaire. »

Le légendaire Prof expliqua la situation à Demers, emballé comme un enfant à l'autre bout du fil. « Il y a un seul problème, dit *Le Prof* à son futur employé. Les Nordiques désirent obtenir une compensation en retour de tes services. On va voir ce qu'on peut faire. Le directeur exécutif de la LNH, Brian O'Neill, m'a dit que les Nordiques ne t'avaient pas fait signer le formulaire qui assurerait la protection de tes droits, mais il m'a conseillé de m'entendre quand même avec les Nordiques dans un geste de bonne volonté. Je vais te revenir là-dessus. »

Dès qu'il eut terminé sa conversation avec *Le Prof*, Demers appela Maurice Filion. « Maurice, tu ne peux pas m'empêcher de revenir dans la LNH, dit-il, implorant, à son patron.

« Écoute Jacques, lui répondit Filion, Marcel [Aubut, le président des Nordiques] tient à marchander tes services et on va tout faire pour trouver un terrain d'entente.

Dans l'intervalle, *Le Prof* avait discuté de la situation avec son propriétaire en y allant d'une parole moqueuse qui, plus tard, faillit faire échouer les pourparlers entre les deux équipes.

« Dans ma discussion avec Ornest, je lui ai mentionné que le propriétaire des Nordiques, Marcel Aubut, désirait jouer les mauvais garnements en exigeant un de nos meilleurs joueurs pour libérer Jacques Demers. Mais je m'étais appliqué à prononcer le nom de Marcel à l'anglaise. Je lui parlais de monsieur *Oh Butt* (traduction libre : *ti-cul*) ! C'est ainsi que *Le Prof* suggéra à Ornest d'appeler Marcel *Oh Butt* pour trouver un terrain d'entente.

« J'ai pris soin d'écouter leur conversation sur une autre ligne, raconte *Le Prof*. D'entrée de jeu, Harry Ornest présenta les salutations d'usage à monsieur *Oh Butt*. En attendant son nom, Marcel sursauta. Il était furieux. Avant d'aller plus loin, il insista pour faire entendre à Harry la bonne prononciation de son nom. Ce n'était pas *Oh Butt* mais Aubut (O-Bu). Et Ornest avait intérêt à en prendre note ! »

Quoi qu'il en soit, les discussions se poursuivirent pendant quelques jours entre les deux organisations.

« Marcel, poursuit *Le Prof*, ne voulait pas me parler et c'est Maurice Filion qui a finalement servi de trait d'union pour régler le dossier. Au bout du compte, nous avons cédé deux "*washers*" (sic), soit Claude Julien [l'actuel entraîneur du Canadien] et Gord Donnelly. Jacques est ainsi devenu notre "propriété". »

Filion se souvient : « Ça s'est réglé assez rapidement. Il était clair dans mon esprit qu'on n'empêcherait pas un individu de revenir dans la LNH, à moins que nous ayons eu des plans pour lui à court terme. Ce n'était pas le cas avec Jacques. J'avais expliqué la situation à Marcel Aubut et, finalement, Jacques avait été libéré sans problème. »

* * *

C'est le 17 août 1983 que Demers fut présenté à la presse de Saint Louis à titre de nouvel entraîneur. Il était sur le point d'avoir 39 ans. Son purgatoire dans les ligues mineures était terminé.

Avant la conférence de presse, Demers discuta d'une entente contractuelle avec le propriétaire. Ornest lui offrait un contrat de trois ans lui octroyant 52 000 $ la première année, 55 000 $ la deuxième et 57 000 $ la troisième. Pour le moment, l'entente était verbale, mais Ornest s'engagea à produire un contrat en bonne et due forme qui serait signé plus tard.

Vingt ans plus tard, *Le Prof* Caron s'étonne de la « générosité » d'Ornest en apprenant le montant. « Ça parle au diable ! Jacques gagnait plus que moi, dit-il en riant. Notre propriétaire était pingre et on le savait tous. Personnellement, je l'avais beaucoup impressionné à mon arrivée chez les Blues en juin 83, puisque j'avais moi-même défrayé le coût de mon transport en avion entre Montréal et Saint Louis. De toute façon, pour Jacques et moi, ce n'était pas un palais doré qui s'ouvrait à nous, mais il s'agissait d'une belle opportunité de revenir dans la LNH. Au départ, on se souciait peu de l'argent. Ornest le savait et il en profitait. »

Et Demers de préciser : « Tout ce que je voulais, c'était d'avoir la chance de diriger dans la grande ligue après trois ans passés dans les ligues mineures. Je n'ai pas négocié avec Harry Ornest. J'ai tout simplement accepté ce qu'il m'offrait. »

La seule chose que Demers demanda à son propriétaire était reliée à certains détails concernant son déménagement. « Tout ce que j'avais à transporter de Fredericton à Saint Louis, c'était ma garde-robe. En contrepartie, Linda et les enfants partaient avec quelques meubles et des effets personnels pour Indianapolis. J'ai alors demandé à monsieur Ornest s'il voulait défrayer le coût du déménagement de mes enfants et de Linda à Indianapolis plutôt que le mien à Saint Louis. Et il a accepté. »

Outre le fait d'obtenir un entraîneur « bon marché », Caron voyait tout de même de très belles qualités en Demers. « Je le savais émotif, énergique et très positif dans son approche avec les joueurs. En même temps, il s'acquittait très bien de sa tâche avec les médias pour vendre le hockey et les Blues. De plus, j'appréciais sa philosophie voulant qu'on gagne et qu'on perde avec nos meilleurs joueurs. Jacques avait une facilité à composer avec ses piliers. »

* * *

À la fin du mois d'août, Demers s'installa donc à Saint Louis. Il loua la maison de Bobby Simpson, un joueur qui avait joué pour les Ailes de Châteauguay une douzaine d'années plus tôt dans les rangs juniors B. Simpson possédait une résidence à Saint Louis, mais il faisait désormais carrière à Omaha dans un circuit professionnel mineur, de sorte que, de septembre à juin, il n'habitait pas Saint Louis. C'était le scénario idéal pour Demers qui pouvait profiter de toutes les commodités de la maison sans devoir s'acheter de nouveaux meubles.

Quelques mois plus tôt, il avait fait la rencontre de Debbie Anderson à Fredericton. La relation n'était pas encore tricotée serrée, mais ils se fréquentaient de temps à autre. Pour Debbie, ce n'était pas encore assez sérieux pour qu'elle quitte son travail de Fredericton et déménage à Saint Louis, même si Jacques l'aurait souhaité. Pourtant, par un curieux concours de circonstances, Debbie Anderson arrivait à point nommé dans la vie de Jacques Demers…

Malgré ses succès professionnels à la barre de l'Express de Fredericton, Demers, comme nous l'avons vu, faisait face à un échec amoureux avec Linda. « Notre union était terminée, mais nous attendions la fin de la saison et la fin des classes pour nous séparer. On faisait notre affaire chacun de notre côté. »

Nouvellement arrivée à Fredericton, Debbie travaillait dans les bureaux administratifs de l'Express. Il s'agissait d'un travail de secrétariat, un poste occasionnel puisque la secrétaire du département hockey était en congé de maternité.

À 27 ans, Debbie avait passé une dizaine d'années en Allemagne où son père était militaire de carrière. Là-bas, elle s'était mariée avec un membre des Forces armées canadiennes, mais cette union avait mal tourné. « J'étais une femme abusée physiquement. J'ai enduré la situation pendant des années jusqu'à ce que je me décide de quitter cet homme. »

Au moment de sa séparation, Debbie ignorait ce qu'il adviendrait de sa vie. Elle n'avait pas d'endroit où s'établir. Il n'était pas question pour elle de retourner dans son village natal de Wainright, situé dans le nord de l'Alberta.

Elle avait toutefois connu une autre femme de militaire qui s'était aussi séparée de son mari et qui vivait à Fredericton. De fil en aiguille, elle avait communiqué avec cette connaissance et avait décidé de la rejoindre dans la capitale du Nouveau-Brunswick.

« J'étais une Canadienne de l'Ouest, j'avais vécu plusieurs années sur différentes bases militaires en Allemagne et j'ignorais que Fredericton était une capitale bilingue, raconte-t-elle. Lorsque je suis arrivée à Fredericton, j'ai rapidement constaté que, pour travailler dans le domaine du secrétariat, il fallait parler français. Et je ne le parlais pas. »

Tant bien que mal, elle avait cherché du travail, mais elle n'arrivait pas à dénicher un emploi stable. « J'ai vécu les moments les plus *down* de ma vie. Je retirais 450 $ par mois de l'Assurance-chômage, j'habitais un appartement de deux pièces et demie dans un sous-sol, je n'avais pas de voiture et je marchais ou je prenais l'autobus pour tous mes déplacements. En plus, je ne connaissais personne à Fredericton (sauf cette amie de la base militaire) et je ne parlais pas français. »

Même si elle ne pouvait communiquer dans les deux langues officielles, l'Express de Fredericton l'avait embauché après les Fêtes pour remplacer provisoirement la secrétaire qui allait accoucher. « Et c'est de cette façon que j'ai connu Jacques... »

Comme c'est souvent le cas dans les ligues mineures, Demers n'était pas seulement l'entraîneur de l'Express, il devait voir à l'ensemble du bon fonctionnement de l'équipe. Il avait notamment des contacts réguliers avec les Nordiques de Québec, qui rappelaient des joueurs dans la LNH.

Il travaillait beaucoup à son bureau à l'aréna, mais il avait aussi ses quartiers dans les bureaux administratifs de l'Express, au Aitkens Center de Fredericton. Il côtoya alors de plus en plus régulièrement sa nouvelle secrétaire.

«Il a été très gentil avec moi, souligne Debbie. D'abord, je ne connaissais rien au hockey et ça ne m'intéressait aucunement. J'étais là pour obtenir un revenu afin de survivre, point à la ligne. Lorsque les Nordiques appelaient de Québec, ils me parlaient de joueurs dont les noms étaient francophones. Je n'y comprenais presque rien. Mon estime personnelle était à son plus bas. Mais Jacques, patiemment, m'aidait à décoder tout cela.»

Demers était un homme populaire dans les bureaux de l'Express. Sa bonhomie et son don inné de la parole étaient appréciés de tous.

«Je m'apercevais que Jacques aimait la compagnie des femmes et que les femmes appréciaient sa compagnie, poursuit Debbie. Sans le savoir, il en séduisait plus d'une puisqu'il était de commerce agréable. Il ne posait pas de geste déplacé. On sentait un grand respect des femmes chez lui. Au début, je croyais qu'il flirtait avec les femmes du bureau et cela m'ennuyait quelque peu, moi qui sortais d'une relation où j'avais été abusée. Je me suis toutefois aperçue rapidement que son charme était plutôt innocent.»

Si, au travail, Demers avait toujours établi ses relations sur une base professionnelle, cela devait changer dans les semaines qui ont suivi l'arrivée de Debbie. «Cette femme m'intéressait vraiment, mais je tentais de cacher mon jeu. J'aimais bien travailler en sa compagnie et, peu à peu, j'apprenais des choses à son sujet. J'ai appris, notamment, qu'elle était libre.»

Un jour du mois de mars 1983, Demers décida d'aller de l'avant. Il avait l'intention d'inviter sa secrétaire à souper. Après avoir mené l'entraînement de ses joueurs sur la patinoire, il se précipita au bureau de l'Express où Debbie vaquait à ses occupations régulières. Il échangea avec elle sur les questions du jour et, au moment de sortir, il rebroussa chemin vers son bureau… sans oser lancer son invitation. «J'étais trop gêné pour l'inviter, reconnaît-il. C'était délicat puisqu'elle était ma secrétaire.»

De retour à son bureau, il jongla avec cette idée d'un souper en tête-à-tête et, cinq minutes plus tard, il empoigna l'interphone. «Debbie, ça te dirait d'aller souper ce soir?» avait-il lancé, nerveusement

«Aller souper? Mais pourquoi moi, Jacques? Et pourquoi ne pas me l'avoir demandé directement il y a cinq minutes?»

Demers, hésitant, chercha une réponse qui ne venait pas. Sans cérémonie, il ajouta simplement : «Écoute Debbie, je ne sais pas pourquoi, mais j'aimerais aller souper avec toi.»

Fin de la discussion!

Ce soir-là, Debbie accepta, mais il lui paraissait très évident que ce repas intime n'allait pas devenir une habitude. D'abord, elle n'était pas prête à se remettre en couple si rapidement et, il faut bien l'admettre, Demers n'était pas nécessairement le genre d'homme qui l'attirait au premier chef.

« Je le trouvais gentil, poli et respectueux, mais pas au point d'en faire mon nouveau conjoint ! relate-t-elle. Nous étions si différents. Il avait dix ans de plus que moi. Il était très conservateur alors que j'avais connu une vie plus agitée. Il était dans le monde du hockey et je ne raffolais pas de cela. Il était père de quatre enfants alors que je n'en avais pas. Bref, il y avait un monde de différences. La seule chose que nous avions en commun, c'est que nous vivions chacun une séparation. »

Le premier souper eut lieu et Debbie admet avoir passé une belle soirée. Mais sans plus. Pour l'heure, il n'était pas question pour elle d'aller plus loin.

« À cette époque, je ne songeais pas faire ma vie avec lui, mais c'est étrange, une petite voix me disait qu'il serait un bon partenaire pour moi. D'ailleurs, je me souviens d'avoir dit à ma collègue de travail, Mélanie, que je ne me marierais plus jamais, mais que, si j'avais à le faire, j'aimerais rencontrer un bon gars comme Jacques ! »

Au cours des jours et des semaines qui suivirent, Demers se montra plus entreprenant. « Je la désirais, j'en rêvais pratiquement toutes les nuits », avoue-t-il.

Pour sa part, Debbie acceptait à l'occasion une invitation, mais ne montrait aucun signe d'attachement. « En fait, je réalise en rétrospective que cet homme m'intéressait déjà, mais j'avais peur de nos différences. Je craignais qu'il veuille me "mouler" à son image. J'étais une femme plutôt rebelle et il était très conservateur. C'est ce type de mélange explosif qui avait fait en sorte que j'avais été une femme battue dans ma relation précédente. Il m'a fallu un certain temps pour comprendre que Jacques était différent de mon ex-conjoint. »

Peu à peu, Debbie développa avec Jacques une relation qui était plus que de l'amitié. « Elle n'a pas été facile à convaincre, ricane Demers. Elle disait me respecter comme patron, mais elle ne voulait pas aller plus loin. J'ai insisté en quelques occasions. On a appris à se connaître et, depuis, nous n'avons jamais regardé en arrière. »

Linda partit dans les mois qui suivirent pour retourner chez elle à Indianapolis, alors que Jacques était demeuré avec ses enfants à Fredericton pour quelque temps encore. Il savait qu'il devrait s'en séparer au cours de l'été puisqu'il avait été convenu que Stefanie, Brandy et Jason iraient rejoindre leur mère aux États-Unis.

«Je le connaissais peu, raconte celle qui allait devenir sa nouvelle conjointe, mais je m'apercevais que Jacques était déchiré à l'idée d'être séparé de ses enfants. Je l'ai aidé au cours de l'été à préparer les boîtes et les effets personnels des enfants en vue de leur déménagement.»

C'est à ce moment-là que Demers reçut l'appel de Maurice Filion lui faisant part de l'intérêt des Blues de Saint Louis à son sujet. Quelque temps après, il devenait l'entraîneur des Blues.

«J'étais heureux pour deux raisons précises, explique Demers. D'abord, je revenais enfin à la LNH. De plus, Saint Louis était beaucoup plus près (environ 400 km) d'Indianapolis que Fredericton (environ 1800 km). J'aurais donc l'opportunité de voir mes enfants plus souvent que si j'étais demeuré au Nouveau-Brunswick.»

Pendant que sa progéniture prenait la route d'Indianapolis, Demers se dirigea vers Saint Louis au milieu du mois d'août 1983, mais il avait obtenu un engagement de Debbie avant son départ. Il tenait à ce qu'elle vienne s'établir avec lui dans sa nouvelle ville pour démarrer une nouvelle vie.

«On en a discuté et je me suis dit *pourquoi pas*? J'ai laissé le peu que j'avais à Fredericton et je l'ai rejoint à Saint Louis un mois après son départ.»

C'est de cette façon qu'une longue histoire d'amour prit son envol, une histoire qui dure encore, vingt-deux ans plus tard.

* * *

Le premier contact de Demers et du Prof Caron avec les joueurs eut lieu à Saskatoon au début du mois de septembre 1983. Ironie du sort, les Blues, qui avaient failli y déménager quelques mois plus tôt, y avaient établi leurs quartiers pour les premières semaines du camp d'entraînement!

Dès la première journée, Demers et les joueurs invités eurent droit au premier d'une longue série de discours mémorables du Prof Caron. En guise de bienvenue aux soixante-cinq joueurs présents, le volubile directeur général y alla d'une longue envolée oratoire traitant de l'histoire de deux dynasties du sport professionnel, les Yankees de New York et le Canadien de Montréal.

«Nous étions tous rassemblés dans une salle, raconte Jacques en souriant. J'avais pris place à l'arrière. Après quelques mots de bienvenue, *Le*

Prof amorça son discours en parlant de la fabuleuse histoire des Yankees de New York, lui qui est un passionné de baseball. Il raconta dans les moindres détails les péripéties des saisons des années 1950 des Yankees. Lorsqu'il parlait d'un match, il prenait même le soin de préciser la température extérieure cette journée-là, de faire le décompte du nombre de spectateurs présents dans les gradins et tout le tralala. Il était impayable ! »

Au bout de quelques minutes, le regard de Demers croisa celui d'un joueur (Jack Carlson). Bien involontairement, les deux hommes pouffèrent de rire. « On ne riait pas du Prof, mais sa manière de présenter son récit était tordante. De plus, on se disait que ce n'était pas le temps de parler de baseball. »

Mais le fameux Prof avait déjà un scénario en tête. Sans tenir compte des sourires moqueurs de certains de ses auditeurs, il enchaîna avec le Canadien. Il raconta la fabuleuse histoire du Tricolore et de ses nombreuses conquêtes de la coupe Stanley.

« Il avait une façon bien particulière de surnommer le Canadien, rappelle Demers. Il parlait du "*Big C*" (prononcé à l'anglaise). Le but de son intervention était d'expliquer comment les grandes dynasties se forgent. Son intention était de construire les Blues à l'image des Yankees et du Canadien. Oui, il en avait de l'ambition ! »

Demers se souvient que *Le Prof* avait le don de tenir son auditoire captif. « C'était un conteur exceptionnel, doté d'une mémoire phénoménale. Il était à la fois drôle et fascinant. On pouvait parler de tout avec lui. C'est un homme extrêmement brillant et curieux. J'ai beaucoup appris en sa compagnie, tant sur le hockey que sur la vie en général,. Et il m'a fait rire comme personne dans ma vie. »

* * *

Sous la gouverne de Demers, l'équipe connut une première saison acceptable, récoltant 71 points (fiche de 32-41-7) en 80 matchs. Cela lui valut le deuxième rang de la section Norris.

Le noyau de l'équipe était composé de Mike Liut, Bernie Federko, Joe Mullen, Brian Sutter, Jorgen Petterson, Wayne Babych, Rob Ramage, Doug Gilmour et Doug Wickenheiser. Quelques Québécois faisaient partie de la formation, dont Guy Chouinard, Gilbert Delorme, Dave Pichette et Alain Lemieux.

Cette année-là, Demers profita de la première visite des Blues à Montréal pour faire escale au restaurant Rustik de Châteauguay, chez son ami Jules Dumouchel. Il était fier d'amener tous ses joueurs chez celui qui lui avait servi de mentor une douzaine d'années plus tôt.

Avec Jules Dumouchel, proprio du restaurant Rustik, le chanteur Lou Rawls et Jean-Luc Dumouchel, en novembre 1992. (Photo : Pierre-Yvon Pelletier, Journal de Montréal)

Le lendemain au Forum, le 17 décembre 1983, les Blues subirent toutefois un revers décisif de 6 à 3, devant les parents et amis de Jacques. « J'ai toujours détesté perdre, mais c'était encore plus difficile à accepter à Montréal. Autant j'aurais voulu diriger le Canadien, autant je voulais le battre à tous nos matchs. »

* * *

En quelques occasions au cours de l'hiver, Demers rappela au propriétaire Ornest, au président Jack Quinn et au directeur général Caron que son contrat n'était toujours pas signé, mais on reportait continuellement la signature de l'entente.

Demers en faisait peu de cas, même s'il trouvait la situation anormale. Du reste, il n'appliquait pas trop de pression sur ses patrons à cet égard. Le plus important pour lui restait d'être à nouveau dans la LNH.

En séries, les Blues disposèrent des Red Wings de Detroit en quatre matchs (série trois de cinq), avant de s'incliner en deuxième ronde face aux North Stars du Minnesota en sept parties. Le match décisif nécessita une période de prolongation, et c'est Steve Payne qui donna finalement la victoire aux Stars.

Cet affrontement Blues-North Stars fut le premier d'une série de trois en trois ans, soit la période qui correspond à l'association de Jacques avec les Blues. La première manche alla donc aux North Stars, dirigés par Bill Mahoney.

Malgré la défaite, on se dit satisfait à Saint Louis de cette première saison du duo Caron/Demers, qui avait relevé avec brio le défi d'une équipe qui n'allait nulle part.

* * *

Comme Bobby Simpson était revenu d'Omaha, Demers devait lui rendre sa maison. Il conclut un arrangement avec son joueur recrue Doug Gilmour qui lui permit d'occuper son petit appartement du sous-sol d'un immeuble de Saint Louis.

Cet arrangement était plutôt inusité. Demers devait demeurer à Saint Louis car il avait fondé une école de hockey à son nom afin de contribuer au développement du hockey dans la région, mais aussi dans le but d'arrondir ses fins de mois. La sous-location de l'appartement de Gilmour lui permettait de repousser à plus tard certaines dépenses importantes, notamment l'achat de meubles. Avec ses revenus d'entraîneur des Blues (53 000 $ en 1983-84) et ceux tirés de son école de hockey, il pouvait subvenir, tant bien que mal, aux besoins de ses quatre enfants.

Occasionnellement, il se permettait quelques sorties avec sa nouvelle conjointe, Debbie, qui était finalement venue le rejoindre à l'automne. Le nouveau couple ne vivait pas dans l'abondance et, de façon à contribuer à leur bien-être, Debbie se mit à la recherche d'un emploi au cours de l'hiver.

Cette décision, anodine en soit, était inhabituelle dans le contexte de l'époque. Dans le monde macho du hockey, l'usage voulait que les conjointes des hommes de hockey (joueurs et dirigeants) soient des femmes au foyer. Traditionnellement, très peu occupaient un emploi à l'extérieur de la maison. Il faut dire aussi que la plupart ne détenaient pas de visa de travail, ce qui compliquait leur embauche. C'était le cas de Debbie.

Sa contribution au budget familial était pourtant nécessaire. Elle dénicha un modeste emploi chez un nettoyeur situé non loin de la maison. Jacques ne s'en vantait pas, loin de là, mais il appréciait grandement l'effort de sa conjointe. Cela lui permettait d'honorer ses obligations avec ses enfants et de se payer un peu de bon temps avec Debbie.

« Ce n'était pas la situation idéale, mais c'était nécessaire, raconte Demers. Dans une certaine mesure, c'était ironique. Fiers de me voir de retour dans la LNH, mes proches avaient l'impression que je menais la grosse vie. En réalité, j'habitais l'hiver chez un ancien joueur et l'été chez un de mes propres joueurs. Je n'avais aucun meuble et ma conjointe Debbie devait travailler à 7 $ l'heure chez un nettoyeur pour nous permettre d'arriver. De plus, je n'avais pas d'argent pour m'acheter une voiture et devais me contenter d'en louer une toute petite. Pour ajouter au plat, je n'avais même pas de contrat ; ce qui signifiait que, du jour au lendemain, mon propriétaire pouvait me congédier. Le cas échéant, je me serais retrouvé devant rien. »

Disons qu'on était loin, très loin même, de l'image de prospérité que se faisaient les gens au sujet d'un entraîneur de la LNH !

* * *

La question du bien-être des enfants revenait souvent dans les discussions du couple Anderson-Demers. Le pilote des Blues s'ennuyait visiblement de ses quatre jeunes enfants qui vivaient désormais à Indianapolis et à Montréal. Il arrivait quand même à Demers de payer des visites éclair à ses enfants à Indianapolis lorsqu'il en avait le temps.

« J'ignore pourquoi, mais Jacques m'a menti en quelques occasions concernant ses enfants, relate Debbie. Il me disait qu'il devait partir à l'extérieur pour une mission de hockey pour les Blues, mais, en réalité, il prenait la direction d'Indianapolis pour voir ses enfants. C'est arrivé notamment une fois, le jour de la Saint-Valentin ! Il m'a avoué la vérité un peu plus tard en me disait qu'il ne voulait pas me blesser. »

Debbie apprit à composer avec sa nouvelle réalité, celle de conjointe d'un père séparé de ses quatre enfants. À ce sujet, elle se rappelle son premier réveillon de Noël en compagnie de son nouvel amoureux.

« Dans les heures qui ont précédé le réveillon, il répétait sans cesse qu'il tenait à voir ses enfants tout comme ses enfants voulaient le voir. On avait finalement décidé de se rendre en automobile à Indianapolis. Or, ce soir du 24 décembre 1983, nous sommes arrivés à destination, Jacques a loué une chambre d'hôtel au Holiday Inn et… il m'a laissée là ; il est parti célébrer avec ses trois enfants et son ex-femme ! Heureusement que je savais qu'il n'y avait absolument plus rien entre Linda et lui !

« Une fois revenu, poursuit-elle, il m'a repris à l'hôtel et nous avons fait le trajet en sens inverse vers Saint Louis. C'est comme ça que s'est passé mon premier réveillon de Noël avec Jacques Demers ! J'en ris aujourd'hui, mais j'étais plutôt triste ce soir-là, pour lui et pour notre couple. En même temps, je comprenais ce qu'il vivait et c'est pourquoi je ne m'objectais pas. Aujourd'hui, Jacques s'explique mal pourquoi il m'a fait ça. Au fond, je comprends qu'il n'a rien fait *contre* moi ; il a plutôt fait quelque chose *pour* ses enfants. »

* * *

Jacques Demers entreprit sa deuxième saison à la barre des Blues avec optimisme. Son patron immédiat, Ronald Caron, avait conservé son noyau de joueurs intact, se permettant toutefois de conclure quelques transactions en cours de saison. Il avait ainsi fait l'acquisition du gardien Rick Wamsley du Canadien, et dès lors on savait que les jours du vétéran gardien Mike Liut étaient comptés.

Ce Liut avait connu une série fort difficile le printemps précédent contre les North Stars du Minnesota. Le Prof cherchait la bonne occasion de lui faire changer d'adresse. Il trouva preneur en cours de saison (février 1985) chez les Whalers de Hartford dans une transaction à quatre joueurs qui amena Greg Millen pour seconder Wamsley. Dans l'intervalle, il avait aussi cédé aux ligues mineures le second de Liut, Rick Heinz.

Dans son langage imagé, *Le Prof* avait fait rigoler la galerie en commentant le départ de Heinz. Il avait fait référence au fameux *Ketchup Heinz 57 variétés :* « Ce Heinz a 57 façons d'arrêter la rondelle, mais il n'a pas la bonne ! » Sacré Prof !

Avec leur nouveau duo de gardiens, *Le Prof* et Demers se croyaient en mesure d'améliorer les performances de l'équipe. Ce qu'ils firent puisque les Blues terminèrent au premier rang de la section Norris avec une récolte de 86 points en 80 matchs (37-31-12). C'était la deuxième fois seulement en dix ans que l'équipe parvenait à maintenir un dossier supérieur à .500.

Bernie Federko connut une deuxième saison de plus de 100 points sous la direction de Jacques. De son côté, Joe Mullen s'avéra le meilleur franc-tireur avec ses 40 buts.

* * *

À cette époque, Demers avait largement retrouvé son style flamboyant derrière le banc. S'il était apprécié par les médias pour sa volubilité et sa bonhomie, les amateurs étaient aussi sous le charme en raison de la vie qu'il apportait dans le cours d'un match. Il aimait en effet gesticuler ou discuter avec les officiels et ses rivaux. Il était très expressif. Il lui arrivait même de se donner en spectacle.

Ce fut le cas le 15 décembre 1984, alors que les puissants Oilers d'Edmonton étaient les visiteurs au Saint Louis Arena. Avant l'arrivée de la bande à Gretzky, les Blues n'avaient pas connu la victoire au cours de leurs cinq derniers matchs. Demers et ses hommes cherchaient à mettre un terme à cette série infructueuse, mais l'adversaire était plutôt mal choisi. Les Oilers faisaient la pluie et le beau temps dans la ligue.

Nous étions en deuxième période et, malgré la puissance de leurs rivaux, les Blues réussissaient à tenir le coup. Au cours d'une mêlée, Wayne Gretzky inscrivit un but controversé. Le juge de but n'avait pas fait scintiller la lumière rouge, mais l'officiel Ron Fournier avait concédé le but aux Oilers.

Les joueurs des Blues et Demers étaient dans tous leurs états. Bernie Federko et Brian Sutter se dirigèrent vers Fournier pour le semoncer. Fournier s'en souvient : « Les deux joueurs m'ont demandé où j'avais la tête pour accorder un tel but. Je leur ai répondu que j'étais si près du filet qu'il ne pouvait y avoir de doute. À l'époque, on se méfiait beaucoup des juges de but qui avaient tendance à pencher régulièrement en faveur de l'équipe locale. Je n'avais donc pas demandé son opinion. »

Alors que Fournier s'était posté au centre de la patinoire pour reprendre le jeu, Demers rappela tous ses joueurs au banc. Il refusait de poursuivre tant que Fournier ne serait pas venu s'expliquer avec lui. Ce que Fournier refusait. Ce dernier ordonna la reprise du jeu et Demers piqua une sainte colère derrière le banc devant un public amusé qui l'appuyait entièrement.

Ce but de Gretzky fut un déclencheur pour les Oilers, car ils se payèrent tout un pique-nique par la suite. Ils finirent par l'emporter au compte de 8 à 2 !

Après la deuxième période, Demers était encore de très mauvais poil et il continuait à enguirlander l'officiel. Il l'accusait de tous les maux de la terre. Puis, sans vraiment y réfléchir, il saisit ses grosses lunettes et les lança en direction de Fournier.

Ce geste impulsif était une invitation à Fournier de mieux « voir » ce qui se passait sur la patinoire ! Le geste choqua Fournier, qui se voyait humilié devant une quinzaine de milliers de spectateurs. Demers risquait l'expulsion, mais Fournier, bon prince, lui servit plutôt un sévère avertissement.

À son retour à l'hôtel, le soir même, Fournier revit la scène controversée du but à la télévision. Et il constata qu'il avait erré.

« Lorsque j'ai revu la séquence, je me suis dit : *Ayoye, tu t'es trompé, espèce d'imbécile !* Mais il était trop tard. À l'époque, nous n'avions pas de reprise vidéo. L'erreur était faite et je devais l'assumer. »

C'est trois semaines plus tard, le 6 janvier 1985, à Chicago, que Fournier put faire amende honorable. « Ce soir-là, raconte-t-il, les Blues affrontaient les Blackhawks au Chicago Stadium et, avant le match, j'avais rencontré Jacques pour lui avouer mon erreur. Jacques avait agi en gentilhomme. Pour lui, tout était oublié. Et son club, ce soir-là, avait gagné (3 à 2). Surtout, je n'avais pas rendu de mauvaise décision ! »

* * *

Tout semblait rouler rondement pour les Blues en cette fin d'année 1984-1985. L'équipe devait amorcer les séries contre les détenteurs du quatrième rang de la section Norris, les North Stars du Minnesota. Il s'agissait d'une belle occasion de venger l'échec du printemps précédent, mais la troupe de Jacques Demers rencontra de nouveau son Waterloo. Les Stars balayèrent la série (3 de 5) en trois matchs consécutifs dont les deux premières victoires arrachées sur la glace des Blues. Keith Acton inscrivit les deux buts victorieux à Saint Louis dans des matchs qui prirent fin par la marge d'un seul but (3 à 2 et 4 à 3).

Cette défaite fut très difficile à avaler pour Jacques, *Le Prof* Caron et l'ensemble des membres de l'organisation des Blues, mais surtout pour leur pingre de propriétaire Harry Ornest qui voyait des revenus additionnels s'envoler en fumée.

Sans en faire de cauchemars, il arrivait parfois à Demers de craindre pour son emploi. Plus les jours passaient, plus la signature d'un contrat en bonne et due forme s'avérait nécessaire pour lui. Il en discuta encore brièvement avec *Le Prof* Caron, avec le président Jack Quinn, de même qu'avec Ornest lui-même. Encore une fois, il obtint la promesse que la situation serait réglée dans les semaines à venir. Mais il n'en fut rien…

« Ornest me répétait sans cesse : "Ne t'inquiète pas Jacques, tu fais partie de la famille et on va prendre soin de toi." »

* * *

Plus que la défaite en séries, cette saison 1984-1985 s'avéra marquante dans la vie du pilote de 40 ans. C'est au cours de cette saison que, poussé dans ses derniers retranchements, il dévoila sa triste réalité de « quasi-analphabète » à sa conjointe Debbie au cours d'un souper dans un restaurant de Saint Louis.

« Je ne suis pas ta maudite secrétaire », avait-elle maugréé en faisant référence à l'époque où le couple s'était rencontré alors qu'elle était sa secrétaire chez l'Express de Fredericton.

Jacques partageait désormais son secret avec Debbie (et personne d'autre), mais il n'avait pris aucune initiative pour rectifier la situation.

Du peu qu'il pouvait en savoir, il avait souffert de déficit d'attention dans sa jeunesse, ce qui avait entraîné une forme de dyslexie, disons « fonctionnelle ». Il n'était pas totalement illettré. Il parvenait à lire péniblement des articles de journaux s'il avait beaucoup de temps et s'il n'y avait personne autour de lui pour briser sa concentration.

Il était toutefois incapable de lire des notes manuscrites, pas plus qu'il n'était en mesure d'écrire en lettres liées. Les quelques mots qu'il griffonnait sur papier étaient toujours écrits lentement en lettres *moulées*. Et encore, il s'agissait davantage d'une écriture phonétique basée sur les sons que sur la grammaire et l'orthographe.

Au cours des jours qui suivirent le grand dévoilement, Debbie se montra intriguée par la situation. Comme on devait s'y attendre, elle questionna Jacques sur le sujet. Ce qu'elle arrivait surtout mal à comprendre, c'est comment cet homme avait pu réussir à camoufler son handicap pendant plus de dix ans dans le milieu du hockey professionnel. Jacques lui expliqua :

« Très tôt dans ma vie, j'ai appris à mentir pour me protéger et cacher ma réalité avec mon père. J'ai découvert toutes les façons d'éviter qu'on découvre ce qui se passait derrière les portes de notre maison. D'une certaine façon, j'ai joué la comédie durant toute ma jeunesse.

Et il enchaîna rapidement : « Comme dans ma jeunesse, j'ai continué à faire semblant dans le monde du hockey. Lorsqu'il y avait des documents à lire rapidement devant un groupe de personnes, j'avais déjà trois excuses toutes prêtes : ou bien j'étais trop pressé, ou bien j'avais oublié mes lunettes, ou bien j'invoquais mes origines francophones pour expliquer ma difficulté à tout saisir ce qui était écrit en anglais. Et ma stratégie a toujours fonctionné. Il faut croire que j'avais une certaine force de persuasion… et des talents de bon menteur. »

Debbie accepta ces explications, mais, alerte, elle décida de poursuivre son interrogatoire : «Mais comment fonctionnais-tu du temps que tu étais à la barre des Nordiques de Québec dans un milieu francophone ?»

Jacques, un brin de fierté dans la voix, lui fit savoir quel subterfuge il utilisait pour déjouer ses interlocuteurs : «Le prétexte des lunettes égarées et celui du gars trop pressé fonctionnaient encore à merveille. Toutefois, je devais aussi varier les excuses. Ainsi je disais à mes adjoints, à mon patron Maurice Filion ou au personnel de soutien que j'avais tellement passé de temps aux États-Unis depuis 1972 que j'en avais perdu mon français !»

En d'autres termes, Demers invoquait ses origines francophones pour masquer sa déficience dans un milieu anglophone, mais, à l'inverse, il justifiait ses difficultés de lecture en français par son long exil aux États-Unis lorsqu'il se retrouvait dans un environnement francophone. Pas scolarisé, mais pas bête, ce Demers !

Ce soir-là, Demers mentionna également à Debbie que l'une des personnes les plus importantes de sa vie était une autre femme. Il s'agissait de Susie Mathieu, la directrice des relations publiques des Blues.

«Lorsque j'ai besoin de correspondre par écrit ou de me faire lire des documents ou des lettres, Susie est toujours là pour me tirer d'embarras. Elle ignore tout de ma situation. Elle sait simplement que j'oublie toujours mes lunettes, que je suis trop pressé et que mon anglais est déficient ! Cette femme m'aide à fonctionner dans la machine des Blues et auprès d'un homme de grande culture, *Le Prof* Caron.»

Jacques avait toujours été très élogieux à l'endroit de Susie Mathieu, qui a d'ailleurs été employée des Blues jusqu'au milieu des années 1990. Il profita de ces confidences pour parler à Debbie d'un autre «ange-gardien» placé sur son chemin quand il était à Québec : «Michèle Lapointe m'a aidé tout autant que Susie du temps que j'étais chez les Nordiques. Elle aussi ignorait ma véritable situation.»

Plus tard dans sa carrière, Jacques Demers retrouvera Michèle Lapointe quand il dirigera le Canadien. Michèle et son adjointe Claudine Crépin lui serviront de bouclier, dans l'ignorance la plus totale de son état et sans éveiller les soupçons, dans la ville la plus médiatisée de la LNH.

Debbie Anderson se souvient de ce souper du «grand dévoilement» : «C'était plutôt triste. Je le sentais démuni. Et je percevais bien sa crainte que son histoire ne soit connue du public. C'était impensable, car, selon lui, il n'aurait pas fait long feu dans la LNH si la chose avec été sue. D'un autre côté, j'étais contente de le voir me raconter cette partie très intime de sa vie. Cela m'indiquait qu'il me faisait confiance et qu'il tenait à moi.»

* * *

Très rapidement après avoir appris les difficultés personnelles de son conjoint, Debbie commença à l'inciter à consulter des personnes compétentes. Dans une certaine mesure, elle désirait plus ardemment que Jacques en connaître davantage sur la nature de ses difficultés. Elle lui suggéra de rencontrer le médecin généraliste des Blues qui, lui, pourrait le diriger vers des spécialistes.

Sans trop de conviction, Jacques accepta finalement d'en parler au médecin des Blues, Aaron Birenbaum, au cours de l'été 1985. «Je sais que Jacques était très hésitant, mentionne Debbie. Je crois qu'il craignait surtout que la vérité n'éclate au grand jour.»

Et Demers de rajouter : «Je me sentais différent, mais ma différence ne s'était pas manifestée comme un obstacle au succès. C'est pourquoi je repoussais continuellement la consultation. Je me disais qu'après tout je n'avais pas trop mal réussi dans la vie jusque-là. Mais au fond de moi-même, j'éprouvais une certaine honte. Sinon, je n'aurais sûrement pas tout fait pour éviter d'ébruiter la chose.»

Dès le début de sa rencontre avec le docteur Birenbaum, Demers s'assura de la confidentialité de leur discussion, ce qu'il réussit à obtenir sans aucune hésitation. Le médecin lui proposa rapidement de rencontrer une spécialiste en troubles comportementaux afin de poser un diagnostic plus approfondi et, subséquemment, de proposer une thérapie adaptée à son problème. Ce que Demers accepta finalement du bout des lèvres.

«Pour être franc, si Debbie n'avait pas insisté, je n'aurais pas entrepris une telle démarche», soutient-il de nos jours.

Quoi qu'il en soit, le pilote des Blues se retrouva un bon matin chez la spécialiste en question (une dame Elmerye, croit se souvenir Demers), mais l'expérience tourna rapidement au vinaigre.

«Dès les premières minutes de notre entretien, j'ai constaté que je n'en n'aurais pas pour longtemps avec elle ! dit-il. À vrai dire, la chimie ne s'est jamais installée entre nous deux. Cette spécialiste a commencé à me poser une série de questions et, chaque fois que je n'apportais pas une réponse satisfaisante, elle me lançait des petits ballons de mousse au visage, tout en s'exclamant *Touché !*

«J'avais l'air d'une bête de cirque à qui on lance des objets. À mes yeux, c'était ridicule. J'étais peut-être mélangé dans ma tête, mais pas au point de me faire *garrocher* des ballons toute la journée. Après un ou deux rendez-vous, j'ai dit à Debbie que je ne retournerais pas voir cette dame. »

Du peu qu'il avait réussi à apprendre de la spécialiste, Jacques sut qu'il souffrait d'un déficit d'attention qui pouvait être à l'origine de ses difficultés d'écriture et de lecture apparentées à la dyslexie. « Si ma mémoire est fidèle, c'est la première fois que j'ai entendu parler de déficit d'attention et de dyslexie », mentionne-t-il.

Demers ne remettait pas en question le diagnostic de la spécialiste, mais il ne partageait aucunement ses méthodes de travail. « La communication n'était pas bonne entre elle et moi. Je ne la blâme pas. Je n'étais sans doute pas prêt à tout faire pour régler mon problème. Je trouvais franchement ridicule de me faire lancer des petits ballons à toutes les phrases que je disais. C'était sans doute sa façon de me tirer les vers du nez pour trouver une solution, mais ce n'était pas fait pour moi. »

La thérapie fut donc de très courte durée, à la grande déception de Debbie. Elle savait que ce premier échec n'avait rien d'encourageant pour l'avenir. Désormais, son conjoint serait encore plus réticent à accepter de consulter pour régler son problème. Elle devait s'armer de patience et en était pleinement consciente…

* * *

Puisque la saison 1984-1985 s'était terminée en queue de poisson, *Le Prof* Caron décida d'effectuer des changements dans son personnel de joueurs pour amorcer la prochaine campagne. Comme c'était devenu son habitude, il se tourna encore du côté du Canadien et de son ami Serge Savard pour conclure quelques transactions.

La journée même de la séance du repêchage, tenue cette année-là à Toronto, il négocia avec le Canadien pour mettre le grappin sur l'ailier droit Mark Hunter dans un échange impliquant un autre joueur (Michael Dark) et pas moins de neuf choix au repêchage. En plus de Hunter et de Dark, les Blues obtinrent le deuxième choix (Herb Raglan), le troisième (Nelson Emerson), le cinquième (Dan Brooks) et le sixième choix du Canadien (Rick Burchill), en retour de leur premier choix (José Charbonneau), leur deuxième (Todd Richard), leur quatrième (Martin Desjardins), leur cinquième (Tom Sagissor) et leur sixième (Donald Dufresne).

Cette transaction représentait toute une aubaine pour les Blues puisque dès sa première année à Saint Louis, Hunter inscrivit pas moins de 44 buts, en plus de passer 171 minutes au banc des punitions.

Peu avant le début du camp d'entraînement, *Le Prof* négocia encore avec Serge Savard et lui refila Perry Ganchar en retour de Ron Flockhart.

Mais au cours de cette saison, *Le Prof* dut aussi réaliser une transaction «économique» pour se plier aux demandes du propriétaire Harry Ornest. Ce dernier refusait de consentir une substantielle augmentation de salaire au meilleur franc-tireur de l'équipe, Joe Mullen, et, après de nombreuses discussions, *Le Prof* n'eut d'autre choix que de l'expédier à Calgary en compagnie de Terry Johnson et de Rick Wilson. En retour, les Blues firent l'acquisition d'Eddy Beers, de Gino Cavallini et de Charles Bourgeois.

«Cette dernière transaction du 1er février 1986 est la plus douloureuse qu'a effectuée *Le Prof* du temps que j'étais à Saint Louis, raconte Jacques Demers. Le Prof n'a jamais voulu se départir de Joe Mullen. C'était un marqueur naturel qui allait à coup sûr connaître une grande carrière. Mais notre propriétaire était tellement préoccupé par son argent qu'il avait imposé son départ.»

Les Blues connurent tout de même une autre excellente saison. Leur récolte de 83 points en 80 matchs (37-34-9) leur valut le troisième rang de la section Norris, à trois points seulement des détenteurs du premier rang, les Blackhawks de Chicago. Le championnat fut décidé au tout dernier match de la saison régulière à Chicago alors que les Hawks de Denis Savard l'emportèrent par 3 à 1. Les North Stars du Minnesota étaient au second rang, un point derrière les meneurs.

Bernie Federko connut une troisième saison consécutive de plus de 100 points sous la direction de Demers et il était toujours le meilleur pointeur des Blues, alors que Hunter était le meilleur franc-tireur (44 buts).

Sur le plan individuel, Demers termina au second rang dans la course au trophée Jack-Adams, remis annuellement à l'entraîneur par excellence de la saison dans la LNH. C'est Glen Sather, de la puissante machine des Oilers d'Edmonton, qui ravit les honneurs. À cette époque, la LNH comptait 21 équipes.

* * *

Outre le hockey, il se passa plusieurs événements dans la vie de Jacques Demers au cours de cet hiver.

D'abord, pour la première fois en trois ans, le couple Anderson-Demers habitait enfin son propre appartement. Debbie et Jacques avaient déniché un petit logement à Crève Cœur en banlieue de Saint Louis. Ils avaient fait l'acquisition de meubles, achetés à crédit pour la plupart.

Debbie continuait à travailler à plein temps chez le nettoyeur afin d'aider à payer les factures. Désormais, elle s'acquittait de la tâche sans mot dire puisque son homme hésitait toujours à consulter malgré ses encouragements. Conciliante, elle en avait fait son deuil... pour l'instant.

Un soir que le couple était assis paisiblement dans le salon, le téléphone se fit entendre. Jacques décrocha. À l'autre bout du fil, son ex-conjointe Linda était pour le moins affolée. «Jacques, dit Linda, il faut que tu nous aides à sortir d'ici. Ça n'a plus de sens, mentionna-t-elle sans donner trop d'explications.

Il lui fallut quelques minutes pour faire comprendre à Demers la condition dans laquelle elle se retrouvait à la conciergerie où elle vivait à Indianapolis avec les enfants Stefanie, Brandy et Jason.

De fait, la police d'Indianapolis venait d'effectuer une rafle dans l'immeuble. Cette descente avait pour but de mettre au jour un grand réseau de trafiquants de drogue qui sévissait dans le secteur. L'immeuble, semble-t-il, était infesté de narcotrafiquants.

Financièrement, Linda ne pouvait se permettre mieux que ce secteur malfamé. Mais, à la suite à l'intervention de la force policière, elle en avait eu assez. C'est pourquoi elle appelait à l'aide le père de ses trois enfants.

Demers était bouleversé, mais, plus encore, il se sentait impuissant puisqu'il était sans grandes ressources financières. Il demanda à Linda de faire le nécessaire pour protéger les enfants et lui promit de tout essayer pour l'aider.

Dès le lendemain matin, il se précipita au bureau des Blues et demanda à rencontrer le propriétaire Harry Ornest. Il lui parla de son contrat verbal qui n'était toujours pas signé, de la possibilité d'obtenir une augmentation de salaire et même de prolongation de l'entente pour quelques années à venir.

Le vieux pingre d'Ornest s'en tint à de vagues réponses qui plongèrent davantage son entraîneur dans l'incertitude. Constatant que la discussion tournait en rond, il décida de lui raconter ce qui se passait à Indianapolis avec son ex-conjointe et ses trois enfants. Il se rappelait qu'Ornest aimait lui dire qu'il faisait partie de sa famille. C'était le temps de le vérifier. Demers termina son boniment en suppliant son patron.

«Monsieur Ornest, dit-il embarrassé, puisque vous ne voulez pas m'accorder une augmentation de salaire, auriez-vous la gentillesse de me prêter 10 000 $ pour m'aider à sortir mes enfants de ce merdier?»

Ornest prit une longue respiration avant de faire connaître ses intentions. « Écoute-moi bien, dit l'avaricieux personnage. Je ne suis pas une banque. Va cogner à une autre porte. »

La réaction d'Ornest paralysa l'entraîneur. Au pis aller, il s'attendait à ce que l'infâme propriétaire se mette à négocier les conditions d'un prêt à un certain taux d'intérêt. Dans une certaine mesure d'ailleurs, il était disposé à faire son bout de chemin, quitte à se serrer la ceinture plusieurs années. Mais jamais il n'avait prévu pareille réponse.

Durant quelques secondes, il se demanda s'il avait bien entendu ou si ce n'était pas un mauvais rêve. Il constata rapidement que la réalité venait de le frapper de plein fouet. « C'est bien, Monsieur Ornest, j'ai compris. »

Meurtri, il rebroussa chemin en sachant fort bien qu'aucune banque ne lui ferait de cadeau après avoir examiné sa situation financière. Il rapporta l'épisode Ornest à Debbie et appela Linda pour lui dire qu'il étudiait diverses possibilités afin de dénicher suffisamment d'argent comme acompte sur l'achat d'une petite maison dans un secteur plus paisible d'Indianapolis.

« Je n'avais pas de maison moi-même, mais pour le bien de mes enfants, c'était devenu une priorité. Il fallait les éloigner d'un mauvais entourage et les mettre à l'abri de mauvaises fréquentations. »

Pendant plusieurs mois, Demers jongla avec différents scénarios, mais tout ce qu'il pouvait promettre à Linda et aux enfants, c'était de continuer à chercher une solution.

Cette rencontre avec Harry Ornest avait toutefois provoqué des remous chez lui et, dès lors, il savait qu'à la première occasion il quitterait le mesquin personnage et les Blues pour un monde meilleur…

D'autant que l'insensible Ornest ne s'informa plus jamais de la condition de ses enfants à Indianapolis, ce qui renforçait la perception de Jacques que le cœur de cet homme avait la générosité d'une tondeuse à gazon.

* * *

Curieusement, une porte s'entrouvrit à peine quelques mois plus tard. Avant un match des Blues à Toronto, le directeur général des Red Wings de Detroit, Jimmy Devellano, croisa Demers dans les corridors du vieux Maple Leaf Gardens. La mère de Devellano habitait Toronto et il s'y rendait souvent la visiter. Il en profitait pour assister au match des Leafs en soirée.

Cette année-là, les Wings connaissaient une saison misérable. Ils étaient devenus la risée à Detroit et la presse les avait surnommés *Dead Wings*.

Devellano venait d'arriver en poste au moment où le nouveau propriétaire de l'équipe, Mike Ilitch, acquit les Wings. Le nouveau directeur général cherchait à recruter du personnel, en vue de redonner de la crédibilité à la concession.

Pour avoir roulé leur bosse dans le hockey depuis une dizaine d'années, Demers et Devellano se connaissaient quelque peu. Ce soir-là, le 8 février 1986 à Toronto, les deux hommes discutèrent d'abord de tout et de rien. Puis Devellano lança à Jacques une question en apparence banale : « Et au niveau du hockey, comment ça va pour toi, Jacques ? »

Candidement, Demers joua franc-jeu avec cette connaissance de longue date. La perspective de se joindre aux Wings ne l'intéressait pas. Il dirigeait une très bonne formation chez les Blues et Detroit s'avérait probablement l'une des dernières options pour un entraîneur d'expérience comme lui.

« Tu sais Jimmy, sur le plan du hockey, nous formons une très bonne équipe malgré un budget très restreint sous le régime actuel. Toutefois, sur le plan personnel, j'ignore ce que l'avenir me réserve. On n'a pas discuté de contrat en vue de la prochaine saison. Pire, je dirige les Blues depuis trois ans et je n'ai même pas encore signé mon contrat. »

Cette étonnante révélation ne tomba pas dans l'oreille d'un sourd. « Tu es sans contrat ? », insista Devellano pour s'assurer qu'il avait bien compris.

« Je n'ai jamais signé les documents officiels malgré mes demandes répétées », confirma Demers.

« Écoute, Jacques, quoi qu'il advienne, ne signe rien avec les Blues d'ici à la fin de la saison. Du moins, ne fais rien avant de m'avoir parlé. J'aurais probablement des choses à te proposer. »

Demers fit signe de la tête, mais ne prêta pas trop attention à cette conversation. « Si je quitte les Blues, se dit-il intérieurement, ce ne sera sûrement pas pour aller diriger une formation qui va à peine récolter 40 points au classement. »

* * *

La saison 1985-1986 du calendrier régulier prit fin sur une note inquiétante puisque les Blues ne récoltèrent qu'une seule victoire à leurs cinq derniers matchs. Pendant ce temps, les Red Wings de Detroit étaient exclus des séries, ayant compilé le pire dossier de la LNH. Cela permettait à Jimmy Devellano de voyager dans la LNH pour assister aux matchs.

Dans le camp des Blues, la confiance n'était pas à son plus haut niveau, d'autant plus qu'ils devaient affronter les North Stars du Minnesota dès le départ des séries. Il s'agissait de leur troisième affrontement en trois printemps et, les deux premières fois, les Stars avaient causé l'élimination des Blues.

La troupe de Jacques Demers prit néanmoins les devants par 2 à 1 dans la série (3 de 5), mais elle subit une sévère correction sur sa propre patinoire à Saint Louis au cours du quatrième match. Cette défaite de 7 à 4 forçait la présentation d'un cinquième et ultime match, prévu pour le 15 avril 1986 au Minnesota.

Demers se souvient de cette rencontre comme si c'était hier, puisque, selon lui, ce fut l'un des plus grands matchs dans lesquels il a été impliqué à la barre des Blues de Saint Louis : « Mes joueurs avaient le moral dans les talons après la défaite à Saint Louis. Avant de sauter à bord de l'avion qui nous amenait au Minnesota, j'avais dirigé une réunion en exigeant une implication complète des joueurs. J'avais mentionné que ceux qui avaient la tête au golf ou qui n'avaient pas confiance de gagner au Minnesota ne méritaient pas de nous accompagner. »

Chacun des joueurs s'était alors engagé à se défoncer pour le bien de l'équipe. Demers apporta une seule modification à sa formation, faisant appel au gardien Greg Millen à la place de Rick Wamsley, puisque ce dernier en avait arraché au match précédent.

Malgré cette substitution devant le filet, les Stars prirent les devants 2 à 0 dès les premiers instants de la rencontre. Après le deuxième but des Stars, leur joueur vedette, Dino Ciccarelli, se permit de jouer les fanfarons. Il se présenta devant le banc des Blues en montrant du gant le tableau indicateur en guise de provocation.

« Il y avait des hommes très fiers au sein de mon équipe. Je vous jure que les Brian Sutter, Doug Gilmour, Bernie Federko, Mark Hunter, Rob Ramage et compagnie rageaient sur le banc. Personnellement, j'étais dans tous mes états. »

Les Blues parvinrent à combler l'écart, égalant la marque 2 à 2 avant la fin du premier tiers. Ils prirent même les devants 3 à 2 au second engagement.

L'officiel du match Bryan Lewis entreprit alors d'imposer des pénalités à répétition aux joueurs des Blues. Dans le but d'apaiser la tempête, Demers fit un geste significatif… à la frontière des limites acceptables.

« Mes joueurs étaient épuisés de devoir écouler le temps en désavantage numérique. Lors des arrêts de jeu, je demandais aux soigneurs d'ouvrir la porte du banc afin de retarder la remise en jeu de la rondelle. Ça me permettait de gagner quelques secondes et de faire reposer mes joueurs. Après quelques manœuvres de la sorte, Lewis était venu me voir au banc en m'ordonnant de cesser ce petit manège. J'en avais profité pour argumenter avec lui longuement... de sorte que mes joueurs pouvaient encore se reposer quelques instants ! »

Au moment où Demers et Lewis se *crêpaient le chignon*, le soigneur des Blues, Norm Mackie, s'amusait comme d'habitude avec une poignée de petite monnaie dans les mains. Il avait à peine quelques pièces, mais assez pour donner une idée à Demers. Pendant que Lewis retournait au point de mise en jeu, il saisit les *cennes* des mains de Mackie et les lança à la dérobée sur la patinoire.

Demers demanda alors qu'on ouvre la porte encore une fois, de façon que les juges de ligne, Ron Finn et Kevin Collins, puissent débarrasser la glace des pièces indésirables. Bien entendu, l'entraîneur disait ignorer d'où provenaient ces pièces.

« Lewis est venu au banc et il était rouge de colère, ricane Demers vingt ans plus tard. Pendant que je tentais de lui dire que je n'avais rien à voir avec ça (!), un policier du Met Center de Bloomington me pointait du doigt en me désignant comme coupable. Naturellement, je niais. Quoi qu'il en soit, nous avions gagné près de deux minutes et mes joueurs étaient frais et dispos pour reprendre le match. Les Stars n'ont pas marqué et nous avons même pris les devants 4 à 2 un peu plus tard. »

Demers rappelle que son geste avait mis l'officiel Lewis dans l'embarras, même s'il n'avait pas la preuve de sa culpabilité. « Il était passé devant le banc en me fixant droit dans les yeux et en m'avertissant sévèrement : "Toi, ne me fais plus jamais ça." J'avais quelque peu plaidé mon innocence, mais sans insister. Je n'étais quand même pas pour lui avouer que j'étais le responsable. »

Les Blues l'emportèrent finalement par 6 à 3, ce qui éliminait les North Stars. Doug Gilmour avait connu une soirée extraordinaire en récoltant pas moins de cinq mentions d'aide.

Après la rencontre, *Le Prof* Caron, euphorique, descendit dans le vestiaire et après avoir félicité les joueurs, il prit Demers à l'écart : « Jacques, as-tu vraiment lancé des pièces de monnaie sur la patinoire ? »

L'autre lui répondit en riant : « Effectivement, c'est moi qui ai fait ça. »

Et de rétorquer *Le Prof*: «Oh, mon Dieu! Ne le dis jamais à personne.»

Qu'importe, les Blues avaient finalement cloué le bec à l'arrogant Ciccarelli.

«Plus que les pièces de monnaie, j'ai toujours prétendu que nous avons gagné la série à partir du moment où Dino [Ciccarelli] est venu nous narguer au banc. Son geste a stimulé mes joueurs au maximum. J'ai d'ailleurs dirigé Dino, à Tampa Bay, un peu plus tard, et c'est exactement ce que je lui ai dit.»

Inutile de dire que l'ambiance était à la fête dans l'avion qui ramenait les Blues à Saint Louis. Joueurs et dirigeants festoyaient, mais avec une certaine retenue puisque que trois jours plus tard ils devaient amorcer la série finale de la section Norris face aux Maple Leafs de Toronto.

Ces derniers, malgré une saison désastreuse (57 points), avaient balayé les Hawks de Chicago en trois matchs, notamment grâce à la tenue de leur joueur recrue, le fougueux Wendel Clark.

Au cours du vol qui ramenait l'équipe à Saint Louis, le propriétaire des Blues, Harry Ornest, était au comble du bonheur. Les recettes engendrées par la présentation de quelques matchs éliminatoires à domicile lui faisaient miroiter un bénéfice. Enthousiaste, il profita de l'occasion pour saisir Demers par le cou et lui déclarer son «amour».«C'est très bien parti, Jacques, lui dit-il. Il faut continuer comme ça. Et à la fin des séries, j'aurai un boni intéressant à te remettre.»

Ces paroles étonnèrent Demers, qui restait néanmoins très sceptique sur les intentions réelles du propriétaire.

Les Blues amorcèrent leur série face aux Leafs en ne laissant planer aucun doute sur leurs intentions. Ils lessivèrent leurs rivaux par 6 à 1 dans un premier match à sens unique. Mais, coriaces, les Leafs remportèrent les deux matchs suivants. La série attint finalement la limite de sept rencontres et les Blues disposèrent des Leafs par la marque de 2 à 1.

* * *

C'est au cours de cette série que les Red Wings de Detroit commencèrent à se montrer plus insistants auprès de Demers. Il arrivait régulièrement au directeur général des Wings, Jimmy Devellano, de communiquer avec le pilote des Blues par téléphone. Un tel maraudage était interdit par les règles de la LNH, mais Devellano tenait à s'assurer que, malgré les succès des Blues en séries, Demers ne s'engagerait pas dans un nouveau contrat à Saint Louis avant d'avoir négocié avec les Wings.

« À chaque fois que Jimmy [Devellano] m'appelait, je demeurais poli mais je n'avais rien à foutre des Red Wings, dit Demers. Mon équipe connaissait un bon parcours en séries et, pour l'heure, c'est tout ce qui comptait. Mais il faut admettre que je ne fermais pas la porte aux discussions avec les Wings. »

Le soir du sixième match à Toronto, le 28 avril 1986, Devellano se présenta en personne au Maple Leaf Gardens. Il parla brièvement et discrètement à Demers et, avant de le quitter, lui remit une enveloppe blanche cachetée. « Lorsque tu auras une minute, tu prendras connaissance du contenu de la lettre », mentionna-t-il simplement.

Demers saisit l'enveloppe et la glissa rapidement dans la poche intérieure droite de son veston. À bord de l'avion qui ramenait les Blues à Saint Louis, il mourait d'impatience de prendre connaissance de la missive.

Dès son arrivée à Saint Louis, il se précipita vers sa voiture dans le stationnement. Après avoir regardé à gauche et à droite pour s'assurer de l'absence de tout regard indiscret, il saisit la fameuse enveloppe et, à la hâte, l'ouvrit nerveusement.

La lettre était plutôt expéditive. À peine trois ou quatre mots de politesse suivi d'une offre de contrat en caractère gras. On pouvait y lire : *Three years for 450 000 $* (Trois ans pour 450 000 $) !

« J'avais du mal à lire, mais pas au point de ne pas comprendre l'offre que Jimmy venait de me soumettre, ironise Demers. Heureusement que j'étais assis dans mon auto parce que je serais tombé à la renverse. Le montant proposé était énorme. On m'offrait une moyenne de 150 000 $ par année, moi qui touchais 57 000 $ à ma troisième année à Saint Louis. Je triplais mes revenus ! J'avais peine à le croire. »

Il s'empressa de se diriger vers son appartement et ne raconta pas à Debbie quel genre de poule aux œufs d'or il venait de découvrir dans le fond de sa poche. Il lui mentionna simplement que Jimmy Devellano était encore passé le voir à Toronto pour l'attirer à Detroit pour la saison suivante.

« J'ai appris plus tard pourquoi Jacques semblait si excité par la proposition des Red Wings, mentionne Debbie. C'est qu'il m'avait toujours menti sur le véritable salaire que lui versaient les Blues. »

* * *

Demers dut se ressaisir rapidement puisque son équipe avait à livrer bataille dans quelques heures aux Maple Leafs. Le vainqueur de ce match atteindrait la finale de la conférence Clarence-Campbell face aux Flames de Calgary.

Les Blues l'emportèrent donc, de sorte que l'équipe se dirigea le premier mai 1986 vers Calgary pour affronter les Flames et l'ex-joueur vedette des Blues, Joe Mullen. Et encore une fois, le propriétaire Harry Ornest profita du vol vers Calgary pour répéter à Demers qu'un bon boni l'attendait à la fin des séries éliminatoires.

Déjà, les Blues avaient disputé cinq matchs à domicile et Ornest était assuré d'encaisser les recettes d'au moins deux autres en cette finale de l'Ouest. Demers commençait à croire de plus en plus à ce boni, mais désormais il savait qu'au pis aller une équipe comme les Red Wings était disposée à lui accorder beaucoup d'argent.

« Au cours de cette série contre les Flames, les appels de Jimmy Devellano et de son vice-président exécutif Jim Lites se firent de plus en plus réguliers. Ils m'appelaient partout. Lorsque Jim Lites est arrivé dans les discussions, je savais que les Wings étaient très sérieux. Jim Lites était le gendre du propriétaire Mike Ilitch. Il ne cessait de me répéter que son beau-père me voulait. »

Demers se souvient notamment d'un commentaire de Jimmy Devellano qui l'avait fait sourire. « Après quatre matchs contre Calgary, la série était égale 2-2. Nous venions de remporter (5 à 2) un gros match à Saint Louis. Jimmy [Devellano] m'a alors lancé d'un air moqueur : "Arrête de gagner, Jacques, parce que ça va nous *coûter trop cher* !" Si ma mémoire est fidèle, c'est au cours de cet appel que j'ai demandé à Jimmy de cesser de m'appeler parce que je voulais demeurer entièrement concentré sur nos séries. Nous n'étions plus qu'à deux victoires d'une participation à la finale de la coupe Stanley et ce n'était pas le temps de se laisser distraire. »

Malheureusement, les Blues subirent une défaite de 4 à 2 au cinquième match et ils étaient désormais acculés au mur. Les Flames n'avaient besoin que d'une victoire pour accéder à la finale de la coupe Stanley et affronter la grande dynastie du Canadien de Montréal. La troupe de Jacques Demers entendait pourtant vendre chèrement sa peau avant de hisser le drapeau blanc.

C'est au cours du sixième match de cette série que Demers soutient avoir vécu ses plus grandes émotions comme entraîneur, si l'on exclut le match d'un certain soir de juin 1993 au Forum de Montréal alors qu'il dirigeait le Canadien et sur lequel nous reviendrons.

«Ce fut mon match le plus mémorable à la barre des Blues. Nous étions devant nos partisans et nous tirions de l'arrière 4 à 1 après deux périodes. Dans les gradins, les gens ne cessaient de nous encourager quand même. Au cours du deuxième entracte, j'ai mentionné aux joueurs qu'on ne pouvait pas laisser nos partisans sur une telle note. Je leur ai dit : "Quoi qu'il advienne, les gars, je suis très fier de vous, mais, de grâce, donnons tout ce que nous avons dans le corps en troisième période par respect pour nos partisans. Gagnons au moins cette troisième période."»

Après le boniment de Demers, les vétérans comme Federko, Sutter, Ramage et compagnie, de même que le jeune Gilmour, s'adressèrent aussi aux joueurs. Pour eux, il n'était pas question de clôturer une si belle saison par une dégelée. L'allocution de Demers et de ses principaux piliers allait-elle porter fruit?

Les Blues réussirent à rétrécir l'écart à 4 à 2 grâce à Doug Wickenheiser, mais Joe Mullen (l'ancien des Blues) redonna une avance de trois buts aux Flames à la septième minute. Puis Brian Sutter porta la marque 5 à 3 avant que Greg Paslawski ranime la foule et les siens à 15:49 en battant Mike Vernon pour inscrire le quatrième but des Blues. Le compte était de 5 à 4 pour Calgary.

C'est ce même Paslawski qui créa finalement l'égalité à 18:52, ce qui plongea le Saint Louis Arena dans un délire indescriptible. «La foule était incroyablement bruyante et déchaînée. J'en ai encore la chair de poule en y pensant», se rappelle Demers.

Et ce qui devait arriver arriva. À 7:30 de la période de prolongation, Wickenheiser provoqua une explosion de joie dans l'édifice en déjouant le gardien Vernon.

«Les gens sont restés 30 minutes dans l'aréna après le match à festoyer comme jamais. Dans le vestiaire, les joueurs avaient pris leur douche et ils entendaient encore les amateurs en délire. C'était complètement fou. Encore aujourd'hui à Saint Louis, on parle de ce match comme de celui du plus grand retour de l'histoire de la concession des Blues. Ce soir-là, j'étais fier de mes joueurs comme jamais je ne l'avais été. Et surtout, j'avais complètement oublié les Red Wings et leur offre mirobolante. Comme entraîneur, c'est l'un des plus beaux moments de ma carrière.»

* * *

Dans les premiers instants de la rédaction de ce livre, Jacques Demers avait clairement affiché son intention de prendre quelques lignes pour parler de quatre grands athlètes qu'il a eu le privilège de diriger à Saint Louis Il lui apparaissait normal de rendre hommage à quatre individus qui font partie de ses favoris parmi les joueurs qu'il a lui-même dirigés.

BRIAN SUTTER

«Brian est l'un des grands capitaines que j'ai eu à diriger. C'était un joueur d'équipe exceptionnel. Il s'occupait de ses coéquipiers partout, mais il était aussi très soucieux de témoigner le plus grand respect au *coach*. Pour moi, c'était toujours un allié.

«Je l'ai vu combattre le grand Willie Plett au Minnesota alors qu'il avait l'épaule amochée. Je lui avais interdit de se battre, mais Plett l'avait provoqué. Comme Brian avait du caractère, il l'a affronté et a eu le dessus. C'était un vrai guerrier. Il jouait même blessé. C'était un modèle parfait pour notre recrue Doug Gilmour.

«Comme joueur, il me fait penser à Guy Carbonneau, mais avec plus de talent en attaque. Comme Carbo, Sutter était de toutes les batailles. Il allait au front. Et il était un très bon joueur défensif, comme Carbonneau.»

ROB RAMAGE

«Rob Ramage n'était pas le joueur le plus talentueux, mais il se défonçait à tous les matchs. Il avait du cœur et du courage. C'était un joueur moulé comme ceux de la vieille époque. Comme Sutter, c'était un allié pour un entraîneur. Si un joueur ne se pliait pas aux directives, Rob et Brian ne se gênaient pas pour les remettre à leur place.

«Ramage était facile à diriger. Surtout, c'était une très bonne personne. Lorsque Serge Savard m'a parlé de lui pour l'amener à Montréal en 1992-1993, j'ai immédiatement plaidé sa cause. Il a gagné une deuxième coupe Stanley avec nous (l'autre avec Calgary).»

BERNIE FEDERKO

«Bernie fut l'un des meilleurs joueurs de centre que j'ai dirigés avec Steve Yzerman. Il a connu trois saisons de 100 points et plus pour moi à Saint Louis. Bernie n'était pas très jasant. Il était même parfois bougon. Mais c'était le genre de joueur qui prêchait par l'exemple. Il était régulier.»

DOUG GILMOUR

«J'ai été le premier entraîneur de Doug dans la LNH. Il avait été repêché très tard (c'était le 134e choix). Lorsqu'il s'est présenté à nous, c'est à peine s'il pesait 160 livres. Mais il avait du chien. Il venait de connaître trois saisons extraordinaires avec les Royals de Cornwall. C'était un leader-né, on l'a vu très rapidement. Il avait du caractère à revendre.

«Dès son premier camp, j'ai dit au Prof Caron que Gilmour jouait tellement bien qu'il pouvait mêler les cartes et faire partie de notre équipe. Lorsque la saison 1983-1984 s'est amorcée, il était avec nous. Doug a beaucoup appris en compagnie de Brian Sutter et de mon adjoint Barclay Plager.

«En Gilmour, Barclay disait qu'il avait trouvé un pur-sang, un joueur qui deviendrait un vrai Blues, comme Sutter. Et Barclay avait raison.»

* * *

La victoire des Blues in extremis dans la sixième rencontre força la présentation d'un autre match ultime, qui serait présenté sur la glace des Flames, à Calgary le 14 mai.

Pendant ce temps, le Canadien de Montréal attendait paisiblement dans un hôtel de Dorval. La troupe de Jean Perron avait éliminé les Rangers de New York en cinq matchs en finale de la conférence Prince-de-Galles et le directeur général Serge Savard avait décidé d'envoyer sa troupe dans une mini-retraite.

De toute façon, l'équipe montréalaise demeurait à proximité de l'aéroport de Dorval afin d'être prête à s'envoler à tout moment vers Calgary ou Saint Louis, là où, dans un cas comme dans l'autre, devait s'amorcer la finale.

Pour Jacques Demers et *Le Prof* Caron, la perspective d'affronter le *Big C* en grande finale de la coupe Stanley était l'aboutissement de tous leurs désirs. Les deux Montréalais, qui avaient ranimé la concession des Blues, rêvaient de cette possibilité depuis leur arrivée à Saint Louis. Ils n'étaient plus qu'à un match du rêve.

Mais le scénario rêvé ne se réalisa point. Gonflés à bloc par leurs partisans, les Flames l'emportèrent finalement par 2 à 1 au septième et dernier match. C'est l'obscur attaquant Colin Patterson qui avait inscrivit le but de la victoire pour les Flames.

Plus tard, les Flames baissèrent pavillon en cinq matchs face au Tricolore et à leur gringalet de gardien recrue, un dénommé Patrick Roy.

Si les appels des Red Wings à Demers avaient temporairement cessé au cours des derniers matchs de la série contre les Flames, il n'en demeurait pas moins que le pilote des Blues se sentait fortement convoité par le groupe que dirigeaient Mike et Marian Ilitch à Detroit.

Mais dans son for intérieur, c'est à Saint Louis qu'il désirait poursuivre sa route. « Je comptais sur une équipe de talent et sur un groupe de joueurs extrêmement fiers et combatifs. De plus, nos succès en séries avaient ravivé la flamme auprès de nos partisans, de sorte que les Blues étaient désormais extrêmement populaires à Saint Louis.

« De l'autre côté, les Red Wings étaient une équipe sans vie et sans popularité. La concession était la risée des médias de Detroit. De plus, le poste d'entraîneur à Detroit s'avérait un véritable panier de crabes. Les Wings avaient changé d'entraîneur à cinq reprises au cours des cinq dernières années, et ils s'apprêtaient à le faire encore. Ma grande priorité était donc de demeurer à Saint Louis. »

Malgré leur élimination, les Blues eurent droit à une grande fête dans le stationnement du Saint Louis Arena à leur retour à domicile. Les partisans tenaient à leur témoigner leur appréciation de cette saison magique.

Lors de cette fête, Demers songea à son avenir. Il avait pratiquement acquis la conviction que Harry Ornest ferait le nécessaire pour lui offrir un contrat intéressant en vue des prochaines saisons et que, surtout, ce fameux contrat finirait par être signé.

Il avait d'ailleurs rendez-vous à son bureau quelques jours plus tard puisque Ornest lui avait promis un boni personnel en guise de récompense pour le succès de l'équipe en séries.

Jacques se disait que cette rencontre et la remise du chèque serviraient à amorcer les discussions sur son prochain contrat. D'autant qu'Ornest lui avait toujours dit qu'il faisait partie de « la famille » et qu'il s'occuperait de lui le temps venu. Pour Demers, l'heure avait vraiment sonné.

* * *

Le jour du rendez-vous, Demers était fébrile. Il prit son petit-déjeuner avec Debbie et le couple tenta de deviner le montant qu'Ornest remettrait à Jacques en guise de boni.

La discussion tourna rapidement vers le sujet de l'heure au sein du couple. Depuis qu'Ornest lui avait fait miroiter un boni, Debbie et Jacques avaient pris la grande décision de faire l'acquisition d'une première maison à Saint Louis. Jacques avait alloué un certain budget à sa femme, qui avait le mandat de visiter des maisons et, le cas échéant, de choisir la plus convenable selon l'argent disponible. Debbie en avait une dans sa mire et elle lui en fit la description.

Jacques en profita pour lui rappeler que, peu importe le montant du boni des Blues, une bonne partie servirait de dépôt pour l'acquisition d'une résidence à Linda et à ses trois enfants à Indianapolis. Debbie acquiesça sans retenue même si cette restriction diminuait sa marge de manœuvre dans sa recherche de maison. Puis les deux conjoints reprirent leurs spéculations sur le montant du mystérieux boni. « Personnellement, risqua Debbie, considérant que vous avez disputé neuf matchs éliminatoires à domicile cette année, je crois que monsieur Ornest va te récompenser avec un boni de 100 000 $. »

Jacques objecta immédiatement : « J'aimerais bien, mais il est tellement *cheap* ; je crois qu'il va me donner à peine 50 000 $. »

C'est sur ces considérations qu'il prit la direction du Saint Louis Arena. Il avait le cœur léger, car, se disait-il, ce boni lui permettra de rendre ses enfants heureux tout en offrant un peu plus de confort à Debbie. Sans compter qu'il avait toujours en tête l'offre mirobolante des Red Wings !

Malgré cette possibilité, il se répétait sans cesse que son choix numéro un était de demeurer à Saint Louis. « Debbie et moi aimions la ville, je me plaisais à travailler avec *Le Prof* Caron et je dirigeais une très bonne formation, insiste-t-il. Dans mon esprit, j'avais suffisamment accompli en trois ans à Saint Louis pour mériter un bon contrat. C'était à mon tour de "passer à la caisse". La remise du boni n'était pour moi qu'une première étape vers des jours meilleurs sur le plan financier. »

* * *

Demers stationna son véhicule de location et se dirigea sans attendre vers la réception du bureau du propriétaire. Il demanda à voir Harry Ornest, mais la secrétaire-réceptionniste lui fit savoir qu'il était occupé à ce moment-là. « Mais il m'a laissé cette enveloppe pour vous, M. Demers », dit-elle d'un ton respectueux.

Déçu de ne pouvoir rencontrer le patron, Demers saisit l'enveloppe et se précipita vers son véhicule pour connaître la valeur de sa récompense. Comme un enfant devant un cadeau, il ouvrit l'enveloppe maladroitement en la déchirant dans tous les sens. Puis il saisit le chèque libellé à son nom et signé de la main de Harry Ornest.

En voyant le montant, il crut que son problème de déficit d'attention embrouillait sa vision. Les chiffres n'avaient plus aucun sens. « Je fais sûrement erreur. Est-ce 30 000 $ ou 3 000 $? se questionna-t-il. Bon sang, c'est bel et bien un chèque de 3 000 $. Trois mille *piastres ?* Incroyable ! » lança-t-il furieusement.

Il n'en revenait tout simplement pas. Au pis aller, se disait-il, il aurait accepté 30 000$ de boni même si le montant était bien inférieur à celui qu'il escomptait, mais il était impensable d'encaisser un chèque de 3 000 $. « C'est une question de respect », dit-il rageusement et à haute voix dans sa voiture.

Il descendit de son véhicule à la vitesse de l'éclair et retourna au bureau des Blues où il rencontra de nouveau la secrétaire-réceptionniste. « Puis-je voir M. Ornest ? » fit-il d'un ton expéditif avant de recevoir la même réponse que plus tôt. « Alors, mademoiselle, pourriez-vous remettre cette enveloppe (déchirée) à monsieur Ornest aussitôt qu'il sera libre ? »

La secrétaire-réceptionniste acquiesça et Demers reprit la direction du stationnement.

« J'étais sans le sou. J'ignore ce que j'aurais fait si je n'avais pas eu en tête l'offre de contrat des Red Wings. J'avais besoin d'argent, même de ce maigre 3 000 $. Ornest le savait et misait là-dessus. D'ailleurs, je pense que j'aurais fait le petit mouton si les Wings ne m'avaient pas approché. »

Et l'idée de partir pour Detroit commença à voir le jour dans son esprit. « C'est ce matin-là que j'ai songé sérieusement à me joindre aux Red Wings. Avant ça, dans mon esprit, les Wings me servaient uniquement de pouvoir de négociation. »

Il rentra chez lui à Crève Cœur et informa expressément Debbie qu'elle devait mettre fin à ses recherches de maison. « Il m'a offert 3 000 $, Debbie, peux-tu le croire ? » fit-il d'un ton débiné.

C'est aussi ce matin-là que Demers joua finalement franc-jeu avec Debbie au sujet de son salaire chez les Blues. Jusque-là, il avait mentionné à sa conjointe qu'il touchait une rémunération annuelle de 120 000 $, lui qui, dans les faits, n'en recevait que 57 000 $.

« Au début, je ne comprenais pas pourquoi il avait envie de partir de Saint Louis pour aller avec une équipe comme Detroit. Je me disais que les Red Wings lui offraient à peu près le même salaire que les Blues, souligne Debbie.

« À vrai dire, je trouvais qu'il dépensait beaucoup pour quelqu'un qui faisait 120 000 $. Nous étions toujours sans le sou. Mais comme je n'avais jamais eu d'argent dans ma vie, je me disais que Jacques avait beaucoup de dettes et qu'il devait subvenir aux besoins de ses quatre enfants. Je ne posais pas de questions supplémentaires.

« Je pense qu'il était gêné du salaire qu'il touchait. Il tentait de cacher la réalité. Lorsque j'ai appris qu'il faisait bien moins que ce qu'il disait, je l'ai secoué et l'ai incité à accepter l'offre des Red Wings le plus vite possible. Encore là, il était indécis. Il disait qu'il voulait rester loyal envers les amateurs de Saint Louis. »

Voyant que son homme était encore sur le point de se faire avoir, Debbie sortit les grands mots. « Es-tu fou (*Are you nuts ?*), Jacques Demers ? Les Blues rient de toi. Les gens vont comprendre. Pense à toi. Pense à nous. Tu as une chance incroyable à Detroit. Vas-y ! »

Après quelques commentaires sur l'avarice d'Ornest – Debbie et Jacques avaient la même opinion –, Demers empoigna le téléphone. « Je communique avec les Wings et si l'offre tient toujours, nous déménageons à Detroit », dit-il finalement à Debbie, qui n'hésita pas à lui donner son approbation même si elle adorait vivre à Saint Louis.

* * *

Quelques minutes plus tard, Demers avait Jimmy Devellano au bout du fil. Le directeur général fut surpris de l'appel, car, d'ordinaire, c'est plutôt lui qui appelait Jacques. « C'est le seul appel que j'ai fait aux Red Wings sans être sollicité, assure-t-il aujourd'hui. Il m'est arrivé en deux ou trois occasions de retourner des appels, mais jamais avant ce jour avais-je pris la décision de communiquer moi-même avec eux. »

« Allô Jacques, comment vas-tu ? » fit Devellano, enthousiaste.

Demers se montra expéditif : « Jimmy, *I'm ready to go »,* dit-il sans autre forme d'explication, ce qui combla de joie son interlocuteur.

Devellano avait tellement désiré Demers, il avait tellement vendu ses mérites auprès de la famille Ilitch que cet appel arrivait comme un cadeau du ciel. Mais avant de poursuivre la discussion, Devellano voulut s'assurer d'un détail de la plus haute importance : « Jacques, es-tu certain que tu n'as jamais signé de contrat avec les Blues ? »

« Je suis sûr à 100 pour cent, Jimmy », répondit Jacques.

Devellano demanda alors à son futur entraîneur de quelle façon il voulait procéder dans les négociations. Demers, qui n'avait jamais réellement négocié un contrat (il se contentait plutôt d'accepter ce qu'on lui offrait), parut quelque peu embarrassé. Mais Devellano lui-même y alla d'une suggestion : « Écoute, Jacques, tu devrais peut-être demander à un agent de communiquer avec nous. »

Ce à quoi Demers rétorqua : « Un agent? Je ne connais pas d'agents. »

Devellano fit alors un geste stupéfiant qui traduisait bien le climat de confiance qui pouvait exister entre les agents et les organisations à l'époque. Il serait impensable d'assister à une telle scène de nos jours, c'est le moins qu'on puisse dire.

« Je connais un dénommé Art Kaminski à New York, dit-il. Il est excellent. Si tu veux communiquer avec lui, voici son numéro de téléphone. »

Demers suivit ce conseil et n'hésita pas à entrer en contact avec Kaminski. Les deux hommes se mirent d'accord sur la commission à verser et Kaminski s'engagea à entreprendre les négociations avec les Wings dans le secret le plus strict. Il savait à quel point les Wings convoitaient Jacques et qu'ils étaient prêts à tout.

L'agent pouvait amorcer les négociations en sachant qu'il détenait le gros bout du bâton. Et il allait s'en servir !

* * *

Après quelques jours de pourparlers, Art Kaminski contacta Demers à Saint Louis. Ce dernier était loin de se douter que cet appel du début du mois de juin 1986 allait littéralement changer sa vie.

« Jacques, on a une offre intéressante sur la table, dit le négociateur. Les Wings tiennent à toi et veulent obtenir tes services à long terme. Ils reconnaissent ton passé et sont prêts à récompenser le travail que tu as fait à Saint Louis cette année. »

À l'autre bout du fil, Demers brûlait d'impatience de connaître le contenu de l'offre.

« Voici, Jacques, poursuivit Kaminski. On tient à ce que tu signes une entente de cinq ans à Detroit. Si tu acceptes ce contrat à long terme, les Wings sont prêts à te verser une moyenne annuelle de 200 000 $, ce qui représente une somme totale d'un million de dollars. »

À l'autre bout du fil, Demers était estomaqué : « Tu rigoles, Art », fit Demers d'un ton sceptique.

« Ce n'est pas des blagues, Jacques. Et ce n'est pas tout. M. Ilitch consent à te verser un boni de 100 000 $ à la signature, payable immédiatement. De plus, il s'engage à te fournir un véhicule de luxe. Qu'en dis-tu ? »

Demers était bouche bée. Il n'avait jamais entendu parler d'autant d'argent de sa vie. Il avait beau se convaincre que Kaminski ne mentait pas, mais, pour lui, cette offre inouïe lui apparaissait extraordinairement disproportionnée.

« Si tout ce que tu me dis est vrai, Art, reprit Demers, comment puis-je refuser tant d'argent ? Qui peut décliner une offre pareille ? »

« La seule question à laquelle tu dois répondre, c'est celle reliée au terme du contrat. Es-tu prêt à t'engager pour si longtemps avec une équipe qui, somme toute, éprouve des difficultés ? Les Wings en ont marre de changer d'entraîneur année après année, et ils veulent obtenir ton engagement à long terme, » expliqua l'agent.

Demers raccrocha en faisant la promesse de recommuniquer avec lui le plus rapidement possible. Mais déjà sa décision était prise. Il suffisait d'en discuter quelque peu avec Debbie avant de donner son aval de façon définitive.

* * *

Debbie était au bord des larmes en écoutant son conjoint lui relater le contenu de sa conversation avec Kaminski. Plus que quiconque, elle savait que cette offre était la solution à sa plus grande source de tourments. Plus que son salaire annuel qui quadruplait pratiquement, le boni de 100 000 $ à la signature allait d'abord servir à placer ses enfants dans un endroit sécuritaire à Indianapolis.

Demers avait vécu dans l'inquiétude une bonne partie de l'hiver après la rafle policière effectuée dans l'immeuble où habitaient ses enfants à Indianapolis et il avait fait la promesse de rectifier la situation. Debbie connaissait sa générosité, ce qui le rendait admirable à ses yeux.

Sur un plan plus personnel, elle voyait enfin poindre des jours meilleurs avec son ami de cœur. Le couple avait tiré le diable par la queue pendant trois ans. Le purgatoire semblait terminé.

« En une journée, je réglais tous mes problèmes. C'était pratiquement irréel », se souvient Jacques Demers.

L'entraîneur ne mit pas longtemps à contacter son agent. « Art, dit-il, excité, tu peux dire à Jimmy que je vais diriger les Red Wings de Detroit. J'accepte l'offre de contrat. »

« C'est bien, Jacques, je te rappelle pour confirmer le tout et t'indiquer quand et où nous devrons nous diriger à Detroit pour officialiser le contrat. »

Le lendemain, Kaminski entra en contact avec Demers et lui expliqua que les Red Wings prévoyaient convoquer une conférence de presse à midi le vendredi 13 juin 1986, au Joe Louis Arena, afin de faire connaître l'identité de leur nouvel entraîneur. Dans l'intervalle, ils avaient congédié Brad Park, qui avait pris la relève de Harry Neale en cours de saison.

Kaminski informa Demers que Jimmy Devellano et le vice-président Jim Lites l'attendaient à Detroit en fin d'après-midi le 12 juin.

* * *

Après cet appel, Demers était à la fois joyeux et tourmenté. Il savait que le 12 juin au matin il devait rencontrer *Le Prof* Caron au Saint Louis Arena. Les deux hommes devaient dresser un bilan de la saison et passer en revue la liste des joueurs disponibles en vue du repêchage de la LNH qui devait avoir lieu le 21 juin au Forum de Montréal.

Il discuta avec Debbie de la stratégie à adopter avec *Le Prof* Caron. Il ne savait plus s'il devait mettre *Le Prof* au courant ou garder le secret jusqu'à la conférence de presse des Wings.

Il se présenta finalement le 12 juin au matin au bureau de son patron chez les Blues. Après quelques minutes de discussion sur des sujets généraux, *Le Prof* lui tendit la liste établie par le dépisteur en chef des Blues en vue du prochain repêchage. « Jette un coup d'œil sur ce que Ted Hampson a préparé en vue du repêchage », suggéra *Le Prof*.

Mais le pilote des Blues répliqua : « Pour dire vrai, *Le Prof*, je n'ai pas vraiment la tête à ça aujourd'hui. Je préférerais qu'on discute de tout ça en une autre occasion. Je dois quitter Saint Louis en fin d'après-midi pour Indianapolis où je dois rencontrer mes enfants. »

Aussitôt commis ce péché *véniel*, il quitta le bureau du Prof promptement.

« En arrivant dans mon auto, ce matin-là, j'ai pleuré comme un enfant. Je savais que le lendemain, je deviendrais l'entraîneur des Red Wings.

« En quittant Saint Louis, je perdais beaucoup. D'abord, des joueurs que j'adorais ; puis une équipe solide qui n'avait été qu'à un but de la finale de la coupe Stanley ; mais surtout *Le Prof* Caron, celui qui m'avait sorti du trou en m'amenant à Saint Louis trois ans plus tôt.

« En fait, je n'ai pas peur de le dire aujourd'hui, je suis allé à Detroit pour une seule raison au début : l'argent ! J'avais à choisir entre ma loyauté envers *Le Prof* et les amateurs, et mes obligations envers mes enfants et mes proches. Je m'étais fait rouler plus d'une fois par Harry Ornest et les Wings m'offraient désormais la sécurité financière. Malgré tout, j'ai eu beaucoup de peine à quitter *Le Prof* Caron. »

* * *

En après-midi de ce 12 juin 1986, Jacques se présenta donc à l'aéroport de Saint Louis sans avoir révélé quoi que ce soit. C'est là que les caméras s'étaient allumées devant lui et qu'il avait, pour un moment, paniqué. C'est ce jour-là aussi que la présence de Martina Navratilova à l'aéroport de Saint Louis lui avait procuré le plus grand soulagement.

Demers prit donc la direction de Detroit. À son arrivée dans la ville de l'automobile, Jimmy Devellano alla le cueillir à l'aéroport, avant de le conduire dans un hôtel du centre-ville où il demeura cloîtré jusqu'au lendemain.

À l'hôtel, le vice-président des Wings, Jim Lites, de même que l'agent de Jacques, Art Kaminski, les attendaient. On discuta un certain temps des derniers détails du contrat avant que le quatuor prenne un souper bien arrosé pour célébrer l'entente.

Le soir venu, une station de radio de Saint Louis diffusa une nouvelle selon laquelle Jacques Demers pourrait quitter les Blues pour se diriger chez les Wings. Ayant appris cette nouvelle en écoutant la radio, la directrice des relations publiques des Blues, Susie Mathieu, joignit aussitôt *Le Prof* Caron. « M. Caron, lui dit-elle un peu affolée, il paraît que nous allons perdre notre entraîneur. On dit à la radio que Jacques s'en va à Detroit. »

Sur ce, *Le Prof* y alla de l'une de ses réparties légendaires : « Tu es en train de me dire, Susie, que nous avons perdu notre *coach ?* Eh bien, ne t'en fais pas, ma chère Susie, il ne nous reste plus qu'à nous en trouver un autre ! Ce n'est pas grave, Susie. Va te coucher et on va arranger cela demain », conclut-il, toujours au-dessus de ses affaires.

Un peu plus d'une heure plus tard, Demers décida de téléphoner au Prof de sa chambre d'hôtel de Detroit pour l'informer de la situation. La discussion fut brève, mais Demers prit bien soin d'expliquer son point de vue et de remercier *Le Prof* de ce qu'il avait fait pour lui.

« Y a pas de problème, mon p'tit Jacques, je te souhaite bonne chance dans ta nouvelle entreprise », rétorqua *Le Prof* dans son style habituel.

Seize ans après l'événement, *Le Prof* témoigne : «Le matin de notre rencontre, je n'ai jamais soupçonné quoi que ce soit. Pour moi, tout est arrivé comme une surprise. Mais au fond, je ne lui en ai jamais voulu. Je comprenais très bien les motifs de son départ. Notre propriétaire n'était pas l'homme le plus généreux.»

Et Demers de commenter à son tour : «La réaction du Prof m'a grandement soulagé. Je sentais qu'il comprenait sincèrement ma situation.»

Ce n'est que le lendemain, après la conférence de presse à Detroit, que Caron apprit le montant alloué à Demers par les Wings. «Il m'avait avisé à 1 h 06, dans la nuit du 12 au 13 juin, qu'il partait pour Detroit, mais j'étais loin de me douter qu'il s'en allait commettre un vol de banque!», ironise *Le Prof* aujourd'hui.

Après *Le Prof*, Demers passa des appels chez ses piliers, les Federko, Sutter, Ramage et Gilmour notamment, pour leur expliquer la situation. Puis avant d'aller au lit, il crut nécessaire de remplir une autre obligation. Il tenta de joindre le propriétaire Harry Ornest, qui était en Californie. Après quelques tentatives infructueuses, il eut finalement Ornest au bout du fil. La première réaction du propriétaire des Blues fut de lui parler d'argent. «Combien ils t'ont offert à Detroit, Jacques?» demanda-t-il.

Demers lui expliqua honnêtement la situation avant qu'Ornest y aille d'une réaction renversante : «Jacques, ne signe pas à Detroit. Reste avec nous, et je t'offre les mêmes conditions.»

L'offre d'Ornest apparaissait incroyable car il avait fait montre d'avarice à de nombreuses reprises. Il eut été plus facile pour Demers de demeurer à Saint Louis, là où il se plaisait et où il connaissait du succès, mais cette proposition arrivait trop tard. Demers avait donné sa parole aux Wings. De toute façon, la confiance était brisée entre lui et Ornest.

«M. Ornest, c'est trop tard. Je m'en vais à Detroit. Comment pourrais-je croire à ce que vous me dites? Je n'ai jamais signé de contrat avec vous malgré mes demandes répétées.»

Ornest tenta de se défendre en reportant la faute sur l'un de ses bras droits : «J'avais dit à Jack Quinn [le président de l'équipe] de te faire signer un contrat. Je ne comprends pas qu'il ne l'ait pas fait», insista-t-il, sans scrupules.

Demers en avait assez entendu. Il prit un ton plus direct en omettant sciemment de l'appeler monsieur, ce qui traduisait plutôt bien le respect qu'il lui vouait désormais : «Harry, *come on*, tu sais très bien que je n'ai pas de contrat depuis trois ans. Ton petit manège ne fonctionne plus avec moi. C'est terminé, Harry».

C'est sur ces mots que son association avec les Blues prit fin. Du moins, c'est ce qu'il croyait…

Demers plongea sous les couvertures pour dormir quelques heures. Il voulait être à son mieux le lendemain matin devant ses nouveaux patrons, Marian et Mike Ilitch, et devant la faune médiatique de Detroit.

Lettre P

À Ronald **Le Prof** *Caron*

Je pourrais m'étendre pendant des pages pour vous dire, Le Prof, *combien vous avez été important dans ma carrière et dans ma vie.*

C'est grâce à vous si j'ai pu revenir à la Ligue nationale après avoir effectué un très bref séjour d'un an à Québec. Dans mon esprit, je croyais bien qu'on m'avait oublié dans les Maritimes et que ma carrière au niveau professionnel se limiterait aux ligues mineures jusqu'à ce que vous fassiez appel à mes services pour diriger les Blues de Saint Louis en 1983.

Sans vous, je n'aurais jamais pu connaître toute cette belle aventure qui a suivi à Saint Louis, à Detroit, à Montréal et à Tampa Bay.

J'ai beaucoup appris à vos côtés, Le Prof. *J'ai surtout apprécié chaque moment en votre compagnie. Vous m'avez fait rire comme personne d'autre. La vie n'était jamais ennuyante avec vous !*

Lorsque je suis parti pour Detroit, j'ai eu l'impression de vous trahir, mais, en fin de compte, vous avez très bien compris les motifs de mon départ. J'ai toujours apprécié le fait que vous n'avez pas sali mon nom et ma réputation à la suite de ce départ de Saint Louis.

Je sais que vous êtes revenu vivre dans la région de Montréal et je vous souhaite tous mes vœux de bonne santé en cette période de retraite bien méritée.

Jacques

Chapitre 17

« Barclay, je ne t'oublierai jamais... »

Au cours de son association de trois saisons avec les Blues, Jacques Demers avait dû prendre une multitude de décisions qui se sont avérées tantôt bonnes, tantôt mauvaises. Mais la plus importante de toutes avait été la première lorsque, à titre de nouveau pilote des Blues, il avait décidé de garder à ses côtés l'une des figures les plus marquantes de l'histoire de la concession, Barclay Plager.

« D'ordinaire, un nouvel entraîneur arrive avec son personnel, rappelle Demers, mais *Le Prof* Caron m'avait demandé de rencontrer Barclay avant de considérer qui que ce soit d'autre à titre d'adjoint. Ce que j'avais fait rapidement. Or, après une seule rencontre, j'avais acquis la conviction que c'était l'homme qu'il me fallait. »

Plager était à Saint Louis depuis les débuts de la concession en 1967 et personne n'incarnait mieux l'esprit des Blues que lui. Au cours des ans, il avait été joueur, entraîneur et dépisteur pour l'équipe, tant au niveau mineur que dans la LNH. Son fameux chandail numéro 8 avait d'ailleurs été retiré le 9 mars 1982. Plager était l'un des trois membres de la famille Plager qui avaient joué pour les Blues dans les années 1960 et 1970, les deux autres étant ses frères Bob et Bill.

« C'était un leader-né qui était respecté par tous les membres de l'organisation, se souvient Ronald Caron. C'était un dur, un vrai. Il n'avait peur de rien. S'il avait été un général d'armée, ses troupes l'auraient suivi les yeux fermés tout en ayant la conviction qu'elles allaient remporter la guerre. C'était un homme vraiment spécial. »

À l'époque, Demers ignorait qu'il allait développer une grande amitié et, surtout, une très grande complicité avec Plager. Mais son petit doigt lui disait qu'il pourrait compter sur la loyauté et l'aide d'un homme comme lui.

« Dès les premiers jours du camp d'entraînement, je me suis aperçu que j'avais pris une décision fort appréciée des joueurs, dit Demers. Les leaders de l'équipe, les Federko, Sutter, Ramage, Liut, Mullen et les autres, étaient tellement heureux de le voir de retour avec l'équipe malgré les nombreux changements à la direction. Sans le savoir, j'avais gagné le respect de tous par cette décision. »

Au fil du temps, Plager était devenu intime avec le nouveau pilote des Blues, au point où Demers se confiait à lui sans retenue.

« Je lui ai raconté les circonstances qui avaient entouré la fin de mon union avec Linda ; les problèmes d'argent que j'éprouvais à subvenir aux besoins de mes quatre enfants ; je lui ai même emprunté 1500 $ pour honorer ma pension alimentaire à un certain moment ; et c'est Barclay qui a été le premier à faire la rencontre de Debbie alors que je n'avais divulgué son existence à personne auparavant. Il savait tout de moi. Je me livrais à lui. C'était pour moi un confident et un grand frère. »

Peu à peu, Plager et sa femme Helen sont devenus des amis très proches de Debbie et de Jacques. Les deux couples fraternisaient bien au-delà des rencontres sociales des Blues.

Dans son rôle d'adjoint, Plager se voulait le lien entre les joueurs et l'entraîneur. Demers témoigne : « Un *coach* ne peut plaire toujours à tout le monde. Barclay était très près des joueurs et il m'appuyait sans réserve malgré les doléances de certains. Dès le départ, j'avais senti qu'il n'était pas là pour m'enlever mon poste mais pour former le meilleur duo possible dans l'intérêt des Blues. En ce sens, il remplissait son rôle à merveille, comme Jacques Laperrière l'a fait pendant tant d'années avec le Canadien. Barclay était très proche de mon prédécesseur Red Berenson et n'avait pas accepté que les joueurs aient sa tête la saison précédente. Il m'avait promis que ça n'arriverait pas une seconde fois. C'était un individu très droit et un homme admirable. Un véritable chêne. »

Et Caron abonde en ce sens : « Il a transmis à plusieurs de nos joueurs cette grande fierté de porter l'uniforme des Blues. Il avait commencé à le faire bien avant mon arrivée et celle de Jacques. Mais en 1983, il avait pris sous son aile notre nouveau joueur, Doug Gilmour, qui n'avait que 20 ans. Barclay se voyait en Gilmour. Il l'avait surnommé *Killer*. Dans une large mesure, Barclay lui a transmis sa fougue, son intensité et son esprit de compétition.»

Malheureusement, au début de la deuxième saison de Demers à Saint Louis, Plager avait ressenti un malaise avant un match préparatoire disputé à Milwaukee contre les Blackhawks de Chicago. Il s'en était remis peu à peu, mais au milieu de cette saison 1984-1985, les médecins avaient diagnostiqué une tumeur cancéreuse au cerveau. On parlait d'une tumeur maligne et incurable.

La nouvelle avait jeté la consternation au sein de la grande famille des Blues. Les médecins lui donnaient environ six mois à vivre. Mais c'était sans connaître le personnage. Plager s'est battu contre la maladie avec la même détermination qu'il affichait sur la patinoire.

«Il a commencé à subir une série de plusieurs traitements, raconte Demers. Il lui arrivait de rater des journées de travail, ce qu'il détestait au plus haut point. Il ne voulait surtout pas qu'on le plaigne même si son état de santé se détériorait graduellement. Pour moi, il représentait une grande source d'inspiration. Lorsqu'il ne pouvait occuper ses fonctions, son frère Bob agissait à mes côtés.»

Demers dit avoir vécu de grands moments en compagnie de Barclay Plager derrière le banc des Blues, mais ce n'était rien en comparaison de ce qu'il allait partager avec lui la veille de son départ de Saint Louis pour Detroit. Laissons-le faire le récit de ce moment fort émouvant.

«Barclay était de plus en plus mal en point et il était régulièrement admis au Saint John the Baptist Hospital de Saint Louis. Il savait que j'allais quitter les Blues pour diriger les Red Wings et il en était attristé tout comme moi. Mais il comprenait les raisons de mon départ. Or, le 29 août 1986 vers 13 heures, je me suis rendu chez lui après la dernière journée à mon école de hockey de Saint Louis. J'allais le voir de moins en moins souvent car sa condition me faisait penser à celle de ma mère à ses derniers jours. Ça m'affectait beaucoup. Toutefois, je communiquais souvent avec sa femme pour m'enquérir de sa santé.

«Ce 29 août 1986 était une journée très spéciale dans ma vie puisque à 15 heures, je devais me marier avec Debbie au palais de justice de Saint Louis. En raison de sa condition, Barclay ne pouvait assister au mariage. J'avais demandé à des amis, David et Jennifer Webber, de nous servir de témoins. Mais pour moi, il était important de voir Barclay avant la célébration, d'autant que dès le lendemain matin je devais m'en aller à Detroit pour entreprendre ma nouvelle aventure avec les Wings.»

Et de poursuivre Demers, les trémolos dans la voix : « Barclay était avec sa femme, Helen. Il était amaigri, affaibli. Il avait le crâne dégarni. J'ai discuté quelque peu avec lui et avant de partir, comme à un grand frère protecteur, je lui ai demandé de bénir mon union avec Debbie. Comme première réaction, il a refusé, disant qu'il n'avait pas été investi des pouvoirs de bénir par le Tout-Puissant. C'était un homme d'une grande modestie. »

C'est alors que Demers osa faire un geste rempli d'humilité. « Pour la première fois de ma vie, se souvient-il, je me suis agenouillé devant un homme. Je lui ai demandé de veiller sur moi. C'était très émouvant. Barclay s'est exécuté avec une grande délicatesse. Il a déposé sa grosse main droite sur mon épaule en me faisant la promesse que tout irait bien. C'était suffisant pour moi. "Ne t'inquiète pas, tout va bien aller", m'a-t-il dit avec grande simplicité.

« J'ai quitté sa résidence en sanglots, mais non sans lui dire : " Barclay, je ne t'oublierai jamais." Je savais que, probablement, je venais de le voir pour la dernière fois.

« Il faut croire que Barclay savait ce qu'il faisait cette journée-là, car je suis toujours aussi heureux avec Debbie depuis ce temps. »

* * *

C'est ainsi que Jacques Demers partit pour Detroit le 30 août 1986, la conscience tranquille tout en ayant acquis la certitude que son grand frère continuerait de le guider.

Les choses se déroulèrent très bien pour Demers à la barre des Wings, mieux même qu'il ne l'avait anticipé. Sa relation avec Debbie était aussi exceptionnelle. Le couple avait enfin acquis une somptueuse maison et vivait dans un climat de bonheur et d'aisance.

Au milieu de la saison 1987-1988, Jacques prit la direction de Montréal un vendredi soir après avoir défait les Flames de Calgary au Joe Louis Arena de Detroit. C'était le 5 février 1988. Le lendemain, sa troupe devait affronter le Canadien dans le traditionnel match du samedi soir au Forum.

Les Wings arrivèrent aux petites heures à Montréal en prévision du match du lendemain. Il s'agissait de la dernière rencontre de l'équipe avant la pause annuelle du match des étoiles et Jacques prévoyait demeurer à Montréal auprès des siens pendant quelques jours après le match.

Mais le destin l'attendait au détour. Au cours de la journée, les agences de presse publièrent la nouvelle aux quatre coins de l'Amérique. Dans la matinée, son ami Barclay Plager avait rendu l'âme après avoir lutté plus de trois ans et demi contre la terrible maladie.

C'est le cœur en broussaille et la tête à Saint Louis que le «p'tit gars de Montréal» mena tout de même ses Wings à une victoire de 5 à 4 au Forum face au Canadien.

«Je me souviens que son frère Bob m'a joint à Montréal pour m'informer de la situation. Il savait combien Barclay était important pour moi. Nous avons eu une discussion passablement émotive au téléphone, raconte Demers. Même si je le savais très malade, ce fut l'une des pires journées de ma vie.»

Plutôt que de demeurer à Montréal, Demers rentra à Detroit afin de pouvoir assister au service funèbre de son «grand frère».

Ironiquement, le match des étoiles avait lieu cette année-là au Saint Louis Arena, le mardi 9 février. En accord avec les Blues, la famille de Barclay Plager attendit jusqu'au lendemain du match, le 10 février, pour mener en terre l'un des plus grands joueurs de l'histoire du hockey à Saint Louis.

Dans l'intervalle, Helen Plager et ses enfants Kelly, Karen, Kevin et Karri avaient demandé à quelques anciens compagnons de route de Plager de porter le cercueil du défunt vers son dernier repos. Parmi ceux-là, il y avait Al Arbour, Red Berenson, Bernie Federko, Brian Sutter, Rob Ramage et Jacques Demers.

«Je fus très honoré de cette marque d'amitié par la famille de Barclay et pour rien au monde je n'aurais raté ce dernier rendez-vous avec mon ami», relate Demers.

* * *

Demers a quelques anecdotes à raconter concernant son ami.

À la fin de sa carrière de joueur, Barclay Plager avait passablement ralenti. Un soir, Scotty Bowman, alors pilote des Blues (on était en 1977), le cloua au banc et, en homme fier, Plager demanda des explications à Scotty immédiatement après le match. Ce dernier lui avait alors dit de ne pas perdre confiance, même s'il n'était plus capable de patiner (!)..., plus capable de lancer (!!)... et plus capable de manier la rondelle (!!!).

«Barclay aimait beaucoup Scotty et l'inverse était vrai, commente Demers. Barclay m'a raconté cette anecdote en prenant une bière un certain soir au resto-bar de l'ancienne vedette de football Dan Deerdorf à Saint

Louis. Il n'était pas amer envers Scotty, ce n'était pas son genre. Mais il avait tout de même répliqué à son entraîneur : "Écoute Scotty, comment veux-tu que je garde confiance si, selon toi, je ne patine plus, je ne lance plus correctement et je suis incapable de manier la rondelle?" Il riait de bon cœur en se rappelant ce moment. »

Demers fut aussi témoin de la grande sensibilité qui habitait ce dur à cuire, notamment au sujet de ses enfants.

« Un jour, se souvient-il, Barclay m'a appelé au bureau pour me prévenir de son retard à l'aréna. Je croyais qu'il ne se sentait pas bien mais il m'avait assuré du contraire. "Je t'expliquerai en arrivant au bureau un peu plus tard", m'avait-il dit. Puis il s'est présenté à l'aréna les yeux rougis. Il m'a raconté que son petit chien était mort dans la matinée et que son fils Kevin était inconsolable. Il était profondément affecté par la peine qu'éprouvait son petit garçon. La scène avait été très touchante. Le *tough* qu'était Barclay Plager, celui qui avait fait la guerre à tous les poids lourds de la LNH, était ému aux larmes à la suite de la mort d'un petit chien. Il aimait tellement ses enfants qu'il ne pouvait accepter que l'un d'eux soit triste, ne serait-ce que pour un petit chien.

« À l'exception de ma femme, Debbie, Barclay est la personne la plus extraordinaire que j'ai rencontrée dans ma vie. J'ai toujours éprouvé un très grand respect et beaucoup d'admiration pour lui. Sur la glace comme dans la vie, ce n'était pas l'homme le plus talentueux ou le plus spectaculaire, mais il avait du caractère à revendre et il était d'une générosité exemplaire. Je souhaite à quiconque de rencontrer un si grand homme, ne serait-ce qu'une seule fois dans sa vie.

« Encore aujourd'hui, mon cher Barclay, je ne t'ai pas oublié. »

Lettre Q

À tous mes adjoints

Si j'ai pu connaître une belle et longue carrière au hockey professionnel, il a fallu que je sois secondé par des hommes compétents qui ont su compléter mon travail d'entraîneur en chef.

Au fil de ma carrière, j'ai eu la chance de compter sur le support et la complicité d'une vingtaine d'adjoints dont les principaux ont été André Broudrias, Barclay Plager, Bob Plager, Don MacAdam, Dave Lewis, Colin Campbell, Philippe Myre, Jacques Laperrière, Charles Thiffault, Steve Shutt, François Allaire, Rick Patterson, Paulin Bordeleau et John Cullen. J'ai aussi une bonne pensée pour Roger Saint-Onge et Yvon Bisson qui m'ont secondé dans les rangs amateurs.

Le rôle d'adjoint est souvent mésestimé par les amateurs et les représentants des médias. Pourtant, dans le hockey d'aujourd'hui, où tout est analysé sous tous les angles, les adjoints sont des partenaires essentiels à la bonne marche d'une équipe. Or, j'ai été choyé au cours de ma carrière car j'ai été appuyé, dans la plupart des cas, par des hommes à qui je pouvais faire confiance. J'ai d'ailleurs développé de belles amitiés avec certains de ceux-là, dont mon très cher ami Barclay Plager.

À travers les années, j'ai été honoré par les autorités des différentes ligues où j'ai œuvré, j'ai aussi parfois été encensé par les médias pour mon travail, mais je m'en voudrais de ne pas profiter de la publication de ce livre pour ne pas remercier sincèrement tous ceux qui ont travaillé à mes côtés au niveau de la glace afin de faire de moi un meilleur entraîneur. Sans vous, les boys, *je n'aurais pas connu un parcours aussi intéressant.*

Jacques

Chapitre 18

Gloire et prospérité à Detroit

En trois ans, Jacques Demers devint plus grand que nature à Detroit. Ses succès furent salués par les amateurs, les journalistes, les dirigeants et le monde des affaires.

Le pilote des Red Wings acquit une telle popularité que les grandes corporations se l'arrachaient pour en faire leur porte-parole ou leur conférencier invité. On voyait Demers partout à la télévision et dans les publications.

Les dollars entraient allègrement dans les caisses du foyer familial, que Jacques et Debbie trouvaient maintenant trop bien garnies pour leurs besoins réels. Depuis trois ans, ils roulaient littéralement sur l'or. Remarquez qu'ils ne s'en plaignaient pas, eux qui avaient connu des jours beaucoup moins fastes, c'est le moins qu'on puisse dire.

Pour se déculpabiliser de cette nouvelle prospérité, Jacques veillait à en faire profiter autrui. Il lui arrivait de faire des dons à des campagnes de financement pour des organismes communautaires dans le besoin. Il faisait aussi des contributions aux bonnes œuvres de la chrétienté, et notamment de la bonne sainte Anne.

Il avait la réputation de bien soutenir les moins fortunés, mais il posait toujours une condition à ses dons : la confidentialité. Pour lui, il n'était pas question de médiatiser ses offrandes. Ce qu'on respectait de toutes parts.

En cette journée de 1988 – le souvenir de la date exacte est imprécis –, le relationniste des Red Wings, Bill Jamieson, avait des affaires de routine à régler avec Demers : rencontre avec les médias, état de santé des joueurs blessés, apparition à une tribune téléphonique à la radio, etc.

Au cours de ces rencontres, Jamieson amorçait toujours la discussion par les questions de hockey. Puis il refilait à Jacques des invitations à des activités sportives, communautaires et culturelles. Les demandes étaient nombreuses et Jamieson devait, au préalable, faire un tri. Il connaissait son homme. Demers était plus qu'un collègue de travail, c'était aussi un confident et un ami.

Cette journée-là, Jamieson lui présenta une demande particulière qui allait au-delà des sollicitations habituelles. On parlait d'un engagement important sur le plan monétaire.

« J'ai un projet plutôt spécial à te soumettre, Jacques, fit d'abord Jamieson, un homme aux principes religieux. J'ai appris de la sœur Helen Edward Duncan, de l'école secondaire Dominicaine dans le quartier est de Detroit, qu'une dame était confinée à son foyer, seule et abandonnée, et qu'elle risquait d'être évincée si la communauté n'intervenait pas. La dame n'a pas de famille, mais elle voudrait mener une vie normale chez elle. Elle est pauvre comme Job, elle n'a pas pratiquement pas de mobilier et, selon sœur Duncan, il faut faire quelque chose.

La dame en question s'appelait Gertrude, mais on l'avait surnommée tante Gertie. Sa réalité était triste. Pour les derniers moments de sa vie, elle désirait mourir dans son modeste chez-soi plutôt qu'être plongée dans la noirceur d'un foyer d'accueil où on elle ne vivrait que l'ennui. Elle voulait simplement jouir de la vie, pour le peu qu'il lui restait, dans la plus grande dignité.

Jamieson présenta la requête à Demers en le laissant libre d'en disposer. Mais Demers fut touché par l'histoire de tante Gertie et décida de s'engager à fond.

Il prit aussitôt des dispositions immédiates afin que tante Gertie puisse garder son logement. Il lui fournit en plus des appareils qui pourraient agrémenter sa vie tels un téléviseur, une nouvelle cuisinière et d'autres commodités. Il fit aussi des arrangements avec la communauté religieuse pour verser à tante Gertie une allocation périodique lui permettant de subvenir à ses besoins jusqu'à sa mort.

Tante Gertie rendit l'âme dix-huit mois plus tard sans avoir jamais rencontré Demers. La dame ne sut jamais le nom de son bienfaiteur. « L'important, c'est qu'elle ait vécu heureuse pendant un petit moment et qu'elle soit morte en paix », observe Jacques.

Tout cela pour dire que Demers vivait des années fastes depuis deux ans. Maintenant qu'il pouvait se le permettre, il soutenait des causes qui le dégageaient du poids d'une certaine culpabilité à posséder autant d'argent.

Dans les semaines qui précédèrent sa décision d'aider tante Gertie, il s'était encore retrouvé dans la position enviable d'un gagnant à la loterie. Il avait obtenu tout un vote de confiance du propriétaire des Wings, Mike Ilitch.

Nous étions au mois de mai 1988 et Ilitch lui avait offert une prolongation de deux ans à son contrat. Jacques avait encore trois années à écouler à l'entente initiale, de sorte qu'il se retrouvait avec un nouveau contrat de cinq ans. Il était désormais lié aux Wings jusqu'à la fin de la saison 1992-1993.

Monsieur Ilitch avait fait grimper son salaire à 250 000 $ par saison, lui qui était déjà l'entraîneur le mieux payé de la LNH au cours des deux années précédentes, avec une rémunération de 200 000 $ par saison. En plus de lui offrir une prolongation de contrat et une augmentation, le propriétaire des Wings lui remit un jour une enveloppe qui contenait un chèque de 110 000 $ en guise de boni pour les services rendus au cours de la saison qui venait de se terminer. Jacques raconte ainsi les circonstances de cet épisode :

« Un certain matin après la saison de 1987-1988, j'ai appelé monsieur Ilitch pour lui dire que je n'irais pas à Québec occuper le poste de directeur général. Car les Nordiques et Marcel Aubut m'avaient fait l'honneur de me pressentir pour ce poste. Ilitch était ravi de ma décision. Il m'a aussitôt invité avec Debbie à prendre un repas à sa luxueuse résidence de Detroit en sa compagnie et celle de Madame Ilitch. Il avait réservé une limousine qui est venue nous chercher à notre résidence. Le soir venu, après le souper, il m'a glissé une enveloppe contenant un chèque de 110 000 $ pour ma loyauté envers les Red Wings et pour le travail accompli jusque-là. Je n'en revenais pas. »

Bien honnêtement, Demers trouvait que toute cette manne qui lui tombait dessus était quelque peu démesurée. Il ne privait Debbie de rien et ne se privait de rien, lui non plus. Son entourage immédiat en profitait aussi. Mais malgré sa générosité envers ses proches, il ne réussissait plus à donner autant que les sommes qui entraient dans ses coffres. D'où sa volonté de partager sa richesse avec les autres, fussent-ils ou fussent-elles des inconnus !

Oui, ces premières années à Detroit furent des années fastes que Demers évoque toujours avec plaisir.

* * *

Jacques Demers avait fait une arrivée éclatante à Detroit. Les Red Wings avaient réalisé un grand coup en le subtilisant aux Blues de Saint Louis à l'été 1986. Sa venue fut saluée en grande pompe par une méga-conférence de presse au Joe Louis Arena. À 42 ans, Demers devenait le vingtième entraîneur de l'histoire des Wings et le premier d'expression française. Le propriétaire Mike Ilitch avait déroulé le tapis rouge pour celui qu'il considérait comme un sauveur.

Il en avait fait l'entraîneur le mieux rémunéré du circuit. Ironiquement, les dispositions de ce contrat ressemblaient étrangement à celles qu'avait acceptées, quatorze ans plus tôt à Winnipeg, un certain Bobby Hull pour devenir le sauveur de l'Association mondiale de hockey. C'est grâce à Hull que Jacques avait pu faire carrière au hockey professionnel, ce qui, au bout du compte, lui permettait de faire désormais autant d'argent. C'est pourquoi il lui en fut toujours reconnaissant.

La venue de Demers ne se fit pas toutefois sans heurts à Detroit. Les Blues accusèrent les Red Wings de maraudage. Dans les médias, le propriétaire des Blues, Harry Ornest, se disait furieux : «C'est un geste difficile à accepter. C'est du maraudage. Les Red Wings ne nous ont jamais demandé la permission de négocier avec lui.»

L'agent Art Kamensky plaida dans les médias que son client était libre comme l'air puisqu'il n'avait jamais signé de contrat avec les Blues et que ces derniers l'avaient tenu dans l'incertitude pendant trois ans. Ce qui était vrai. Mais il était également vrai que le directeur général des Wings, Jimmy Devellano, avait dérogé à l'usage établi selon lequel on ne discute pas de contrat avec un rival pendant que son équipe est encore en action.

Les Red Wings furent d'ailleurs pris en défaut par la LNH. Une enquête permit de découvrir qu'environ 75 appels avaient été effectués entre les Wings et Demers depuis sa première rencontre avec Devellano le 8 février 1986 à Toronto. La LNH imposa une sanction aux Wings.

«Si ma mémoire est fidèle, les Wings durent verser aux Blues les recettes des trois matchs préparatoires en quatre ans, en guise de dédommagement. Je crois que cette sanction représentait des recettes globales de l'ordre de 450 000 $, explique Demers.

De son côté, Devellano explique ainsi les circonstances de la venue de Jacques à Detroit : «Notre équipe était devenue la risée de la LNH. Nous changions d'entraîneur à répétition. Les foules avaient déserté le Joe Louis Arena. Ça me prenait quelqu'un pour effectuer une métamorphose.

Quelqu'un qui pourrait motiver nos joueurs, quelqu'un d'enthousiaste, quelqu'un qui était habile avec les médias et les amateurs. Ce quelqu'un-là était Jacques Demers dans mon esprit, mais je le croyais lié par contrat avec les Blues. C'est lors d'une conversation à bâtons rompus au cours de la saison 1985-1986 que j'ai appris sa véritable situation. »

Devellano avait fait remarquer à Demers que ses Blues avaient le vent dans les voiles à Saint Louis. « Je lui avais lancé comme ça : "Tu fais bien avec les Blues, es-tu heureux à Saint Louis ?" Et Jacques m'avait répondu qu'il était bien là-bas, mais qu'il n'avait toujours pas signé un contrat avec l'équipe.

« J'étais estomaqué, poursuit Devellano. Je croyais même qu'il blaguait. C'est à ce moment que je lui ai dit que j'aimerais l'avoir avec nous à Detroit. Puis, de fil en aiguille, on s'est entendus.

« Toute cette opération a tourné en maraudage et la LNH a sévi contre nous. Peu importe, l'important c'était de l'amener avec nous. Pour nous, il avait le profil idéal pour relancer notre concession. »

Devellano avait été le premier homme embauché par Mike Ilitch au moment où il avait acquis la concession des Red Wings en juin 1982. Il était l'homme de confiance du richissime homme d'affaires, qui faisait fortune dans le monde de l'alimentation, à titre de propriétaire (ce qu'il est toujours) des comptoirs à pizza Little Caesars.

Devellano était tellement convaincu que Demers pourrait ramener les Wings au seuil de la respectabilité qu'il n'avait eu aucune difficulté à convaincre Ilitch d'allonger les billets verts pour le sortir de Saint Louis.

« On se connaissait depuis un certain temps, enchaîne Devellano. Chaque fois que je rencontrais Jacques, j'étais charmé par sa jovialité et son positivisme. En plus, je voyais bien qu'il accomplissait tout un travail à Saint Louis, où les Blues devaient se débrouiller avec les moyens du bord sous le régime d'Harry Ornest. »

* * *

C'est donc le 13 juin 1986 que Demers fut présenté à la presse de Detroit. Étrangement, cette conférence de presse avait failli ne jamais avoir lieu.

Demers était arrivé à Detroit la veille au soir et avait pris le repas avec Devellano dans un coin réservé d'un restaurant du centre-ville avant de prendre possession de sa chambre à l'hôtel Le Pontchartrain. Pendant que Devellano mangeait avec son futur entraîneur, l'agent de Demers, Art Kamensky, avait joint Jim Lites au téléphone pour s'assurer que les Wings verseraient le boni de 100 000 $ à son client au moment de la signature du contrat devant la presse le lendemain. Lites avait acquiescé sans retenue.

Comme prévu, Demers se présenta en matinée au Joe Louis Arena le 13 juin pour rencontrer une toute première fois Mike Ilitch et sa femme Marian. La discussion fut conviviale et les Ilitch semblaient vraiment ravis de compter sur un homme de la trempe de Demers. « Je me suis immédiatement senti désiré et apprécié par la famille Ilitch », mentionne Jacques.

Dès son arrivée à l'amphithéâtre, le vice-président Lites lui remit les clés d'une rutilante *Chrysler 5th Avenue* de l'année, en guise de bienvenue. Déjà, c'était l'abondance ! Demers avait l'impression de vivre dans un autre monde qui tenait davantage du rêve.

Mais quelques minutes avant de se présenter dans la salle de presse qui était bondée de journalistes, il crut que ce rêve tournerait au cauchemar. Alors que l'atmosphère était à la réjouissance, Kaminsky se tourna vers Lites pour lui demander tout bonnement s'il avait bel et bien le chèque certifié de 100 000 $ pour son client. Or, pour une raison que Demers ignorait, Lites ne l'avait pas. Embarrassé, ce dernier expliqua brièvement que le message entre la direction et le comptable des Wings n'avait pas été transmis à temps et que le tout serait rétabli dès le lendemain. Mais Kaminsky ne l'entendait pas ainsi.

« Si Jacques Demers n'a pas son chèque de 100 000 $ maintenant, il ne se présente pas à la conférence de presse ! menaça Kaminsky sous le regard glacé de Demers lui-même. Ça nous prend le chèque ou il ne signe pas le contrat. »

L'attitude de Kaminsky, à défaut d'être raffinée, avait la particularité d'être très claire. « Je ne sais pas comment ils ont fait, mais les Wings ont joint le comptable et, en l'espace d'une demi-heure, le chèque était entre mes mains », relate Demers en riant. Je n'étais pas prêt à bousiller la conférence de presse, mais je n'avais pas le choix : je devais suivre les directives de mon agent. Je n'ose penser à ce qui se serait produit si le chèque n'était pas arrivé. »

Les premiers mots que Demers livra à la presse locale ne laissaient planer aucun doute sur le genre d'équipe qu'il entendait diriger : « Je sais que le personnel des joueurs des Wings a du potentiel. Il reste maintenant à savoir s'ils ont du cœur au ventre. ».

Le soir de la conférence, les Ilitch invitèrent Jacques et Debbie à un souper en compagnie de Jimmy Devellano, Jim Lites, Art Kaminsky et

Nick Polano. C'est au cours de ce souper que Demers fit une prédiction renversante aux gens attablés avec lui.

La saison précédente, les Red Wings n'avaient récolté que 40 points au classement avec un pitoyable dossier de 17 victoires en 80 matchs (17-57-6). Il s'agissait de la pire équipe de la LNH en 1985-1986. Devellano avait mentionné à Demers que s'il réussissait à obtenir une amélioration de 50 pour cent, c'est-à-dire 20 points de plus au classement, la direction des Wings en serait très contente. Mais Jacques avait des visées supérieures.

« Ce soir-là, j'ai répondu à Jimmy que si mon équipe récoltait seulement 60 points au classement, je ne méritais pas le salaire que les Red Wings s'apprêtaient à me donner. J'ai ajouté en regardant Jimmy directement dans les yeux : "Jimmy, je vais mener l'équipe aux séries." Tout le monde me regardait comme un illuminé ce soir-là. »

* * *

Dans les heures qui suivirent sa nomination à la barre des Wings, Demers régla deux dossiers primordiaux à ses yeux. D'abord, il s'empressa de demander à Debbie de se mettre à la recherche d'une maison. Cette fois, c'était assuré : les Demers allaient enfin emménager dans leur propre demeure.

« Nous étions en juin et devions nous marier au mois d'août, raconte Demers. Nous allions emménager dans une nouvelle ville en septembre où nous devions commencer une nouvelle vie. Et cette fois, nous avions les moyens de prendre possession de la maison de notre choix. C'était une grande joie pour Debbie et moi. »

Debbie ne lésina pas et se mit à la tâche de trouver la maison de rêve pendant que Demers était réquisitionné par les Wings pour effectuer une grande tournée de promotion.

Avec le jeune Steve Yzerman, Jacques était l'homme sur qui comptait Mike Ilitch pour ressusciter la ferveur populaire à l'endroit des Wings. Comme il avait une bonne bouille et que sa simplicité étonnante plaisait aux résidents de cette ville de cols bleus, Demers était sollicité sur toutes les antennes et à toutes les tribunes. Déjà, les décevants *Dead Wings*, comme on les appelait, avaient marqué un gros point.

La deuxième chose que fit Demers après la signature de son contrat fut de communiquer avec Linda, la mère de ses enfants. Il avait à se racheter, lui qui avait vécu la déception de ne pouvoir faire le nécessaire, au cours des six mois précédents, pour veiller à leur sécurité. À Linda qu'il avait jointe au téléphone à Indianapolis, Demers se montra plein d'enthousiasme.

« Je ne suis pas passé par quatre chemins, raconte-t-il. J'ai dit à Linda de se mettre à la recherche d'une maison pour abriter convenablement les enfants. On a fixé un prix. Je m'engageais à faire une mise de fond de 15 000 $ et à payer la balance de l'hypothèque par versements mensuels.

« Par contre, précise-t-il, j'ai demandé à Linda de faire un effort et de mettre 5 000 $ en mise de fonds. Pour moi, c'était une façon qu'elle se sente impliquée dans l'affaire. Linda accepta et se mit à son tour à la recherche d'une résidence. C'était plutôt cocasse : je n'avais jamais eu de maison, mais là je me préparais à en acheter deux en même temps !

« On me demande souvent si je me souviens de la sensation que j'ai ressentie dans telle ou telle situation. La plupart du temps, je n'ai pas de souvenir précis. Mais il est plutôt facile de me souvenir quel genre de *feeling* je ressentais ce 13 juin 1986, lors de ma signature avec les Red Wings. C'était une sensation de légèreté, comme si un poids énorme s'enlevait de mes épaules. C'est simple ! Je réglais tous mes problèmes en une seule journée. J'étais le gars le plus comblé de la terre. Je pouvais enfin sortir Debbie de son travail chez le nettoyeur, je pouvais enfin lui offrir un confort douillet dans notre propre maison et je pouvais m'enlever le tracas de savoir mes enfants en danger dans un immeuble d'Indianapolis. »

Ce qui ajoutait à la joie de Demers, c'était de savoir qu'en plus de soulager tous ses problèmes en même temps, son compte en banque s'enrichissait de sommes qui lui étaient étrangères jusque-là.

« Je l'ai toujours dit à qui voulait l'entendre, la famille Ilitch a été très bonne pour moi et ma famille. C'est elle qui m'a mis au monde financièrement. J'avais toujours eu de la difficulté à rencontrer les fins de mois et, du jour au lendemain, je me retrouvais dans l'abondance. C'était assez brutal, bien que très agréable.

« J'ai adoré mon séjour à Detroit, même si je me dois d'admettre qu'au départ, je n'y suis allé que pour l'argent. Si j'avais eu le choix, je serais demeuré à Saint Louis, mais, dans ma situation de l'époque, je devais sacrifier quelque peu sur le plan professionnel pour améliorer mon niveau de vie en général. Certains me l'ont reproché, mais je demande sincèrement qui aurait agi autrement s'il avait été à ma place. »

* * *

Depuis quelques semaines, Demers faisait la navette entre Saint Louis et Detroit. Il était retourné à Saint Louis pour le reste de l'été puisqu'il devait veiller à son école de hockey pour les jeunes. Mais on le demandait souvent à Detroit où il se rendait pour se plier à des séances de promotion ou discuter du prochain camp des Wings avec Jim Devellano.

Dans ses nombreux aller-retour, Debbie l'accompagnait, ce qui lui permettait de poursuivre ses recherches de maison pendant que Jacques était au travail. Finalement, Debbie dénicha la maison espérée dans le quartier cossu de Farmington Hill, où le couple pourrait emménager en septembre. L'occasion était bonne. Sans attendre, Jacques approuva la trouvaille de Debbie et l'affaire fut conclue.

Quant à Linda, elle dénicha une maison de quatre chambres à coucher dans le quartier paisible de South Port, à Indianapolis. Elle avait respecté le budget alloué qui oscillait autour de 85 000 $. Elle emménagea dans cette maison à l'été 1986 avec les trois enfants. Elle y vit encore aujourd'hui, dix-neuf ans après son acquisition.

Après quelques années, Demers décida d'acquitter la dette et en profita pour remettre à Linda sa mise de fonds de 5 000 $. Finalement, il lui vendait la maison pour la valeur symbolique de 1 $.

« Sa famille, qui était aussi la mienne, avait sa maison et c'était bien ainsi. Je suis heureux de voir que Linda y est encore de nos jours. Ça démontre qu'elle a retrouvé là la sécurité qu'elle cherchait. »

N'empêche que cette journée-là, Demers a dépensé 50 000 $ pour acheter une maison qu'il a ensuite revendue pour un seul petit dollar. Vraiment, on était loin de la petite misère de la rue Barclay, à Côte-des-Neiges !

« Ça ne me dérangeait pas. Quand tu as, tu donnes. J'en avais et j'en donnais. C'était beaucoup mieux qu'auparavant, alors que parfois je donnais ce que je n'avais même pas. »

* * *

Debbie et Jacques Demers se marièrent civilement le 29 août 1986, à Saint Louis, au cours d'une cérémonie très intime. Dès le lendemain, le couple prenait la direction de Detroit où s'amorcerait leur nouvelle aventure. Un camion devait les accompagner pour le transport des quelques meubles et effets personnels que le couple possédait.

Debbie a des souvenirs très précis de son mariage et du déménagement de Saint Louis à Detroit. « On n'a vraiment pas fait les choses comme les autres, ricane-t-elle. D'abord, sa demande en mariage fut des plus particulières. Un matin qu'il était à l'étranger avec les Blues, il m'a rejoint à notre appartement de Crève Cœur, en banlieue de Saint Louis. Puis, comme ça, sans cérémonie, il m'a lancé : "Debbie, veux-tu me marier?" À 7 h 30 du matin, j'étais complètement renversée. Ce n'était pas vraiment des plus romantiques, mais j'ai dit oui.»

Et d'ajouter : «La veille de notre mariage civil, Bernie Federko et sa femme Berna nous ont invités à souper dans un restaurant de Saint Louis. Or, la soirée fut plutôt bien arrosée. Pour être bien honnête, on avait passablement dépassé les bornes, de sorte que nous étions plutôt amochés le lendemain. En matinée, Jacques se rendit à son école de hockey alors que moi, j'accueillais les déménageurs qui venaient cueillir nos effets pour les transporter à Detroit. J'étais vraiment dans les vapeurs de la veille et j'ai dit aux déménageurs : "Je ne peux croire que je me marie cet après-midi".» Ils n'en revenaient pas.

Federko se souvient de cette soirée comme si c'était hier : «Nous nous sommes payés toute une soirée! Au fil du temps, Jacques était devenu un ami. Sa conjointe Debbie et ma femme Berna s'entendaient aussi très bien. On voulait souligner leur départ pour Detroit et leur mariage en même temps. Ça faisait beaucoup de choses à fêter le même soir!»

Federko (ouvrons une parenthèse) profite de l'occasion pour parler de celui qui l'a dirigé pendant trois saisons chez les Blues et une saison chez les Red Wings.

«J'ai connu trois saisons de 100 points et plus sous sa gouverne. Jacques me faisait entièrement confiance. J'ai adoré jouer pour lui. Ce n'était pas le style d'entraîneur à élaborer des systèmes très compliqués. Toutefois, il avait le tour avec les joueurs. Il était très enthousiaste et il transmettait son excitation à ses joueurs. En résumé, il s'avérait un grand motivateur qui traitait ses joueurs comme des hommes. C'est pourquoi il était respecté.

«Il faut se souvenir, rappelle Federko, que les Blues ne roulaient pas sur l'or à l'époque sous Harry Ornest. On essayait de survivre dans cette ligue. Jacques s'organisait avec les moyens du bord et il obtenait de très bons résultats.»

Federko soutient que Jacques était aussi capable de se montrer sévère lorsque la situation le commandait : «Comme l'équipe n'avait pas beaucoup d'argent, il nous fallait toujours faire le tour de l'Amérique avant de nous rendre à destination. On prenait les billets qui coûtaient le moins cher, même si les voyages devaient être trois fois plus long!

« Une fois, nous devions nous rendre à Los Angeles et l'équipe, partie de Saint Louis, avait dû transiter par Houston, au Texas. Puis nous avions pris un autre avion pour nous rendre à Orange County au sud de Los Angeles. De là, il avait fallu voyager en autobus jusqu'à Los Angeles. Pour un voyage qui aurait dû durer un maximum de trois heures, nous en avions pris dix ! Les joueurs étaient brûlés et en colère. »

Puisque l'équipe ne jouait que deux jours plus tard à Los Angeles, Demers permit à ses hommes de prendre quelques bières ensemble afin de détendre l'atmosphère. Mais quelques joueurs avaient un peu trop festoyé et les dirigeants de l'hôtel reçurent des plaintes de certains clients. La direction réveilla Demers en pleine nuit pour qu'il rétablisse le calme aux étages où logeaient les joueurs.

« Jacques n'était pas très heureux du comportement de certains et il leur avait laissé savoir, raconte Federko. Puis, pour le match contre les Kings, il décida de faire appel à seulement quatorze joueurs (douze joueurs et deux gardiens) ! Il avait laissé de côté ceux qui avaient été les plus turbulents.

« C'est la seule fois de ma carrière que j'ai entrepris un match avec quatorze joueurs seulement. D'ailleurs, c'est l'un des matchs les plus exténuants que j'ai disputés, rigole Federko. Nous étions tous à bout de souffle. Même qu'en troisième période Jacques n'utilisait plus que six ou sept joueurs. Nous étions vidés. Le plus drôle de l'histoire, c'est que nous avons tout de même réussi à gagner le match ! »

Par ailleurs, Demers avait établi une telle relation avec Federko qu'il l'avait consulté dans les jours où il s'apprêtait à quitter les Blues pour se joindre aux Red Wings.

« Jacques était très tourmenté à l'idée de quitter les Blues et ses joueurs. Nous venions de connaître toute une saison à Saint Louis. Lorsqu'il m'a fait part de l'offre des Red Wings, je n'en croyais pas mes oreilles. Je lui ai dit : "Jacques, vas-y, tu ne peux pas laisser passer une telle occasion." Il était l'entraîneur le moins bien payé de la LNH à Saint Louis et, du jour au lendemain, il se retrouvait le mieux payé à Detroit. Il n'avait même pas à se poser de questions.

« Sur le plan de l'amitié, ajoute Federko, je lui conseillais de partir, mais, sur le plan professionnel, je savais que je perdais un grand allié. C'est sous sa tutelle que j'avais connu mes meilleures saisons au hockey. »

Refermons la parenthèse. Au lendemain de ce souper bien arrosé avec les Federko, Debbie et Jacques unirent finalement leurs destinées à 15 heures, au palais de justice de Saint Louis, en présence des témoins et amis Jennifer et David Webber.

« On s'est mariés avec un bon mal de bloc et en présence de nos seuls deux témoins, rappelle Debbie. Le soir, nous avons passé la nuit à l'hôtel et, dès le lendemain matin, nous étions en route pour Detroit où nous attendait notre nouvelle vie. C'était notre voyage de noces ! Romantique, n'est-ce pas ? Je dois dire cependant qu'un an plus tard nous avons fait un voyage de noces à Las Vegas et à San Francisco. »

À leur arrivée à Detroit, le couple n'était pas tout à fait au bout de ses peines. « Nos meubles sont arrivés avec une journée de retard et il n'y avait pas d'électricité dans le secteur. Il a fallu coucher par terre et acheter des lampes de poche pour le premier soir dans notre maison ! »

Dès le lendemain de cette première soirée à Farmington Hill, Demers dut partir une semaine avec la caravane des Red Wings pour une tournée dans l'État du Michigan. Debbie se retrouvait donc seule pour organiser la maisonnée. « Lorsqu'il est revenu une semaine plus tard, tout était installé dans la maison. Et nous y avons vécu six ans… »

Une semaine après s'être installé à Detroit, Demers reçut un appel de la secrétaire du bureau du président des Wings, qui l'invitait à une réception avant le début du camp d'entraînement dans sa fastueuse loge présidentielle du Joe Louis Arena. Jacques et sa femme acceptèrent avec empressement et se présentèrent à ladite réception dans un esprit tout à fait détendu. Quelle ne fut toutefois pas leur surprise de constater qu'ils étaient les héros de la fête !

« M. et Mme Ilitch, raconte Jacques, avaient appris que nous nous étions mariés juste avant de quitter Saint Louis. Ils désiraient souligner l'événement. Ils profitèrent de l'occasion pour nous présenter à toute leur famille, de même qu'à des amis et à de précieux clients des Wings. Ils nous ont notamment offert un très beau vase de cristal Rutherford, une maison très réputée. Dès ce moment, on a réalisé qu'on avait affaire à des gens spéciaux. Je venais de quitter Saint Louis et déjà j'aimais Detroit ! »

* * *

Pour ses premiers contacts avec les joueurs, Demers et les Wings avaient décidé de tenir le camp d'entraînement à Flint, au Michigan, une ville située à environ 100 km au nord de Detroit. Dès la première rencontre, le réservé Jimmy Devellano se montra sous un autre jour. Cet homme de bonne manière et d'agréable compagnie fit une entrée fracassante dans la salle où étaient réunis les joueurs.

Installé sur la tribune à l'avant de la salle, Devellano entreprit un discours énergique sur un ton ferme. Cette journée-là, le directeur général des Red Wings n'avait plus rien de l'individu calme et posé qu'il était réellement. Gesticulant dans tous les sens et martelant du poing le lutrin devant lui comme pour amplifier le sérieux de ses propos, Devellano en vint même à… briser le lutrin.

« Pauvre Jimmy ! ricane Demers. Il a cassé le lutrin à force de lui taper dessus. La chose a détendu l'atmosphère dans la salle. Mais le message de Jimmy aux joueurs était énergique. »

Essentiellement, Devellano avait insisté dans la présentation du nouvel entraîneur, Jacques Demers, pour que les joueurs se le tiennent pour dit : il n'avait plus l'intention de poursuivre la parade d'entraîneurs qui défilait à Detroit depuis trois ans. Au cours de cette période, les Wings avaient eu cinq entraîneurs différents : Nick Polano, Harry Neale, Brad Park, Dan Belisle et maintenant Jacques Demers. Du jamais vu à Detroit – ni dans la grande majorité des autres organisations de la LNH.

« Pour Jimmy, c'était clair. Il en avait assez de cette instabilité et je représentais celui avec lequel il avait finalement décidé de faire un long bout de chemin. »

« Jacques Demers va être à la barre des Red Wings tant que je serai en poste, avertit Devellano. L'époque où les joueurs congédiaient des entraîneurs à répétition est révolue. C'est fini ! » insista-t-il.

C'est dans ce contexte rassurant, voire vivifiant, que Demers prit la parole pour livrer à son tour son discours de bienvenue. « La première chose que j'ai faite, c'est de leur annoncer que leur nouveau capitaine était Steve Yzerman », relate-t-il.

* * *

La décision de nommer le jeune Yzerman au poste de capitaine des Wings avait germé dans l'esprit de Demers les 21 et 22 juin à Montréal alors que se déroulait le repêchage annuel des joueurs amateurs. Demers était sur place et les Wings avaient invité Yzerman pour souhaiter la bienvenue aux joueurs sélectionnés par l'équipe. Yzerman passait l'été à Ottawa. Il était donc à courte distance du Forum de Montréal où avait lieu le repêchage.

Demers profita de l'occasion pour faire connaissance avec celui qui jouait chez les Wings depuis trois ans et discuter de la prochaine saison.

« Dès les premiers moments, j'ai compris que j'allais diriger un grand athlète. Je l'ai trouvé brillant. Steve Yzerman était déjà un professionnel jusqu'au bout des doigts. Il n'acceptait pas ce qui passait avec les Wings, tant sur la glace que derrière le banc. Il tenait à ce que ça change. Il n'avait que 21 ans, mais il affichait la maturité d'un joueur plus âgé. Je voyais qu'il ne voulait pas perpétuer plus longtemps cette mentalité défaitiste qui régnait autour de l'équipe. »

À son retour à Detroit, l'idée de Demers était faite. Son capitaine serait Steve Yzerman. Il lui fallait toutefois convaincre son patron Jimmy Devellano du bien-fondé de son choix.

« Je me souviens très bien du jour où Jacques m'a soumis la candidature de Steve, raconte Devellano. Notre vétéran capitaine Dany Gare était parti pour Edmonton et il fallait le remplacer. En même temps, l'arrivée de Demers s'intégrait dans une relance des Wings qu'on souhaitait positive pour l'organisation. Personnellement, précise Devellano, je lui avais conseillé de prendre le vétéran Dave Lewis pour une saison. Lewis avait été capitaine à Los Angeles et il roulait sa bosse depuis treize ans dans la LNH. Mais Jacques avait son idée en tête. Il désirait Yzerman à tout prix. Il m'a dit : "Tu sais, Jimmy, notre meilleur joueur devrait être notre capitaine. Or, c'est Yzerman, même à 21 ans, qui est le meilleur joueur de l'équipe." »

L'argument de Demers fit réfléchir son patron. « J'étais réticent parce que je le trouvais trop jeune, mentionne Devellano. Je croyais qu'on devait attendre encore un an ou deux avant de lui donner autant de responsabilités. Mais, en quelques jours, Jacques me rallia à la cause d'Yzerman et il est devenu notre capitaine. »

« À la fin de l'été, raconte à son tour Yzerman, Jacques m'a fait venir à son bureau du Joe Louis Arena. C'est alors qu'il m'a parlé de son intention de me nommer capitaine de l'équipe. À la fin de la saison précédente, j'avais discuté avec Jimmy « [Devellano] et il m'avait mentionné qu'il espérait me voir prendre plus de responsabilités au sein de l'équipe. Il désirait que j'assume plus de leadership dès ma quatrième saison avec les Wings.

« Cela dit, je ne m'attendais certainement pas à ce qu'on me nomme capitaine à 21 ans. Ce fut vraiment une surprise. D'autant plus que je n'avais pas connu une très bonne saison en 1985-1986. C'était ma pire depuis mon arrivée à Detroit. J'avais raté 29 matchs à la fin de la saison en raison d'une blessure à une épaule. L'équipe aussi avait été pitoyable. Pour préparer la saison suivante, l'organisation avait acquis, vers la fin de la saison, des vétérans tels Mike O'Connell, Doug Shedden, Dave Lewis et quelques autres. Je m'attendais à ce que l'on confie à l'un de ces joueurs le rôle de capitaine.»

«Au bout du compte, analyse Jimmy Devellano, ce ne fut pas une mauvaise décision puisque Steve Yzerman est le capitaine de l'équipe depuis dix-huit ans, ce qui constitue le plus long règne à ce poste dans toute l'histoire de la LNH!»

* * *

Cette décision, bien que surprenante, fut bien accueillie par les joueurs. Par ce geste, les Wings amorçaient une ère de renouveau. Le message était limpide. L'époque des *Dead Wings* était morte et Demers désirait que chacun en prenne bonne note.

«Il me semble que je flottais sur un nuage lorsque je me suis présenté devant les joueurs, se rappelle Demers. J'avais l'impression d'être en plein contrôle de la situation grâce à l'appui inconditionnel de mes patrons et de mon expérience acquise à Saint Louis.

«J'ai insisté auprès des joueurs pour dire que l'atmosphère autour de l'équipe devait changer et que j'allais prioritairement m'en occuper. Je leur ai dit que le camp allait être déterminant pour la plupart d'entre eux et que rien n'était acquis. J'ai ajouté qu'il était temps de cesser de se complaire dans la médiocrité.

«Il régnait un climat de "club de golf" au sein de l'équipe. Tout le monde était détendu. Personne ne semblait s'en faire avec les saisons de misère que l'équipe avait connues. En réalité, c'était tout croche. Il fallait partir de quelque part et mes premières décisions furent d'imposer un couvre-feu lors du camp d'entraînement et d'interdire la présence des conjointes ou des petites amies dans l'entourage pendant les premières semaines du camp. Je voulais que tous soient concentrés sur le travail à faire, point à la ligne.»

* * *

En juin 1986, les Red Wings avaient fait de Joe Murphy leur premier choix au repêchage amateur. Ce fut l'une des plus mauvaises récoltes de l'histoire du repêchage de la LNH. Peu de joueurs issus de ce repêchage sont en effet devenus de grands joueurs dans la LNH (à l'exception de Brian Leetch).

Murphy, un attaquant originaire de London, en Ontario, qui avait joué à Michigan State, dans les rangs collégiaux américains, faisait néanmoins partie des plans de l'équipe. Le volubile Demers s'était fait intarissable à son sujet : « À 99 pour cent, Murphy jouera pour les Wings cette année, avait-il dit. Je veux rebâtir l'équipe avec un jeune de grand talent, un peu comme l'ont fait les Penguins avec Mario Lemieux. À Detroit, Murphy peut devenir un aussi bon vendeur de hockey que Lemieux à Pittsburgh. »

Ce n'est pas tout à fait ce qui s'est produit par la suite…

* * *

Les Red Wings de Jacques Demers entreprirent leur calendrier préparatoire en subissant un revers aux mains des Blues de Saint Louis, l'ancienne équipe de Jacques. Sa troupe ne joua pas mal, mais elle ne put l'emporter. Le résultat négatif d'un simple match hors-concours n'allait pas énerver outre mesure l'entraîneur. Jusqu'à ce qu'il se présente dans le vestiaire de l'équipe après la défaite !

« En pénétrant dans le vestiaire, la musique rock'n roll jouait à tue-tête et les joueurs riaient de bon cœur, se souvient Demers. En voyant cela, je me suis dit que le message lancé au début du camp d'entraînement était tombé dans l'oreille de sourds. J'ai aussitôt *pogné* les nerfs.

« J'étais surtout fâché de l'attitude des joueurs, précise-t-il. J'ai fait fermer la musique avant de leur dire que le temps n'était pas à la rigolade. J'ai rappelé que je voulais du sérieux dès le départ et que ça devait commencer par les matchs préparatoires. Puis j'ai ordonné aux joueurs de retourner sur la patinoire pour une séance de patinage d'une demi-heure. »

Après cette période de temps supplémentaire, Demers permit aux joueurs d'aller manger, mais il insista pour que chacun soit dans sa chambre d'hôtel de Flint à minuit. Après avoir rencontré la presse et vaqué à quelques occupations, il prit la direction d'un restaurant avec ses adjoints Colin Campbell et Don MacAdam, de même qu'avec Jimmy Devellano.

Le quatuor était en train de manger lorsque Demers aperçut dans un coin du restaurant le jeune Joe Murphy en compagnie de… sa copine ! Dès ses premiers pas avec les Wings, le premier choix au repêchage transgressait une règle que Jacques avait établie quelques jours plus tôt.

« J'ai demandé à Colin Campbell d'aller dire à Murphy de rentrer à l'hôtel le plus vite possible, tout en lui rappelant la consigne au sujet de la présence des conjointes. »

Mais ce Murphy n'était pas doué pour le respect des règlements… Le lendemain de ce premier incident, il rata l'autobus de l'équipe qui devait conduire les Wings à Kalamazoo. Murphy rejoignit la formation par ses propres moyens, mais Demers ne le fit pas jouer dans le match en soirée.

Une semaine plus tard, Murphy récidiva en ratant l'avion de l'équipe ! Pour s'expliquer, il prétexta qu'il s'était rendu au mauvais aéroport de Detroit.

En l'espace d'une dizaine de jours à peine, Demers en avait assez vu de ce jeune joueur de 18 ans, qui entreprenait plutôt mal sa carrière chez les professionnels. « Je suis allé voir Jimmy et lui ai dit qu'il fallait envoyer Murphy immédiatement dans les mineures. "Ça presse, Jimmy, lui ai-je dit. Il faut lui donner un message clair, de même qu'à tous les autres. Il ne faut pas accepter cela. On doit agir maintenant." »

Aussi exaspéré que son entraîneur par l'attitude de Murphy, Devellano s'exécuta rapidement et la recrue prit la direction des Adirondacks où se trouvait le club-école des Wings. Il y passa la grande majorité de la saison, n'étant rappelé à Detroit que pour une brève séquence de cinq matchs.

On était effectivement très loin de… Mario Lemieux !

* * *

La saison des Red Wings prit son départ le 9 octobre par une visite au Colisée de Québec face aux Nordiques. Début très brutal pour Demers, qui, contre son ancienne formation, subit une dégelée de 6 à 1. « Disons que ça commençait bien mal pour une organisation qui ne parlait que de renouveau depuis mon arrivée le 13 juin », ricane-t-il.

Deux jours plus tard, les Wings amorçaient leur saison locale en recevant la visite des Blackhawks de Chicago et du spectaculaire Denis Savard. À la cérémonie d'avant-match, Demers reçut un accueil fort chaleureux des amateurs malgré la cuisante défaite contre les Nordiques deux jours plus tôt.

Les Wings ne ratèrent pas leur rentrée à Detroit en signant un gain serré de 4 à 3. Comble de bonheur, c'est le nouveau capitaine Steve Yzerman qui inscrivit le but victorieux.

Deux semaines plus tard, Demers débarqua à Saint Louis pour la première fois depuis sa désertion. Nous étions le 25 octobre 1986. La veille, ses Wings avaient livré un match nul aux Blues à Detroit.

« J'ignorais quelle serait la réaction du public. J'espérais que les amateurs aient compris mon geste. Mais j'étais nerveux et je n'avais presque pas fermé l'œil de la nuit. »

Heureusement pour lui, il fut accueilli par une bonne salve d'applaudissements lorsqu'il se présenta sur la glace afin de rejoindre le banc des joueurs avant le match. « J'étais soulagé. Ça m'a surtout fait chaud au cœur. Les gens de Saint Louis avaient toujours été corrects envers moi et ils me démontraient encore du respect. C'était important à mes yeux. »

Pour ajouter à une soirée déjà bien amorcée, les Wings procurèrent la victoire à Demers grâce au but victorieux de Petr Klima.

* * *

Ce Klima était un étrange individu. Il avait amorcé sa carrière en Amérique l'année précédente après avoir fui son pays, la Tchécoslovaquie, alors qu'il était en tournée avec l'équipe nationale à Nussdorf, en Allemagne de l'Ouest. Il avait été repêché par les Wings après avoir joué pour l'équipe de l'Armée tchèque à Litvinov, puis à Dukla Jihlava. En se joignant aux Wings, il devenait le premier joueur du Bloc de l'Est à devenir membre d'une équipe de la LNH aux États-Unis.

Klima était un petit joueur rapide et spectaculaire qui avait une facilité à marquer des buts. Il avait aussi une personnalité originale. Sur la glace, il se distinguait par son bâton dont la palette était enrubannée de façon curieuse : les lanières noires de ruban gommé étaient espacées l'une de l'autre, ce qui créait un effet de zébrures noir et blanc. Il fut le premier, et l'un des rares joueurs, à enrubanner son bâton de la sorte.

Sans doute en raison de la barrière de la langue, Klima était à ses débuts un solitaire qui se mêlait peu au groupe. Il avait connu une très bonne saison de 32 buts à son arrivée à Detroit en 1985-1986 et, en fait, c'est ce qui comptait. Mais rapidement, on s'aperçut que le bonhomme était davantage égocentrique que solitaire et qu'il avait rapidement découvert les doux plaisirs de vivre en pays libre ! Il fréquentait les boîtes de nuit de Detroit où, comme par enchantement, il était plus enclin à parler la langue du pays avec ses conquêtes qu'avec ses coéquipiers dans le vestiaire !

« Klima faisait sensiblement ce qu'il voulait, dit Demers. Il jouait du bon hockey, mais on ne peut pas dire qu'il était un favori dans le vestiaire. C'était un play-boy qui prenait sa carrière à la légère. Il aimait s'amuser en tout temps. Il était très centré sur lui-même. »

* * *

Sans être étincelant, le début de saison des Red Wings était tout de même intéressant, puisque après les dix premiers matchs, l'équipe montrait un dossier supérieur à la moyenne (5-4-1). Mais dès le début du mois de novembre, la troupe de Jacques Demers sombra dans une période léthargique. Au cours des neuf matchs suivants, les Wings n'inscrivirent que deux victoires contre six revers (2-6-1).

L'une de ces défaites survint le 15 novembre à Toronto. Une vraie raclée de 6 à 0, un samedi soir en plein Maple Leaf Gardens ! Ce cuisant revers était d'autant plus difficile à avaler qu'il avait été infligé par une équipe en compétition directe avec les Wings dans la très compétitive section Norris.

Inutile de dire que Demers était dans tous ses états, mais il ne fit aucun esclandre devant les médias. L'entraîneur en chef réservait plutôt sa mauvaise humeur pour ses joueurs dans l'avion du retour. Très brièvement, il prit la parole pour faire savoir à ses protégés que la journée de congé du lendemain était annulée et qu'il les convoquait à sept heures du matin au Joe Louis Arena.

Le matin venu, il dirigea une séance de patinage qui dura quatre heures avant d'imposer à ses hommes une séance de musculation et d'entraînement physique au gymnase. Il termina la journée par une séance de vidéo. Ce n'est qu'à 17 heures que les joueurs purent regagner leur domicile.

« Ces gamins, dit-il à la presse, ont la vie trop facile. Ils arrivent à l'entraînement à 11 heures et, après quelques heures d'effort, ils rentrent tranquillement chez eux. Ils ne savent pas ce que c'est que d'avoir un emploi à plein temps, de se battre du matin au soir contre l'heure de pointe. Ils ont besoin qu'on leur rappelle la chance qu'ils ont. »

« Jacques a pris plusieurs initiatives pour motiver et responsabiliser les joueurs, souligne Steve Yzerman. Dès son arrivée, il s'est donné comme mission de changer la mentalité au sein de l'équipe. Et il y est parvenu de façon admirable. D'abord, il s'est présenté avec son enthousiasme et sa grande énergie. Il désirait allumer la flamme chez les joueurs. Et je dois admettre que très rapidement, c'est devenu le jour et la nuit. Nous sommes vite devenus une équipe plus travailleuse, plus unie, plus consciente de sa défense et plus impliquée. De jour en jour, on voyait que cette équipe s'améliorait sur le plan de l'éthique de travail. »

« D'évidence, précise Yzerman, l'attitude des gars dans le vestiaire est devenue plus professionnelle. Jacques, qui communiquait très bien avec ses joueurs, leur demandait un engagement plus constant. Comme groupe, on s'est mis à agir en vrais professionnels. De plus en plus, les joueurs abordaient leur métier de façon collective plutôt qu'individuelle. On devenait graduellement une équipe. »

* * *

Le geste de Demers entraîna certains résultats puisque, après ce qui aurait dû être une journée de congé mais qui s'était avérée une corvée des plus éreintantes, l'équipe retrouva un certain rythme. Elle ne subit que six revers au cours des 21 matchs subséquents (9-6-6).

Mais dès le début du mois de janvier 1987, les Wings retombèrent dans leurs mauvaises habitudes et connurent la pire séquence de leur saison, soit six matchs sans victoire. C'est au terme de cette série difficile qu'ils conclurent une « mégatransaction ».

Nous étions le 17 janvier 1987 et, cette journée-là, les Nordiques de Québec étaient à Detroit. Avant le match, Demers avait discuté avec son vis-à-vis Michel Bergeron. *Le Tigre* lui avait fait part de l'intérêt des Nordiques à l'endroit de John Ogrodnick, un vétéran ailier gauche qui en était à sa huitième saison avec les Wings. Les Red Wings formaient une équipe de plus en plus robuste et de plus en plus unie sous le règne de Demers, et Ogrodnick ne cadrait pas très bien dans la nouvelle orientation que voulait prendre l'organisation.

Ogrodnick avait connu des saisons offensives du tonnerre, dont une de 55 buts en 1984-1985, mais l'équipe n'avait jamais rien gagné avec lui. C'était un joueur au talent indéniable, mais qui ne faisait pas du concept d'équipe sa priorité. L'organisation misait davantage sur des joueurs comme Steve Yzerman, Gerard Gallant, Shawn Burr, Adam Oates, Darren Veitch, Harold Snepsts, Lee Norwood, Tim Higgins, Mike O'Connell, Dave Lewis et quelques autres pour souder l'équipe. Des individus comme Ogrodnick, Petr Klima ou Doug Shedden faisaient plutôt partie d'un groupe à la mentalité défaitiste.

« Johnny O, comme on le surnommait, pensait davantage à sa fiche personnelle qu'à l'équipe, raconte Demers. Il avait connu des saisons de 41, 42 et 55 buts, mais c'était toujours dans des causes perdantes. Il semblait se satisfaire de ça. J'étais de ceux, au sein de l'organisation, qui croyait qu'on n'irait nulle part avec lui. »

Malgré tout, Ogrodnick était populaire auprès des amateurs parce qu'il marquait des buts à profusion. « C'était un gars tranquille, qui faisait sa petite affaire, de préciser Demers. C'était un type discipliné qui prenait soin de lui…, mais pour le bien des Wings et pour son propre bien, il devait être échangé. »

En matière de robustesse, les Wings étaient « bien équipés » depuis l'arrivée des jeunes loups Bob Probert et Joey Kocur, sans compter Gallant, qui ne s'en laissait pas imposer. L'organisation comptait aussi dans ses clubs affiliés le robuste Basil McRae, qui faisait la navette entre Detroit et les Wings d'Adirondack. Les Wings n'étaient pas les plus talentueux du circuit Ziegler, mais on pouvait difficilement les intimider.

À quelques heures d'affronter les Nordiques, Demers s'était donc entretenu avec Michel Bergeron, dans les corridors du Joe Louis Arena. Bergeron, dont l'équipe en arrachait aussi, avait en tête un plan très précis. En l'absence de son directeur général, Maurice Filion, demeuré à Québec, il suggéra à Demers un projet de transaction.

« Michel est venu me voir pour me proposer de céder John Ogrodnick. Il disait que les Nordiques seraient prêts à laisser partir Brent Ashton en retour. Au fil de la discussion, plusieurs autres noms ont été lancés. À la fin, on parlait d'une transaction qui envoyait Ogrodnick, Basil McRae et Doug Shedden à Québec, en retour de Ashton, Gilbert Delorme et Mark Kumpel. »

Bien que vivement intéressé, Demers hésitait à conclure un marché avec Bergeron. « Écoute Michel, lui dit-il, je suis mal à l'aise avec ça. Je ne suis pas en position de conclure une transaction, mais je vais en parler avec Jimmy Devellano. On verra ce qu'il en pense. »

Aussitôt dit, aussitôt fait. Demers prit la direction du bureau de son patron pour le mettre au courant de sa dernière discussion. Puis il reprit le chemin de son bureau pour préparer ses hommes à affronter les Nordiques en soirée.

Au cours de ce match, finalement remporté 3 à 2 par les Wings, Devellano entra en contact téléphonique avec son homologue Filion à Québec. Les deux hommes discutèrent et se mirent d'accord pour conclure l'échange… avant même que le match soit terminé.

« Sur le plan de la chimie, analyse Demers, on se débarrassait de deux joueurs, Ogrodnick et Shedden, qui étaient devenus indésirables au sein de l'équipe. Nous devions perdre cependant un bon guerrier en McRae, mais nous étions bien nantis à ce niveau avec nos jeunes Probert et Kocur.

« De l'autre côté, nous faisions, avec Ashton, l'acquisition d'un joueur rapide et énergique. Il a marqué 40 buts cette année-là à Québec et à Detroit. Pour sa part, Delorme était un jeune que j'avais dirigé à Saint Louis. Il apportait plus de profondeur et de jeunesse à notre vieille brigade défensive. Finalement, Kumpel se voulait un joueur d'utilité qui était davantage destiné à faire carrière dans les ligues mineures.

« Ce fut en somme une excellente transaction. Ashton a disputé deux bonnes saisons et de très bonnes séries pour nous en 1987 et 1988. »

* * *

La venue des uns (ou le départ des autres, c'est selon) sembla revigorer les Wings, qui traversèrent une séquence de quatre victoires consécutives. Au terme de cette période, ils montraient un dossier de .500 (20-20-8).

Avec une telle fiche, la perspective de participer aux séries était réelle. La fièvre avait d'ailleurs gagné les amateurs et les Wings jouaient désormais devant des foules de 19 000 spectateurs régulièrement, eux qui devaient se contenter de 13 000 la saison précédente.

« C'est à partir de la période des Fêtes que les gens ont réellement commencé à croire en nous et à nous appuyer comme aux belles années des Wings, mentionne Jimmy Devellano. On sentait que quelque chose se passait dans la ville, celle qu'on se plaisait à appeler *Hockeytown*. On ne faisait plus rire de nous avec les sobriquets de *Dead Wings* ou de *Laughing Town*. »

Et Demers d'ajouter : « Déjà après le 23 janvier, nous avions dépassé notre récolte de points (40) de toute la saison précédente. Mais rien n'était encore gagné. J'avais promis à Jimmy Devellano et à Jim Lites de mener les Wings en séries dès la première année et il fallait maintenir le cap. » Ce qu'ils firent.

Il ne restait que quatre matchs à disputer pour compléter la saison et la troupe de Demers pouvait encore aspirer au championnat de la section Norris. Mais une séquence de trois défaites lui fit céder le premier rang aux Blues de Saint Louis (qui donc, dites-vous ?) par un seul point d'écart.

« Le premier rang s'est décidé au tout dernier match de la saison dans une rencontre présentée à Saint Louis, raconte Jacques. Et il a fallu se rendre en prolongation pour déterminer un vainqueur. C'est un but de Rob Ramage qui donna la victoire et le premier rang aux Blues. Les Red Wings clôturaient tout de même le calendrier régulier avec un dossier impressionnant de 34 victoires, 36 revers et 10 matchs nuls en 80 matchs, et ce, sans la contribution de son tout premier choix au repêchage (Joe Murphy), qui avait passé l'année dans les mineures. Cette récolte de 78 points représentait une amélioration de 38 points par rapport à la saison précédente. Jimmy Devellano jubilait tout autant que la famille Ilitch.

Les Blues et les Wings étaient suivis par les Blackhawks (72 points), les Maple Leafs et les North Stars, à égalité (70 points). Tel que promis par Demers à ses patrons, les Wings s'en allaient en séries gonflés à bloc. Ils avaient déjà la ville à leurs pieds…

« C'était maintenant la grande affaire à Detroit, se souvient fièrement Demers. Nous faisions les manchettes sportives dans la ville. C'est arrivé si vite. Du jour au lendemain, nous étions plus populaires que les Lions (NFL), les Tigers (MBL) et les Pistons (NBA). Les joueurs ne se cachaient plus. Tout le monde était joyeux. C'est un *feeling* qui m'électrise encore, simplement à en parler. C'était magique ! »

Ce qui rendait joyeux et confiants les amateurs de Detroit, c'était de savoir que les Wings pouvaient désormais rivaliser avec la plupart des équipes de la LNH. Pas moins de 49 matchs (sur 80) s'étaient soldés par un écart de deux buts ou moins. Cela signifiait qu'ils étaient très compétitifs.

Tout cela plaisait énormément aux partisans, d'autant plus que les Wings s'étaient donné un nouveau visage de durs, eux qui étaient loin d'avoir cette réputation dans les années antérieures.

Et il y avait Demers, avec son style flamboyant, parfois même triomphaliste, qui avait charmé toute la ville, même les non-initiés du hockey.

« On avait fait tout un bond au classement, se souvient le jeune capitaine de l'époque, Steve Yzerman. Notre tenue au cours de la saison était inouïe. On le devait beaucoup à Jacques qui avait ramené l'enthousiasme tant chez les joueurs et la direction que chez les amateurs. Et malgré nos succès de la saison régulière, nous étions encore affamés… »

* * *

Au cours de la première série contre les Blackhawks, les Red Wings furent expéditifs. Ils éliminèrent la troupe de Bob Pulford en quatre matchs successifs. La défense des Wings fut impeccable, ne concédant que six buts. Les piliers des Hawks, Denis Savard, Steve Larmer et Al Secord, ne marquèrent qu'un seul but. En plein contrôle de la situation, les Wings alignèrent des gains de 3 à 1, 5 à 1, 4 à 3 et 3 à 1 pour un verdict sans appel.

Après la série, deux vétérans de la LNH firent littéralement l'éloge de Demers pour son travail. D'abord, le spécialiste de la défense Mel Bridgman encensa son entraîneur. « Jacques Demers est un motivateur exceptionnel qui sait soutirer le maximum de ses joueurs », déclara celui qui jouissait de 16 années d'expérience dans la LNH.

L'autre marque de reconnaissance vint d'un rival de Demers dans cette série, le robuste attaquant Al Secord. « Les Red Wings ont beaucoup de joueurs dont les autres équipes ne voulaient pas, fit-il remarquer. Mais ils fournissent tous 110 pour cent d'effort pour leur entraîneur. On doit donner crédit à Jacques Demers pour ce qui arrive aux Wings. »

Il faut dire que les joueurs des Red Wings avaient de quoi se motiver. Avant le premier match contre les Hawks, présenté à Detroit le 8 avril 1987, le propriétaire Mike Ilitch effectua une petite visite dans le vestiaire de l'équipe. Il s'adressa aux joueurs, aux entraîneurs et au personnel de soutien pour leur faire connaître son contentement.

Dans l'euphorie du moment, il leur proposa aussi un pacte intéressant. Il se déclara disposé à doubler la valeur des bonis octroyés par la LNH. Cela signifiait que plus l'équipe ferait un bout de chemin en séries, meilleurs seraient les bonis à la fin de l'année.

« Juste à y penser, je crois que les joueurs et les entraîneurs entendaient déjà résonner le tiroir-caisse ! Tout le monde avait intérêt à connaître du succès », commente Demers en esquissant un sourire. Et le son résonnait aussi dans sa propre tête... En plus des bonis d'équipe, une clause de son contrat prévoyait de généreux bonis personnels en cas de victoires. « Moi aussi, je me faisais des scénarios », ajoute-t-il.

C'est dans cet esprit que les Wings entreprirent les séries et qu'ils balayèrent, au premier tour, les Hawks de Chicago.

Ce succès rapide leur joua toutefois un vilain tour, car l'équipe dut attendre neuf jours avant de pouvoir disputer son prochain match. Toronto mit six parties pour éliminer Saint Louis. Les Leafs représentaient de farouches rivaux, eux qui avaient dominé les Wings en saison régulière (deux revers seulement dans la série annuelle de huit matchs face aux Wings).

Un peu rouillés par l'inactivité, les Wings encaissèrent d'abord deux revers consécutifs sur leur propre patinoire. Inutile de dire que personne n'en menait large à la suite de ces défaites de 4 à 2 et 7 à 2 au Joe Louis Arena ! Mais, au troisième match, Demers prit une décision capitale qui changea le cours de la série.

Il faut toutefois préciser que le vis-à-vis de Demers, John Brophy, contribua aussi au réveil des Wings...

* * *

Les Leafs avaient la réputation de bien jouer devant leurs partisans, ayant conservé une bonne fiche de 22-14-4 à domicile en saison. Dans ce contexte fort difficile, l'entraîneur Jacques Demers se devait de sonner le réveil de ses troupes.

Jusque-là, son homme de confiance avait été le gardien Greg Stefan, qui avait remporté trois victoires dans la série précédente en n'allouant que trois buts en trois matchs. C'est donc Stefan qui avait amorcé les deux premiers matchs face aux Leafs.

Demers avait aussi fait appel au vétéran gardien Glen Hanlon lors d'un match contre Chicago et lors d'un autre contre les Leafs en relève de Stefan. À cette époque, le système d'alternance où deux gardiens se partageaient le travail plutôt équitablement était beaucoup plus fréquent qu'aujourd'hui. C'était le cas à Detroit. Hanlon avait roulé sa bosse dans la LNH à Vancouver, Saint Louis et New York (Rangers), et il donnait de la force au duo de gardiens des Wings.

Au troisième match donc, Demers prit la décision de retirer Stefan de la formation et fit appel au vétéran Hanlon. Dès le début de la partie, deux buts des Leafs lui firent presque regretter sa décision : les Wings se retrouvaient dans la position la plus difficile qui soit, c'est-à-dire un retard de deux buts dans une série où ils accusaient autant de défaites.

C'est le moment que choisit le *subtil* vis-à-vis de Demers, John Brophy, pour provoquer son rival derrière le banc, à la suite d'une échauffourée sur la patinoire. Dans un geste qui visait à ridiculiser Demers, Brophy grimpa sur son banc et porta sa main au cou. C'est ce qu'on appelait communément le signal aux *chokers*, c'est-à-dire un geste de dérision adressé à ceux qui étaient en train de crouler sous la pression. Rien de moins !

Le flamboyant Demers perdit littéralement sa contenance. Il bondit à son tour sur le banc et sermonna son vis-à-vis en gesticulant en tous sens. L'homme à la moustache et aux grosses lunettes était pratiquement incontrôlable. Il tenta de se frayer un chemin à travers les joueurs sur le banc pour se rapprocher de Brophy et se retrouva à quelques mètres de son provocateur, à peine plus éloigné que par l'épaisseur d'une petite baie vitrée.

Rouge comme un coq, Demers semblait inviter Brophy à régler sur-le-champ leur différend, mais ses joueurs se précipitèrent sur lui pour calmer ses ardeurs. Pendant ce temps, d'un air triomphant, Brophy regardait son rival s'exciter en lui distribuant ses sourires les plus condescendants. Ce qui ne fit qu'attiser la colère de Demers !

L'incident terminé, Demers réussit à retourner la situation en faveur de son équipe. « J'ai réuni les joueurs et j'ai parlé de la fierté que Brophy venait d'attaquer chez les Wings. Je leur ai dit qu'aucun athlète ne devait tolérer une telle attitude arrogante. C'était inacceptable. Il fallait prouver à Brophy et aux Leafs que nous n'étions pas des lâcheurs, ni des athlètes qui croulaient sous la pression. Le message a été saisi. »

Les Wings revinrent finalement de l'arrière pour signer un gain de 4 à 2. Ils perdirent toutefois le quatrième match en prolongation par 3 à 2, non sans s'être battus jusqu'au bout.

« Hanlon fut fantastique à Toronto, raconte Demers. Nous tirions désormais de l'arrière 1-3 dans la série, mais je savais que j'avais un gardien en pleine possession de ses moyens pour le reste de la série. Hanlon avait été époustouflant au premier match à Toronto et il était le grand responsable de notre présence en prolongation lors du deuxième match. »

Malgré le revers, il n'était pas question pour Demers de ramener Stefan devant le filet. « Je sais que Greg Stefan m'en voulait énormément pour ça, mentionne-t-il. Greg était le vétéran à Detroit. Il venait d'attendre deux matchs au bout du banc et croyait que le tour lui revenait. Mais je ne pensais pas comme lui. Je devais y aller avec Hanlon. »

Au cinquième match présenté à Detroit le 29 avril, Hanlon dissipa tous les doutes, même dans l'esprit de Stefan ! Il signa une victoire par blanchissage dans une performance mémorable.

* * *

Quelques heures avant la présentation de ce cinquième match, Demers n'avait pas seulement statué sur le choix de son gardien, il avait pris une autre bonne décision. Depuis quelques jours, il avait entendu dire que Joey Kocur, un fougueux dur à cuire, était le cousin de Wendel Clark, la vedette des Maple Leafs. Selon la légende, les Clark et les Kocur avaient signé un traité de paix ! Pas question de s'attaquer entre cousins.

Wendel Clark en était à sa deuxième année à Toronto, où il était rapidement devenu la coqueluche locale. Il avait 20 ans. On appréciait son talent tout autant que sa fougue. À sa première saison, il était déjà un représentant des Leafs au match des étoiles. La foule du Maple Leaf Gardens attendait un athlète de sa trempe depuis des lunes. Certains avançaient même que les Leafs alignaient désormais un émule de Maurice Richard ! On disait qu'il était le cœur et l'âme des Leafs.

Clark avait été dominant depuis le début de la série. Si les Leafs menaient par 3-1, ils le lui devaient. En plus de marquer des buts importants, il frappait les Wings à qui mieux mieux.

« Ce soir-là, raconte Demers, j'ai conduit Kocur dans mon bureau pour lui confier une mission que je le savais capable d'exécuter, malgré la difficulté. Ce jeune Kocur avait du caractère. À 22 ans, il débordait d'énergie. En plus, c'était un *tough*. Un vrai *tough* qui n'avait peur de rien. Évitant de lui révéler ce que je savais au sujet du "pacte" avec son cousin, j'ai regardé Joey en plein visage et je lui ai lancé : "Tu vas t'occuper de ce f... de ?*&#!* de Wendel Clark. Suis-je assez clair ?" »

Demers estime aujourd'hui que c'est le discours le plus éloquent qu'il ait adressé à Kocur. « Il n'y a rien que je ne lui ai pas dit au sujet de Clark, en plus de lui souligner qu'il allait éliminer notre équipe si on continuait à le laisser faire. Je lui ai demandé de se préparer à couvrir Clark durant toute la soirée. Chaque fois que Clark sautait sur la patinoire, je voulais qu'il se prépare à l'affronter. "Et je veux que tu lui fasses sentir ta présence", lui ai-je précisé. »

Le jeune Kocur n'allait pas décevoir son entraîneur, au risque de déplaire à son cousin. Il s'appliqua à devenir l'ombre de Clark. Il lui arrivait même de bousculer son cousin dans le coin de patinoire pour le provoquer et le déconcentrer.

« Clark s'est mis à mal jouer, poursuit Demers. Il était frustré. Joey accomplissait tout un travail. Il était constamment sur son dos. Il n'avait pas la vitesse de Clark, mais il s'organisait pour le ralentir. On sentait que Clark aurait parfois voulu répliquer, mais qu'il se retenait. Peu à peu, on le sortait de son plan de match, grâce à Joey. »

* * *

Les Wings ont ainsi remporté le cinquième match à Detroit, le 29 avril, grâce à la combinaison Hanlon-Kocur. Ils accusaient maintenant un recul de 2-3 dans la série.

Trois jours plus tard, la série se déplaçait de nouveau à Toronto pour le sixième match. Là encore, la combinaison Hanlon-Kocur permit aux Wings d'égaler la série grâce à un gain de 4 à 2. Bob Probert s'illustra également en marquant le but victorieux.

Tout était en place pour l'ultime match à Detroit, devant une foule partisane qui envahit le Joe Louis Arena toute de rouge vêtue, la couleur de l'équipe.

« C'était une véritable marée rouge dans l'édifice, se rappelle Demers. On sentait tellement d'appuis de nos partisans. Ils étaient aussi heureux que nous. Ils vivaient pleinement ces séries. Le rouge était redevenu à l'honneur à Detroit.»

Et le miracle se produisit. Les Wings ne firent qu'une bouchée des Leafs en obtenant une seconde victoire par blanchissage (3 à 0). Glen Hanlon s'était encore élevé pour l'occasion et Joey Kocur avait transformé son cousin Wendel Clark en courant d'air.

«J'ai pris de bonnes décisions dans cette série, notamment avec Hanlon et Kocur, estime Demers. Mais le point tournant qui a complètement fait basculer la série en notre faveur, c'est le geste de John Brophy au troisième match. Ce fut l'étincelle qui nous manquait pour porter notre jeu à un niveau supérieur. Désormais, mes joueurs étaient tous unis pour une cause : il fallait fermer le clapet à Brophy.»

De l'avis de Demers, l'arrogance de Brophy eut le même effet sur sa troupe que celle de Pierre Pagé sur le Canadien, six ans plus tard.

«Lorsque je fais le bilan de ma carrière, plusieurs souvenirs me reviennent en tête, relate Demers. Parmi les plus beaux, il y a ces victoires contre les Leafs en 1987 et contre les Nordiques en 1993. Dans les deux cas, nous tirions de l'arrière 0-2 en amorçant la série, mais c'est l'attitude de nos rivaux qui stimula notre désir de remonter la pente.

«Je n'ai rien de personnel contre John Brophy, ajoute-t-il, mais je crois que cette fois-là, il a appris grandement de son métier. Il se croyait victorieux avant même la fin des hostilités. Il avait péché par arrogance et excès de confiance. De la sorte, il avait attaqué notre fierté.»

* * *

À Detroit, c'était le bonheur total. Le propriétaire Mike Ilitch était au septième ciel puisque déjà Demers lui avait permis de récolter six fois d'importantes recettes aux guichets au cours des deux premières séries. C'était inouï pour une équipe qui, treize mois plus tôt, avait mis fin à sa saison avec une maigre récolte de 40 points. Comme virage, c'en était tout un.

Les Wings se présentaient désormais en grande finale de l'Association de l'Ouest, au printemps 1987, à un seul pas de la finale de la coupe Stanley, un trophée qui n'avait pas paradé dans les rues de Detroit depuis 32 ans (1955).

Les Wings devaient maintenant se mesurer aux Oilers, qui se voulaient la nouvelle dynastie du hockey avec les Gretzky, Messier, Kurri, Anderson, Tikkanen, Coffey, Fuhr et autres vedettes.

Les Oilers avaient remporté la coupe Stanley en 1984 et 1985. En 1986, ils avaient connu une baisse de régime et le but de Steve Smith dans son propre filet avait causé l'élimination des Oilers devant les Flames de Calgary. Mais la troupe de Glen Sather entendait bien reprendre sa couronne dès les séries 1987.

Contre toute attente, les Wings prirent les devants 1-0 en se payant un gain de 3 à 1 dès le match inaugural à Edmonton. Demers causa une certaine surprise en replaçant Greg Stefan devant le filet. Stefan fut époustouflant devant la puissante machine des Oilers, dominant son illustre vis-à-vis Grant Fuhr.

Mais les réjouissances devaient être de courte durée. Les Wings avaient beau avoir réduit au silence Wayne Gretzky dans le premier match, ils subirent la défaite dans les quatre matchs suivants et les Oilers obtinrent le précieux laissez-passer pour la finale de la coupe Stanley.

« On ne se racontera pas d'histoire, les Oilers nous étaient nettement supérieurs, admet Demers. Mais après notre première victoire à Edmonton, j'avais commencé à rêver. Finalement, le talent a triomphé. Je ne pouvais toutefois pas reprocher à mes joueurs de ne pas avoir tout donné. On était allés au bout de nos ressources. »

Non sans avoir peiné, les Oilers réussirent à célébrer leur troisième conquête de la coupe Stanley trois semaines plus tard. La bande à Gretzky l'emporta au terme d'une série chaudement disputée contre les Flyers de Philadelphie. La série nécessita la présentation d'un septième match pour déterminer un vainqueur.

* * *

Dans les jours qui suivirent l'élimination des Red Wings, joueurs et entraîneurs en étaient arrivés à l'étape de passer à la caisse. Chacun avait en mémoire la promesse faite par le propriétaire Mike Ilitch de doubler la valeur des bonis offerts par la LNH en séries.

Le propriétaire n'entendait pas se défiler devant ses obligations. Ilitch était tellement ravi de ses nouveaux Wings qu'il était prêt à leur donner la lune. Depuis son arrivée, en 1982, il n'avait jamais remporté une seule série éliminatoire. Son équipe avait été exclue des séries deux fois, en 1983 et 1986, alors qu'elle s'était inclinée dès la première ronde en 1984 et 1985. Le fait de se rendre jusqu'en finale de l'Association de l'Ouest avait de quoi l'enchanter et même l'enthousiasmer.

Pour avoir atteint la finale de l'Ouest, les joueurs et entraîneurs des Wings avaient droit à un boni de 16 000 $ chacun de la part de la LNH. Comme prévu, Ilitch doubla ce montant et versa à chacun de ses employés concernés une somme additionnelle de 16 000 $.

À l'instar de ses joueurs, Demers toucha donc un boni de 32 000 $, mais ce n'était pas tout. Tel que prévu à son contrat, les Red Wings devaient lui verser une somme de 10 000 $ pour chacune des séries auxquelles son équipe avait participé. Comme les Wings avaient pris part à trois séries, Demers eut droit à une somme de 30 000 $ supplémentaire.

«C'est simple, cette année-là, j'ai encaissé plus d'argent en bonis à la fin de la saison que pendant toute la saison précédente à Saint Louis ! J'ai touché 62 000 $ de bonis alors que je gagnais 57 000 $ en salaire annuel chez les Blues.

«C'était un nouveau monde pour moi, ajoute Demers. Je n'étais pas habitué à une telle abondance. Pour la première fois, j'habitais une belle maison à Farmington Hill et mon compte en banque était très bien garni.»

* * *

En matière de boni, Demers n'était pas encore au bout de ses surprises... Le 10 juin 1987, il fut élu, à la quasi-unanimité, entraîneur de l'année dans la LNH à la suite d'un scrutin effectué auprès des commentateurs de hockey d'Amérique. Il reçut 32 votes sur un total possible de 35 pour décrocher le trophée Jack-Adams.

Ce trophée avait une signification particulière puisque le défunt Jack Adams avait été une figure légendaire pour les amateurs de hockey à Detroit. Il avait dirigé d'une main de fer les Red Wings de 1927 à 1947, tout en étant leur directeur général de 1927 à 1963. Son règne s'était étalé sur 36 ans ! C'était la deuxième fois seulement depuis l'instauration de ce trophée en 1974 qu'un entraîneur des Wings avait l'honneur de le gagner. L'autre vainqueur avait été Bobby Kromm en 1978.

Demers fut aussi proclamé entraîneur de l'année par ses pairs à la suite d'un vote tenu auprès des entraîneurs de la LNH par la prestigieuse revue *The Sporting News*. Et pour ajouter à la pluie d'honneurs, l'hebdomadaire *The Hockey News* lui décerna un titre similaire.

Son trophée Jack-Adams obligea les Red Wings à rouvrir de nouveau leur caisse en sa faveur. Ils lui versèrent, selon une clause de son contrat, un autre boni de 10 000 $.

En tout cette année-là, Jacques passa d'un revenu de 57 000 $ à Saint Louis à des revenus totalisant près de 375 000 $! Et ça ne devait pas s'arrêter là, car, sous le charme de leur nouvel entraîneur, les propriétaires Marian et Mike Ilitch lui firent cadeau d'une rutilante Mercedes 1987 pour le remercier de la saison fabuleuse qu'il venait de leur faire vivre.

Quelques instants après avoir reçu le trophée Jack-Adams au gala annuel de la LNH à Toronto, Demers, euphorique, se confia au journaliste Guy Robillard, de la *Presse canadienne :* « J'étais nerveux et je voulais gagner ce trophée. J'ai été déçu l'an dernier (1986) quand j'ai perdu aux mains de Glen Sather. Je suis content, mais ce sont mes joueurs qui ont pris les coups et c'est d'abord à eux que je dois ce trophée. »

Puis dans une répartie qui fait aujourd'hui figure de prophétie, il ajouta : « Je suis vraiment parti de nulle part, de livreur de Coke, et je vais écrire un livre un jour pour raconter tout ça. » Vraiment, il avait déjà de la suite dans les idées. Dix-huit ans plus tard, nous y voici !

* * *

En plus des honneurs qui rejaillirent sur Demers et les Wings, plusieurs joueurs de l'équipe obtinrent leur part. Ce fut le cas du nouveau capitaine Steve Yzerman, qui s'était avéré le meilleur pointeur de l'équipe avec 90 points (13e dans la LNH), pendant que Gerard Gallant était le meilleur franc-tireur avec 38 buts.

Sur le plan collectif, la plus belle réussite de Demers et de ses Wings avait été leur amélioration défensive. L'année précédente, les Wings avaient été pitoyables en accordant pas moins de 415 buts à l'adversaire, un sommet de médiocrité dans la LNH. Or, un an plus tard, la défense des Wings avait réduit le nombre de buts accordés à 274.

« On s'attendait à une amélioration, mais pas à ce point-là », reconnaît Demers en rappelant que plusieurs défenseurs, tels Lewis, O'Connell, Snepsts et Halward, étaient plutôt vieillissants.

S'adressant une dernière fois aux représentants des médias avant de partir pour des vacances estivales, Demers lança un avertissement à ses rivaux : « Je veux être bien clair. Nos succès ne sont pas le fruit de la chance. Je ne crois pas être à la tête d'une équipe surévaluée. Nous formons vraiment une très bonne équipe. Et nous serons encore meilleurs l'an prochain. Ce n'est qu'un début ! »

Le jeune capitaine Steve Yzerman résuma bien l'état d'esprit dans lequel lui et ses coéquipiers se retrouvaient en partant pour les vacances : « Je vais vivre un été merveilleux. Moi et mes coéquipiers pourrons marcher la tête haute et porter le chandail des Red Wings sans gêne désormais. »

Une nouvelle ère de hockey était née à Detroit...

Près de 20 ans plus tard, Yzerman se souvient de cette période euphorique : « C'est sous Jacques que j'ai connu mes premières séries significatives dans la LNH. J'avais participé aux séries deux fois auparavant avec les Wings, mais nous avions subi l'élimination en première ronde. Le fait d'avoir atteint, en 1987, la finale de l'Association de l'Ouest, constituait un virage à 180 degrés pour nous tous. Nous avions tous l'impression que les mauvais jours des Red Wings étaient désormais chose du passé. Et il ne se trouvait personne pour s'en plaindre ! »

* * *

Jacques Demers avait été élevé au rang d'une icône à Detroit. Sa notoriété était telle que plusieurs entreprises se l'arrachaient pour toutes sortes de raisons. Il était populaire, les Wings aussi, et il avait le charisme voulu pour rejoindre le public dans des réclames publicitaires. On le sollicitait beaucoup à cet effet. On lui offrait aussi de prononcer des conférences de motivation auprès du personnel de certaines corporations parmi lesquelles on retrouvait Chrysler, Sherwin-Williams et même le barreau de Detroit. Bref, toutes les compagnies avaient intérêt à s'associer à Jacques Demers, un nom apprécié dans la ville.

« J'ai fait des publicités pour un quincaillier, une mercerie, un restaurant et pour la multinationale Ford. Cette dernière avait fait appel aux entraîneurs des quatre équipes professionnelles de sport à Detroit, soit les Red Wings, les Tigers (Sparky Anderson), les Lions (Wayne Fontes) et les Pistons (Chuck Daly). C'était plutôt prestigieux que d'être associé à une si grande compagnie. C'est Sparky qui nous avait amenés avec lui chez Ford. »

À défaut de savoir lire et écrire correctement, Demers avait hérité du don de la parole et cela lui rapportait beaucoup. Ses revenus en dehors du hockey devinrent considérables. On pouvait parler d'une somme additionnelle de près de 100 000 $ par année, ce qui n'était pas négligeable.

« J'étais de toutes les tribunes, dit-il. Chaque fois qu'on me demandait, je ne disais jamais non. »

C'est au cours de cette période que le nom de Jacques Demers fut associé à un restaurant de Dearborn, en banlieue de Detroit. Ce restaurant

Avec son bon ami Sparky Anderson, alors entraîneur des Tigers de Detroit, en 1989. (Photo : Dan Ewald Jr.)

était situé dans le hall d'un hôtel de la chaîne *Embassy Suite*. En retour d'une bonne allocation mensuelle, on se servait de son nom pour attirer la clientèle. De son côté, Demers devait faire acte de présence sur une base régulière pour saluer les clients.

* * *

Au cours de l'été, les Wings firent du défenseur Yves Racine leur toute première sélection au repêchage. La plupart des joueurs de la saison précédente étaient de retour. À l'exception de Joe Murphy, bien peu de nouvelles figures se retrouvaient dans le vestiaire des Wings. Seul le gros joueur de centre John Chabot avait été acquis sur le marché des joueurs autonomes sans restriction.

Le camp d'entraînement commença mal toutefois puisque Petr Klima fut impliqué dans un accident de la route alors qu'il était sous l'influence de l'alcool. Il vit sa peine d'emprisonnement suspendue après avoir plaidé coupable et avoir promis de garder la paix.

Les Wings n'en étaient pas moins revigorés par les succès de l'année précédente et, à l'exception de l'incident Klima, le deuxième camp d'entraînement se déroula sans trop d'histoire à Detroit. La seule chose qui avait changé depuis un an était l'atmosphère régnant dans l'équipe. Demers constatait agréablement qu'il aurait à travailler avec une bande de joueurs heureux et fiers de jouer pour les Wings. C'était un souci de moins.

Les Wings entreprirent donc la saison du bon pied. À la mi-saison, ils affichaient une fiche supérieure à la moyenne (19-16-5 en 40 matchs). Déjà, des odeurs de championnat de division flottaient dans l'air. La troupe de Jacques Demers connut ensuite une deuxième portion de calendrier exceptionnelle. Les Wings terminèrent la saison avec un dossier inattendu de 41-28-11. Jusque-là, tout allait bien…

* * *

C'est au cours de la deuxième moitié du calendrier que Demers se présenta au Forum de Montréal avec ses Wings, un samedi de février 1988, pour disputer la victoire au Canadien.

Encore sous l'effet de l'adrénaline de ses succès à la barre des Wings depuis presque deux ans, il affichait un air de conquérant lors de sa rencontre avec la presse montréalaise le matin même du match.

Il en profita pour régler un vieux compte avec les Nordiques et Marcel Aubut. Au journaliste Michel Blanchard de *La Presse* (celui qui avait été à l'origine de son congédiement à Québec), il déclara : « Si les Nordiques ne m'avaient pas congédié, ils auraient déjà gagné la coupe Stanley. » *Ayoye !* « Qu'on me comprenne bien, dit-il à Blanchard. Je ne veux pas minimiser le travail de Michel Bergeron, mais les Nordiques avaient l'équipe pour se rendre à la coupe en 1985 [les Nordiques avaient atteint la finale de l'Association de l'Est où ils s'étaient inclinés contre les Flyers et Pelle Lindberg en six matchs]. Ça me fait drôle de penser à ça parce que Marcel Aubut a toujours rêvé d'une coupe Stanley », ajouta-t-il avec une pointe d'ironie.

La réplique de Québec ne se fit pas attendre. Informé des propos de son ancien entraîneur, Maurice Filion était dans tous ses états à l'autre bout de l'autoroute 20. Il se confia au journaliste Albert Ladouceur, du *Journal de Québec.*

« Je ne comprends pas pourquoi Jacques s'exprime ainsi. Je me souviens trop bien des circonstances de son "congédiement". Il s'est congédié lui-même en mettant en doute l'intégrité de tout le monde de l'organisation. Même la presse avait été attaquée dans ses déclarations. Par la suite, nous l'avons payé pendant un an à ne rien faire à Saint-Jean, au Nouveau-Brunswick. Puis, quand les Blues ont voulu lui faire signer un contrat, nous avons accepté de le libérer. À l'époque, nous voulions obtenir beaucoup. Mais comme Ronald Caron ne pouvait répondre à nos exigences, nous avons abdiqué parce qu'il nous apparaissait injuste de ne pas lui donner cette autre chance. Nous avons libéré Jacques de son contrat. Il devrait nous en être reconnaissant.»

«Je me suis mal exprimé cette journée-là, concède Jacques Demers aujourd'hui. Je voulais simplement dire ma déception vis-à-vis des Nordiques qui m'avaient abandonné rapidement. Je n'avais aucunement l'intention de viser le travail de Michel Bergeron. Ça n'avait rien à voir. D'ailleurs, Michel a fait un très bon travail à Québec. Il a tiré le maximum du personnel qu'il avait sous la main.»

Quoi qu'il en soit, cette prise de bec par médias interposés n'eut pas de suite, mais Filion mit un certain temps à pardonner la sortie publique de Demers.

* * *

Populaire, Demers était excellent avec les journalistes, à cette époque en particulier. De partout dans la LNH, les scribes adoraient se rendre à Detroit, sachant à l'avance que l'entraîneur des Wings aurait toujours une bonne histoire à raconter.

En plus de sa volubilité légendaire, Demers ne détestait pas faire son petit spectacle de temps à autre. On l'avait vu lancer ses lunettes sur la patinoire à Saint Louis, quelques années plus tôt, et les images avaient fait le tour de l'Amérique... On l'avait aussi soupçonné d'avoir lancé une poignée de petite monnaie sur la patinoire dans un match éliminatoire des Blues de Saint Louis... Des «soupçons» plutôt bien fondés!

Demers avait aussi fait la manchette de tous les bulletins sportifs d'Amérique à la suite d'une altercation avec son vis-à-vis des North Stars du Minnesota, Herb Brooks. Les deux pilotes s'étaient vertement engueulés au cours d'un match à Detroit après une séance de brasse-camarade sur la patinoire. Ils s'accusaient mutuellement à grand renfort d'injures et en étaient presque venus aux coups.

«Ce damné Brooks avait le don de me faire sortir de mes gonds, raconte Demers. Ce soir-là, il voulait rire de moi devant tous les joueurs en faisant référence à mon passé. J'étais grimpé sur mon banc en train de m'engueuler avec lui et il m'avait lancé : "Va t'asseoir, vulgaire chauffeur de camion de lait ! (*Sit down, f... milk truck driver !*)" J'étais dans tous mes états. »

Demers était parti en direction du banc des North Stars, veston au vent et cravate en l'air, voulant s'en prendre à Brooks qui, lui, riait de bon cœur à voir s'escrimer son rival. Les joueurs et l'adjoint de Demers, Don McAdam, s'étaient interposés, non sans peine. Dans son excitation, Demers s'était coupé à la jambe sur le patin d'un de ses joueurs, mais ne s'en était pas rendu compte. Ce sont les soigneurs qui constatèrent que du sang coulait de son pantalon !

« C'est la fois où je suis venu le plus près d'empoigner un adversaire derrière un banc. J'avais l'impression que Brooks me prenait de très haut. D'ailleurs, je lui avais rappelé que je n'avais jamais été laitier, mais chauffeur de camion de Coke, et que j'en étais très fier ! »

Plus tard dans sa carrière, Demers croisa Brooks dans un amphithéâtre de la LNH. Ce dernier était devenu commentateur à la télévision. L'ancien pilote de l'équipe olympique américaine de 1980, médaillée d'or aux Jeux de Lake Placid, se montra bon prince.

« Herb s'excusa pour les propos qu'il avait tenus. Sans être devenus des amis, on s'est toujours respectés par la suite, et ce, jusqu'à sa mort. »

* * *

Cette saison 1987-1988 permit aux Wings de célébrer leur premier championnat de division depuis la saison 1964-1965. L'équipe fit un bond de 15 points au classement par rapport à la saison précédente. C'est dire qu'en deux ans les Wings de Jacques Demers étaient passés d'une récolte de 40 points à une autre de 93 points. Il y avait de quoi pavoiser...

Surtout que les Wings devinrent pratiquement imbattables à domicile, ne subissant que 10 défaites en 40 matchs (24-10-6) devant leurs propres partisans. Le Joe Louis Arena devint un amphithéâtre inhospitalier pour l'équipe visiteuse. Les partisans de l'équipe, qui remplissaient les 19 873 sièges de l'édifice chaque soir, tombèrent en amour avec cette formation redoutable à domicile.

Chez les joueurs, Steve Yzerman réalisa son entrée dans un club sélect : celui des marqueurs de 50 buts. Il réussit 50 buts et obtint 52 aides pour un total de 102 points. Il était la personnalité sportive la plus populaire en ville, derrière Demers.

« Jacques était un entraîneur très exigeant, mais lorsqu'il t'envoyait dans la mêlée, il te faisait entièrement confiance, relate Yzerman. Dès son arrivée à Detroit, il m'a placé dans des situations importantes. Brad Park avait commencé à le faire avant lui, mais c'est vraiment sous Jacques que j'ai obtenu plusieurs responsabilités. Surtout, j'ai acquis beaucoup de confiance sous ses ordres. Ça explique sans doute pourquoi j'ai bien produit offensivement au cours de ces années ».

Outre Yzerman, la saison permit aussi au robuste ailier gauche Bob Probert de se distinguer dans le grand monde du hockey. Sur un autre plan qu'Yzerman, Probert devint un favori de la foule, même s'il avait quelques frasques à son actif. Il avait agressé un policier de Windsor, avait conduit avec les facultés affaiblies par l'alcool et il avait fait deux courts séjours dans des centres de désintoxication. Mais peu importe sa vie nocturne, la foule adorait ce grand gamin aux poings d'acier.

Probert était craint de tous ses rivaux et acquit unanimement la réputation de *policier* n°1 du circuit. C'était un dur qui affichait de très belles habiletés de hockeyeur. Il connut une saison offensive à faire rêver avec un total de 62 points, dont 29 buts. Mais surtout, il s'avéra le joueur le plus pénalisé de la LNH avec un total de 398 minutes au banc des pénalités.

Pour plusieurs directeurs généraux de la LNH, il possédait le profil idéal du joueur de puissance puisqu'il combinait robustesse et talent. Ce n'est pas pour rien qu'on l'invita à participer au match des étoiles à Saint Louis. Mais Probert n'avait pas que des qualités. Il aimait faire du bruit… à l'extérieur de la patinoire. « Il n'était pas toujours facile à mener, mais c'était un bon *kid*, soutient encore Jacques. Il avait un problème et, plutôt que de le régler, il s'est parfois enfoncé… »

Outre Yzerman et Probert, Demers soutira une très bonne saison à Gerard Gallant, au nouveau venu John Chabot, à Petr Klima, à Adam Oates et à Brent Ahston.

Au même titre que ses joueurs de premier plan, Demers était perçu par les partisans comme l'un des rouages importants du succès. Pour tout le travail accompli, il fut encore honoré par la LNH, qui lui décerna pour une deuxième reprise le trophée Jack-Adams. Il devenait le premier entraîneur (et encore le seul à ce jour) à remporter ce trophée deux saisons consécutives.

« C'est quelque chose dont je suis très fier car c'est probablement le seul endroit où je figure dans le livre des records de la LNH », mentionne-t-il.

* * *

Les Wings durent affronter les Maple Leafs en première ronde des séries, dans ce qui semblait s'annoncer comme une série revanche pour les Leafs. Cette fois-ci toutefois, les Torontois étaient privés de leur joueur vedette, Wendel Clark, qui avait été blessé au dos pour la majeure partie de la saison et qui ne pouvait participer aux séries. Problème de moins à régler pour Demers et, surtout, pour son grand cousin, Joey Kocur.

Tout comme en 1987, les Wings subirent la défaite (6 à 2) au premier match présenté à Detroit, mais ils disposèrent de façon décisive des Leafs au cours des trois matchs subséquents (6 à 2, 6 à 3 et 8 à 0). La troupe de Jacques Demers prit finalement six matchs pour éliminer les Leafs et son pilote John Brophy, lequel, plus sage, semblait avoir appris de ses erreurs antérieures.

Adam Oates, Petr Klima et Bob Probert furent dominants dans cette série. Klima y marqua notamment six buts, dont deux victorieux.

La fièvre du hockey regagna la ville et tout était en place pour le premier affrontement en séries entre Jacques Demers et son ancienne formation, les Blues de Saint Louis, dirigés par Jacques Martin.

Demers n'en voulait certainement pas aux joueurs des Blues, mais il tenait absolument à éliminer son ancienne équipe pour conforter son propriétaire Mike Ilitch dans sa décision de l'avoir embauché.

Guidés encore par Klima, les Red Wings ne mirent que cinq matchs à vaincre les Blues. Klima ajouta quatre buts à sa fiche, dont deux autres victorieux. Gerard Gallant, John Chabot et encore Probert figurèrent parmi les meilleurs joueurs.

* * *

Si Demers avait vécu une belle année à sa première saison à Detroit et si cette deuxième saison était tout aussi glorieuse, les séries éliminatoires, notamment l'affrontement avec les Oilers, allaient lui faire connaître des moments plus tumultueux.

Demers dirigeait en fait une bande de joyeux lurons. Klima et Probert étaient les plus connus pour leurs frasques, mais les Kocur, Chabot, Veitch, Murphy et quelques autres ne détestaient pas faire la fête à l'occasion.

D'une certaine façon, elle était plutôt rafraîchissante cette bande de jeunes qui profitaient pleinement de la vie d'athlète professionnel, même si parfois elle éprouvait de la difficulté à tracer la limite acceptable. En d'autres termes, il arrivait à ces jeunes loups de dépasser les bornes... ce qui s'était produit à l'occasion en cours de saison, mais tout était demeuré à l'intérieur des murs du vestiaire. Demers avait sévi à quelques reprises sans toutefois s'imaginer que la situation pourrait être sérieuse au point d'affecter son équipe...

Comme au printemps précédent, les Wings avaient maintenant rendez-vous avec les Oilers d'Edmonton en finale de l'Association de l'Ouest. Pour Demers, il s'agissait d'une troisième présence consécutive en finale d'association, lui qui avait perdu en 1986 contre Calgary et en 1987 aux mains d'Edmonton.

Les Oilers, champions en titre de la coupe Stanley, étaient aux yeux de tous les observateurs, les principaux favoris. L'année précédente, les Red Wings avaient nettement été dominés... et ils allaient l'être à nouveau cette année-là.

Outre une victoire de 5 à 2 au troisième match présenté à Detroit, les Red Wings furent nettement dominés. Les Oilers atteignirent encore la finale en disposant des Wings par quatre victoires à une.

Plus que par la défaite, la série fut marquée par des incidents qui, soudainement, affaiblirent le pouvoir absolu qu'exerçait Demers sur sa troupe.

Voici l'histoire...

* * *

Demers mangeait en compagnie de sa femme Debbie et du frère de cette dernière dans un restaurant d'Edmonton. Le frère de Debbie était aussi accompagné de sa femme. Les deux couples s'étaient donné rendez-vous puisque le beau-frère de Jacques habitait Edmonton d'où Debbie elle-même était originaire.

Après avoir mangé, Debbie et son mari reprirent la direction de l'hôtel pour y passer la nuit en prévision du match du lendemain. À son arrivée à l'hôtel, Demers croisa brièvement son adjoint Colin Campbell et son patron Jimmy Devellano dans le lobby. Les deux hommes étaient là pour surveiller discrètement les allers et venues des joueurs. « Jusque-là, rien ne me laissait entrevoir des problèmes », indique Demers. Au moment d'aller au lit, il ignorait toutefois que des souris dansaient dans la ville d'Edmonton...

En se levant le matin du 11 mai 1988, Demers rencontra Campbell dans le lobby, qui l'attendait impatiemment. Au cours de la nuit, celui-ci avait dû répondre à un appel l'informant que six joueurs des Red Wings étaient encore, à 2 heures du matin, au Goose Loonies, un bar d'Edmonton. Il avait rapidement accouru pour ramener les brebis égarées.

Les joueurs concernés étaient Bob Probert, Darren Veitch, Petr Klima, Darren Elliott, Joey Kocur et John Chabot. Seuls Probert et Chabot devaient jouer le lendemain puisque Veitch, Klima et Kocur étaient blessés, alors qu'Elliott était le troisième gardien de l'organisation.

Campbell expliqua le problème à Demers. Six joueurs venaient de se faire prendre en état d'ébriété, à 2 heures du matin, à la veille d'un match décisif de la finale de l'Association de l'Ouest. Ce n'était pas une légère offense. La solidarité de l'équipe en prenait pour son rhume. Et la réputation de Demers, celle d'un homme en plein contrôle, en était tout autant ébranlée.

Au niveau de la direction, il fut rapidement convenu qu'on tairait l'affaire et qu'on réglerait le problème au retour à Detroit. Dans l'intervalle, on décida d'utiliser Probert et Chabot pour le match.

« Je me souviens que nous avons tenu une très sérieuse réunion à laquelle prenaient part Ilitch, Lites, Devellano et moi-même. Nous devions agir en fonction des meilleurs intérêts de l'équipe. C'est le discours que j'ai tenu. Dans le but de respecter nos autres joueurs et nos partisans, nous devions présenter la meilleure formation possible sur la glace pour battre les Oilers ce soir-là. Si nous avions été en saison régulière, j'aurais pensé autrement, mais, en séries, nous devions nous donner toutes les chances de gagner, quitte à régler le problème plus tard. »

Demers réussit donc à convaincre la direction de faire appel à Probert et à Chabot malgré la gravité de leur geste.

Quelques minutes après la réunion, il quitta la suite de l'hôtel pour se retrouver dans le hall, où les journalistes Keith Gaves et Mitch Album l'attendaient. Les deux chroniqueurs de Detroit avaient été témoins d'une discussion musclée au *coffee shop* de l'hôtel entre le vétéran Brent Ashton et Petr Klima. Ashton était en train de savonner Klima pour ses stupidités de la veille. Il avait déballé son sac, de sorte que les journalistes connaissaient le déroulement exact de l'incident. Et ils attendaient maintenant le *coach*…

« Lorsque les journalistes m'ont questionné sur le sujet, j'ai été pris de court, raconte Demers. Je ne croyais pas que les informations avaient coulé. Je ne voulais pas leur mentir et je m'apercevais bien qu'ils en savaient autant que moi. »

Finalement, l'équipe subit l'une de ses pires défaites, sinon la pire, en séries, depuis l'arrivée de Demers.

Dans les journaux du lendemain et au cours des semaines subséquentes, on remit largement en question la décision de l'entraîneur de ne pas sévir à l'endroit de Probert et Chabot. Plus qu'une simple sanction, des chroniqueurs étaient même d'avis que tous les joueurs impliqués dans l'incident du bar *Goose Loonies* devaient quitter Detroit. C'est dire que si les Wings suivaient ces recommandations, ils devraient se départir notamment de trois piliers de l'équipe : Klima, Probert et Kocur. C'était beaucoup.

« J'ai été profondément déçu par l'attitude de ces joueurs, commente Demers aujourd'hui, seize ans plus tard. La solution la plus facile aurait été de punir tout le monde. Mais ça ne fonctionne pas ainsi chez les professionnels. Il faut d'abord penser à gagner le match qui s'en vient. On n'est pas dans une ligue de garage.

« J'ai réuni les joueurs le matin de la rencontre, ajoute-t-il. Les joueurs fautifs ont été la cible d'un sermon plutôt cinglant de ma part, puis j'ai avisé les joueurs que Probert et Chabot seraient en uniforme par respect pour tous. Il fallait réunir le meilleur club disponible pour battre les Oilers. Et dans les circonstances, nous étions une meilleure équipe avec Probert et Chabot que sans eux.

« N'empêche que cette fois-là, déplore-t-il, je me suis senti trahi. On avait tellement misé sur nos joueurs, on pouvait tellement être fiers d'eux jusque-là. C'était comme si notre petit monde s'écroulait. Je me disais que, rendu à la troisième ronde des séries, un entraîneur n'a plus besoin de jouer à la police pour surveiller ses joueurs. À cette étape, tout le monde devait réaliser le sérieux du moment.

« Quoi qu'il en soit, j'ai pris le blâme, car, en fin de compte, c'était ma responsabilité de voir à ce que les joueurs soient sérieux dans leur préparation. »

Quelques heures après avoir subi l'élimination, Demers eut encore de quoi avaler son petit déjeuner de travers. Dans un article paru à Edmonton, son vis-à-vis des Oilers, Glen Sather, lui lançait une flèche.

« Sather insinuait que c'est moi qui avais vendu la mèche aux journalistes pour en faire une grande histoire sur la place publique. Il racontait que lorsque survenaient certains petits problèmes chez les Oilers, lui il les réglait en famille.

« J'ai toujours trouvé dommage que la seule chose dont voulait se souvenir Sather de cet incident, c'est que j'avais vendu mes joueurs à la presse. C'était complètement faux. Nous avions été pris dans un tourbillon, voilà tout.»

* * *

Si certains journalistes et amateurs tentaient d'imputer à Demers une partie du blâme pour la catastrophique virée nocturne des six joueurs à Edmonton, ce n'était pas du tout l'avis du propriétaire, Mike Ilitch.

De façon à établir clairement que Demers était toujours maître à bord et que personne n'aurait sa tête, Ilitch s'avisa de lui présenter une proposition. Au cours du banquet de fin de saison de l'équipe, tenu le 16 mai dans un chic restaurant de Detroit, Ilitch discuta d'avenir avec son entraîneur.

C'est ce jour-là qu'il lui proposa une prolongation de deux ans à son contrat, faisant grimper son salaire annuel de 200 000 $ à 250 000 $ par saison, en plus de lui glisser la généreuse enveloppe de 110 000 $ que nous avons déjà évoquée au début de ce chapitre.

Le geste de Mike Ilitch visait aussi un autre objectif. Il cherchait certes à livrer un message clair aux joueurs de l'équipe, mais il s'assurait aussi de mettre fin aux rumeurs entourant le départ possible de Jacques pour Québec ou le Minnesota.

Depuis quelque temps en effet, les Nordiques avaient fait savoir que Maurice Filion céderait son poste au cours de la saison estivale et que Marcel Aubut était résolument à la recherche d'un successeur. C'était la même chose au Minnesota, où le vétéran Lou Nanne devait mettre un terme à un règne de dix ans.

Demers était un candidat sérieux, particulièrement à Québec. On disait qu'il constituait le premier choix du président Aubut.

«L'idée de devenir directeur général des Nordiques m'intéressait, même si je savais que je n'avais pas toutes les capacités pour remplir ce poste, raconte Demers. Mes patrons à Detroit savaient qu'une offre des Nordiques aurait pu me faire fléchir, car j'en avais souvent discuté avec eux pendant cette période. Mais avec une telle prolongation de mon contrat, je voyais bien qu'on me faisait encore entièrement confiance à Detroit et qu'on ne voulait pas me laisser partir. Du même coup, j'assurais une bonne partie de ma retraite.»

C'est au lendemain de ce banquet de fin de saison que Demers avait assuré Ilitch qu'il demeurerait à Detroit, et c'est ensuite qu'il reçut son enveloppe aux allures de trésor. «Je n'en croyais pas encore mes yeux en apercevant une telle somme sur le chèque. Je venais encore de tirer le bon billet à la loterie ! »

* * *

C'est au cours de l'été de 1988, croit se souvenir Jacques, qu'il décida une seconde fois d'explorer plus à fond ses problèmes d'ordre personnel. À vrai dire, il n'en avait pas nécessairement envie, surtout pas après sa mauvaise expérience à Saint Louis avec une spécialiste aux méthodes « spéciales », mais Debbie insista pour qu'il poursuive.

« Après plusieurs discussions avec Debbie, j'ai pris finalement rendez-vous avec le médecin des Red Wings, John Finley. Mais je n'étais pas encore convaincu de vouloir aller au fond des choses à ce sujet », admet-il.

Il faut dire qu'après Québec avec Michèle Lapointe et Saint Louis avec Susie Mathieu, Demers avait désormais comme allié à Detroit son directeur des relations publiques, Bill Jamieson. C'est ce même Jamieson qui l'avait amené à s'occuper de tante Gertie, cette vieille dame démunie. Il se sentait donc bien entouré malgré son handicap.

« Comme les autres avant lui, Bill s'occupait de ma correspondance. Ça me délivrait d'un lourd fardeau. J'utilisais avec lui les mêmes subterfuges pour éviter de lire et d'écrire. Mes racines francophones me servaient encore d'alibi. »

Demers donnait une foule de conférences dans la grande région de Detroit à l'époque, lui qui était en demande auprès des grandes sociétés. Même le légendaire président de Chrysler, Lee Iaccoca, le réclamait. Le bureau de Jamieson débordait d'invitations.

Dans ses costumes de conférencier, le pilote des Red Wings n'avait rien à envier aux meilleurs des tribuns. Il prononçait ses discours avec aisance. Pourtant, il improvisait chaque fois, sans recourir à des notes. Il était vraiment doué pour la parole.

« J'ai surtout donné des conférences de motivation, rappelle-t-il. Je n'avais pas besoin de notes. Je n'avais qu'à parler avec mes tripes de mon vécu. Je me souviens que Bill [Jamieson] m'a demandé une fois comment j'arrivais à performer, sans discours écrit et sans notes. Je lui répondis que je me sentais plus à l'aise et plus spontané en parlant de cette façon. J'ai toujours prononcé un discours avec l'intention de toucher au moins une personne dans la salle. Et la seule façon d'y arriver, c'est de parler avec ses tripes. »

N'empêche que Demers était conscient du caractère anormal de la situation. Ce n'était pas par choix, naturellement, qu'il renonçait aux notes. C'est dans cet état d'esprit qu'il se présenta chez le médecin des Wings.

Après une brève discussion et une analyse sommaire de son cas, le médecin présuma à son tour que Demers souffrait d'un problème de déficit d'attention, ce que le principal intéressé savait déjà. En fait, il en arrivait aux mêmes conclusions que le médecin des Blues que Demers avait consulté quelques années plus tôt pour expliquer les troubles de lecture et d'écriture.

« J'ai toujours été capable de lire un peu, mais ça m'a toujours demandé un grand effort. Il faut absolument que je sois dans un contexte où je peux me concentrer totalement pour lire tranquillement. Sinon, tout s'emmêle. Aussi, le gros problème que j'éprouve, c'est de ne rien retenir de ce que j'ai lu après quelques minutes à peine. On dirait que je suis continuellement ailleurs. »

Bien qu'il en sachât un peu plus sur sa condition, Demers n'était pas prêt à se soumettre à un programme visant à corriger la situation avec un spécialiste, tel que le lui suggérait encore le médecin. Avec tous les problèmes de discipline au sein de son équipe à Detroit, il avait d'autres chats à fouetter.

« Pour le moment, songea-t-il, c'est davantage d'un représentant des Alcooliques anonymes [pour certains de ses joueurs] dont j'ai besoin que d'un spécialiste pour régler mon problème de déficit d'attention ! »

Il remit donc (encore) à plus tard le projet de remédier à sa carence. Il faut dire que son expérience avec la spécialiste de Saint Louis n'avait rien fait pour l'inciter à aller plus loin dans un traitement.

« Le problème était toujours présent, mais, en réalité, je m'organisais pour le fuir », dit Demers. Il y avait toujours une bonne raison (et une bonne personne pour l'aider) pour ne pas affronter le problème de front et refuser, finalement, de le régler. »

* * *

Comme tous les étés, la LNH tenait son repêchage annuel des joueurs amateurs au cours du mois de juin. En ce 11 juin 1988, toutes les équipes s'étaient donné rendez-vous au Forum de Montréal pour procéder à la sélection des meilleurs espoirs du hockey. Cette année-là, Mike Modano était le premier choix de tout le repêchage et il fut sélectionné par les North Stars du Minnesota.

Chez les Red Wings, le directeur général Jimmy Devellano jeta son dévolu sur Kory Kocur pour sa toute première sélection (17e au total du repêchage). Kocur était le frère de Joey, déjà membre de l'organisation des Wings depuis cinq ans.

D'habitude, Jacques Demers arrivait la veille de la sélection afin de pouvoir être à la table de son équipe, le lendemain, pour accueillir les nouveaux espoirs de l'organisation. Mais comme l'événement se tenait à Montréal cette année-là, il arriva quelques jours plus tôt afin de pouvoir visiter les membres de sa famille. Il rejoignit les membres de l'organisation le vendredi soir dans un hôtel du centre-ville afin d'assister aux dernières réunions en prévision de la séance du lendemain après-midi au Forum. Puis il alla au lit aussitôt les réunions terminées.

À 5 heures du matin, la sonnerie de son téléphone se fit entendre. Dans un état plutôt somnolent, il saisit l'appareil un peu malhabilement. Mais ce qui l'attendait à l'autre bout du fil était de nature à lui faire retrouver tous ses sens très rapidement. En fait, l'appel provenait de Linda, la mère de trois de ses enfants, qui semblait pour le moins dévastée. Durant la journée du vendredi, leur fils Jason avait été happé par une automobile alors qu'il se déplaçait à bicyclette dans les rues d'Indianapolis. Linda avait vainement tenté de joindre Jacques à Detroit dans la journée. Elle n'avait finalement réussi à obtenir ses coordonnées à Montréal que très tard.

« J'ai appris à 5 heures du matin que Jason reposait à l'unité des soins intensifs d'un centre hospitalier d'Indianapolis, raconte Demers. Les premiers rapports n'étaient guère rassurants. On parlait d'une fracture à une jambe, de lacérations multiples et, surtout, d'une perforation à un poumon. J'étais très inquiet. »

Sans hésiter, il communiqua avec ses patrons Jimmy Devellano et Jim Lites. Du coup, il leur indiqua son intention de sauter à bord du premier avion en direction d'Indianapolis pour aller au chevet de son fils. Cela impliquait qu'il raterait la séance de repêchage, mais ni Devellano ni Lites ne s'y opposèrent.

« Un certain moment, j'ai pensé au pire pour Jason, se rappelle-t-il. Il n'était pas question que je reste à Montréal. Ça me semblait trop sérieux. Je suis arrivé à Indianapolis en début d'après-midi et me suis rendu à l'hôpital. Jason était sous une tente à oxygène. C'était plutôt inquiétant. Les médecins et Linda m'ont expliqué la situation et, rapidement, j'ai appris que sa vie n'était pas en danger. J'ai ressenti un poids énorme se libérer de mes épaules en apprenant la nouvelle. »

Le petit Jason était parti à la pêche à bicyclette avec l'un de ses copains du voisinage. Imprudent, il avait traversé une rue sans regarder autour de lui. Une femme qui passait par là avait été prise par surprise par le geste inattendu du gamin et l'avait heurté avec sa voiture. Heureusement, elle ne roulait à qu'à 25 km/h. Le choc, bien que brutal, n'avait heureusement pas été fatal. Jason avait subi une fracture du fémur et avait eu un poumon perforé.

« J'ai rencontré la conductrice sur place à l'hôpital, précise Demers. Elle était sous le choc. Linda et moi, malgré la situation dans laquelle se retrouvait notre fils, ne l'avons pas blâmée car elle n'y pouvait rien. »

Jason Demers est demeuré six semaines à l'hôpital et a mis six mois à se réadapter. Aujourd'hui, il ne conserve aucune séquelle de cet accident de jeunesse.

Cette année-là, c'est par les journaux que Jacques apprit les noms des joueurs que les Red Wings avaient sélectionnés au repêchage. En plus de leur premier choix Kory Kocur, ils avaient réclamé successivement Serge Anglehart, Guy Dupuis, Petr Hrbek, Sheldon Kennedy, Kelly Hurd, Brian McCormick, Jody Praznik, Glen Goodall, Darren Colbourne et Don Stone. Aucun de ces joueurs ne jouera régulièrement avec les Wings dans l'histoire. Comme quoi les 10 et 11 juin 1988 n'apportèrent rien de très réjouissant à Jacques Demers et à toute l'organisation des Wings !

* * *

L'ouverture de la nouvelle saison des Wings avait quelque chose de bien particulier. Pour ce premier match, le 6 octobre 1988, l'équipe de Jacques Demers rendait visite aux Kings de Los Angeles, qui, au cours de l'été, avaient réalisé un véritable coup fumant en faisant l'acquisition du meilleur joueur du monde, Wayne Gretzky.

Cette transaction, qui remontait au 19 août, avait fait passer Gretzky, Mike Krushelnyski et Marty McSorley aux Kings, en retour de Jimmy Carson et Martin Gélinas, ainsi que trois premiers choix au repêchage et une forte somme d'argent, soit 15 millions de dollars.

En cette soirée de grande première, le Tout-Los Angeles s'était déplacé au vieux Great Western Forum d'Inglewood. *La Merveille* faisait son entrée en Californie et le gratin ne voulait rien manquer. Et les Red Wings avaient été choisis pour jouer le rôle de figurants. Les Kings et Gretzky s'offrirent d'ailleurs tout un pique-nique pour leurs débuts, humiliant les Wings 8 à 2.

Gretzky connut un début hollywoodien. Il fut fabuleux en récoltant quatre points, soit un but et trois mentions d'aide. C'est lui qui marqua le premier but des siens. Déjà, Los Angeles était charmée. Gretzky évoluait au centre d'un trio complété par Bobby Carpenter et Dave Taylor. Sa prestation reléguait au second plan l'excellente performance de Luc Robitaille, qui inscrivit un tour du chapeau.

La venue de *La Merveille* au pays du cinéma portait aussi ombrage au retour au jeu du grand Guy Lafleur. Ce même 6 octobre 1988, Lafleur mettait fin à une retraite de quatre ans pour faire ses débuts avec les Rangers de New York dans un match contre les Blackhawks présenté à Chicago. Il devenait le deuxième joueur de l'histoire (après Gordie Howe) à effectuer un retour dans la LNH après avoir été admis au Panthéon du hockey. Mais ce soir-là, n'en déplaise à *Ti-Guy*, le monde du hockey n'avait d'yeux que pour Gretzky à Los Angeles.

Ébloui par le fameux numéro 99, Demers fut élogieux à son endroit après la rencontre. « Je n'avais pas vu les Kings jouer de cette façon depuis longtemps, déclara-t-il. Ce n'est guère amusant d'être dominés ainsi devant les caméras de télévision des réseaux nationaux des États-Unis et du Canada. Gretzky a été fantastique. Sa présence améliore chacun de ses coéquipiers. »

À l'image de ce premier match, le début de saison des Wings ne fut pas de tout repos. Après quatre matchs, l'équipe n'avait pas encore savouré la victoire (0-2-2).

Le diable était aux vaches dans le camp des Wings.

* * *

Au cours du camp d'entraînement, quelques « fêtards » des séries précédentes (Bob Probert et Petr Klima, pour ne pas les nommer) ne semblaient pas avoir gagné en maturité malgré les répercussions des incidents dans lesquels ils avaient été impliqués à Edmonton.

Probert et Klima se présentèrent en retard à un entraînement. De plus, Probert rata le vol qui ramenait l'équipe à Detroit au lendemain d'un match hors-concours à Chicago. Sans lésiner, la direction des Wings suspendit les deux joueurs sans salaire, jusqu'à ce qu'ils acceptent de se joindre aux Red Wings d'Adirondack. Probert préféra s'inscrire dans un centre de désintoxication trois jours avant le début de la saison. Quant à Klima, il refusa de se présenter à Adirondack, exigeant plutôt une transaction. Pour passer le temps, il poursuivait ses sorties nocturnes dans les bars de Detroit.

Le soir du 9 octobre, il fut intercepté une seconde fois en peu de temps pour avoir, encore une fois, conduit en état d'ébriété. Il se permit même de commettre un délit de fuite. De plus, il fut accusé de bris de condition de probation, une sentence que lui avait infligée la cour un an plus tôt, en septembre 1987. Klima risquait la prison pour toutes infractions. Il était véritablement dans le pétrin.

En attente de ses procès, qui devaient avoir lieu en novembre et en décembre 1988, Klima accepta le 16 octobre de se présenter aux Wings d'Adirondack. Plus tard, la cour le condamna à une peine de 31 jours de prison, assortie d'une amende de 550 $, d'une suspension de permis de conduire pendant six mois et d'une nouvelle période de probation de 18 mois. On lui imposa aussi une cure de désintoxication et une série de travaux communautaires. Ce n'était pas une mince affaire…

* * *

Les démêlées de Probert et de Klima avec la justice n'apportèrent rien de bon à l'équipe. Au cours du calendrier préparatoire, les Wings compilèrent un faible dossier de 2-7-1 en dix matchs.

« Les folies de Probert et de Klima ont dérangé mon équipe durant une bonne dizaine de jours, estimait Jacques avant le match inaugural à Los Angeles. Pour l'instant, on ne veut plus les voir autour de l'équipe, mais je ne dis pas qu'ils ne reviendront jamais dans le vestiaire des Wings. Pour ce faire, ils devront toutefois présenter des excuses aux patrons, à leurs coéquipiers et aux partisans de l'équipe. En attendant, il n'est pas question de les échanger, à moins d'obtenir quelque chose de solide en retour. S'il faut attendre jusqu'en décembre, nous le ferons. »

C'est dans cette tourmente, qui avait des relents des séries précédentes à Edmonton, que les Wings amorcèrent leur saison 1988-1989, la troisième de Demers à Detroit.

Sans victoire après quatre matchs, les Wings réussirent néanmoins à soutirer un premier gain contre les Maple Leafs de Toronto au cinquième match. Par la suite, la troupe de Demers offrit des performances en dents de scie.

Estimant que Klima avait suffisamment purgé son purgatoire dans les mineures, Jimmy Devellano fit appel à ses services au début du mois de novembre, alors que la fiche de l'équipe était sous la barre de .500 (4-5-4). Le retour de Klima, bien qu'il n'eût plus beaucoup d'alliés dans le vestiaire, s'avéra stimulant. Les Wings traversèrent la meilleure séquence de leur saison en remportant sept victoires consécutives.

La troupe de Demers, malgré une séquence de cinq matchs sans victoire à la fin décembre, arriva à la mi-saison avec un dossier fort satisfaisant de 19 victoires, 15 revers et 6 verdicts nuls en 40 matchs.

Compte tenu du début de saison difficile et des problèmes de comportement de certains joueurs, on croyait désormais que les Wings avaient fait le ménage dans leurs affaires et qu'ils étaient relancés. Mais les choses ne se déroulèrent pas tout à fait de la façon espérée…

* * *

Outre les écarts de conduite de Probert et de Klima, tout ne baignait pas dans l'huile pour Demers. Pour la première fois depuis son arrivée dans la *Ville de l'automobile*, il faisait l'objet d'un grenouillage…

On pouvait dorénavant entendre ou lire des échos voulant que l'enthousiaste pilote ait perdu de sa poigne auprès de sa troupe. À l'intérieur même de l'équipe, on commençait à le contester. Certains joueurs, sous le couvert de l'anonymat, trouvaient qu'il était devenu plus important que l'équipe. Pour une troisième année de suite, on retrouvait sur la page frontispice du guide média des Wings la photo de Demers bien en évidence au détriment de ses joueurs. Demers n'y était pour rien, mais cette publicité trahissait bien la pensée de l'organisation, qui le considérait comme le meilleur *vendeur* de l'équipe depuis trois ans. Cela agaçait certains joueurs, qui lui reprochaient aussi de multiplier ses apparitions publiques. De toute évidence, Demers était surexposé dans les médias et cela n'avait pas l'heur de plaire à tous.

« Jacques avait une relation vraiment particulière avec le public et les médias de Detroit, se rappelle Jimmy Devellano. Il est devenu une grande célébrité dans la ville. Jusque-là, il avait accompli de grandes choses pour redonner à l'équipe sa crédibilité. Je le dis sans crainte de me tromper : Jacques avait atteint le statut de la figure sportive la plus populaire de Detroit. Rien de moins ! Il devançait ses joueurs, mais aussi les joueurs et dirigeants des Tigers, des Pistons et des Lions. On n'avait pas vu cela depuis Gordie Howe et Ted Lindsay à Detroit.

« Je crois, d'ajouter Devellano, que ses joueurs sont peu à peu devenus jaloux de lui. J'avais une très bonne relation avec Jacques et je ne suis pas intervenu pour qu'il diminue ses apparitions. Je ne voulais pas briser la complicité qui existait entre nous. Mais avec le recul, j'aurais dû agir», avoue très franchement le réservé patron de Demers à l'époque.

* * *

Demers réussissait tout de même à maintenir son équipe parmi les meilleures de la section Norris, de sorte que les Wings se battaient encore pour l'obtention du premier rang au classement. Ils étaient poussés dans le dos par les Blues de Saint Louis dans cette course au championnat de la section Norris, la plus faible des quatre de la LNH à l'époque.

L'équipe écopait encore de certaines frasques de Probert. Ce dernier, avait pris la direction d'un autre centre de désintoxication (à Windsor cette fois-ci) et, à la fin du mois de novembre 1988, on le disait prêt à effectuer un retour au jeu. Il reçut une longue ovation des amateurs en sautant sur la patinoire, car il était demeuré l'enfant chéri de la foule.

Aux journalistes de Detroit, Demers avait plaidé en faveur de Probert et lui avait ouvert ses bras : «Contrairement à Klima qui est un écervelé, Bob Probert est un jeune homme malade, leur avait-il dit. Je le sais car je suis passé par là avec mon père. L'alcoolisme est une maladie qui se soigne. C'est ce que Bob a fait depuis le début de la saison. Maintenant, il faut être patient avec lui. Malgré tout, j'aime ce jeune homme et je suis prêt à l'aider.»

La lune de miel entre Demers et son gros attaquant fut toutefois de courte durée. À la fin du mois de janvier 1990, Probert se présenta en retard à une réunion de l'équipe avant le match contre les Sabres de Buffalo. Les Wings le suspendirent sur-le-champ. Il fréquenta de nouveau un centre spécialisé pour les alcooliques pendant un autre mois.

La presse de Detroit était de moins en moins derrière le trouble-fête. Elle reprochait aux Wings une trop grande tolérance dans ce dossier. Le vétéran chroniqueur Joe Falls écrivit d'ailleurs dans le *Detroit News* du 29 janvier : «Combien de temps les Red Wings vont-ils encore se laisser envenimer par un serpent? Assez, c'est assez!»

Mais Probert eut droit à un *énième* retour chez les Wings le 25 février. Pour combien de temps? Nul ne le savait, mais à la lumière de son passé récent, il ne fallait pas compter sur lui pour longtemps…

Et ce qui devait arriver arriva. Cinq jours plus tard, soit le 2 mars 1989, alors qu'il ne restait que quatorze matchs à disputer à la saison, les Red Wings furent terrassés par une autre nouvelle renversante : leur solide ailier gauche Bob Probert, qui avait participé au match des étoiles un an plus tôt, avait été arrêté par les douaniers à la frontière qui sépare Windsor de Detroit. Il était en possession de 14,3 grammes de cocaïne. La drogue avait été découverte dissimulée dans ses vêtements.

Menotté, on l'amena immédiatement au poste de police. Il faisait désormais face à une accusation d'importation de cocaïne. Il risquait vingt ans de prison et une amende d'un million de dollars.

Probert était un Canadien qui avait grandi à Windsor, en Ontario, soit juste de l'autre côté de la rivière Detroit. Comme tous ses amis et sa famille demeuraient à Windsor, il avait élu domicile du côté canadien. Mais il devait passer par le poste frontière presque tous les jours pour pratiquer son métier.

Ce 2 mars 1990, il tenta de traverser la frontière avec un groupe de trois amis (deux hommes et une femme). Il était 5 h 15 du matin. Au poste frontière, le douanier aperçut une caisse de bière et des bouteilles d'alcool dans le véhicule. Il effectua une vérification auprès des occupants et trouva la cocaïne dans les vêtements de Probert.

À l'annonce de la nouvelle, la LNH réagit rapidement. Elle suspendit indéfiniment Probert dès le 4 mars. «C'est un privilège spécial de jouer dans la LNH, mentionna le président John Ziegler. Si un joueur décide de tremper dans le milieu illégal de la drogue, il doit perdre son privilège. Nous ne voulons pas de ces gens-là dans notre ligue.»

Demers était abattu par la nouvelle. «Bob avait tout pour devenir millionnaire dans la LNH et avoir tout ce qu'il désire dans la vie, mais il a raté sa chance, déclara-t-il à la presse. On a tenté de l'aider à maintes occasions. Je lui ai donné toutes les chances voulues, mais il n'en a pas profité. Désormais, je ne peux plus rien faire pour lui.»

Le procès de Probert débuta le 22 mai 1989 et connut son dénouement le 18 juillet alors que le principal intéressé plaida coupable. En octobre, le juge Patrick Duggan, de la Cour fédérale des États-Unis, prononça sa sentence. Il se montra sévère malgré les représentations de Mike Ilitch, de Jacques Demers et de certains de ses coéquipiers qui avaient imploré la clémence. Probert écopa de trois mois de prison, en plus de trois mois en centre de désintoxication, d'une amende de 2 000 $ et d'une période de trois ans de probation.

Mais ce n'était pas tout. Parallèlement, un juge du service de l'Immigration américaine, Anthony D. Petrone, menaça Probert de déportation au Canada, sans droit de visite ni de travail aux États-Unis.

Le grand gamin de Windsor était dans de beaux draps, c'est le moins qu'on puisse dire. Et il était repentant. «Parfois, ça prend un coup dur pour se relever. J'espère que ce coup-là marque la fin de mon calvaire», dit-il au prononcé de sa sentence avant de filer derrière les barreaux.

Il passa un mois en prison avant de se retrouver au Federal Medical Center de Rochester, au Minnesota, un établissement situé à proximité de la célèbre Clinique Mayo. Libre à compter du 3 mars 1990, il demanda, deux jours plus tard, sa réinsertion au sein de la LNH, ce que John Ziegler, après plusieurs tractations, accepta le 9 mars. «Bob Probert, déclara le président de la LNH, a perdu un an de sa carrière et je crois qu'il a beaucoup appris de son expérience. Nous sommes prêts à lui donner une chance.»

Et Demers de commenter, sans cacher sa déception : «Ce fut le dossier le plus difficile avec lequel j'ai dû composer au hockey. En quelque part, j'avais l'impression d'avoir raté mon coup avec Bob. Plusieurs membres de l'organisation pensaient de la même façon. Il m'est même arrivé de me sentir coupable. Je n'avais peut-être pas été assez sévère avec lui. Je fais confiance aux gens et je faisais confiance à Bob. J'avais espoir qu'il s'en sorte. Avec lui, mon côté humain n'a peut-être pas aidé. J'étais déchiré car c'est cette approche, avec les joueurs, qui m'avait permis de connaître du succès dans ce métier.»

* * *

Malgré ses frasques, Probert était encore apprécié par les joueurs. L'annonce de son arrestation fut un choc pour ses coéquipiers. Et c'est dans cet état que les Wings connurent une fin de saison en queue de poisson, ne récoltant que cinq victoires à leurs 14 derniers matchs (5-8-1).

Néanmoins, les troupiers de Demers avaient engrangé suffisamment de points au classement pour rafler leur deuxième titre consécutif de la section Norris. Ils devançaient les Blues par deux maigres points, même si les Blues avaient remporté les trois derniers matchs disputés entre les deux équipes au cours des deux dernières semaines du calendrier.

C'était un juste retour des choses pour Demers et les Wings qui, deux ans plus tôt, avaient dû céder le premier rang aux Blues par un seul point.

* * *

Même si les Wings avaient obtenu 14 points de plus au classement que les Blackhawks, ils se butèrent à la troupe de Denis Savard dès la première ronde des séries. Les Hawks remportèrent la série en six parties pour éliminer les champions de la section Norris. Le dernier match à Chicago se solda même par la marque écrasante de 7 à 1.

C'était la première fois depuis l'arrivée de Demers à Detroit que les Wings ne parvenaient pas à remporter au moins une série. La saison avait été difficile à bien des égards et cette élimination hâtive n'en était que le reflet.

Ironiquement, c'est en 1988-1989 que le capitaine Steve Yzerman connut la saison la plus productive de sa carrière. Il récolta pas moins de 155 points, dont 65 buts. Encore aujourd'hui, cela constitue un des sommets personnels du grand joueur des Wings. Yzerman termina au troisième rang des pointeurs, derrière deux immortels du hockey, Mario Lemieux (199 points) et Wayne Gretzky (168).

* * *

Si, de façon générale, tout avait fonctionné comme sur des roulettes pour Demers depuis son arrivée à Detroit, la situation se modifiait peu à peu depuis un an. Les multiples problèmes d'indiscipline au sein de la troupe et l'élimination contre les faibles Blackhawks de Chicago en première ronde des séries de 1989 le confirmaient. Pour Demers et son directeur général Jimmy Devellano, le temps était peut-être venu de procéder à quelques changements…

Les Wings acquirent d'abord le vétéran Borje Salming sur le marché des joueurs autonomes. Salming venait de passer seize saisons dans l'uniforme des Maple Leafs de Toronto.

Puis, au repêchage des joueurs amateurs tenu au Minnesota, Devellano passa à l'action en échangeant le jeune Adam Oates et Paul MacLean aux Blues de Saint Louis en retour de Bernie Federko et Tony McKegney.

Au bout du compte, la transaction s'avéra catastrophique pour les Wings puisque Oates deviendra un très grand joueur à Saint Louis, à Boston et à Washington. À Saint Louis notamment, il formera un duo du tonnerre pendant trois saisons avec Brett Hull. Le Golden Brett connaîtra des saisons de 72, 86 et 70 buts avec lui. C'est d'ailleurs les trois seules fois que Hull réussira à inscrire 70 buts ou plus en une saison.

De l'autre côté, Federko, qui avait été un grand joueur sous Demers à Saint Louis, était vieillissant et n'apporta jamais à l'équipe ce qu'on attendait de lui. Quant à McKegney, il ne disputa que 14 matchs avec les Wings avant de passer aux Nordiques de Québec.

Pour cette transaction, Demers a souvent été blâmé par la presse et les amateurs. On répétait sans cesse que c'est lui qui était à l'origine du départ d'Adam Oates parce qu'il tenait mordicus à diriger à nouveau son ancien joueur Federko.

« Tout cela est complètement faux, insiste Demers aujourd'hui. Toute la direction en était venue à la conclusion de se départir d'Oates. Au centre, nous avions Steve Yzerman et nous étions convaincus que Shawn Burr deviendrait notre deuxième joueur de centre. Il était gros et puissant. Il n'y avait pas beaucoup de place pour Adam Oates, d'autant plus qu'il avait connu une saison et des séries en deçà des attentes.

« Je me souviens très bien que Jimmy était parti pour le Minnesota quelques jours plus tôt dans le but d'offrir Oates aux autres équipes. Deux jours plus tard, Jimmy m'appela pour me dire que très peu d'équipes étaient intéressées. En fait, il n'y avait que les Jets de Winnipeg et les Blues. Il m'a alors informé que les Blues offraient Federko et McKegney dans l'échange. Jimmy voulait savoir ce que je pensais de Federko. Comme Bernie avait toujours été solide sous ma tutelle, je lui ai fait un rapport avantageux. Jimmy est finalement passé à l'action. Mais il est faux de prétendre que j'ai initié cette transaction, même si plusieurs, incluant Oates lui-même, ont toujours cru le contraire. »

* * *

Bien que la venue des vétérans Salming, Federko et McKegney apportât un certain renouveau, on ne pouvait pas dire que les Wings s'étaient grandement améliorés au cours de la saison morte.

Déjà, il était acquis que les Wings ne pourraient plus compter sur leur robuste ailier droit Bob Probert. Ce dernier était en plein processus judiciaire et l'organisation avait fait son deuil de sa présence pour toute la saison. Sa « mise à l'écart » marquait toutefois une période d'accalmie pour l'équipe.

Profitant de la situation pour assainir l'atmosphère, Jimmy Devellano se résolut finalement à échanger le récalcitrant Petr Klima dès les premières semaines de la saison. Ce dernier passa aux Oilers d'Edmonton en même temps que trois jeunes joueurs décevants, soit Joe Murphy, Adam Graves et Jeff Sharples. En retour de leurs services, les Wings mirent la main sur le prometteur attaquant Jimmy Carson et sur l'agitateur Kevin McClelland. On fit aussi graduer le jeune gardien Tim Chevaldae au détriment du vétéran Greg Stefan.

Bref, les Wings avaient remué la soupe, mais ils n'avaient pas pour autant amélioré sensiblement leur équipe.

Demers devait le constater rapidement puisque ses Wings encaissèrent des défaites à leurs trois premiers matchs. Pire, l'équipe montrait un dossier épouvantable de seulement quatre victoires après vingt matchs (4-13-3).

Malgré ces insuccès, Demers conservait la cote auprès des amateurs de Detroit et même dans la presse locale. Il lui arrivait d'essuyer des critiques, mais jamais les journalistes et le public n'auraient demandé sa tête.

Si cette popularité ne semblait pas s'effriter au sein du public et des médias, en revanche, il était moins bien perçu dans le vestiaire des Wings. Personne ne contestait ouvertement ses méthodes, mais on pouvait entendre des murmures peu flatteurs. Chose certaine, le temps des éloges généralisés était révolu.

À mots couverts, on lui reprochait d'être plus important que ses joueurs. S'ils ne voulaient pas parler de jalousie, certains se disaient toutefois agacés par la chose. Quoi qu'il en soit, la saison des Wings fut jalonnée de plusieurs déceptions, de sorte que l'équipe fut exclue des séries pour la première fois en quatre ans en raison d'un dossier lamentable de 28-38-14 en 80 matchs.

* * *

Quelques jours avant la fin du calendrier, Bob Probert revint finalement au jeu, le 22 mars. Libéré par la cour et par la LNH, le gros attaquant faisait toutefois face à un avis de déportation de l'Immigration américaine. En d'autres termes, cela signifiait qu'il ne pourrait pas disputer les matchs des Wings au Canada car il risquait d'être refoulé à la frontière à son retour aux États-Unis (il a dû attendre jusqu'au 7 décembre 1992 avant de pouvoir mettre les pieds au Canada sans crainte de retourner aux USA. Pendant trois ans et neuf mois – depuis le 2 mars 1989 –, il ne disputera aucun match de la LNH en sol canadien).

À son retour au jeu donc, Probert marqua l'unique but des Wings dans une défaite de 5 à 1 contre le Minnesota. Deux jours plus tard, il y allait du but victorieux dans un gain de 5 à 3 contre les Blackhawks !

« Ce Probert n'avait pas joué depuis plus d'un an, il avait brûlé la chandelle par les deux bouts, mais, à son retour au jeu, il fut dominant, s'étonne Jacques. C'était pratiquement incroyable. En 25 ans de carrière au hockey professionnel, je n'ai jamais vu une chose pareille. »

Cette saison prit fin le 1er avril 1990 par un verdict nul de 3 à 3 à Philadelphie. Sans que Demers s'en doute, il s'agissait de son dernier match à la barre de ses Red Wings chéris…

* * *

Nous étions le jeudi 12 juillet 1990. La saison des Wings avait pris fin depuis plus de trois mois de façon abrupte, puisqu'ils avaient été exclus de la ronde éliminatoire. Depuis, les rumeurs couraient dans la ville au sujet de l'avenir de Demers et du directeur général Jimmy Devellano. Mais chaque fois elles étaient démenties par l'organisation.

Ce matin-là du 12 juillet, Demers avait été convoqué au domicile personnel du propriétaire Mike Ilitch, à Bloomfield Hills, dans la région de Detroit. Ponctuel, il s'y était rendu très tôt tout en ayant acquis la conviction qu'il serait encore à la barre des Wings la saison suivante.

«J'avais en poche un contrat encore valide pour trois ans, à raison de 250 000 $ par année, et je me sentais encore solide auprès de monsieur Ilitch, raconte-t-il. De plus, je me disais que si des changements devaient avoir lieu, ils auraient été faits bien avant la mi-juillet.»

Demers avait plutôt l'impression que le propriétaire des Wings voulait le rencontrer pour lui offrir de devenir le nouveau directeur général de l'équipe ou, à tout le moins, le poste d'adjoint au directeur général.

«Je savais depuis deux jours que Jimmy avait été déplacé dans l'organigramme parce qu'il m'avait rejoint pour m'en informer. On l'avait assigné au poste de vice-président senior de l'équipe. Jimmy disait ignorer qui le remplacerait.

«Tout ce qu'il m'avait dit, c'est qu'il avait recommandé John Ferguson à Ilitch et que, le cas échéant, il avait acquis la certitude que je resterais en poste comme entraîneur. Pour le reste, il disait ne pas être dans le secret des dieux.»

Or, Mike Ilitch avait un autre plan pour son équipe. Il avait mis sous contrat le vétéran Bryan Murray, qui avait été congédié des Capitals de Washington le 15 janvier 1990, après neuf ans à la barre des Caps.

En pénétrant dans la luxueuse résidence de Mike Ilitch, Demers s'aperçut rapidement que le tapis était sur le point de lui glisser sous les pieds. «Je l'ai vu dans la figure de M. Ilitch tout de suite, se rappelle-t-il. D'ordinaire, il était souriant et chaleureux, mais là, tout me semblait solennel. Je savais qu'il y avait un problème.»

« Jacques, dit Mike Ilitch sans attendre, j'ai décidé de faire un changement à la direction générale de l'équipe. Je vais annoncer dans deux jours l'identité de celui qui succède à Jimmy. Or, je dois aussi t'annoncer que tu feras partie des changements. J'aurais aimé te garder avec nous, mais mon nouveau directeur général préfère occuper les doubles fonctions de directeur général et d'entraîneur », fit le grand patron d'une manière plutôt expéditive.

La nouvelle eut l'effet d'un coup de massue sur Demers. « J'étais dans la maison de M. Ilitch et je pleurais à chaudes larmes. Lui aussi était triste parce que notre relation avait toujours été vraiment correcte. Le fait qu'il m'invite chez lui pour m'annoncer la nouvelle témoignait du respect qu'il me vouait. Il aurait pu demander à Jim Lites ou à Jimmy de m'en faire l'annonce. Mais il tenait à me parler personnellement. »

Pour seule réaction, Demers adressa une question au propriétaire des Wings : « Mais M. Ilitch, vous m'aviez pourtant dit que j'aurais un emploi à vie avec les Wings si je le désirais, non ? »

« C'est vrai, Jacques, rétorqua le richissime propriétaire, mais les choses évoluent. Ce sont les affaires. »

Après l'annonce de son congédiement, Ilitch prit bien soin de préciser à Demers qu'il ne perdrait rien au change : « Ne t'en fais pas, Jacques, ton contrat sera respecté en totalité, j'en fais une affaire personnelle. Que tu sois embauché ailleurs ou non, nous respecterons nos engagements envers toi en raison de tes bons et loyaux services. De plus, je suis prêt à t'offrir gratuitement deux concessions de pizza Little Caesars ici dans la région de Detroit. Je veux que tu saches que tu as été très important pour nous et les Red Wings. »

Malgré le choc, Demers constatait bien que Mike Ilitch n'était pas pour le laisser tomber. Il était assuré d'un salaire de 250 000 $ par année au cours des trois prochaines années. De plus, il avait l'occasion de se lancer en affaires sans avoir à débourser un sou. Le prix d'une concession de pizza Little Caesars à l'époque était d'environ 80 000 $. On lui en offrait deux.

« On s'est quittés en se serrant la main, raconte Demers. C'était très émotif. Par la suite, les Wings m'ont payé jusqu'au dernier versement. J'ai même encaissé des bonis ! Quant aux concessions de pizza, je n'ai jamais donné suite au projet. Je ne crois pas que j'étais fait pour cela. Si je n'avais pas eu d'emploi par la suite, j'aurais peut-être tenté ma chance dans cette aventure, mais la vie me réservait d'autres défis... »

* * *

Debbie Anderson était à l'extérieur de la maison familiale de Farmington Hill, en banlieue de Detroit, à discuter de tout et de rien avec une voisine. Il faisait un soleil radieux à l'extérieur et les deux dames étaient plutôt enjouées. Il était environ 11 h 30 lorsque Jacques Demers arriva tranquillement dans le stationnement de la maison au volant de son imposante Mercedes, le cadeau des Ilitch après sa première saison à la barre des Wings.

Demers avait la mine déconfite, ce que Debbie constata rapidement. Elle mit fin à sa conversation de bon voisinage et se précipita auprès de son mari. Elle savait que le moment n'était pas à la rigolade. « Je viens d'être congédié, Debbie. C'est fini », murmura tristement son mari.

Après avoir discuté de la situation et de l'avenir, Demers avait ensuite informé les membres de sa famille proche avant d'appeler le chroniqueur du *Journal de Montréal,* Bertrand Raymond. « Bertrand m'a toujours aidé et je lui ai donné le *scoop*. Il était le seul à avoir ça dans son journal en Amérique ! »

La primeur du chroniqueur du *Journal de Montréal* suscita l'intérêt général. « Le matin de la publication de la nouvelle, le téléphone ne dérougissait pas, se souvient Bertrand Raymond. De partout, on voulait s'enquérir des détails de l'histoire. »

* * *

Avec le recul, Demers dit n'avoir jamais tenu rigueur à Mike Ilitch et à Bryan Murray pour cette décision du 12 juillet 1990 : « Je comprends qu'un nouveau directeur général veuille partir sur de nouvelles bases. Ça fait partie du métier. Quant à Mike Ilitch, il n'avait pas le choix d'appuyer son nouvel homme de hockey, qui désirait aussi être l'entraîneur. J'ai été très bien traité à Detroit. C'est grâce à la famille Ilitch si j'ai pu sortir de mes problèmes financiers. »

Dans les jours qui ont suivi son congédiement, des rumeurs ont circulé prétendant que les joueurs des Wings avaient finalement eu sa tête. On pointait notamment Steve Yzerman à cet effet.

Lors de la conférence de presse qu'il tint le 14 juillet au restaurant de Dearfield auquel Demers était associé, ce dernier dut répondre à des questions en ce sens.

«La salle était bondée d'une centaine de journalistes, se rappelle Demers. J'en n'avais jamais vu autant! Le réputé chroniqueur Joe Falls, du *Detroit News,* m'a directement posé la question au sujet des joueurs et de Steve Yzerman en particulier. Je n'ai pointé personne du doigt.

«J'ai entendu plusieurs versions à cet effet, mais, en rétrospective, j'ai encore de la difficulté à croire qu'un joueur comme Steve, qui jouait entre 25 et 30 minutes par match sous ma gouverne, ait pu se retourner contre moi. Steve était d'ailleurs en vacances à l'extérieur lorsque l'annonce de mon congédiement a été faite. Aussitôt qu'il l'a appris, il a communiqué avec moi. Il se disait désolé.»

Quinze ans après les événements, Yzerman y va de sa propre lecture des événements.

«Je ne suis pas d'accord avec ceux qui prétendent que les joueurs ont eu la tête de Jacques de façon délibérée, soutient-il. C'est étrange, mais je songeais à cela dernièrement (juillet 2005). Je me suis souvenu que nous étions une équipe très énergique, que Jacques avait développé de très bonnes habitudes de travail au fil du temps, mais que, tout à coup, on s'est éloignés de tout cela. Nous sommes devenus une équipe plus indisciplinée et moins intense. Dès notre troisième saison sous la direction de Jacques, nous avons senti un léger recul. Ça s'est accentué à la quatrième année et nous avons raté les séries. Ce n'était pas une équipe facile à diriger puisqu'il y avait plusieurs distractions. Certains gars avaient des démêlées avec la justice, ça n'arrêtait jamais.

«Quoi qu'il en soit, ajoute-t-il, l'équipe ne fonctionnait plus au même rythme qu'avant, mais je ne suis pas prêt à dire que c'était seulement la faute de Jacques. Une foule de facteurs entraient en ligne de compte. Il est venu un moment où l'organisation devait prendre des décisions importantes et elle a décidé de se séparer de Jacques. Je ne sais pas ce que je pourrais ajouter de plus à cela.»

Selon Yzerman cependant, il est faux de croire que la jalousie s'était emparée du vestiaire des Wings à l'égard d'un entraîneur trop populaire aux yeux des joueurs.

«Jacques s'est avéré l'homme idéal (*the perfect fit*) pour la renaissance des Red Wings. Il était démonstratif et émotif. Les amateurs l'adoraient. Il a été un grand promoteur de l'équipe dans la communauté. Si nous sommes redevenus si populaires dans la ville à la fin des années 1980, c'est grâce à Jacques. Il a fait beaucoup pour relancer l'équipe auprès des amateurs et il n'y avait pas de raison d'envier la reconnaissance qu'il recevait du public.»

* * *

Curieusement, c'est l'ancien patron de Demers, Jimmy Devellano, qui lève aujourd'hui le voile sur cette affaire. Questionné en mai 2002, au Joe Louis Arena de Detroit, en préparation de ce livre, il apporte les précisions suivantes :

« C'est le gars qui dirige la LNH aux côtés de Gary Bettman qui est responsable de mon départ et de celui de Jacques, assure-t-il. Je vais vous raconter l'histoire et je veux qu'elle soit publiée dans la biographie de Jacques Demers.

« Le gars qui nous a poignardés s'appelle Colin Campbell, l'actuel vice-président aux Opérations hockey de la LNH et bras droit du commissaire Bettman. À l'époque, il était l'adjoint de Jacques. »

Selon Devellano, Campbell s'était lié d'amitié avec quelques joueurs des Wings, en particulier Steve Yzerman. Il avait joué avec Yzerman au cours de ses deux premières saisons (1983 à 1985) dans la LNH. Puis il fut l'entraîneur adjoint chez les Wings pendant cinq ans.

Selon ce qu'apprit Devellano, des joueurs et des adjoints étaient agacés par la popularité et l'omniprésence de Demers. Yzerman et Campbell étaient de ceux-là. Mais tant que les Wings gagnaient, il n'y avait pas de problème.

« Lorsque l'équipe a commencé à connaître des difficultés, reprend Devellano, Campbell tenait des petites réunions avec des joueurs pour connaître leurs doléances. Il a accumulé une foule d'informations. Puis, un beau jour, il est allé raconter des histoires au propriétaire. Il a emmené Steve (Yzerman) dans son sillage. Je ne blâme pas Steve. Il était jeune et ne connaissait pas l'autre côté de la médaille, c'est-à-dire notre point de vue. Mais ce que Campbell a fait n'était pas très sain, je peux vous l'assurer. J'ignorais tout de ses manigances jusqu'à ce que quelqu'un de très bien placé me révèle ces faits au sujet de Campbell. »

Et d'ajouter : « Je ne connais pas les motifs véritables qui animaient Campbell dans ce temps-là, mais je ne serais pas surpris d'apprendre qu'il cherchait à obtenir le poste de Jacques ou même le mien. Eh bien ! Il a perdu sur toute la ligne parce qu'il n'a obtenu aucun des deux jobs ! Mieux encore, en arrivant en poste, Bryan Murray l'a congédié. Je crois que Murray savait déjà à qui il avait affaire. »

Depuis ce temps, Devellano n'a jamais porté Campbell dans son cœur. Lors de la nomination de ce dernier à titre d'entraîneur en chef des Rangers de New York le 9 août 1994, Devellano y alla d'une charge à fond de train. Il l'accusa d'être un traître et un hypocrite.

« Colin Campbell semble toujours savoir comment s'attirer les faveurs de la personne en charge, a dit Devellano au *New York Times*. Chez les Rangers, il tentera maintenant de déterminer qui a le pouvoir entre Neil Smith (le directeur général) et Bob Gutkowsky (le président du Madison Square Garden). Campbell n'est pas ma personne favorite. »

* * *

Quant à Demers, il revient sur les raisons de son congédiement en apportant sa vision personnelle après avoir entendu celle de Devellano.

« J'ignorais totalement que Colin Campbell avait pu me jouer dans le dos. Je n'avais jamais eu de doute sur Colin Campbell. Je savais qu'il était près de certains joueurs, mais ça arrive souvent dans le cas d'un adjoint. J'ai été étonné d'apprendre ça.

« Quant à Steve [Yzerman], je persiste à croire qu'il n'a pas demandé ma tête. Nous n'étions pas d'accord sur tout et c'est normal. De là à ce qu'il désire mon départ, j'ai encore mes doutes. Quoi qu'il en soit, Steve Yzerman a été le meilleur joueur (à l'exception des gardiens) que j'ai dirigé au cours de ma carrière. Il avait du talent, de la finesse et il voulait gagner. Encore aujourd'hui, je me trouve choyé d'avoir pu diriger Steve. C'est un athlète exceptionnel dans mon esprit et je sais qu'il se dirige directement au Panthéon du hockey à l'issue de sa carrière. »

Demers y va maintenant de sa propre analyse de ce qui s'est passé. Il croit que les Wings ont progressé trop rapidement et, qu'au bout du compte, cet essor trop rapide lui a coûté son poste.

« Comme entraîneur, je voulais obtenir des résultats immédiats, mais je me rends compte que nous avions créé des attentes énormes. Après deux finales d'association en 1987 et 1988, les gens se sont mis à penser à la coupe Stanley. Or, bien honnêtement, nous n'avions pas l'équipe pour gagner la coupe. Nous n'avions pas les défenseurs ni les gardiens pour le faire. Ils étaient bons, mais pas nécessairement dominants sur une base régulière.

« De plus, je crois que nous avons plafonné. Je dis cela autant au sujet des joueurs que du personnel d'entraîneurs. Au fil des années, nous n'avons pas nécessairement ajouté de jeunes joueurs de talent. C'était surtout du rapiéçage avec des vieux vétérans. En d'autres termes, on ne s'améliorait pas alors que nos rivaux le faisaient. L'arrivée massive des jeunes est survenue un an ou deux après mon départ. À tour de rôle, les Sergei Fedorov, Niklas Lidstrom, Vladimir Konstantinov, Slava Kozlov et Keith Primeau se sont joints à l'équipe. Et ils avaient beaucoup de talent. »

Quant aux critiques qu'il a essuyées à son départ des Wings, Demers fait son mea culpa : « Si c'était à refaire, j'agirais différemment, commence-t-il par dire. J'étais parti de rien et j'arrivais dans une ville où tout le monde m'adulait. C'était incroyable, j'étais en demande partout. Je crois même que c'était plus fort qu'à Montréal. Sans vouloir me vanter, j'étais aussi populaire que l'unique Sparky Anderson, des Tigers.

« J'avais connu la misère et, du jour au lendemain, on me présentait toutes sortes de propositions vraiment payantes. En rétrospective, je me rends compte que j'ai mal géré cette popularité. J'ai mes torts dans cette histoire et je prends une part de responsabilité pour ce qui est arrivé. Il est sans doute vrai que ma présence continuelle dans les médias et ma popularité pouvaient tomber sur les nerfs de certains joueurs. »

À cet effet, le vétéran Bernie Federko dit éprouver des regrets sur l'attitude qu'il a prise au moment de la crise interne : « J'étais dans la LNH depuis 14 saisons. J'avais joué trois ans pour Jacques à Saint Louis et j'en étais à ma première année [la seule] à Detroit. Cette saison 1989-1990 fut rocambolesque en matière de discipline. Il y avait de la grogne au sein des joueurs. À titre de vétéran et, surtout, en raison de ce que Jacques Demers représentait pour moi, j'aurais dû intervenir dans le vestiaire lorsque certains parlaient contre lui.

« Je constatais une forme de jalousie chez certains et, dans mon for intérieur, je savais que Jacques Demers n'était pas un être égocentrique, ajoute Federko. C'était un homme bon. Je ne suis pas intervenu, sans doute parce que j'étais nouveau au sein de l'équipe. Mais si c'était à refaire aujourd'hui, je me serais exprimé davantage. »

Quant à lui, Jimmy Devellano demeure redevable à Demers malgré quelques erreurs de parcours. « Jacques, analyse-t-il, avait atteint le statut d'une star à Detroit. Et il se plaisait là-dedans. Même qu'à un certain moment je me disais qu'il avait besoin de ça. Avec le recul, je me dis qu'il aurait dû être un peu plus effacé.

« Quoi qu'il en soit, les Red Wings ont retrouvé le seuil de la respectabilité grâce à lui, ajoute-t-il. Et ça dure depuis ce temps. C'est Jacques Demers qui est à l'origine de la renaissance des Wings, il n'y a aucun doute dans mon esprit.

«Depuis son passage, les Wings vendent des billets comme jamais et font parler d'eux dans les médias tous les jours. Jacques mérite beaucoup de crédit pour ça. Le fait de l'avoir amené à Detroit est l'un des meilleurs coups de ma carrière au hockey.»

Steve Yzerman profite de la publication de ce livre pour, à son tour, rendre un bel hommage à celui qui a été son entraîneur pendant quatre saisons.

«Jacques m'a beaucoup aidé dans ma carrière, il n'y a aucun doute dans mon esprit, dit-il. En me nommant capitaine à son arrivée, il m'a forcé à m'entraîner et à jouer en donnant toujours le maximum de moi-même. Il m'a lancé plusieurs défis. Il me disait que si je voulais devenir le leader de cette équipe, il me fallait être un meilleur joueur à tous points de vue. Puis il m'a donné l'occasion de me développer en me confiant de grandes responsabilités. Il m'a fait confiance dans les situations les plus critiques et je me suis amélioré. C'est pourquoi j'ai apprécié jouer pour lui. Il a cru en moi. C'est la principale chose qu'un athlète espère recevoir de son entraîneur. Je conserve de lui un très bon souvenir.»

Lettre R

À Mike Ilitch

Lorsque j'ai pris la décision de laisser les Blues de Saint Louis pour me joindre à votre organisation en 1986, M. Ilitch, il existait plusieurs doutes dans mon esprit. Mais après quelques semaines à peine, j'ai réalisé qu'il s'agissait de la meilleure chose qui était arrivée dans ma carrière et dans ma vie.

Au départ, M. Ilitch, je me suis joint aux Red Wings pour régler d'énormes problèmes financiers auxquels je faisais face. Ma venue à Detroit n'était basée que sur l'argent. Votre équipe était la risée de la LNH et, sur le plan sportif, les perspectives de victoires étaient très minces. J'ai toutefois constaté rapidement à quel genre de personne je faisais affaire en vous côtoyant régulièrement. Vous vouliez gagner tout autant que moi et vous étiez prêt à tout mettre en place pour accéder à la victoire.

J'ai adoré travailler pour vous et votre femme Marian, M. Ilitch. À mon avis, vous affichez le profil du propriétaire idéal. Vous avez à cœur le succès de votre équipe, vous laissez travailler vos hommes de confiance et vous récompensez généreusement les gens qui vous amènent aux succès.

J'ai largement profité de votre générosité et je vous en suis très reconnaissant de nos jours. Grâce à vous, j'ai pu gâter mes enfants et j'ai pu m'offrir une sécurité financière, ce qui m'était totalement étranger avant mon passage à Detroit. D'une certaine façon, vous avez agi comme un père à mon égard. Je vous ai toujours respecté pour le support et les encouragements que vous m'avez démontrés. Même lorsque j'ai remporté la coupe Stanley avec le Canadien en 1993, vous sembliez très heureux pour moi. J'ai senti beaucoup de sincérité lorsque vous m'avez félicité après notre conquête.

Nos chemins se sont séparés en 1990, M. Ilitch, mais je n'ai jamais ressenti d'amertume à votre égard puisque vous avez été très bon pour moi et ma famille. En fait, vous êtes parmi les personnes que j'ai le plus appréciées dans ma vie.

Par la même occasion, M. Ilitch, je m'en voudrais de ne pas parler de votre très loyal homme de confiance, Jimmy Devellano, celui qui vous a vendu l'idée de m'amener à Detroit.

Même si j'ai gagné la coupe Stanley à Montréal, je crois que c'est à Detroit avec Jimmy que j'ai réalisé mon meilleur travail comme entraîneur. Lui et moi avons grandement amélioré l'équipe au cours de nos deux premières saisons à Detroit et, je crois, nous avons ramené la popularité du hockey dans la ville.

Tout compte fait, je conserve un très bon souvenir de mon passage à Detroit et je le dois en très grande partie à Jimmy et à vous, M. Ilitch.

Jacques

Chapitre 19

« Jamais tu vas *coacher* le Canadien »

Malgré les insuccès des deux dernières années, la présentation d'un match des Red Wings était encore un événement couru à Detroit. Le Joe Louis Arena était une fois de plus rempli à pleine capacité. Sept mois plus tôt, Jacques Demers avait été congédié comme entraîneur des Wings.

En ce soir du 13 décembre 1990, les très faibles Nordiques de Québec étaient en ville pour y disputer la victoire aux Red Wings. Les Nordiques vivaient des années de grande noirceur, eux qui n'avaient pas participé aux séries depuis quatre ans. L'équipe du directeur général Pierre Pagé et de l'entraîneur Dave Chambers se dirigeait encore vers une saison de misère. Ils avaient dans leur mire la jeune recrue Eric Lindros et certaines indications laissaient croire qu'ils feraient tout pour mettre la main sur lui lors du repêchage annuel des joueurs amateurs, six mois plus tard.

En principe, ce match ne revêtait aucun cachet particulier, si ce n'est que les Wings désiraient poursuivre leur poussée victorieuse, n'ayant subi que trois revers à leurs onze derniers matchs (7-3-1) sous la férule de leur nouvel entraîneur Bryan Murray. Chez les Nordiques, c'était une autre histoire. L'équipe tirait encore le diable par la queue comme le démontrait sa fiche de sept victoires en 32 matchs (7-19-6) depuis le début de la saison.

Mais la particularité de ce match n'avait rien à voir avec les équipes en présence. Elle tenait plutôt, en cette mi-décembre 1990, au retour de Jacques Demers au Joe Louis Arena, où il n'avait pas remis les pieds depuis sa dernière partie, huit mois plus tôt.

La chose avait même une allure d'événement. Dans les deux camps, même les joueurs en parlaient entre eux. Pour la presse locale et pour les amateurs, il s'agissait d'une belle occasion pour témoigner à Demers toute leur reconnaissance pour ce qu'il avait accompli chez les Wings pendant quatre ans. On était aussi désireux de savoir ce qu'il advenait de lui.

Or, c'est à titre de commentateur sportif que Demers était sur le point de saluer son retour à Detroit, lui qui était devenu l'analyste des matchs des Nordiques de Québec à la radio, en compagnie d'Alain Crête, le descripteur. Qu'il soit *joueurnaliste* ou entraîneur, les amateurs ne lui en témoignaient pas moins une très vive affection.

Et quel accueil il reçut à son retour à Detroit !

* * *

Demers était passé au monde des médias davantage pour se garder occupé que pour se dénicher une nouvelle carrière – ce qui allait pourtant devenir le cas. « Il n'était pas question pour moi de rester à la maison à ne rien faire, dit-il. Depuis l'âge de 12 ans, j'avais toujours travaillé. Je devais travailler. C'est pourquoi l'offre de devenir analyste à la radio arriva à point. J'avais un emploi, c'est ce qui comptait. »

En fait, il avait accepté un poste dans les médias, mais il ne se cachait pas pour dire que sa priorité était de revenir comme entraîneur dans la LNH. Il avait 46 ans et se sentait dans la fleur de l'âge. Il n'avait pas l'intention de passer le reste de sa vie derrière un micro. Sans être continuellement en période de promotion pour se vendre aux quatre coins de la LNH, il avait néanmoins gardé la porte grande ouverte aux directeurs généraux en recherche de candidats.

Partout on savait qu'il était disponible. Mais Demers lui-même ne fondait pas beaucoup d'espoir, lors de son congédiement en plein cœur de l'été, de se trouver un emploi à temps pour le début de la prochaine saison. La plupart des postes avaient été comblés.

Quelques semaines plus tôt, le réseau Radiomutuel avait obtenu les droits de radiodiffusion des matchs des Nordiques de Québec, par l'entremise de sa station CJRP de Québec. La direction des sports de la station était à la recherche d'un candidat vedette pour analyser ses matchs.

Michel Tremblay, le patron des sports de l'époque, était chargé de dénicher l'homme idéal. Il raconte que sa décision n'a pas mis des heures à s'imposer : « Aussitôt que Jacques Demers a été congédié à Detroit, l'idée de l'amener chez nous a germé dans ma tête. J'ai laissé filer quelques jours et je l'ai contacté pour tâter le terrain. Je l'ai laissé songer à l'idée et l'ai invité à me revenir. Je connaissais Jacques depuis quelques années puisque nous l'avions embauché pour collaborer à l'émission de Ron Fournier qui était diffusée tous les dimanches matin.»

Demers y faisait une série de commentaires pendant une dizaine de minutes. Il était donc devenu un collaborateur apprécié à CJMS, la tête du réseau Radiomutuel. En plus, il avait le profil de l'emploi : il avait les connaissances et la crédibilité, et il avait de la facilité à communiquer avec les gens.

Il lui manquait peu pour devenir *vraiment* bon. Il lui suffirait simplement de se familiariser avec la technique radiophonique et d'effectuer un petit cours de rattrapage en français correct, lui qui avait passé ses dix dernières années dans un milieu anglophone. Ce n'était pas un grave handicap aux yeux de ses futurs patrons.

Après quelques jours de discussion, Demers et Tremblay se mirent d'accord. L'ancien entraîneur des Nordiques, des Blues et des Red Wings retourna donc à Québec, où il avait amorcé sa carrière dans la LNH onze ans plus tôt.

«Auparavant, nous avions dû faire valider notre choix par les Nordiques. Ils avaient entièrement endossé notre décision», précise Tremblay.

Demers s'était entendu pour une période de deux ans. Il devenait commentateur des matchs des Nordiques à la radio, ce qui impliquait un déménagement dans la Vieille capitale. En s'installant à Québec, en septembre, il était toutefois devenu un célibataire d'occasion.

Après discussion, sa femme Debbie avait en effet décidé de demeurer au Michigan. Elle adorait la région de Detroit et devait aussi s'occuper de Stefanie, la fille de Jacques, qui vivait désormais chez son père.

«Ce fut une décision difficile pour notre couple, mais, en fin de compte, Debbie et moi étions à l'aise avec ça, raconte Demers. Ce n'était pas le scénario idéal, mais c'était acceptable pour quelque temps. Notre couple était assez solide pour survivre à cela.»

Demers amorça sa nouvelle carrière derrière le micro en commentant le premier match de la saison des Nordiques. Cette première prestation eut lieu dans les hauteurs de la passerelle de presse du Civic Center de Hartford, alors que les Nordiques visitaient les Whalers. Jacques avait comme compagnon de studio Alain Crête…

* * *

Ce Alain Crête était le descripteur de l'équipe depuis fort longtemps, mais il venait de passer de la station CHRC à Québec à celle de CJRP puisque les droits radiophoniques des Nordiques avaient changé d'adresse. Sa présence comme commentateur était inscrite dans le contrat. Des deux côtés (CJRP et Nordiques), on voulait garder cette *voix du réseau des Nordiques*.

Crête se réjouit de l'arrivée de Demers. Il avait déjà travaillé avec Gilles Gilbert, Joe Hardy, Jean Perron, André Bélisle, Michel Carrier et quelques autres à Québec.

« Je connaissais peu Jacques, relate Crête. Je le rencontrais en quelques occasions l'hiver, mais sans plus. Mais je savais qu'il avait bonne réputation. Je savais aussi que j'héritais d'un analyste qui venait de remporter deux trophées Jack-Adams (meilleur entraîneur de la LNH). Ce n'était pas négligeable pour amorcer ce nouveau défi à Radiomutuel. »

Dès le premier match à Hartford, la chimie sembla s'installer entre Crête et Demers. Le duo formait déjà une équipe solide après le premier mois de la saison. À Radiomutuel, on se tapait dans les mains. On avait gagné le pari. Demers faisait le travail…

« Si Jacques a réussi, c'est qu'il a rapidement accepté nos conseils, raconte Michel Tremblay, son patron d'alors. On discutait souvent au début pour améliorer un aspect ou l'autre du métier et Jacques était très réceptif. Il avait du temps pour apprendre car il vivait seul à Québec.

« J'écoutais les matchs à la radio en prenant des notes sur des expressions mal utilisées ou sur une meilleure façon d'intervenir en ondes, d'ajouter Tremblay. Je lui parlais tous les lendemains de match. Je me déplaçais souvent à Québec pour discuter avec lui. Bref, on lui offrait un bon encadrement. Et il était ouvert. C'est ce qui a fait sa force dans sa deuxième carrière : apprendre. On ne s'étonne pas qu'il soit encore dans le monde des médias. »

Alain Crête, lui, s'aperçut rapidement qu'il côtoyait un personnage apprécié partout dans la LNH. « J'ai été surpris par sa très grande notoriété aux États-Unis. Partout, dans les aéroports, à l'aréna, sur la rue, il était reconnu. On l'abordait souvent. C'est un fait plutôt rare pour un entraîneur francophone. »

De fait, Demers était plus populaire aux États-Unis qu'au Canada à l'époque. Il avait connu du succès avec ses équipes aux États-Unis et le milieu sportif américain ne l'avait pas oublié. Le public et les médias le respectaient.

« Plus que sa popularité, j'étais surtout ravi par les portes qu'il pouvait nous ouvrir, ajoute Crête. Partout où on allait, des joueurs, des dirigeants et des journalistes le connaissaient. Ses contacts ont facilité la tâche à la petite équipe de reportage que nous formions. »

* * *

Ce fameux match à Detroit du 13 décembre 1990 était le 33e de la saison des Nordiques. Mais c'était aussi une première pour Demers qui devait désormais analyser le match du haut de la passerelle des journalistes du Joe Louis Arena.

Comme le voulait le règlement de la LNH, les Nordiques arrivèrent la veille du match à Detroit, soit le 12 décembre. En débarquant de l'avion, les joueurs et les journalistes, dans un geste qu'ils répétaient chaque fois qu'ils se présentaient dans une nouvelle ville, se précipitèrent vers les comptoirs à journaux pour lire les reportages des quotidiens de Detroit au sujet des Red Wings.

« On savait que le retour de Jacques Demers était attendu, se rappelle Alain Crête, mais on a tous été étonnés par l'ampleur que tout cela avait pris. »

Dans tous les quotidiens, on ne retrouvait rien au sujet des Nordiques ! On ne parlait que du retour en ville de Jacques Demers en cette veille de match. C'est à cette occasion que le directeur des relations publiques des Wings, Bill Jamieson, dévoila l'acte de générosité de Jacques à l'endroit de tante Gertie. « Les gens de Detroit doivent savoir que Jacques Demers n'était pas seulement un grand entraîneur, mais aussi un grand homme, avait déclaré Jamieson.

Alain Crête, qui avait lu l'article, mentionne aujourd'hui : « C'est là que je me suis rendu compte à quel point Jacques avait été important à Detroit. Il avait réellement laissé sa marque. »

Ce soir-là, Demers avait invité les journalistes de Québec et des joueurs des Nordiques à manger au restaurant qui portait encore son nom dans la banlieue de Detroit. Là, ce fut la fête. Les gens venaient allègrement à sa table pour le saluer. Demers était réconforté dans son amour-propre. Il n'était pas un paria dans son ancienne ville d'adoption.

C'est le lendemain matin que toute la délégation des Nordiques constata véritablement que leur analyste à la radio n'était pas un passager ordinaire.

Contrairement à l'habitude, l'autobus des Nordiques était attendu par une meute de photographes et de caméramen à son arrivée au Joe Louis Arena pour l'entraînement matinal de l'équipe. Lorsqu'il s'immobilisa à l'entrée du garage de l'aréna, toutes les lentilles pointaient en direction de la porte dans l'attente que les passagers descendent, mais chacune n'avait qu'un seul homme dans sa mire : Jacques Demers.

«La situation était assez cocasse, rappelle Alain Crête. Il y avait de bons joueurs au sein des Nordiques, notamment les jeunes Sakic, Sundin et Nolan, et il y avait un dénommé Guy Lafleur. Mais le seul passager visé par les caméras au sortir de l'autobus était Demers ! On l'a suivi de l'autobus jusqu'à l'intérieur de l'édifice comme s'il s'agissait d'une *rock star.*»

Demers fut sollicité pour de multiples entrevues. Il renoua connaissance avec des scribes qu'il avait côtoyés pendant quatre ans : les Keith Gaves, Cynthia Lambert, Mitch Albom, Joe Falls, Chuck Carlton et d'autres...

Même si c'était son droit, à titre de commentateur à la radio, il ne s'est toutefois pas présenté dans le vestiaire des Wings ce matin-là. «Ça me gênait, dira-t-il. De plus, je jugeais que je devais encore garder mes distances pour ne pas indisposer le nouvel entraîneur Bryan Murray. Aussi, je sentais que ma présence en incommodait quelques-uns.»

C'était le cas, entre autres, de l'entraîneur adjoint des Wings, Doug MacLean, qui arrivait dans l'organisation de l'équipe. Il n'avait pas vécu l'ère Demers à Detroit. Il s'interrogeait à voix haute sur toute l'attention médiatique qu'on portait au visiteur de Québec. «Pourquoi faire tout un plat avec un gars de la radio ?» demanda-t-il.

La réplique du journaliste Keith Gaves ne se fit pas attendre : «Il va falloir que tu comprennes que, pour les gens de Detroit, Jacques Demers c'est plus qu'un simple homme de radio.» Et vlan ! Fin de la discussion. Cette réplique résumait plutôt fidèlement le sentiment généralisé dans le grand milieu sportif de la ville de l'automobile.

Après avoir fait l'objet de ce petit cirque médiatique, Demers reprit le chemin de l'hôtel où logeaient les Nordiques au centre-ville. Il y passa l'après-midi en compagnie de quelques journalistes de Detroit qui tenaient à réaliser un reportage plus en profondeur avec lui.

Puis, vers 16 h 30, il reprit l'autobus des Nordiques (dans lequel étaient admis les membres de la presse) pour se rendre à l'amphithéâtre en prévision du match. À son arrivée au Joe Louis Arena, il prit toutefois une direction opposée à celle que les autres journalistes empruntaient.

«Comme on le faisait toujours, raconte Crête, nous nous sommes dirigés vers la salle de presse au sous-sol de l'aréna, où les journalistes se réunissent avant un match pour échanger entre collègues et manger. Jacques, lui, avait plutôt pris l'ascenseur et était monté directement dans les hauteurs de l'amphithéâtre pour prendre sa place dans le studio de radio réservé aux Nordiques. »

Demers s'explique : « J'avais retenu l'attention tout l'avant-midi et je trouvais que c'était assez. J'avais autre chose à faire de plus important. »

Il n'était pas sans savoir que pour gagner la galerie de la presse, il devait passer par l'étage des loges corporatives détenues par les principaux clients des Wings. C'était le chemin le plus facile pour atteindre la passerelle. Mais l'ex-entraîneur savait très bien aussi que parmi ces loges de prestige, il y avait celle de son ancien patron, Mike Ilitch, qui ratait rarement un match des siens à Detroit.

Demers avait décidé d'effectuer un arrêt à la loge présidentielle. « Je tenais à voir M. et Mme Ilitch, raconte-t-il. Je ne les avais pas revus depuis la mi-juillet et, à vrai dire, ils me manquaient. J'avais établi une si belle relation avec eux que je trouvais dommage que tout cela soit terminé à la suite d'un congédiement.

« Il était important que j'aille les remercier comme il se doit pour ce qu'ils avaient fait pour moi et ma famille. Je voulais aussi leur dire de vive voix que je n'éprouvais aucune rancœur à leur égard. Je l'avais déclaré dans les médias, mais ce n'était pas comme le dire face à face. »

Lorsque Marian et Mike Ilitch le virent apparaître à l'entrée de la loge, leur regard s'illumina. Et ils souriaient à belles dents. « Ce furent des retrouvailles heureuses et émouvantes. Ils semblaient vraiment contents de me revoir eux aussi. Je sentais la même chaleur à mon égard qu'à mes années derrière le banc des Wings. Eux aussi me remercièrent de vive voix pour le travail que j'avais accompli à la barre de leur équipe. »

Après une vingtaine de minutes avec les Ilitch, Demers se rendit finalement sur la passerelle. Il prit sa place et médita quelque temps sur les belles années passées dans l'organisation des Wings.

« La première chose que j'avais faite en recevant le calendrier de la saison des Nordiques, c'était de vérifier à quelle date nous serions à Detroit pour un match. Je pensais donc à ce retour depuis longtemps. »

Il faisait encore sombre à l'intérieur du Joe Louis Arena. Les portes n'étaient pas encore ouvertes aux visiteurs. Demers était pratiquement seul sur la galerie, il regardait la glace, les quatre coins de l'édifice et les bannières accrochées au plafond. Il ressentait un sentiment de fierté en passant en revue son parcours de quatre ans dans cette organisation. Il était quelque peu nostalgique de cette belle époque qui était déjà terminée et, il faut bien l'admettre, de l'équipe qu'il avait quittée à regret.

« J'étais fier de moi, dit-il, mais j'étais aussi un peu triste. J'aurais tellement aimé poursuivre l'aventure. »

Environ une heure avant le début de la rencontre, la foule franchissait les tourniquets à un rythme soutenu. Les Wings accueillaient 19 000 personnes et plus pour chacun de leurs matchs locaux. Même la présence des faibles Nordiques n'atténuait pas la ferveur populaire.

Une vingtaine de minutes avant le début de la rencontre, alors que les deux équipes étaient sur la glace pour la période d'échauffement, les sections supérieures de l'édifice commencèrent à se remplir. C'est du côté de l'avenue Jefferson que se trouvait la galerie de la presse, juste au-dessus des sections 205 à 210. La configuration des lieux donnait l'impression aux journalistes de travailler directement à travers la foule, tellement les gradins étaient rapprochés de la galerie. Les amateurs avaient donc une très bonne vue sur ce qui se passait derrière eux sur la passerelle.

Apercevant Demers dans son studio de radio, quelques amateurs des sections supérieures décidèrent de répandre la bonne nouvelle autour d'eux. Heureux de le voir de retour au Joe Louis Arena, cette poignée d'amateurs se mit à scander son nom. Tel que souhaité, l'initiative provoqua une réaction en chaîne.

Pendant quelques instants, des milliers d'amateurs eurent le dos tourné à la patinoire où pourtant les joueurs s'exerçaient. Ils regardaient plutôt dans les hauteurs où se trouvait l'ex-entraîneur de l'équipe. Les gens scandaient son nom : « Demers, Demers, Demers… ». Sourire en coin, l'ancien entraîneur salua discrètement les amateurs de la main.

Puis, dans un mouvement spontané, une bonne partie de la foule se regroupa pour servir à Jacques une salve d'applaudissements chaleureux. Touché, celui-ci s'avança au-dessus de son comptoir de travail et remercia généreusement ses fidèles supporteurs.

« J'en avais la chair de poule. Ce geste m'a ému. J'ai pris ces applaudissements comme un immense merci. Dans ma tête, je pouvais désormais tourner la page sur les Red Wings. »

Et Crête témoigne à son tour : « Je sais que Jacques était vraiment touché par la réaction de la foule. C'est un homme insécure qui ne veut déplaire à personne. Son départ de Detroit n'avait pas entaché sa relation avec les amateurs et ça le réconfortait grandement. »

* * *

Demers poursuivit son travail à la radio des Nordiques pendant deux saisons. Il apprit tous les trucs de radio en compagnie de son acolyte et mentor, Alain Crête, et il s'amusait de plus en plus au micro du réseau Radiomutuel.

« Un soir en ondes, alors que les Nordiques recevaient les Red Wings au Colisée, Jacques fit l'éloge de son ancien capitaine Steve Yzerman, raconte Crête. Il expliquait ce qu'Yzerman représentait pour les Wings. C'était le cœur de l'équipe. Il vanta les dépisteurs des Red Wings qui l'avaient sélectionné au repêchage de 1983, tout juste derrière Brian Lawton, Sylvain Turgeon et Pat LaFontaine. Et il avait ajouté en riant : "Si les Wings ne l'avaient pas choisi en 1983, on aurait fait de la radio ensemble bien avant aujourd'hui, Alain." Il tenait à préciser que malgré les rumeurs qui couraient à l'effet que Yzerman avait eu sa tête à Detroit, il se considérait chanceux d'avoir dirigé un si bon joueur. Un joueur qui lui avait fait gagner plusieurs matchs à Detroit. »

Si tout allait sur des roulettes à la radio, on ne peut dire que Demers vivait des moments aussi exaltants sur le plan du hockey.

Les Nordiques des années 1990-1991 et 1991-1992 étaient dirigés par le directeur général Pierre Pagé et son entraîneur Dave Chambers. L'équipe était en pleine reconstruction et les résultats tardaient à venir. Les Nordiques représentaient la pire équipe de la LNH en 1990-1991 et la pire après San Jose en 1991-1992.

À cette époque, plusieurs joueurs se confiaient à l'ex-entraîneur, ce qui le rendait quelque peu mal à l'aise. « Il ne voulait pas faire d'ingérence dans le travail de Pierre Pagé et de Dave Chambers, mais les jeunes joueurs allaient le voir régulièrement pour lui demander des conseils, raconte Crête. Il marchait sur des œufs parce qu'il ne voulait surtout pas déplaire à la direction. Je sais qu'Owen Nolan, Bryan Fogarty et Joe Sakic ont mangé souvent en sa compagnie. Mais jamais il ne se servait des confidences des joueurs pour passer des messages en ondes ou mettre l'organisation dans l'embarras. »

Demers confirme : « J'analysais le match qui se déroulait sous mes yeux, mais je refusais de tomber dans la petite politique qui règne autour d'une équipe de hockey. D'une part, je ne suis pas du genre à faire du grenouillage. D'autre part, je ne cherchais pas à ravir les postes à Pierre (Pagé) et à Dave (Chambers). Mais il faut admettre qu'il était difficile à cette époque d'être constamment positif à l'endroit des Nordiques. L'équipe était encore tellement loin d'une place en séries. Les Nordiques avaient repêché Eric Lindros à l'été 1991, mais il refusait toujours de signer un contrat avec l'équipe. N'empêche, je n'ai jamais parlé dans le dos de Pierre Pagé et de Dave Chambers. Je me suis fait très discret pour commenter les décisions des dirigeants. »

De son association à la radio avec Demers, Crête conserve le souvenir d'un collègue bien préparé, qui ne cherchait pas la controverse et qui voulait constamment s'améliorer. « Je me suis senti à l'aise avec Alain dès les premiers moments où j'ai travaillé avec lui, dit Demers. Dans ce nouveau milieu, je devais avoir confiance en quelqu'un, et cette personne, ce fut Alain Crête. On avait établi une belle complicité dès le départ. Nous sommes vite devenus des amis. »

Crête rappelle que Demers était d'agréable compagnie et qu'il était affable avec l'ensemble des collègues de sa nouvelle confrérie : « Tout le monde l'aimait parce qu'il s'adonnait bien avec tout le monde. Ce n'est pas un être mesquin ou sournois. De plus, il ne se prenait pas pour un autre malgré sa vaste expérience et ses nombreux succès.

« En deux ans à la radio de Québec, je l'ai vu une seule fois se choquer envers un collègue, se souvient Crête. C'était lors d'un voyage des Nordiques à Saint Louis. Il perdit les pédales devant Albert Ladouceur, du *Journal de Québec,* qui est pourtant un homme sans malice. »

Crête n'a pas assisté directement à la scène, mais il en a entendu parler rapidement. Au cours de la soirée, il a croisé Ladouceur dans le lobby de l'hôtel Adams Mark de Saint Louis. Ce dernier, la mort dans l'âme, raconta tout bonnement à Crête que Demers venait de… l'assommer, littéralement, avec une chaise !

En fait, Ladouceur voulait faire une blague à Demers et le surprit par derrière alors qu'il était assis à une table du *coffee shop* de l'hôtel en compagnie de Claude Bédard, le patron de Ladouceur au *Journal de Québec.* Juste pour rire, Ladouceur saisit Demers par les flancs. L'ex-entraîneur sursauta tellement qu'il bascula vers l'arrière pour, finalement se retrouver sur le dos, les quatre fers en l'air !

Or, non loin de là, des joueurs des Nordiques étaient attablés pour discuter. Ils avaient été témoins de la scène. Demers se sentit ridiculisé de se retrouver dans une position aussi inconfortable au plancher, surtout devant des joueurs qui riaient à gorge déployée.

Furieux et humilié, il engueula le journaliste, avant d'empoigner une chaise et de la rabattre sur la tête d'un Ladouceur abasourdi, c'est le cas de le dire ! Saint Louis était, disait-on, la *Porte de l'Ouest américain*, mais ce soir-là, on se serait cru au *Far West* !

La chose fit tellement de bruit et déplaça tellement d'air que les membres de la sécurité de l'hôtel durent intervenir.

« Un agent de sécurité demanda même à Albert s'il désirait porter plainte, raconte Crête. Pour toute réponse, Albert refusa, disant que l'homme qui venait de l'assaillir était, en fait, son… ami. L'agent n'y comprenait plus rien !

Avec Alain Crête et Albert Ladouceur, en 2005… bien des années après le fameux épisode de la chaise ! (Archives de Jacques Demers)

« Je me souviens qu'Albert passa une partie de la nuit à marcher seul dans les rues de Saint Louis, ajoute Crête. Il regrettait d'avoir pris Demers par surprise de cette façon, mais il était tout autant ébranlé par sa réaction. »

L'histoire ne s'arrêta pas là. Dès le lendemain, dans l'autobus qui conduisait les joueurs et les journalistes à l'entraînement matinal, tous les joueurs ne parlaient que du fameux incident. Le défenseur Dany Lambert, un Franco-Manitobain originaire de Saint-Boniface, avait été un témoin de l'incident et, surtout, il avait tout saisi de la discussion musclée entre

Jacques et Ladouceur qui avait suivi. Moqueur, il se lança dans une description détaillée de l'incident, en y ajoutant ses propres commentaires imagés, qu'il livrait tant en français qu'en anglais au bénéfice de tous ses auditeurs.

Les joueurs se bidonnaient allègrement à écouter ce compte-rendu hilarant, pendant que les deux belligérants, assis à des positions opposées dans l'autobus, la trouvaient beaucoup moins drôle.

Ce n'est que quelques semaines plus tard que les deux confrères décidèrent d'enterrer la hache de guerre… «Comme histoire de lobby d'hôtel, c'est l'incident le plus drôle que j'ai vue dans ma carrière au hockey», déclara le vétéran défenseur Craig Wolanin, un autre témoin de la fameuse «descente» de chaise et de la «montée» de lait de Demers !

* * *

Pendant son association avec le réseau des Nordiques, Jacques Demers avait le mandat d'analyser en direct les matchs de l'équipe à la radio, mais il devait aussi effectuer plusieurs interventions lors d'émissions à contenu sportif.

À CJRP, l'ancien entraîneur du Canadien et des Nordiques Jean Perron était devenu chef d'antenne d'une telle émission. Et Demers faisait partie de l'équipe de ses collaborateurs.

Sans être très liés, les deux hommes se retrouvaient souvent ensemble sur les lieux du travail. Demers avait appris à travailler avec Perron, qui était plus controversé que lui.

«On discutait souvent, Jean et moi, de nos carrières, de nos projets et de nos attentes dans le hockey, relate Demers. Comme moi, Jean espérait un jour revenir dans la LNH. Ni l'un ni l'autre n'avait fait une croix sur sa carrière d'entraîneur.»

Il arrivait régulièrement aux deux hommes de casser la croûte ensemble. Ils discutaient alors principalement de hockey.

«Ce qui me frappait, dit Demers, c'était de voir à quel point les amateurs de hockey étaient attirés par la bague de la coupe Stanley que portait Jean à un doigt. Bien souvent, on venait nous saluer juste pour avoir la chance de voir la bague de la coupe. Ça me fascinait de voir quel effet la bague de la coupe Stanley pouvait provoquer sur les gens. D'une certaine façon, j'enviais Jean Perron.»

Un soir que les deux anciens pilotes devisaient au restaurant, Demers confia à Perron qu'il avait toujours rêvé de diriger le Canadien. Il dit le considérer chanceux d'avoir vécu une telle expérience, en plus d'avoir gagné une coupe Stanley (1986) avec cette grande organisation.

«Au fil de notre discussion, j'ai tout bonnement admis à Jean que j'aurais tellement aimé ça diriger le Canadien, comme lui. Mais sa réponse me pétrifia.»

Perron se lança en effet dans un monologue qui eut pour effet de démolir tous les espoirs de Demers de prendre un jour la barre du Tricolore.

«Essentiellement, Jean m'a dit : "Jamais tu vas *coacher* le Canadien. Serge Savard ne peut pas te sentir. Tu n'es pas du tout le genre de gars qu'il tient à avoir derrière le banc à Montréal". Je fus ébranlé par cette remarque sans appel. Il l'avait faite de façon si spontanée qu'il me donnait l'impression d'en avoir déjà discuté avec Savard lui-même. Ses propos me marquèrent. Mais je n'ai pu m'empêcher de lui demander pourquoi il semblait si catégorique. "Voyons donc Jean, lui ai-je dit, je ne sais pas pourquoi Serge Savard ne peut pas me blairer, on se connaît à peine. Je ne lui ai jamais rien fait. On n'a jamais eu de différends." Jean, d'un ton assuré, me répéta que je devais oublier ça tant que Savard serait à la direction générale du Canadien. J'étais très déçu d'entendre une telle chose...»

* * *

Les mois et les semaines passaient sans que Demers reçoive une seule offre tangible pour retourner à la barre d'une équipe de la LNH. Et ce, malgré ses visites régulières à la basilique de Sainte-Anne-de-Beaupré!

Il en était désormais à sa deuxième saison à faire équipe avec Alain Crête et se plaisait de plus en plus dans son rôle d'analyste. Il s'était installé dans un appartement des Jardins Mérici, dans un secteur huppé de la haute-ville de Québec, situé à proximité des plaines d'Abraham. Dès qu'il en avait l'occasion, il profitait d'une ou deux journées de congé pour se rendre à Detroit retrouver Debbie. Cette dernière venait aussi le visiter de temps en temps.

C'est au cours de son passage à la radio de Québec que Jacques se rapprocha plus étroitement de son petit frère Michel, qui était de 15 ans son cadet. «Lorsqu'un homme a 30 ans et que son frère en a 15, les points en commun sont peu nombreux, note Michel Demers. Mais lorsqu'il est rendu à 45 ans et que son frère en 30, ça ne fait plus beaucoup de différence. Avec le temps, on s'est rapprochés parce que nous avions plusieurs choses à partager. On avait aussi l'impression que nous avions perdu beaucoup de temps à nous découvrir.»

Afin de combler sa solitude, Michel Demers passait donc également beaucoup de temps avec son grand frère. « Il était seul là-bas et il m'appelait régulièrement. J'allais le rejoindre dans la Vieille capitale et on passait du temps ensemble. On a eu des soupers mémorables au Café de la Paix, dans le Vieux-Québec. En quelque sorte, on a véritablement appris à mieux se connaître durant cette période. »

* * *

Michel Demers avait connu un parcours fort différent de son frère aîné au cours de sa jeunesse. Il ne connaissait rien de l'enfance difficile de Jacques dans le quartier Côte-des-Neiges.

« Dès que ma mère a appris qu'elle avait la leucémie, je me suis retrouvé chez mon oncle Léo Demers et sa femme Blanche. Je devais avoir environ un an. Ce sont eux qui m'ont élevé et qui sont devenus mes parents. Leur fille Pauline était considérée comme ma sœur. D'ailleurs, je voyais rarement mon frère Jacques et mes sœurs Francine et Claudette. »

Pour le jeune Michel à l'époque, il était inimaginable que des enfants soient violentés par leurs parents. Il vivait dans un climat d'amour et de stabilité affective à la maison. Son oncle Léo était gérant de la Taverne Beaubien depuis des années et il faisait aussi office de juge au paddock à l'hippodrome Blue Bonnets. Léo et Blanche Demers étaient à l'aise financièrement et ils étaient responsables envers les enfants. C'est pourquoi la mère biologique de Michel, Mignonne, n'avait aucunement hésité à leur confier la garde du dernier-né.

« Contrairement à Jacques, Francine et Claudette, j'ai été élevé dans la ouate, dit Michel. J'étais un enfant très gâté par mes parents d'adoption. Je vivais dans un grand appartement, on mangeait très bien et j'avais des jouets à ne plus savoir quoi en faire. Je conserve encore de très bons souvenirs de mon enfance. Avec les années cependant, je me suis rendu compte que mes frère et sœurs avaient tous gardé des séquelles de leur enfance. Dans le cas de Jacques, je crois, il a toujours refoulé en lui cette période. C'est pourquoi il m'apparaît clairement que ce livre est une forme de libération.

« C'est étrange, mais, dans les réunions familiales, je regarde Jacques, Francine et Claudette, et dès qu'il y a un peu d'alcool, ça devient très émotif, ajoute Michel. Je me suis longtemps demandé pourquoi. Je ne suis pas psychologue, mais je pense qu'il s'agit des relents du passé. La boisson dans leur jeunesse était toujours associée à des moments désagréables et émotifs. »

Michel Demers, qui est aujourd'hui vendeur dans le domaine du papier fin pour le compte de Papiers Turgeon dans la région de Montréal, mentionne n'avoir aucun souvenir de sa mère Mignonne et très peu de son père Emmanuel.

« Ma mère est morte alors que j'étais très jeune. Je ne me rappelle pas du tout d'elle. Quant à mon père, je le voyais très peu souvent. La dernière fois que je l'ai vu, c'était au début du mois de juillet 1965. Je me souviens qu'il m'avait donné une boîte dans laquelle se trouvaient un chandail, des bas et une tuque de laine du Canadien. Puis je l'ai revu dans sa tombe, puisqu'il est mort le 31 juillet de cette année-là. »

Même s'il aurait aimé côtoyer plus souvent son petit frère, Jacques était d'accord avec la décision familiale de « placer » Michel chez oncle Léo et tante Blanche. « Je crois qu'il s'agissait d'un poids de moins pour Jacques, raconte Michel. Il me savait en sécurité là-bas. Il ne voulait pas que son petit frère passe par le même calvaire que lui auprès de mon père. »

Et Demers confirme : « C'est un fait. Lors de la naissance de Michel durant mon adolescence, j'ai songé à ce que l'avenir pouvait bien lui réserver. Je ne voulais pas qu'il vive la même chose que moi. Son départ chez oncle Léo et tante Blanche était décevant, mais c'était mieux ainsi. »

Quoi qu'il en soit, les deux frangins se retrouvèrent et apprirent à se connaître davantage lorsque Jacques travaillait à la radio à Québec.

« On avait des contacts avant cela, précise Michel, mais on ne savait pas grand-chose l'un de l'autre. Il m'était arrivé d'aller le voir à Québec du temps des Nordiques à la fin des années 1970 et à Detroit à la fin des années 1980. Mais il était toujours pressé ou concentré sur ses affaires de *coaching*. Aussi, il y avait toujours plein de monde autour de lui. On ne pouvait jamais réellement jaser entre frères. Pour le reste, je le rencontrais durant l'été à Châteauguay lorsqu'il était en vacances. On s'adonnait très bien, mais on se disait peu de choses. On s'ouvrait peu sur nos vies. C'est à Québec, conclut Michel, que Jacques et moi sommes vraiment devenus plus que deux frères, deux amis. »

* * *

Demers en était donc à sa seconde année derrière le micro de CJRP. Comme l'année précédente, les Nordiques connaissaient encore une saison de misère. Après le 18e match, Pierre Pagé congédia son entraîneur Dave Chambers et c'est lui-même qui le remplaça. Un vent de sympathie à l'endroit de Jacques souffla sur la Vieille capitale au moment du départ de Chambers. Plusieurs amateurs, et même certains journalistes, favorisaient le retour de Demers derrière le banc des Nordiques. Mais Pagé décida d'occuper la double fonction de directeur général et d'entraîneur.

« Des joueurs sont même venus me voir pour me dire de postuler afin de les diriger, raconte Demers. Je n'ai jamais fait de geste en ce sens. Je n'alimentais pas non plus les rumeurs ou les humeurs du public. Pierre Pagé savait où j'étais et s'il avait décidé de faire appel à mes services, il m'aurait contacté. Ce n'est pas ce qu'il avait en tête et je respecte sa décision. »

À la fin de la saison régulière, les Nordiques affichaient un médiocre dossier de 20 victoires, 48 revers et 12 verdicts nuls pour un total de 52 points. Ils étaient exclus des séries pour une cinquième saison consécutive.

Une fois de plus, les fervents supporteurs des Nordiques, insatisfaits de la tenue de l'équipe sous Pierre Pagé, se mirent à inonder les tribunes téléphoniques pour réclamer la venue de Demers derrière le banc. Un sondage effectué par le *Journal de Québec* donnait à Demers 74 pour cent de la faveur populaire.

Cette situation déplaisait au principal intéressé et, dès le début du mois d'avril 1992, il prit la direction de Detroit pour amorcer ses vacances estivales. Son contrat de deux ans à la radio des Nordiques était terminé et il songeait à son avenir.

« J'avais déjà entrepris des discussions avec mon patron Michel Tremblay pour demeurer l'analyste des matchs à la radio des Nordiques. Nous n'avions pas vraiment négocié, mais au moins je savais que le réseau Radiomutuel était intéressé à ce que je poursuive l'aventure. »

Michel Tremblay raconte : « On était allé chercher Jacques pour ses connaissances et sa crédibilité, et c'est exactement ce qu'il avait apporté à nos reportages. Nous voulions donc le voir de retour avec nous. Jusque-là, il avait été un élève modèle. Il avait beaucoup progressé et on le sentait vraiment dans son élément. Comme Mario Tremblay, Pat Burns, Michel Bergeron et quelques autres *joueurnalistes*, il ne l'a pas eu facile, mais il a travaillé très fort pour devenir efficace au micro. Il était clair dans mon esprit et dans celui des membres de la haute direction de Radiomutuel que si Jacques désirait revenir à la radio à Québec, on aurait un contrat à lui faire signer. »

De retour à Detroit, Demers discuta de la situation avec Debbie. Le couple avait été séparé au cours des deux dernières années, mais le temps des sacrifices était terminé. Si Jacques devait retourner à la radio à Québec, Debbie acceptait de l'accompagner cette fois-ci. « On était prêts à vivre séparément pendant un moment, mais il n'était pas question de le faire éternellement », note Demers.

Au début du mois de mai, de sa résidence de Farmington Hills qu'il occupait depuis six ans dans la région de Detroit, Demers appela son patron Michel Tremblay à Montréal. « Michel, lui dit-il, j'ai songé à mon affaire et je suis prêt à revenir à la radio. Si vous m'accordez un contrat à long terme, je mets fin à ma carrière d'entraîneur et je plonge pour de bon dans le monde des médias. »

La nouvelle surprit agréablement Tremblay à l'autre bout du fil. « Je ne m'attendais sûrement pas à ça ! J'avais l'impression que Jacques allait recevoir un appel pour diriger dans la LNH et que prochainement il m'annoncerait son départ de la radio. Le fait qu'il me soumette l'idée de signer un contrat à long terme avec nous était inouï. On l'aimait tous au sein de la compagnie et on voulait le garder. Je n'ai fait ni une ni deux et je lui ai dit qu'on regarderait cela très attentivement dans les prochains jours et qu'on lui reviendrait très rapidement. »

Tremblay, effectivement, ne lésina pas. Il contacta le patron de CJRP à Québec, André Gagnon, et rapidement les deux hommes se mirent d'accord sur une offre de contrat. « Si ma mémoire est fidèle, on lui accordait une entente de quatre ans », dit Tremblay avec justesse.

Après quelques jours consacrés à des ajustements de détail, Demers accepta l'offre de Radiomutuel. Les deux parties se mirent d'accord sur une date où la nouvelle serait rendue publique, selon les disponibilités de Demers qui demeurerait à Detroit.

Finalement, le 27 mai 1992, la station CJRP de Québec convia les médias à une conférence de presse pour annoncer la nouvelle.

« Je me souviens très bien que nous étions à La Cage aux sports de Charlesbourg lorsque Jacques, devant toute la presse de Québec (et même de Montréal), annonça solennellement sa retraite du *coaching* ! rigole son partenaire Alain Crête. Pour lui, c'était F-I-N-I. Il raconta que Debbie viendrait s'installer avec lui à Québec et qu'il voulait vraiment faire carrière dans le monde des médias. J'étais ravi de le voir à mes côtés pour quatre autres saisons. On s'appréciait mutuellement. »

En cette journée de la fin du mois de mai 1992 à Québec, Jacques Demers disait tracer une ligne sur un métier qui l'avait fait vibrer au plus haut point. Il était convaincu de prendre la bonne décision et semblait parfaitement heureux de l'ouverture que lui procurait le réseau Radiomutuel dans le monde des communications.

«C'est une décision mûrement réfléchie, insistait Demers auprès du regretté journaliste du *Journal de Québec* Claude Cadorette. J'aurais pu retourner à la LNH l'an prochain. J'ai refusé un job d'entraîneur adjoint et je sais que j'aurais pu obtenir un poste d'entraîneur en chef si je l'avais voulu. Mais depuis que j'ai pris la décision définitive, je me sens libéré et soulagé.»

Demers pouvait bien raconter ce qu'il voulait aux journalistes de Québec, ce 27 mai 1992, et c'était de bonne guerre. Mais, en réalité, bien peu de scribes prenaient très au sérieux sa prétendue retraite du métier d'entraîneur. De façon générale, on avait la conviction qu'il ne se rendrait pas jusqu'au bout de son contrat de quatre ans à la radio. De là à dire, toutefois, que cette retraite ne durerait que deux semaines, il y avait une marge.

Et pourtant! Qui aurait pu deviner que le sort le destinait à un travail à l'autre bout de l'autoroute 20?

Lettre S

À Michel Tremblay

Depuis sept ans déjà, je mène une deuxième carrière dans la monde des médias et j'en suis très heureux.

Si j'ai pu obtenir du travail dans ce domaine et continuer à œuvrer dans le monde du hockey, je le dois surtout à Michel Tremblay, qui, en 1990, après mon congédiement à Detroit, m'a lancé une bouée de sauvetage en m'offrant de devenir analyste des matchs des Nordiques à la station radiophonique CJRP de Québec.

Je sais, Michel, que tu as pris un pari énorme en confiant ce mandat à un homme qui n'avait aucune expérience dans ce métier. Non seulement tu m'as embauché, mais tu m'as secondé pour faciliter ma transition entre le niveau de la glace et celui de la passerelle des journalistes. Tu m'appelais tous les jours pour me conseiller et m'encourager. De plus, c'est toi qui as mis sur mon chemin mon ami Alain Crête qui est devenu avec les années mon fidèle compagnon des ondes.

Je constate aujourd'hui, Michel, que tu m'as permis de découvrir que je pouvais faire autre chose que coacher *une équipe de hockey. Peu à peu, j'ai pris confiance au micro. Tu avais sans doute vu en moi un certain don de la parole et tu m'as permis de l'utiliser adéquatement.*

Si je gagne bien ma vie dans cette deuxième carrière depuis sept ans, tu y es pour beaucoup. J'apprécie encore de nos jours ce que tu as fait pour moi en 1990.

Jacques

Chapitre 20

« Nous allons surprendre le monde du hockey ! »

Depuis une dizaine de jours, Serge Savard était engagé dans un long processus d'entrevues afin de dénicher un nouvel entraîneur pour succéder à Pat Burns. Nous étions au début du mois de juin 1992.

Au cours de sa réflexion, Savard avait reçu un appel d'une vieille connaissance et grand ami, Ronald Caron, dit *Le Prof*, qui était directeur général des Blues de Saint Louis. Le Prof était reconnu pour donner son opinion sur tous les sujets et il n'allait pas rater l'occasion de se mêler du dossier de la succession de Burns. Il téléphona à Savard pour lui recommander fortement son ancien employé, Jacques Demers.

Dans son langage coloré, *Le Prof* ne tournait pas autour du pot. Il alla droit au but : « Serge, je reviens de Montréal où j'ai écouté à la radio tout ce qui se disait au sujet de ton futur *coach*. Il paraît que tu es indécis entre Jacques Demers et Michel Bergeron ? » Ce à quoi Savard acquiesça en souriant, lui qui connaissait le personnage.

Dans le monde du hockey, il était de mise de ne pas se mêler de la gestion d'une équipe adverse, mais avec *Le Prof* c'était différent. Si on acceptait son amitié, il fallait composer en même temps avec ses indiscrétions. Savard appréciait tellement ce bonhomme qu'il ne pouvait se passer de ses commentaires et de ses conseils. Et *Le Prof* le savait. Il poursuivit :

« Eh bien, mon p'tit Serge, je vais te demander une seule chose : est-ce que tu veux passer un bel été et un bel hiver ? Sans attendre la réponse il enchaîna : Je ne veux pas te dire quoi faire mais je suis sûr que Demers va te faire passer un bel été et un bel hiver. Je ne peux parler contre l'autre

[Michel Bergeron], je ne le connais pas, mais je sais que tu vas bien t'adonner avec Demers. Il est poli, respectueux et il se mêle de ses affaires. De plus, il n'est pas méchant comme *coach*. C'est un gars qui sort de la *gate* rapidement, qui obtient des résultats dès la première année. Il l'a fait à Saint Louis et à Detroit.»

Savard ricane encore en se remémorant cette discussion : «Il m'a effectivement appelé et il m'a parlé en ces termes. Ses commentaires ont confirmé ce que je croyais. À vrai dire, Michel Bergeron n'avait pas beaucoup de chances avec moi. Je trouvais qu'il prenait beaucoup de place pour un entraîneur. Il était à New York (Rangers) et il appelait les directeurs généraux dans la LNH. Il avait fait la même chose à Québec. Puis il y avait toute la question entourant son état de santé.

«Quant à Demers, je trouvais qu'il avait plus de crédibilité auprès des joueurs et à travers la LNH. C'était un bon communicateur. Il était très travaillant et un bon planificateur. Sa grande force, c'était la motivation. Il était près des joueurs, mais il respectait l'autorité. Je le connaissais peu sur le plan personnel, mais je me suis senti à l'aise avec lui dès notre première discussion…»

* * *

La venue de Jacques Demers à Montréal fut le résultat d'une aventure plutôt rocambolesque qui se déroula sur une période de seize jours.

Le 27 mai 1992, Demers venait de déclarer haut et fort qu'il mettait fin à sa carrière d'entraîneur dans la LNH pour se concentrer entièrement à son nouveau métier d'analyste à la radio. Mais deux jours plus tard, il sursauta dans le salon de sa résidence de Detroit lorsque son patron, Michel Tremblay, lui transmit la grande nouvelle du jour à Montréal.

«Jacques, lui dit-il au téléphone, Pat Burns vient de démissionner à titre d'entraîneur du Canadien et il s'en va diriger les Maple Leafs de Toronto. On fait une émission spéciale sur nos ondes à ce sujet et on veut obtenir tes commentaires. Prépare-toi, on te rappelle dans une vingtaine de minutes.»

Burns avait décidé qu'il en avait assez de la vie d'entraîneur à Montréal, ayant fait l'objet de plusieurs critiques dans les médias et ayant des relations assez houleuses avec les journalistes.

Demers était complètement éberlué à l'autre bout du fil. Il n'en croyait pas ses oreilles. Mais du même coup, une petite voix lui disait que cette nouvelle le concernait au plus haut point.

« Dès que j'eus raccroché, j'ai dit sans détour à ma femme : "Debbie, je vais devenir le prochain *coach* du Canadien !" Je ne fais pas de blague. J'ignore pourquoi, mais j'étais convaincu qu'on ferait appel à moi. »

Comme prévu, la station CJMS de Montréal le joignit une vingtaine de minutes plus tard afin qu'il commente la nouvelle. À l'animateur Pierre Trudel qui lui demandait qui il verrait pour succéder à Burns, Demers plaida pour la nomination de Jacques Lemaire.

« J'étais très mal à l'aise, car je voulais le poste, mais je ne voulais pas partir en campagne de promotion à la radio. J'ai mentionné qu'il fallait surveiller du côté de l'adjoint de Serge Savard, Jacques Lemaire. Ce qui était vrai. D'ailleurs, si Lemaire avait voulu le poste, c'est lui qui l'aurait eu, assurément. »

Après son intervention, Demers commença à écrire un scénario dans sa tête. Il se voyait derrière le banc du Tricolore, la grande organisation qui avait bercé son enfance. Il se voyait au Forum et imaginait les applaudissements du public lorsque l'annonceur maison, Claude Mouton, annoncerait au micro : « Et maintenant, mesdames et messieurs, nos Canadiens… de l'entraîneur Jacques Demers ! » Toute cette musique résonnait comme une parfaite symphonie à ses oreilles.

Dans sa conférence de presse pour annoncer le départ de son entraîneur, le directeur général Serge Savard fut questionné sur l'identité de son successeur. Savard se montra évasif. La seule information qu'il laissa filtrer, c'est que le nouvel entraîneur devait être francophone ou, à tout le moins, bilingue. Rapidement, les médias dressèrent une liste de six candidats : Jacques Lemaire, André Boudrias, Paulin Bordeleau, Bob Gainey, Michel Bergeron et… Jacques Demers.

Lemaire et Boudrias étaient les adjoints de Savard. Si Lemaire ne voulait rien savoir de cet emploi, Boudrias se disait intéressé. Quant à Bordeleau, il dirigeait l'équipe-école du Canadien à Fredericton. Pour sa part, l'ancien capitaine du Tricolore Bob Gainey était sous contrat pour encore une saison avec les North Stars du Minnesota.

Puis il y avait Bergeron et Demers, deux anciens entraîneurs qui étaient désormais recyclés dans le monde des médias. Si Demers travaillait pour le réseau Radiomutuel (CJMS à Montréal et CJRP à Québec notamment), Bergeron était au micro de Télémédia pour CKAC à Montréal.

« La liste de candidats n'était pas énorme, raconte Savard une douzaine d'années plus tard. Gainey n'était pas disponible, Lemaire n'était pas intéressé et je ne considérais pas sérieusement les candidatures de Boudrias et de Bordeleau. D'ailleurs, au départ, je ne considérais pas non plus la candidature de Bergeron. Mais le soir même de la conférence de presse annonçant le départ de Pat Burns, Michel est arrivé en ondes à CKAC pour dire qu'il voulait le job. Je n'ai pas eu le choix de le rencontrer… »

Le départ de Burns donna d'ailleurs lieu à une guerre des ondes assez spéciale à Montréal. Les stations CJMS et CKAC, qui bataillaient ferme pour obtenir les plus hautes cotes d'écoute dans le domaine du sport lors des émissions de fin d'après-midi et du soir, embarquèrent dans une véritable campagne à la succession de Burns.

Du côté de CKAC, on appuyait sans réserve la nomination de Michel Bergeron, alors qu'à CJMS Jacques Demers était devenu le candidat désigné.

« Qui ne rêve pas de diriger le Canadien ? confia Bergeron au journaliste Mario Brisebois, du *Journal de Montréal*. Je suis prêt à écouter les offres. Serge Savard sait où me trouver. »

Demers se montrait plus discret, y allant du laconique « Pas de commentaire ! ». Mais tout le monde connaissait ses intentions réelles. Quelques années plus tôt, c'est lui qui avait déclaré : « Je dirigerais le Canadien gratis ! Je suis un gars de Montréal et c'est le grand rêve de ma vie. » (Il ne pouvait renier ses paroles et on se chargera de le lui rappeler à quelques occasions…)

La cabale médiatique suivit son cours jusqu'à ce que Serge Savard décide de rencontrer certains candidats. Il communiqua d'abord avec Don Meehan, l'agent de Demers. « Don m'a appelé un matin pour me dire que Serge voulait me rencontrer. J'étais au septième ciel, raconte Demers. J'avais complètement oublié mon contrat de quatre ans à la radio, tout comme j'étais prêt à renoncer à prendre ma retraite du *coaching*. »

Quelques heures plus tard, Savard lui-même joignit Demers à Detroit pour lui lancer une invitation à venir le rencontrer à Montréal. « Je me souviens de lui avoir dit : “Veux-tu que je vienne tout de suite ou ce soir ?” Serge me répondit qu'il préférait me voir le vendredi suivant, le soir, dans un restaurant. »

C'est ainsi que Jacques Demers prit l'avion le vendredi 5 juin pour se rendre à Montréal et y rencontrer son futur patron. À la demande de Savard, cette rencontre devait rester très confidentielle.

Les deux hommes prirent le repas ensemble au restaurant Rib ‘N' Reef, sur le boulevard Décarie. Puis Savard invita Jacques à passer la nuit chez lui dans sa luxueuse résidence du Sommet Trinité, à Saint-Bruno.

« Au cours de notre conversation, j'ai dit à Serge que je devais partir le lendemain matin (samedi) en croisière avec ma femme. Tout avait été planifié depuis longtemps. Il fallait donc que je sois à l'aéroport de Dorval de très bonne heure pour aller rejoindre Debbie à Detroit avant de repartir pour la Floride en prévision de notre croisière. C'est là que Serge m'a invité chez lui, tout en m'offrant d'aller me reconduire à l'aéroport très tôt le lendemain matin.

« Ce soir-là, nous nous sommes couchés très tard. On a discuté de tout, sauf des autres candidats. J'en ai profité pour me vendre. Je voulais tellement diriger le Canadien. Je lui ai même demandé si j'avais une chance, mais Serge ne pouvait rien me confirmer avant d'avoir rencontré d'autres candidats. C'est plus tard, au cours de cette nuit, que j'ai finalement décidé d'annuler ma croisière avec Debbie. Je n'osais prendre aucune chance de m'éloigner trop longtemps. »

C'est de chez Serge Savard que Jacques communiqua avec sa femme aux petites heures du matin : « Debbie, je suis désolé, mais je ne peux pas partir. Je ne sais pas si je vais diriger le Canadien, mais il faut que je reste disponible. »

Debbie était naturellement très déçue, mais elle comprenait. « Mes valises étaient toutes prêtes sur le bord de la porte. Je n'ai eu qu'à les défaire, ricane-t-elle aujourd'hui, elle qui avait bien compris le rêve qui était en train de se réaliser pour son mari. D'ailleurs, je ne l'ai jamais cru quand il avait dit qu'il en avait fini avec le domaine du *coaching* », ajoute-t-elle.

Comme prévu, Savard servit de chauffeur à Demers le lendemain pour le conduire à l'aéroport de Dorval. Même s'il avait décidé de ne plus partir en croisière avec sa femme, Demers devait regagner son domicile de Detroit en attendant la suite des choses. Avant de le quitter, Savard s'assura auprès de son candidat que leur rencontre demeurerait confidentielle. « Tu n'as pas à t'en faire, Serge, ça va rester entre nous. »

Ce que les deux hommes ne savaient pas, c'est que, déjà, dans le journal du matin, leur rencontre était étalée au grand jour. Le chroniqueur Bertrand Raymond, du *Journal de Montréal,* avait obtenu l'exclusivité de la nouvelle sur la foi d'un informateur qui répondait au nom de Claude Poirier, le réputé chroniqueur judiciaire. Poirier avait appris que Jacques et Savard avaient soupé au Rib 'N' Reef et il avait communiqué avec Raymond pour lui donner la primeur. « J'ai encore constaté ce matin-là qu'on ne pouvait pas faire grand-chose à Montréal sans que ce soit su », rigole Savard.

Trois jours après avoir reçu Demers en entrevue, Savard convoquait à son tour Michel Bergeron à son bureau du Forum, par l'intermédiaire de son agent Pierre Lacroix. Au cours de cette réunion, le directeur général du Canadien voulait notamment s'enquérir de l'état de santé de Bergeron, qui avait été victime d'une attaque cardiaque quelques années plus tôt. Bergeron avait accepté que les médecins du Canadien entrent en contact avec ses médecins pour éclaircir la situation. Puis on avait demandé à Bergeron de se plier à des examens médicaux, ce qu'il avait accepté.

C'est à cette époque que Savard reçut l'appel du Prof Caron de Saint Louis lui recommandant fortement d'embaucher Jacques Demers. Savard précise aujourd'hui que *Le Prof* Caron n'a pas été le seul homme à l'extérieur de l'organisation du Canadien avec qui il a discuté :

« J'ai parlé à plusieurs personnes. J'ai notamment eu une conversation avec l'ancien patron de Jacques à Detroit, Mike Ilitch, de façon à savoir si son ancien entraîneur était bel et bien libre de s'entendre avec nous. Ilitch m'a répondu dans l'affirmative et m'a dressé un portrait assez positif de celui que j'étais sur le point d'embaucher. »

Finalement, le 10 juin, Bergeron apprenait vers 16 heures de la bouche de son agent, Pierre Lacroix, que le Canadien n'avait pas retenu sa candidature. « Le Canadien, c'est fini, Michel ! » lui dit Lacroix.

Le soir même, à la station CKAC, Bergeron annonça qu'il se retirait de la course à la succession de Pat Burns, sachant qu'il n'avait pas été retenu. « Très honnêtement, c'eût été plus facile pour moi de choisir Michel Bergeron plutôt qu'un autre, assure Savard. Je n'aurais pas été contesté et j'aurais rapatrié toute la petite clique de Québec ! Mais Michel avait déjà été victime d'un infarctus. On lui avait fait passer des tests par trois médecins indépendants. Personne ne nous a recommandé de l'embaucher, sauf son propre médecin qui voulait faire un gros show à la radio. »

Avant même d'avoir reçu le verdict des médecins, Savard avait toutefois arrêté sa décision. « Je penchais pour Jacques Demers depuis un certain temps, mais, à la fin, Jacques Lemaire était devenu un défenseur de Bergeron. Il poussait pour *Le Tigre*. Mais c'est moi qui devais trancher. »

C'est finalement le mercredi 10 juin au matin, avant d'annoncer à Bergeron que sa candidature n'avait pas été retenue, que Savard communiqua avec Demers et son agent Don Meehan pour leur faire part de sa décision.

« J'ai reçu l'appel à 10 h 45, relate Demers. J'étais dans mon auto. Serge m'a rejoint pour m'informer que je deviendrais le 21e entraîneur de l'histoire du Canadien. Quelle sensation ! Depuis mes débuts avec les Cougars de Chicago en 1972 jusqu'à mes années passées à Detroit, je n'avais eu qu'une idée en tête : diriger le Canadien. Maintenant, le poste m'appartenait. Je flottais sur un nuage.»

Savard discuta de contrat avec Don Meehan. Le Canadien offrait à Demers une entente de trois ans, avec un salaire oscillant autour de 350 000 $ (canadiens, bien sûr) par année, ce qui correspondait au nouveau marché des entraîneurs dans la LNH. «Je ne me souviens pas du montant exact, mais c'était autour de cela», confirme Demers.

Dans sa discussion avec son nouvel entraîneur, Savard lui demanda de faire le trajet Detroit-Montréal en automobile, de façon à éviter l'aéroport, ce qui aurait ameuté les journalistes. Même si toutes les informations convergeaient vers Demers, Savard tenait en effet à ce que sa nomination soit gardée secrète jusqu'à la conférence de presse qui devait se tenir le jeudi matin 11 juin, au légendaire Forum de Montréal.

«Debbie et moi avons pris la route vers 12 h 30 et sommes arrivés à Montréal vers 22 h 30 le mercredi soir. Nous nous sommes rendus dans une suite à l'hôtel Ritz-Carlton où nous avons rencontré Don Meehan, Serge Savard et le président de l'équipe, Ronald Corey. J'ai signé mon contrat et nous avons discuté de la conférence de presse du lendemain, la plus importante à laquelle je devais participer dans toute ma vie.

«M. Corey m'a rappelé qu'il y avait beaucoup de tension autour de l'équipe et de mécontentement dans l'air, et que le Canadien avait été hué à sa sortie de la glace contre les Bruins en séries. Le président souligna que, à l'ère des communications, il trouvait important de bien collaborer avec les journalistes. Je n'avais pas de problème avec ça, moi qui l'avais toujours fait et qui vivais dans le monde de la radio depuis deux ans.»

Demers était ouvert aux conseils, lui qui vivait le plus grand jour de sa carrière dans le monde du hockey. Il avait alors 47 ans et allait célébrer ses 48 en août.

«Je me disais que rien ne pourrait m'arriver de plus grand sur le plan professionnel que cette nomination-là. J'étais très fier et je ne me gênais pas pour le dire à Serge, à M.Corey et aux autres. Puis Debbie et moi sommes allés nous coucher pour être fin prêts à affronter les journalistes le lendemain.»

* * *

Si tout semblait rayonnant dans la vie de Jacques Demers, il y avait un gros nuage noir qui planait au-dessus de sa tête à quelques heures de réaliser son rêve de jeunesse.

Sa venue à la barre du Canadien posait un problème important à son ancien employeur, le réseau Radiomutuel, avec lequel il venait de s'entendre pour une période de quatre ans. Dans sa hâte de signer une entente à long terme dans le monde de la radio, il n'avait pas fait inclure, dans le contrat, de clause lui permettant de le résilier en tout temps s'il obtenait une occasion de diriger à nouveau dans la LNH. Il ne l'avait pas demandé tout simplement parce qu'il croyait sa carrière de *coach* terminée. Quand il avait constaté que le Canadien était très sérieux à son endroit, il avait rejoint son patron, Michel Tremblay, à Montréal pour l'informer de la situation et lui demander de ne pas lui mettre les bâtons dans les roues.

« Je me souviens que Jacques était très mal à l'aise avec la situation, indique Tremblay. Je crois qu'il était sincère au moment de signer un contrat avec nous. Personne ne pouvait se douter que, deux jours plus tard, Pat Burns démissionnerait et que le poste d'entraîneur du Tricolore deviendrait disponible. Je savais que Jacques était sur le point de réaliser son plus grand rêve, mais son départ de la radio causait un tort à notre organisation. Je me rappelle toutefois lui avoir dit de ne pas s'en faire, qu'on trouverait une solution. Tout ce qu'on voulait, c'était obtenir une compensation pour le libérer de son contrat. »

Le matin même de la conférence de presse annonçant sa venue derrière le banc, le réseau Radiomutuel émit d'ailleurs un communiqué dans lequel il contestait l'embauche de Demers. « Serge Savard était dans tous ses états, rappelle Tremblay en riant. Il disait qu'on allait *fucker* sa conférence de presse. »

Après plusieurs discussions entre le Canadien et le réseau Radiomutuel, les deux parties réussirent à s'entendre. « Ça s'est réglé en haut lieu, entre le président Ronald Corey et notre grand patron, Paul-Émile Baulne, précise Tremblay. Si je me souviens bien, notre organisation avait reçu des billets de hockey et des annonces dans le programme souvenir et à l'intérieur du Forum. Au fond, on n'aurait jamais empêché Jacques de diriger le Canadien. »

* * *

Comme tous les journalistes s'y attendaient, le Canadien convoqua la presse le jeudi 11 juin 1992, à 11 heures, au Forum. Après 20 ans d'exil à Chicago, Indianapolis, Cincinnati, Québec, Fredericton, Saint Louis et Detroit, Jacques Demers était finalement de retour dans sa ville natale où le plus grand défi de sa carrière l'attendait.

Jacques et Debbie devant les bureaux de l'administration du Canadien, le jour de la conférence de presse. Une journée fertile en émotions s'apprête à débuter… (Photo : Raynald Leblanc, Journal de Montréal)

Avant de se pointer devant les journalistes, Demers effectua plusieurs appels. D'abord, il invita sa fille Mylène, ses sœurs Francine et Claudette, de même que son frère Michel à assister à la conférence de presse. Puis il s'entretint avec Michel Tremblay, de Radiomutuel, et Marcel Aubut, des Nordiques, pour les remercier de leur confiance du temps qu'il était analyste à la radio des Nordiques. Il joignit finalement son ancien patron à Detroit, Mike Ilitch, car il avait une dernière affaire à régler avec lui.

« J'ai appelé M. Ilitch pour lui dire ce qui m'arrivait et lui mentionner qu'il n'aurait pas à me verser l'argent de ma dernière année de contrat qui me liait aux Red Wings. Maintenant que je revenais à la LNH, je trouvais qu'il était normal de mettre fin à cela.

« J'aurais pu encaisser mes derniers chèques (d'une valeur totale de 250 000 $ US) des Red Wings, mais la famille Ilitch avait tellement été correcte envers moi que c'était à mon tour de lui rendre la pareille. Mike Ilitch était heureux pour moi et il m'a souhaité la meilleure des chances. »

La conférence de presse se déroula devant un nombre record de journalistes. Naturellement, Savard dut expliquer son choix entre Demers et Bergeron. « J'ai choisi Jacques à cause de sa feuille de route et de son enthousiasme, confia-t-il au journaliste Pierre Durocher. Jacques sait fort bien ce qui l'attend. Il sait que l'entraîneur du Canadien subit autant de pression et reçoit autant de publicité que le premier ministre du Québec ! J'ai confiance en ce qu'il ramène l'enthousiasme dans le vestiaire. De plus, c'est un homme très à l'aise avec les micros et les caméras, ce qui est loin d'être négligeable à Montréal. »

Quant à Bergeron, Savard invoqua des raisons médicales : « Michel et Jacques sont deux hommes qui se ressemblent beaucoup, avait-il constaté. Mais la santé de Michel posait des interrogations. » Et d'ajouter : « Le médecin de Michel a dit qu'il pouvait mener une vie normale malgré l'infarctus qu'il a subi le 1er décembre 1990, mais diriger le Canadien n'est pas un travail normal. L'entraîneur subit un stress incroyable. »

Demers dut s'expliquer à son tour sur les raisons qui le faisaient sortir précipitamment de sa retraite d'homme de radio. Au journaliste Marc de Foy, il raconta que sa déclaration du 27 mai à Québec avait surtout été faite pour apaiser les amateurs et faire taire les rumeurs : « D'abord, lors de ma conférence de presse à Québec, j'ai dit que je prenais ma retraite, mais je n'ai pas dit que jamais je ne reviendrais derrière un banc (!). Si j'ai agi de la sorte, c'est qu'il y avait tellement de pression à Québec. Les gens m'appelaient en ondes pour me dire qu'ils aimeraient me voir comme entraîneur des Nordiques. Et lorsque je critiquais les Nordiques, on disait que je voulais obtenir la tête du *coach* pour le remplacer. C'était devenu un cercle vicieux et c'est pourquoi j'avais décidé de faire une mise au point. De toute façon, cette histoire est terminée et je nage en pleine euphorie. Toutefois, je ne m'amène pas à la barre les yeux fermés. La tâche qui m'attend est la plus difficile que j'affronterai depuis le début de ma carrière. »

Le dernier point qui fit beaucoup parler était le nouveau style que Demers voulait inculquer à l'équipe. Il faut se rappeler que la grogne avait gagné les partisans depuis quelques années chez le Canadien. On lui reprochait son style défensif et éteignoir. Le Tricolore de Pat Burns n'accordait pas beaucoup de buts, mais il ne générait pas beaucoup d'attaques. Les partisans et les journalistes revendiquaient un meilleur spectacle et l'utilisation moins systématique de joueurs défensifs comme Mike Keane, Brian Skrudland, Mike McPhee, Brent Gilchrist et Guy Carbonneau, au détriment des Muller, Savard, Lebeau, Dionne et compagnie. On voulait que ça change.

Le Canadien avait aussi perdu un certain courant de sympathie après avoir subi l'élimination en deuxième ronde des séries. On lui reprochait d'avoir subi la défaite en quatre matchs expéditifs aux mains des Bruins de Boston – surtout que c'était la troisième année consécutive que le Tricolore de Pat Burns était battu par les Bruins. On en avait ras le bol.

Demers et tous les membres de la direction désiraient aussi un changement. On était disposé à donner plus de mordant à une attaque anémique et à offrir un meilleur spectacle aux amateurs. Avant que la saison commence, certaines iniatives de Serge Savard (acquisition de Vincent Damphousse et de Brian Bellows notamment) démontraient que ses intentions étaient réelles.

C'est donc avec l'appui de toute la direction que Demers plaida en faveur d'un spectacle plus divertissant. « Je veux du jeu plus excitant, déclara-t-il au journaliste Philippe Cantin, de *La Presse*. Les gens paient assez cher leurs billets. »

Et il ajouta au bénéfice du *Journal de Montréal* : « J'espère qu'on va me laisser *coacher* comme je le veux ! C'est sûr qu'on doit donner un spectacle aux amateurs. »

En réalité, il se dit une foule de belles choses au cours de cette conférence de presse et, selon tous, Jacques Demers passa le test avec succès. Les médias se l'arrachaient et il collaborait avec chacun pour des entrevues de toute nature. Certains joueurs du Canadien étaient présents, dont le capitaine Guy Carbonneau, de même que Benoît Brunet et André Racicot. Tous approuvaient la décision de Serge Savard.

* * *

Après s'être soumis à ce cirque trépidant et avant d'aller prendre un souper au restaurant Rustik de Châteauguay avec tous les membres de sa famille, Demers passa par le vestiaire du Canadien, histoire de s'imprégner de la tradition de l'équipe.

«C'était la deuxième fois seulement que je mettais les pieds dans le vestiaire, mentionne-t-il. J'avais demandé quelques minutes à mes proches avant de partir souper. Je suis allé dans le vestiaire, je m'y suis assis et j'ai contemplé tous les recoins de la chambre. Je voyais les photos, les trophées, le flambeau et les couleurs tricolores. Bon sang que j'étais fier! ajoute-t-il en prenant une grande respiration. C'est simple, je réalisais mon rêve. Un rêve que tout le monde croyait impossible. J'ai eu aussi une pensée pour ma mère et mon père. J'aurais aimé qu'ils voient ce que j'avais fait de ma vie.»

Après cette visite, Demers se rendit derrière le banc des joueurs du Canadien et il s'assit dans la première rangée. Ces sièges étaient normalement réservés au sénateur Molson et au président Corey.

Le Forum était vide, l'édifice était plongé dans l'obscurité et la surface de jeu avait été dépouillée de sa glace. Plongé dans le lieu sacré dont il avait tant rêvé, Demers savourait pleinement ce retour au bercail en pleine gloire.

«J'ai vécu le grand bonheur cette journée-là. Je veux que tu l'écrives textuellement. Il n'y a pas d'autre façon de décrire un tel moment. En prenant sa décision, Serge Savard ne réalisait sans doute pas ce qu'il venait de faire pour moi. Sur le plan de la *business*, il avait simplement remplacé un entraîneur par un autre, mais au niveau humain, quant à moi, il a atteint le plus grande corde sensible qui m'habitait.»

«C'est comme gagner à la loterie!» avait d'ailleurs dit Demers au chroniqueur Bertrand Raymond.

«Je n'oublierai jamais ce que Serge Savard a fait pour moi en ce 11 juin 1992, déclare-t-il aujourd'hui C'est le plus grand cadeau que la vie professionnelle pouvait m'offrir. Je l'avais déjà demandé à la bonne sainte Anne… et je crois qu'elle est passée par Serge Savard pour me l'offrir. Je lui ai déjà dit, mais je veux profiter de la rédaction de ce livre pour remercier Serge Savard de sa confiance de m'avoir livré les rênes du prestigieux Canadien de Montréal.»

Dans les semaines qui suivirent sa nomination, Demers et Debbie prirent possession d'une luxueuse résidence en banlieue ouest de Montréal. Le couple s'installa à Saint-Lazare et mit en vente la maison qu'ils avaient habitée pendant six ans à Detroit. C'en était maintenant vraiment terminé pour Jacques avec la ville de Detroit.

* * *

La venue de Demers à Montréal suscita espoir et enthousiasme auprès des partisans de l'équipe. Demers n'avait pas encore dirigé un match avec le Canadien qu'il jouissait déjà de la faveur populaire. On le voyait souvent en entrevue, on appréciait sa personnalité et son côté jovial.

Gonflé à bloc, il parlait de la saison à venir avec entrain et optimisme. Mais les médias restaient encore sceptiques puisque l'équipe restait principalement composée des mêmes joueurs. Son débordement d'énergie était trop grand au goût de certains observateurs, qui, en dérision, commencèrent à lui accoler le surnom de *Monsieur Positif.*

«J'avais confiance en cette bande de joueurs, relate Demers. Ceux qui me trouvaient trop positif étaient sûrement ceux qui me connaissaient le moins. J'avais toujours démontré beaucoup d'enthousiasme. Je n'étais pas pour en avoir moins, surtout maintenant que je dirigeais le Canadien.

«J'ai aussi rencontré certains de mes joueurs et cela m'a rassuré. Les Carbonneau, Daigneault, Roy, Desjardins, Lebeau, Keane, Muller, Savard... étaient réceptifs. Je sentais que ces joueurs-là étaient fiers de jouer pour le Canadien et qu'ils voulaient gagner à Montréal. Ça adonnait très bien parce que je poursuivais les mêmes objectifs.

«Même Shayne Corson, qu'on ne voulait plus voir à Montréal, se disait optimiste. Je suis allé le rencontrer à Toronto et il voulait redémarrer du bon pied, lui qui avait été mêlé à certaines frasques dans les années précédentes.

«Bref, je n'avais pas raison de ne pas être positif, même si certains avaient des réserves.»

* * *

L'un des premiers gestes de hockey de Demers fut de confirmer dans leurs fonctions les adjoints Jacques Laperrière, Charles Thiffault et François

Allaire. « Serge m'avait donné carte blanche, mais il m'avait demandé au moins de les rencontrer avant de prendre une décision. Je me suis fait une idée très rapidement. Il avait été question d'un adjoint additionnel et les noms de Jos Hardy, de Paulin Bordeleau et de Mario Tremblay avaient été mentionnés. Tout cela était fondé, mais, à la toute fin, j'ai décidé de partir avec l'équipe en place, quitte à ajouter un adjoint ultérieurement. »

Demers dit ne jamais avoir regretté d'avoir poursuivi sa route avec Laperrière, Thiffault et Allaire.

« Avec tout le respect que je dois aux autres, Jacques Laperrière est le meilleur adjoint avec lequel j'ai travaillé. C'était un excellent professeur avec les jeunes. Un gars calme et drôle à mourir.

« Quant à Charles Thiffault, il était le technicien dont j'avais besoin car il s'agissait de ma plus grande lacune comme entraîneur. Charles me complétait très bien. C'était un connaisseur et un fin analyste du hockey. En plus, c'était un homme agréable, toujours de bonne humeur. Comme moi !

« Finalement, en François Allaire, je disposais du meilleur entraîneur spécialisé pour les gardiens de but. Il faisait un duo extraordinaire avec Patrick Roy, mais il a aussi accompli tout un travail avec André Racicot. »

* * *

Exceptionnellement, le Canadien devait amorcer son camp d'entraînement à Londres, en Angleterre, cette année-là. Dans le but de vendre son produit en Europe, la LNH avait organisé une série de deux matchs entre deux de ses formations en sol britannique. Ce sont les Blackhawks de Chicago et le Canadien qui avaient été choisis pour s'offrir en spectacle.

L'équipe quitta donc Mirabel en soirée du 8 septembre à destination de Londres. La délégation montréalaise comprenait pas moins de 107 personnes (dont 25 joueurs et 30 représentants des médias), puisque les conjointes et des amis avaient été invités à accompagner l'équipe.

« Jacques Demers a tenté de créer un esprit de famille dès ses premiers jours avec le Canadien, raconte le défenseur Jean-Jacques Daigneault, qui se montre très élogieux envers son ancien entraîneur. Pour lui, les conjointes faisaient partie de la vie d'un joueur de hockey et ils tenaient à les impliquer elles aussi. Elles ont grandement apprécié. Et elles se sont senties dans le coup rapidement. »

Le robuste joueur de centre du Rocket d'Outremont... Jacques Demers, en 1963. (Archives de Jacques Demers)

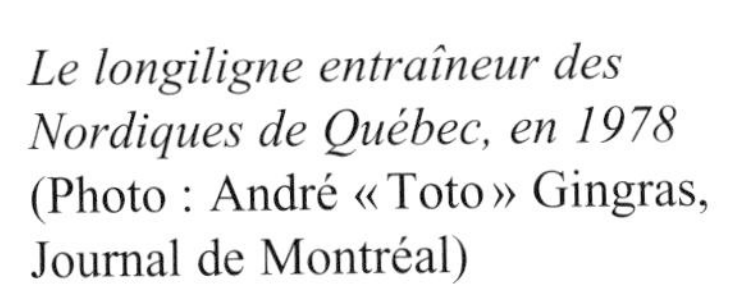

Le longiligne entraîneur des Nordiques de Québec, en 1978 (Photo : André « Toto » Gingras, Journal de Montréal)

À Saint-Louis, en 1984, à l'occasion d'une fête en l'honneur de Barclay Plager. De gauche à droite : Bernie Federko, Barclay, Jacques et Blake Dunlop. (Archives de Jacques Demers)

Juin 1988. Récipiendaire du trophée Jack-Adams, accordé au meilleur entraîneur de la LNH, pour une seconde année consécutive, avec les Red Wings de Detroit. (Archives de Jacques Demers)

En compagnie de son bon ami Alain Crête, au micro de CJRP, « le réseau des Nordiques », en 1991. (Archives de Jacques Demers)

À la signature de son contrat avec la radio de CJMS, le 16 août 1990, entouré de Pierre Trudel et de Michel Tremblay. (Photo : Normand Pichette, Journal de Montréal)

11 juin 1992. Au Forum de Montréal, Jacques vient de signer son contrat à titre d'entraîneur du Canadien de Montréal. Jacques Lemaire, Jacques et Serge Savard exultent. (Photo : Pierre-Yvon Pelletier, Journal de Montréal)

Jacques pénètre pour la première fois dans la chambre des joueurs du Canadien, un lieu mythique du vieux Forum. (Photo : Raynald Leblanc, Journal de Montréal)

14 octobre 1992. Une « invitation » à un entraînement matinal pour les joueurs, gracieuseté du nouvel entraîneur. Une initiative qui défraiera la chronique sportive québécoise… (Photo : Journal de Montréal)

Pendant un entraînement, avec ses entraîneurs adjoints Charles Thiffault et Jacques Laperrière, en mars 1993.
(Photo : Pablo Durant, Journal de Montréal)

Le 9 juin 1993, après le match décisif, la coupe Stanley. Dans le vestiaire des joueurs, en compagnie de son frère Michel et de la précieuse coupe. (Archives de Jacques Demers)

La bague de Jacques. (Photo : John Taylor, Journal de Montréal)

Avec « son » capitaine Guy Carbonneau lors d'une séance d'entraînement au vieux Forum, en 1994. (Photo : Normand Pichette, Journal de Montréal)

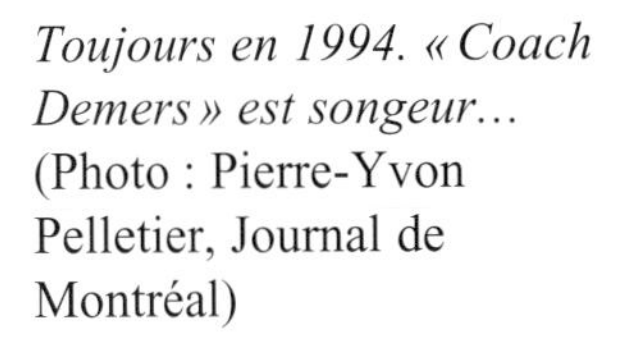

Toujours en 1994. « Coach Demers » est songeur… (Photo : Pierre-Yvon Pelletier, Journal de Montréal)

1995. Conversation intense avec le plus fier compétiteur que Jacques ait croisé durant sa carrière : Patrick Roy. (Photo : Gilles Lafrance, Journal de Montréal)

À Edmonton, en 2004, après le match historique en plein air. De gauche à droite : son frère Michel, Guy Carbonneau, Wayne Gretzky, Jacques et Guy Lafleur. (Archives de Jacques Demers)

Le « joueurnaliste » le plus célèbre du métier, en compagnie de sa collègue Chantal Maccabée, au studio RDS du Centre Bell, en 2004. (Archives de Jacques Demers)

Jacques Demers, un homme qui ne compte plus ses amitiés dans la communauté sportive québécoise. Ici, avec son bon ami Rodger Brulotte. (Photo : Gilles Corbeil)

Arrivés à Londres aux petites heures, le matin du 9 septembre, les joueurs furent immédiatement conviés à un court exercice qui se tenait au Alexandra Palace, dans une banlieue londonienne. Il s'agissait du premier exercice que Demers menait à la barre du Tricolore.

« Je sais que les Blackhawks ne se sont pas entraînés à leur arrivée à Londres cette journée-là, mais je voulais que mes joueurs combattent tout de suite les effets du décalage horaire, raconte Demers. Ce fut un court entraînement pour se délier les muscles. J'ai mené mon premier véritable entraînement le lendemain, en après-midi. Je n'étais pas nerveux. Je n'ai pas tenté d'impressionner mes joueurs par des exercices spéciaux. J'étais surtout préoccupé par mes patins neufs. J'avais peur de tomber ! »

Le camp d'entraînement à Londres dura six jours et se solda par une victoire (3 à 2) et une défaite (6 à 4 en fusillade) les 12 et 13 septembre, face aux Blackhawks. Les deux rencontres attirèrent des milliers de Londoniens au Wembley Arena, situé juste à côté du mythique stade Wembley.

Le fait marquant de cette mini-tournée en Angleterre fut toutefois la faible couverture médiatique. Très peu de quotidiens londoniens parlèrent de la présence du Canadien et des Hawks. Et lorsqu'ils le firent, c'était surtout pour présenter le soi-disant meilleur homme fort de la LNH, l'imposant Stu Grimson, des Hawks. Si la LNH avait misé sur ces rencontres pour mousser son produit, elle s'était mis carrément le doigt dans l'œil. C'est à peine si on parla des vedettes des deux camps, soit Patrick Roy et Jeremy Roenick.

Pour les journalistes montréalais, ce début de camp d'entraînement à Londres revêtait plusieurs cachets particuliers, outre le fait que l'équipe s'entraînait dans un contexte fort différent.

D'abord, chacun voulait vérifier de visu comment se comporterait le nouvel entraîneur avec sa troupe. Puis les scribes avaient tous un peu hâte de voir de quoi auraient l'air les attaquants Patric Kjellberg et Patrik Carnback, deux joueurs suédois repêchés en 1988 qui effectuaient leurs premiers coups de patin avec le Canadien. L'organisation avait salué en grande pompe la mise sous contrat de ces deux Européens, mais, après quelques entraînements, les observateurs constatèrent que les records de Guy Lafleur ne risquaient pas d'être menacés par les deux Suédois !

Le troisième point d'intérêt était la venue des nouveaux venus, les attaquants Brian Bellows et Vincent Damphousse, deux joueurs au talent offensif certain qui correspondaient à la nouvelle philosophie que voulait se donner le Tricolore. Damphousse avait été obtenu des Oilers d'Edmonton en retour de Shayne Corson, de Brent Gilchrist et de Vladimir Vujtek, alors que Bellows était passé des North Stars du Minnesota au Canadien en retour de Russ Courtnall.

Les deux transactions avaient été complétées à la toute fin du mois d'août par Serge Savard. La venue de ces deux hommes, qui s'ajoutaient aux Savard, Muller, Dionne et Lebeau, donnait beaucoup plus de lustre à l'attaque anémique qui avait caractérisé l'équipe au cours des saisons précédentes. À cela, il fallait ajouter la révélation du camp d'entraînement, le petit ailier droit Oleg Petrov qui virevoltait littéralement sur la patinoire.

* * *

De retour à Montréal le 14 septembre, le Canadien poursuivit sa préparation en vue de son début de saison, prévu pour le mardi 6 octobre par une visite chez les Whalers à Hartford.

En neuf matchs préparatoires, le Canadien maintint une fiche sans éclat de quatre victoires, quatre revers et un verdict nul. Il perdit notamment ses deux dernières rencontres du calendrier pré-saison contre l'ennemi juré, les Nordiques (3 à 2 et 4 à 3). Mais Demers restait confiant. « Malgré ces deux dernières défaites, nous avons connu un bon camp, déclara-t-il en voulant calmer la galerie. Je sens que mes joueurs sont prêts pour amorcer la saison. L'esprit d'équipe est à son mieux. Les gars s'amusent. »

Pour l'ouverture de la 84e saison de son histoire, le Tricolore affrontait donc les Whalers à Hartford. Il s'agissait du baptême de feu de Demers derrière le banc montréalais. « C'est le match le plus important de ma carrière, avait-il confié aux journalistes avant le départ pour Hartford. Les gens pensent déjà en fonction de notre match d'ouverture au Forum le 10 octobre contre les Penguins de Pittsburgh, mais, pour moi, il est important de partir du bon pied à Hartford. »

Demers ne rata pas son entrée. Ses hommes lui procurèrent un gain convaincant de 5 à 1 face aux Whalers. « Je suis soulagé », confia-t-il à l'issue de la rencontre, après avoir reçu des mains de Denis Savard la rondelle du match en guise de souvenir de sa première victoire officielle à titre d'entraîneur du Canadien.

Deux jours plus tard, au vétuste Centre municipal d'Ottawa, Demers fut toutefois humilié par les Sénateurs, qui effectuaient leur entrée officielle dans la LNH. Le Canadien s'inclina 5 à 3, permettant à cette équipe de joueurs rejetés de la LNH, dirigée par Rick Bowness, d'inscrire une première victoire à son premier match dans le circuit Bettman. Comble de malheur, c'est Sylvain Turgeon qui inscrivit le but de la victoire pour les Sénateurs. Quelques mois plus tôt, Turgeon avait été libéré par le Canadien et les Sénateurs en avaient fait leur tout premier choix au repêchage d'expansion.

Après le match, c'est un Jacques Demers rouge de colère qui semonça sa troupe : « Il y a de quoi se sentir humilié », vociféra-t-il. Quoi qu'il en soit, il devait regrouper ses hommes pour se mesurer aux Penguins de Pittsburgh lors du match inaugural au Forum deux jours plus tard.

La commande était imposante pour le Canadien et son nouveau pilote puisque les Penguins venaient de remporter deux coupes Stanley consécutives grâce à leur meneur Mario Lemieux. Super Mario en était à ses meilleures années au hockey. Certains soirs, il pouvait pratiquement battre l'adversaire à lui seul. À titre de meilleur joueur du circuit, Lemieux était passé à la caisse quelques jours plus tôt. Il venait de signer le contrat le plus lucratif de l'histoire du hockey en acceptant une entente de 42 millions de dollars pour une période de sept ans.

Ce soir-là, devant parents et amis, Demers et sa troupe réussirent à soutirer un match nul de 3 à 3 aux Penguins, ce qui, dans les circonstances, n'était pas si mal. Immédiatement après le match, le Tricolore s'envola en direction de Buffalo où il devait affronter les Sabres le lendemain soir.

Or, ce dimanche 11 octobre, au vieil Auditorium de Buffalo, le Canadien subit toute une raclée en s'inclinant 8 à 2. Les Sabres lancèrent 50 fois en direction du filet d'André Racicot. « On l'a abandonné », admit Demers en se portant à la défense de son gardien auxiliaire.

Cette défaite déboulait comme une tonne de briques sur la tête de l'entraîneur réputé « positif ». Dès lors, il décida de serrer la vis. « La journée va être très longue au Forum lundi », prévint-il ses joueurs.

Contrairement à ce qui avait été prévu à l'agenda, le pilote annula la journée de congé prévue (le lundi) et soumit ses hommes à un long exercice rigoureux. Il en profita pour discuter avec eux, mettant l'accent sur l'importance de connaître un bon début de saison.

« Je savais que l'année précédente, l'équipe était divisée et je voulais ramener les joueurs ensemble. Or, je sentais qu'on y arrivait certains jours, mais que ce n'était pas constant, relate-t-il.

« J'ai parlé aux joueurs en leur disant que j'étais très ouvert à leurs suggestions, que j'avais besoin d'eux. Toutefois, il y avait une chose sur laquelle je n'étais pas négociable, c'était le travail. Or, on ne travaillait pas ensemble en ce début de saison. »

Demers croyait que le message avait été bien saisi, mais, à l'entraînement du lendemain, il s'aperçut que certains joueurs se traînaient les pieds alors que d'autres prenaient les choses à la légère. Après 20 minutes, il en avait assez vu. Il ordonna à ses protégés de quitter la glace immédiatement.

Puis il se présenta dans le vestiaire pour constater que la plupart des joueurs parlaient déjà d'aller jouer au golf ou de faire du magasinage. C'est là qu'il ordonna que tous soient présents sur la glace le même après-midi à 14 heures pour un second entraînement.

En après-midi, il n'apprécia pas plus ce qu'il voyait sur la glace et, devant une certaine indifférence des joueurs, il renvoya encore ses joueurs au vestiaire où il tint une autre réunion.

Et dans un geste d'éclat, il fit inscrire au tableau l'horaire de la journée du lendemain, le mercredi 14 octobre. On pouvait y lire : *« Wednesday, Be in the room at 6 : 00 am for 7 : 00 am practice. Don't be late ! »*

Le message était on ne peut plus clair. Les joueurs avaient rendez-vous à 6 heures du matin au Forum pour s'entraîner. Rien de moins. Et chacun avait intérêt à se présenter à l'heure ! De mémoire, on n'avait jamais vu cela à Montréal.

« Nous sommes parmi les privilégiés de la société et certains joueurs ne le réalisent pas encore, déclara-t-il aux journalistes. Les joueurs vont vivre comme les cols bleus qui travaillent très fort à l'aube pour essayer de se payer un billet à 42 $, une fois par mois, pour venir voir jouer leurs vedettes. Les joueurs ont des comptes à rendre aux cols bleus de la société. On ne rira pas de ces gens-là qui viennent payer nos salaires. Je veux que tous mes joueurs travaillent fort eux aussi. Qu'ils se rendent compte qu'ils sont fort bien payés pour leur travail. Mais ils ont l'obligation en retour de se donner complètement. »

Si Racicot avait subi la dégelée à Buffalo, il faut dire aussi que le gardien vedette, Patrick Roy, ne connaissait pas un début de saison du tonnerre. Roy n'était pas mauvais, mais il ne jouait pas à la hauteur de sa réputation. En outre, la compagnie de cartes sportives Upper Deck s'était associée à Roy (un grand collectionneur) pour mousser ses produits. La firme américaine avait eu l'audace de placarder la ville de Montréal d'immenses panneaux publicitaires sur lesquels on pouvait lire : « Échange Roy ». Le but de l'opération était d'inciter les jeunes à acheter et à s'échanger des cartes de hockey. Mais la publicité, prise au pied de la lettre, incitait aussi les gens à réclamer qu'on échange le roi Patrick. Le *timing* était pour le moins mauvais.

Pour l'organisation et pour Demers en particulier, il n'était surtout pas question de se départir de son gardien étoile. « C'était clair dans mon esprit que Patrick allait se replacer. C'était un pur-sang et le temps allait arranger les choses. De toute façon, Patrick n'était pas l'unique responsable de notre mauvais début de saison. Nous n'avions pas de *drive* (énergie) ni de constance sur la glace. »

Pour remédier à la situation, Demers décida de prendre les grands moyens comme à son arrivée chez les Red Wings. Si à Detroit il avait attendu neuf matchs pour tenir un exercice très matinal, cette fois-ci il agit après quatre matchs seulement.

Commentant la décision de son entraîneur, l'impayable jeune attaquant Gilbert Dionne lança une blague de son cru : « Sept heures du matin, c'est de bonne heure pour pratiquer, mais, au moins, les muffins sont plus frais à cette heure-là ! »

Vincent Damphousse ne fut pas moins drôle : « Tu sais qu'il est de bonne heure lorsque tu entres dans le vestiaire du Canadien et que tu vois que Maurice Richard a encore les yeux fermés sur sa photo sur le mur ! »

Mario Roberge, un amateur des sports de plein air, en rajouta : « Je me suis levé à 5 h 30 et j'ai vu la lune qui brillait. Je me suis dit que ç'aurait été une bonne journée pour aller à la chasse aux canards ! »

« C'était rendu nécessaire, estime Demers de nos jours. Les gars étaient réceptifs, mais ils me semblaient trop détendus. Il fallait que je donne le ton dès le départ pour m'assurer de leur pleine concentration.

« Je ne voulais pas manquer le bateau, ajoute-t-il. Je venais d'obtenir le job de mes rêves et, pour réussir, il fallait que j'aie une équipe unie. Il fallait que les joueurs poussent tous dans la même direction. »

C'est après cet entraînement matinal qu'il convoqua une réunion d'équipe au cours de laquelle il tint à ce que tout le monde s'exprime, sauf Oleg Petrov qui ne parlait pratiquement pas un mot d'anglais.

« Ce jour-là, j'étais déterminé à mieux connaître les joueurs. Je voulais savoir si c'était important pour eux d'appartenir au Canadien, s'ils étaient fiers de porter cet uniforme. Je me demandais s'ils comprenaient bien ce que j'attendais d'eux.

« Je me suis servi de la communication pour qu'on sorte de cette mauvaise passe. Mais je voulais aussi que les joueurs communiquent entre eux. Et ils l'ont fait de façon "professionnelle". Ils se sont parlé dans la face sans s'insulter. J'étais sûr que la réunion avait porté fruit. »

Au sortir de cette réunion, joueurs et entraîneur semblaient revigorés. « C'est le meilleur *meeting* que j'ai eu en treize ans dans la LNH », déclara Denis Savard.

Demers se montra encore plus enthousiaste : « Messieurs, dit-il aux journalistes avant de s'envoler pour Pittsburgh, je vais vivre avec mes paroles, mais je vous affirme aujourd'hui que nous sommes sur la bonne voie. Vous allez voir une équipe différente à compter de maintenant. Je viens de constater un changement significatif dans le vestiaire. »

Comme déclaration, c'en était toute une. Mais le lendemain, à Pittsburgh, le mini-camp d'entraînement de trois jours de Demers n'apporta pas les résultats escomptés. L'équipe subit un échec de 5 à 2 contre la bande à Mario Lemieux.

Demers gardait cependant confiance, même si parmi le public et les médias on commençait à émettre certaines réserves sur cette équipe qui n'avait récolté qu'une victoire à ses cinq premiers matchs (1-3-1) de la saison.

C'est à compter du match suivant que la « recette Jacques Demers » commença à porter fruit. Demers récolta sa première victoire devant la foule montréalaise contre les North Stars du Minnesota. Ce gain décisif de 8 à 1 fut l'amorce d'une séquence extraordinaire de 12 matchs sans défaite. Pendant presque un mois, du 17 octobre au 13 novembre, le « nouveau » Canadien aligna 11 victoires et livra un match nul dans une chevauchée incroyable qui plaça la ville de Montréal sous le charme absolu de son équipe et surtout de son entraîneur Jacques Demers...

* * *

Quelques semaines après s'être installé dans sa résidence de Saint-Lazare, Demers devait remplir une formalité à titre de nouveau citoyen du Québec. Il avait vécu aux États-Unis durant la majeure partie des dix dernières années et le temps était venu pour lui d'obtenir un nouveau permis de conduire de la Société d'assurance automobile du Québec (SAAQ).

Un autre cauchemar se dessinait à l'horizon pour lui. Jamais il n'avait fait part à qui que ce soit de ses difficultés à lire et à écrire, et ce n'était surtout pas à Montréal, où il réalisait son rêve, qu'il allait dévoiler sa délicate situation.

« Je ne voyais pas comment j'aurais pu dire au monde que le *coach* du Canadien ne savait pratiquement pas lire ni écrire. À mes yeux, ça représentait un suicide professionnel. Je n'avais pas non plus l'intention d'expliquer à Serge [Savard] ce qui m'arrivait. Passer son permis était une banalité pour la grande majorité des gens, mais, pour moi, ça représentait toute une montagne. La veille de l'examen, je n'ai presque pas dormi de la nuit. J'étais angoissé. »

Demers se présenta de très bonne heure au bureau de la SAAQ, s'assurant qu'il serait le premier à passer les examens. À son arrivée, il constata que tout le mécanisme était désormais informatisé, ce qui ajoutait à ses difficultés. Il ne connaissait rien aux ordinateurs ou, comme il le dit, à ces *machines à pitons* ! N'écoutant que son courage, il prit un préposé à l'écart et lui raconta une histoire de son cru.

« J'ai été voir le gars et je lui ai dit que je n'avais pas dormi de la nuit, que j'étais très fatigué et que le fait de devoir *pitonner* sur un ordinateur me rendait très nerveux. J'ai ajouté que j'avais un entraînement à diriger au Forum ce matin-là et que j'étais très pressé. En somme, je lui ai raconté que j'étais incapable de passer le test dans ces conditions et que j'avais besoin de son aide. »

L'homme en question réagit en bon Samaritain et conduisit Demers à l'écart. « Il m'a posé un tas de questions, puis il a dit que c'était correct. En fait, il m'a fait passer un test verbal, à mon grand soulagement. »

En quittant les lieux, Demers prit soin de prendre en note le nom et le numéro de téléphone de la personne en question. Quelques jours plus tard, il lui faisait parvenir deux billets pour un match du Canadien. « Ce n'était pas organisé à l'avance, loin de là, insiste Demers. Je me suis débrouillé sur place. J'étais bon pour improviser une histoire afin de camoufler mon état. »

Quelques mois plus tard, on rapportait dans la presse que Jacques Demers avait obtenu un traitement de faveur de la SAAQ pour l'obtention de son permis. On laissait entendre que l'organisation du Canadien avait soudoyé des gens pour l'accommoder. « L'organisation n'avait rien à voir avec ça, assure le principal intéressé. C'est moi qui me suis arrangé tout seul. Je ne voulais tellement pas qu'on découvre mon problème au Forum que je n'en avais parlé à personne. »

* * *

Du jour au lendemain, la transformation tant souhaitée par l'entraîneur s'était opérée. Le Canadien était devenu une famille, un groupe uni. Demers lui-même avait retrouvé son style flamboyant derrière le banc et devant les journalistes. Patrick Roy était redevenu solide, les nouvelles acquisitions Vincent Damphousse et Brian Bellows produisaient à un rythme régulier, les défenseurs de l'équipe se portaient davantage à l'attaque, bref le Canadien gagnait à répétition, mais, plus encore, il offrait un spectacle fort apprécié des amateurs. Demers était en voie de gagner son pari.

C'est au cours de cette série de 12 matchs sans revers que le Canadien se présenta à Detroit, le 4 novembre. Pour Jacques, il s'agissait d'une première visite à Detroit à titre d'entraîneur depuis son congédiement des Wings. Il ne pouvait imaginer meilleur scénario pour revenir dans son ancienne ville d'adoption.

«Je suis revenu ici à titre d'analyste à la radio, rappela-t-il au chroniqueur Réjean Tremblay, mais cette fois-ci je reviens comme entraîneur du Canadien de Montréal, à la tête d'une équipe forte d'une impressionnante série de matchs sans défaite. C'est un *feeling* bien différent, bien meilleur.»

Demers fut accueilli par une meute de journalistes, qui encore une fois firent son éloge dans toutes leurs publications et à toutes leurs antennes. La journaliste Cynthia Lambert, du *Detroit Free Press*, y alla d'une confidence assez spéciale à Réjean Tremblay : «C'est impossible de ne pas aimer Jacques Demers. Un reporter doit apprendre à garder une certaine distance avec son sujet, mais dans le cas de Jacques c'est impossible. Quand je vais abandonner ce métier, si quelqu'un me demande mes projets d'avenir, je vais répondre qu'enfin je vais pouvoir être la meilleure amie de Jacques Demers ! Tout le monde veut avoir un ami comme lui.» Comme marque d'appréciation, il était difficile de trouver mieux. D'ailleurs, plusieurs journalistes montréalais partageaient l'avis de Cynthia Lambert.

Dans le camp des Wings, ses anciens joueurs se montrèrent également élogieux à son égard, reconnaissant son apport dans la renaissance des Wings lors de son passage de 1986 à 1990.

Le vétéran Gerard Gallant s'attendait à revoir le Demers des beaux jours à Detroit : «Jacques va sûrement être très excité, d'autant plus qu'il revient ici avec le Canadien. Comme je le connais, il va sauter partout derrière son banc et il va transmettre son enthousiasme à ses joueurs.»

C'est exactement ce qui se produisit ce soir-là. Guidé par Demers, qui avait reçu un accueil chaleureux avant la rencontre, le Canadien l'emporta par 4 à 3. Exubérant à la fin du match, Demers attendit ses hommes sur le bord de la bande pour les féliciter généreusement. Il semblait comblé. Le dernier joueur à sortir de la patinoire fut Patrick Roy, que Demers empoigna au cou, tout en cognant avec son front contre le masque protecteur de son gardien. Un peu plus et il lui faisait la bise !

Trois jours plus tard, le Canadien récidivait au Forum en prenant la mesure de ces mêmes Wings par le pointage de 5 à 1.

Malgré quelques défaites ici et là, le Canadien poursuivait sur sa lancée. L'équipe allait si bien que Demers distribuait à profusion les journées de congé à ses joueurs, ce qui faisait réagir la galerie. À titre d'exemple, il accorda sept jours de congé au cours du seul mois de novembre. Certains craignaient que la paresse s'installe au sein de l'équipe.

« J'avais établi un calendrier pour l'ensemble de la saison qui prévoyait une vingtaine de journées de congé, raconte Demers. Je pouvais respecter mon plan parce que l'équipe roulait à un train d'enfer. Si la situation s'était gâtée, j'aurais apporté des ajustements. »

N'empêche que devant les réactions des médias, Demers crut bon de consulter son patron, Serge Savard, pour en avoir le cœur net. « Serge m'avait dit qu'il était important de bien préparer l'équipe en fonction des séries au mois d'avril. Il voulait une équipe bien disposée pour les séries et il était d'accord avec mon approche. »

Son jeune ailier gauche de l'époque, Benoît Brunet, qui est aujourd'hui un collègue de Jacques à la télévision de RDS, se souvient de ses multiples journées de repos où les joueurs pouvaient passer du temps avec leur famille : « Jacques avait un plan précis en tête et, malgré certaines critiques, il n'y avait pas dérogé. Jacques a toujours été un homme axé sur la famille et, en nous accordant des congés, il savait que nous pourrions être avec les nôtres de temps à autre. Nous l'apprécions tous. De plus, nous avions l'impression d'être constamment frais et dispos. D'ailleurs, lorsque nous avons amorcé les séries, nous étions reposés. »

Étonnamment, même si le Canadien maintenait un rythme assez soutenu, son gardien Patrick Roy offrait des performances en dents de scie. En réalité, son auxiliaire André Racicot se montrait plus constant devant le filet. À la pause du match des étoiles, le Tricolore affichait le deuxième meilleur dossier de la LNH (33-18-5) derrière les Penguins de Pittsburgh. Et il devait une fière chandelle à Racicot, qui avait compilé un dossier impressionnant de 13 victoires et deux revers en 15 matchs. Quant à Roy, il montrait une fiche de 20-16-5 en 41 matchs, ce qui n'était pas vilain non plus. Mais son jeu irrégulier soulevait des interrogations.

Durant la période des Fêtes d'ailleurs, le Tricolore traversa une petite période infructueuse au cours de laquelle Roy en arracha. Mais, en fier compétiteur, le gardien étoile refusa de voir la réalité en face. Il déclara même au *Journal de Montréal* qu'il connaissait l'une des meilleures saisons de sa carrière. Le public et les amateurs réagirent plutôt mal. Le Canadien dut affronter un certain vent de panique.

Finalement, Roy tempéra ses paroles. Sans admettre qu'il ne jouait pas à la hauteur de sa réputation, il reconnut que tout n'était pas à point dans son jeu. « Je me suis mis les pieds dans les plats, admit-il. Après ma déclaration, j'ai réalisé que je n'étais pas assez sévère envers moi-même. Je me suis mal évalué. »

Mais le mal était fait, auprès du public notamment. Dans un sondage maison réalisé par le *Journal de Montré*al le 12 janvier 1993, pas moins de 57 pour cent des répondants se prononçaient en faveur d'une transaction au sujet du roi Patrick. C'était renversant dans la mesure où Roy était la seule grande vedette de l'équipe à l'époque.

Dans le but d'apaiser la tempête, Demers vint à la rescousse de son gardien : « Patrick peut relaxer. Il ne sera pas échangé. » Il invitait toutefois Roy à une plus grande agressivité devant son filet : « Je veux qu'il défie l'adversaire. Patrick est un compétiteur extraordinaire qui ne mérite pas le traitement qu'on lui a réservé depuis quelques semaines. Depuis que je dirige le Canadien, il est l'un de ceux qui ont vraiment offert leur pleine mesure à tous les soirs. »

Le message de Demers était on ne peut plus clair. Si un journaliste cherchait à lui faire dire du mal de son vétéran gardien, il savait qu'il frapperait à la mauvaise porte. « Il y a eu des hauts et des bas au cours de cette saison 1992-1993, mais jamais je n'ai perdu confiance en Patrick Roy. On a parfois tenté de me piéger pour que je dénigre Patrick et jamais je ne l'ai fait. Même à l'interne, je lui ai accordé tout mon support. »

Peu à peu, Roy retrouva son brio devant son filet, de sorte que les rumeurs de transaction s'apaisèrent considérablement avec le temps.

Curieusement, avant même que Roy subisse le désaveu des amateurs (qui voulaient l'échanger), Demers avait, lui, reçu une belle marque d'affection du public. Deux jours avant Noël, le *Journal de Montréal* publia un sondage Léger & Léger. À la question « Croyez-vous que la venue de Jacques Demers a transformé le Canadien ? », pas moins de 74,3 pour cent avaient répondu dans l'affirmative. Comme quoi le pilote du Tricolore était bien en selle.

Malgré le court passage à vide au cours de la période des Fêtes, le Canadien maintenait tout de même la cadence et seuls les puissants

Penguins de Pittsburgh affichaient un meilleur dossier que le Tricolore à ce moment-là.

Au match précédant celui des étoiles, l'équipe de Demers se paya une belle victoire de 7 à 2 contre les Kings de Los Angeles et Wayne Gretzky. Ce match fut disputé devant le nouveau commissaire de la LNH, Gary Bettman, qui assistait à son premier match depuis sa nomination au début du mois de février. Bettman était à Montréal en vue de la classique annuelle des étoiles qui devait se tenir trois jours plus tard au Forum.

* * *

Les succès du Tricolore, on l'a dit, avaient littéralement enivré la ville. En plus du sondage qui confirmait sa grande popularité, Demers reçut une grande déclaration d'amour le 14 février, jour de la Saint-Valentin, lors de l'entraînement public commandité par la compagnie de croustilles *Humpty Dumpty*.

Cet événement était devenu une tradition qui attirait les jeunes et leurs parents, lesquels, pour la plupart, n'avaient pas les moyens de s'offrir des billets pour assister aux matchs. Cet entraînement servait donc à l'organisation pour rester en contact avec un public qui, d'ordinaire, ne fréquentait pas le Forum.

Cet exercice permettait notamment aux joueurs et aux autres membres de l'organisation de jauger auprès du grand public leur cote de popularité. Car les gens présents à la *Pratique Humpty Dumpty* représentaient en quelque sorte la voix du grand public.

Or, ce 14 février 1993 au Forum, en après-midi, Jacques Demers fut l'objet de l'une des plus grandes ovations qu'il ait connues. Le pilote fut applaudi à tout rompre. Davantage même que ses propres joueurs. C'était inouï. Jacques Demers, le petit gars de Montréal de retour d'un exil de 20 ans, connaissait son moment de gloire : son équipe fonctionnait à plein régime et le monde l'aimait. Quelle sensation !

« Lorsque j'ai reçu cette ovation du public sur la glace du Forum, j'en avais la chair de poule, relate-t-il. Ça m'a vraiment touché. J'étais content que les gens apprécient mon travail et qu'ils me le disent. »

Il traversait vraiment une période heureuse. Ses propres joueurs ne craignaient pas d'être accusés de flagornerie en vantant les mérites de leur propre entraîneur. « Ce n'est pas une corvée de se rendre au Forum à tous les matins, déclara Jean-Jacques Daigneault. Jacques Demers a su créer une atmosphère incroyable au sein de l'équipe. Jacques y est pour beaucoup pour nos succès jusqu'ici cette année. Jacques a ramené le goût de se battre pour l'équipe et pour son coéquipier. Lorsqu'il parle de famille, ce ne sont pas des paroles en l'air. Ça existe vraiment chez le Canadien. »

* * *

Si Demers avait droit aux éloges du public et de ses joueurs, c'est que l'équipe connaissait une bonne saison dans l'ensemble et surtout qu'elle traversait une autre période fructueuse. Avant cet entraînement public *Humpty Dumpty*, le Canadien avait disputé une série de six matchs sans subir la défaite (5-0-1).

Mais le 17 février au Forum, à l'occasion du 700e match de la carrière de Demers derrière un banc dans la LNH, le Tricolore se fit servir une leçon de hockey par les Bruins de Boston, qui l'emportèrent facilement par 5 à 2.

Plus que la défaite, c'est la tenue de ses hommes qui fit rager Demers. À deux mois du début des séries, le pilote crut bon une fois de plus de ramener ses joueurs à l'ordre. Dès le lendemain, il commanda deux exercices sans rondelle. Le premier, tenu le matin, consistait en une séance de conditionnement physique hors glace au gymnase du Sanctuaire du Mont-Royal. Puis en après-midi, Demers invita ses joueurs à revêtir l'uniforme et à se présenter sur la glace du Forum où une séance intensive de patinage de 30 minutes les attendait.

Cette séance se déroula sans rondelle ni sans filet aux extrémités de la glace, et sans bouteille d'eau pour se rafraîchir. Demers ne dit pas un mot de tout l'entraînement. Tout ce qu'il se contentait de faire, c'était de siffler à intervalles réguliers pour signifier à ses hommes d'accentuer la cadence.

En guise d'explication après l'entraînement, il ne cacha pas qu'il était déjà en « mode séries éliminatoires » : « Ça fait trois ans de suite que les Bruins nous humilient dans les séries et on ne peut se permettre de se faire servir une leçon par eux à deux mois des séries. Toute une province a souffert de cette situation depuis trois ans et il faut dès maintenant se préparer à éviter cela. De toute façon, une demi-heure de patinage, ce n'est pas la fin du monde pour des athlètes de haut niveau. »

La mise au point porta fruit puisque le Canadien amorça aussitôt une autre série de six victoires consécutives. Le Tricolore prit même sa revanche sur les Bruins en inscrivant un gain de 5 à 2 sur la glace du vieux Garden de Boston, le 1er mars.

* * *

Au lendemain de cette sixième victoire consécutive, le Canadien devait s'entraîner à Boston avant de partir pour Tampa où il allait disputer son prochain match, le mercredi 3 mars, face au faible Lightning.

Vivifié par les récents succès de l'équipe, l'enthousiaste pilote profita de l'occasion pour livrer un discours bien senti à ses hommes dans le vestiaire après l'entraînement. Il croyait en son équipe et faisait confiance aux joueurs qui la composaient. Mais il ne pouvait dire avec certitude si ses joueurs eux-mêmes croyaient en leurs propres moyens.

Pour s'en assurer, il donna un grand coup. Dans une allocution qui visait à injecter une grande dose de confiance à ses hommes, il vanta les mérites de chacun et insista sur les avantages de former un groupe uni et solidaire. Puis il y alla d'une affirmation étonnante qui faisait figure de prédiction.

À son auditoire qui l'écoutait religieusement, il lança : *« Guys, we gonna shock the hockey world ! »* (ce qu'on pourrait traduire par « Les gars, nous allons surprendre – ou ébranler – le monde du hockey ! »).

C'était plutôt téméraire comme prétention et Demers le savait. C'est pourquoi il demanda à ses hommes de garder sa prédiction à l'intérieur des murs du vestiaire de façon à éviter de heurter leurs rivaux.

« En y allant de cette affirmation, mon but était de bâtir une confiance chez les joueurs en leur prouvant d'abord que je croyais en eux. Et c'était vrai. J'aimais l'équipe que j'avais sous la main. »

Patrick Roy était présent lors de ce discours mémorable de Demers. « Jacques nous avait adressé plusieurs discours de motivation, mais celui-là valait tous les autres, raconte-t-il treize ans plus tard. À vrai dire, lorsqu'il a prétendu que nous allions ébranler le monde du hockey, il y avait bien des sourires en coin ! Ce n'est pas qu'on ne croyait pas en nos moyens, mais, dans ce temps-là, ça prenait toute une prestation pour passer au travers des Penguins de Pittsburgh qui dominaient depuis deux ans.

« Je crois que ça faisait partie de sa stratégie de construire la confiance chez les joueurs, ajoute Roy. Peu à peu dans la saison, il nous faisait croire en nous. Et là, il était en train de nous dire qu'on avait les éléments en place pour aller jusqu'au bout. Il suffisait d'en être convaincu. »

Et Denis Savard d'expliquer : « Jacques était tellement enthousiaste lorsqu'il nous parlait qu'on ne pouvait faire autrement qu'embarquer dans sa douce folie. Lorsqu'un *coach* te dit que nous allons ébranler le monde du hockey, il faut qu'il soit convaincu et convaincant. C'était la grande force de Jacques : il croyait en nous et sa confiance était contagieuse. »

Le vétéran capitaine d'alors, Guy Carbonneau, partage le même avis : « Ce Demers nous a souvent surpris par ses discours de motivation, mais celui-là s'avéra tout un stimulant. Jacques se servait de tout son attirail pour nous faire croire en nos moyens. Et il ne lâchait pas. Il martelait son message à répétition. Dans ce temps-là, il aurait pu convaincre un ailier droit qu'il devrait dorénavant tirer de la gauche et il l'aurait cru ! »

Au tour de Jean-Jacques Daigneault : « Jacques nous a parlé de coupe Stanley dès notre premier jour du camp d'entraînement. Il y croyait et il s'était donné comme mission de nous en convaincre. Ce discours en cours d'année où il soutenait que *nous allions surprendre le monde du hockey* n'était qu'un autre exemple de sa technique de renforcement positif. »

Mais les belles paroles de Demers n'allaient pas apporter les résultats escomptés, loin de là. En fait, les problèmes ne faisaient que commencer…

* * *

Après sa victoire à Boston, la troupe de Jacques Demers encaissa deux amères défaites à Tampa Bay et au Minnesota contre des formations de second ordre. De retour à Montréal, l'équipe devait se préparer à disputer trois matchs importants au cours de la semaine contre les Islanders, les Bruins et les Nordiques. Le Tricolore bataillait encore pour la première place dans la très compétitive division Adams. La lutte se faisait entre les Bruins, les Nordiques et le Tricolore.

À la veille du match contre les Islanders, Demers fut saisi d'une douleur à la poitrine dans son bureau du Forum. On dut le conduire à l'hôpital où il subit une batterie de tests, dont deux électrocardiogrammes. On ne voulait courir aucun risque puisque son père était décédé d'une attaque cardiaque à l'âge de 49 ans. Or, Jacques était à la veille de souffler sur ses 49 chandelles au mois d'août de la même année.

Comme à l'habitude, Demers s'était présenté à son bureau vers 7 heures pour vaquer à ses occupations. Il avait discuté au téléphone avec son patron Serge Savard à 8 heures, comme il le faisait tous les matins. Mais vers 10 heures, avant de sauter sur la glace avec ses joueurs, il se sentit mal. Il en informa son adjoint Jacques Laperrière, qui alla aussitôt chercher du secours auprès du thérapeute Gaétan Lefebvre. Ce dernier n'hésita pas : il sauta à bord d'un taxi avec Demers pour filer à l'Hôpital général de Montréal.

Au bout du compte, Demers eut plus de peur que de mal. Son cœur n'avait pas subi de défaillance. C'est plutôt le stress du métier et une mauvaise alimentation qui avaient causé ce problème passager. On parlait désormais de troubles digestifs.

Le pilote du Canadien dut tout de même demeurer à l'hôpital deux jours, de sorte qu'il céda sa place à Jacques Lemaire pour les matchs contre les Islanders à Montréal et contre les Bruins à Boston.

«C'est Demers qui m'a recommandé de prendre Lemaire pour le remplacer, raconte Serge Savard. C'était la première fois qu'un de mes entraîneurs acceptait aussi ouvertement la présence de Jacques Lemaire.»

«J'ai constaté rapidement que j'avais une équipe bien rodée entre les mains, déclara Lemaire au terme du premier match remporté 5 à 1 contre les Islanders. C'est une équipe qui aime Jacques Demers et qui veut jouer pour lui. J'ai construit autour de cela.»

Un point de vue largement partagé par Vincent Damphousse. «L'équipe n'est pas la même sans Jacques Demers, constatait-il. Jacques représente un gros morceau dans notre équipe. On veut le revoir à son poste au plus vite.»

Demers était encore hospitalisé quand le Tricolore affronta les Islanders. Ce soir-là, on lui avait interdit de regarder le match à la télévision afin qu'il puisse se reposer convenablement. Au cours de la soirée, il multiplia les coups de fil à Michèle Lapointe au Forum afin de savoir ce qui se passait. Il discuta aussi avec sa femme Debbie, ses sœurs Francine et Claudette, et son frère Michel.

Puis il reçut une visite plutôt étrange au cours de la soirée. Alors qu'il se reposait sur son lit, il fut piégé par un photographe-pigiste, Philippe Pouyer, qui, jouant les paparazzi, photographia l'entraîneur en jaquette dans sa chambre d'hôpital.

L'homme s'était présenté vers 19 heures et, après avoir déjoué la sécurité et le personnel médical, il s'était rendu à la chambre de Demers où il avait «dégainé» son appareil photo malgré l'opposition du patient.

Ce Pouyer, qui était un préposé à l'entretien dans un hôpital et qui faisait du photo-journalisme pour s'amuser, avait été embauché comme collaborateur spécial du quotidien *La Presse*. En recevant le fruit du travail de Pouyer, la direction du journal prit la décision de publier la photo de Demers en jaquette dans son édition du lendemain.

« J'ai toujours été bien traité par les médias à Montréal, sauf en cette occasion, dit Demers. J'étais dans une position et dans un lieu où je méritais de conserver mon intimité. À mes yeux, ce ne fut pas très professionnel. Heureusement, ce fut le seul incident où l'on s'est montré irrespectueux lors de mon séjour avec le Tricolore. »

La journée de la publication de la photo, Jacques obtint son congé vers 16 h 30 et put se rendre à sa résidence de Saint-Lazare pour y poursuivre sa convalescence. Le soir même, le Tricolore était à Boston et Jacques se promettait de regarder le match à la télé. Mais il n'était pas au bout de ses peines, lui dont tout le petit monde semblait vouloir s'écrouler, quelques jours seulement après qu'il eut déclaré que sa formation allait surprendre le monde du hockey.

Affaibli par ses problèmes de digestion, il s'installa devant l'appareil, mais, ô malheur, une partie du toit de sa résidence s'écroula sous le poids de la neige en pleine diffusion du match ! Par-dessus le marché, la retransmission par câble tomba en panne, de sorte qu'il dut écouter la description du match à la radio !

Il obtint finalement le feu vert de ses médecins pour reprendre le travail le vendredi 12 mars et dirigea l'exercice des siens en après-midi en prévision du match local du lendemain contre les Nordiques.

Aux journalistes qui le questionnaient sur son malaise, Demers admit qu'il avait négligé sa santé. Il s'excusa notamment auprès de ses joueurs de s'être laissé aller. « J'ai augmenté mon poids de 200 à 227 livres depuis que je dirige le Canadien, déclara-t-il à la presse. C'est trop. Mon problème, c'est que je mange trop mal et trop vite. Je ne prends pas soin de moi. Désormais, je m'engage à faire de l'exercice au moins une heure à tous les jours. »

Puis il blagua : « Je n'étais pas malade cette semaine. Quand j'ai vu que Patrick Roy et Kirk Muller étaient absents, je me suis senti démuni. Alors, je me suis trouvé une bonne excuse pour disparaître ! »

Comme une bonne nouvelle n'arrive jamais seule, le retour de Demers fut salué par le retour au jeu de cinq joueurs qui figuraient sur la liste des blessés. Parmi ceux-là, Roy et Muller, mais aussi Donald Dufresne, Guy Carbonneau et Denis Savard. Ce n'était pas mal pour affronter les Nordiques. Mais malgré la bonne volonté de tout le monde, le Canadien s'inclina 5 à 2 face à ses rivaux québécois.

Le prochain match devait avoir lieu à Québec le jeudi suivant, mais, à la veille de cette rencontre, Demers attira encore l'attention et souleva l'inquiétude. Au cours d'un entraînement, avant de partir pour Québec, il tomba sur la glace du Forum lorsque son patin resta coincé dans une fissure. Une semaine, jour pour jour, après ses malaises à la poitrine, il se tordait la cheville en chutant !

« Disons que ce ne fut pas ma période la plus heureuse avec l'équipe cette année-là, rigole-t-il aujourd'hui. Tout m'est arrivé au début du mois de mars 1993. Au fond, il valait mieux que tout cela survienne avant le début des séries. »

Le lendemain, le Canadien battit finalement les Nordiques au Colisée dans ce qui constitua l'un des rares moments de réjouissance de Demers depuis longtemps. Car depuis le début de mars le Canadien avait sombré dans un jeu douteux. Et il avait entrepris une descente inquiétante au classement. Pendant ce temps, les Nordiques et les Bruins roulaient à un rythme très soutenu.

Comme pour ajouter à cette suite de déconvenues, la voix du Canadien, Claude Mouton, s'éteignit le 30 mars à l'âge de 61 ans, à la suite d'un cancer. La grande famille du Tricolore était en deuil.

Le Canadien entreprit le mois d'avril par un gênant revers de 4 à 0 à Washington. Au retour de l'équipe à Montréal, les critiques se firent de plus en plus virulentes. Dans les journaux, les opinions semblaient unanimes : on ne donnait pas cher la peau du Canadien en séries.

Devant cette marée de commentaires peu élogieux, Demers prit une autre décision qui suscita la grogne des médias écrits. Il décida de bannir la présence des journaux montréalais dans le vestiaire, n'acceptant désormais que le quotidien national américain *USA Today* !

« C'est la réaction de certains de mes joueurs qui m'a fait agir ainsi, raconte-t-il. Un jour, je suis entré dans l'infirmerie et les gars *garrochaient* les journaux partout. Leur personnalité changeait. Des joueurs m'ont même dit qu'ils ne voulaient plus parler aux journalistes. Ils les trouvaient trop sévères à leur endroit. »

La décision de Demers déplut particulièrement au chroniqueur du *Journal de Montréal* Bertrand Raymond, qui ne ratait jamais une occasion pour décrier cette pratique. « C'est la première fois dans l'histoire de l'équipe qu'une telle chose se produit. Et il fallait que ça vienne d'un gars du *boutte* », commenta-t-il.

« Dans mon esprit, Jacques venait de piétiner mon journal et je ne l'acceptais pas, mentionne le chroniqueur aujourd'hui. En même temps, il permettait au journal américain *USA Today* de circuler dans le vestiaire. C'était insensé. Je me faisais un devoir de le lui remettre sur le nez à chaque occasion. »

Un soir que Demers et Bertrand Raymond se prenaient aux mots dans le garage du Forum, le pilote du Tricolore, exacerbé par les remontrances du chroniqueur, lança sa bouteille d'eau en direction du journaliste. « Le connaissant, il m'a manqué intentionnellement, mais la bouteille est allée s'écraser contre un mur, rigole Raymond. Cela avait fait tout un vacarme dans le garage. »

Il se trouva que le vice-président aux Communications du Canadien, Bernard Brisset, avait assisté à la scène. Il était un ancien patron des sports au *Journal de Montréal*. Il considéra que la chose était allée trop loin. « Quelques jours plus tard, les journaux de Montréal revenaient dans le vestiaire de l'équipe », se souvient Bertrand Raymond.

Demers se rappelle aussi : « Bertrand en avait fait une affaire personnelle, dit-il en ricanant. Je pense que je l'avais attaqué dans sa fierté de journaliste. Il valait mieux en finir avec ça. Je me suis aperçu que je ne gagnerais pas cette bataille avec lui. »

Quoi qu'il en soit, le Tricolore connut une fin de saison très décevante, ne récoltant que sept victoires à ses 18 derniers matchs (7-11-0). Du reste, jusque-là, son équipe était loin d'avoir « ébranlé le monde du hockey » ! Le premier rang de la division Adams échappa au Canadien, de même que la deuxième position. Les Bruins raflèrent finalement la première place avec une récolte de 109 points, suivis des Nordiques avec 104 points et du Canadien avec 102 points.

* * *

Il faut savoir qu'à l'époque les Nordiques étaient devenus une formation de premier plan. D'abord, leurs jeunes joueurs prometteurs, les Sakic, Sundin et Nolan notamment, avaient acquis de la maturité et, surtout, le président Marcel Aubut s'était finalement décidé à échanger Eric Lindros. Ce dernier était passé aux Flyers de Philadelphie pour Peter Forsberg, Mike Ricci, Chris Simon, Ron Hextall, Steve Duchesne, Kerry Hoffman, Jocelyn Thibault et une somme de 15 M$. L'équipe avait complètement changé de visage.

Au cours de la saison, les Nordiques eurent le dessus sur le Canadien, récoltant quatre victoires et subissant trois revers en sept affrontements.

Ironiquement, ils remportèrent leurs trois matchs au Forum alors que le Canadien signa trois victoires en quatre matchs au Colisée.

Les nouveaux Nordiques avaient bataillé toute la saison avec le Canadien et les Bruins pour l'obtention du premier rang dans la section Adams. Pour le Tricolore, il valait mieux se placer en meilleure position au classement dans l'éventualité où il aurait à affronter son ennemi québécois en séries. La chose valait aussi pour ses rivaux de Québec.

Pagé, qui dirigeait les Nordiques, donnait parfois l'impression de détester le Canadien. Du reste, il ne ratait aucune occasion pour lancer des petites flèches à l'endroit de ses adversaires montréalais. Ce qui amenait Jacques Demers à se justifier et, parfois, à répliquer. On n'en était pas à la guerre des mots de l'époque de Michel Bergeron et de Jacques Lemaire, mais on s'envoyait des petits messages par médias interposés.

Dans l'ensemble toutefois, la situation dégénérait rarement entre les deux entraîneurs. Sauf que dans les derniers jours de la saison, Demers invita son vis-à-vis à « se mêler de ses affaires ».

En fait, le Canadien avait acquis le vétéran Rob Ramage du Lightning de Tampa Bay, à la date limite des transactions, le 20 mars. Demers avait dirigé Ramage à Saint Louis et avait apprécié sa force de caractère. Or, depuis que Ramage s'était joint au Tricolore, l'équipe avait sombré dans la médiocrité. Les médias avançaient que la venue de Ramage avait foutu le bordel au sein de la brigade défensive. Et Pierre Pagé en avait rajouté : « Je ne comprends absolument rien à cette transaction », avait-il dit.

Ce à quoi Demers avait rétorqué : « Qu'il se contente de diriger son équipe et qu'il se mêle de ses affaires ! »

La petite guerre psychologique était bel et bien amorcée entre les deux hommes…

* * *

À l'aube des séries, le Canadien était donc plongé dans la tourmente. L'équipe en arrachait sur la patinoire et les médias étaient de plus en plus incisifs à son égard. Si c'était ça la vision de Jacques Demers « d'ébranler le monde du hockey », il était en train de se mettre le doigt dans l'œil. « Ce n'est pas comme ça qu'on voulait terminer la saison, chuchota le vétéran Vincent Damphousse. Il faudra mieux jouer en séries si nous ne voulons pas tomber en vacances prématurément. »

Pourtant, malgré une fin de saison inquiétante, l'équipe de Jacques Demers avait généralement atteint ses objectifs de saison régulière. « Peu de gens se souviennent que nous avons récolté 102 points au classement en 1992-1993. Nous avons pris le sixième rang au classement général derrière Pittsburgh (119), Boston (109), Chicago (106), Québec (104) et Detroit (103), rappelle Demers. Il était donc faux de prétendre plus tard que nous étions une équipe Cendrillon.

«Nous avons même tout tenté à notre avant-dernier match de la saison contre Washington. Il fallait l'emporter afin de terminer devant les Nordiques au classement. Avec une minute à écouler à la période de prolongation, j'ai retiré Patrick Roy puisque le score était encore égal 2 à 2. Un match nul ne nous servait à rien dans les circonstances. Il fallait gagner. Mais Mike Ridley marqua dans une cage déserte et nous avons perdu.

«Je ne regrette pas d'avoir fait un tel geste, ajoute Demers, même si certains me l'ont reproché. C'était notre seule chance de devancer les Nordiques au classement. C'est vous dire que nous avons bataillé avec les Nordiques jusqu'à la fin. Dans notre esprit, nous étions aussi bons qu'eux. Nous en avions la ferme conviction même si les analystes et les amateurs les disaient supérieurs à nous. Nous n'avions pas de complexe devant eux, mais nous les respections.»

Demers plaida la cause de son équipe malgré les défaillances de fin de calendrier. «Écoutez, déclara-t-il, nous avons passé 158 des 193 jours du calendrier en tête de notre division qui est la plus serrée de la LNH. Qu'on ne vienne pas nous dire qu'on a une mauvaise équipe. Il se peut que nous soyons fragiles actuellement, mais c'est à nous, les entraîneurs, de nous charger de cet aspect de la préparation. Ceux qui pensent qu'on est découragés se trompent royalement. J'ai mes idées. Je sais que je ne dirige pas une bande de lâcheurs.»

Sur le plan collectif, le Canadien avait en effet livré la marchandise. Il avait marqué un total de 326 buts, soit 59 buts de plus que la saison précédente (267). D'un autre côté, il avait alloué 73 buts de plus (280 comparativement à 207) que l'année antérieure, ce qui avait fait grimper la moyenne du gardien Patrick Roy. Mais les amateurs s'en fichaient passablement de la moyenne défensive. Ils avaient l'impression de s'être amusés toute l'année. Ils n'avaient pas été trahis par Demers, qui avait promis une attaque plus musclée et un spectacle plus relevé, quitte à se montrer plus généreux en défense.

Sur le plan individuel, les nouvelles acquisitions Vincent Damphousse et Brian Bellows avaient dominé la colonne des buteurs avec une récolte respective de 39 et 40 buts. Damphousse avait été le meilleur pointeur de l'équipe avec un total de 97 points (39-58), suivi de Kirk Muller avec

94 points (37-57) et de Bellows avec 88 points (40-48). Stéphan Lebeau avait aussi connu la meilleure saison de sa carrière avec une récolte de 80 points (31-49).

De leur côté, les défenseurs avaient largement contribué à l'attaque qui, dans l'ensemble, était en nette progression. Les neuf arrières qui composaient la brigade défensive avaient amassé pas moins de 191 points, dont 60 buts.

Quatre défenseurs, Éric Desjardins (13), Mathieu Schneider (13), Kevin Haller (11) et Patrice Brisebois (10) avaient atteint le cap des 10 buts ou plus. De fait, les défenseurs du Canadien, en cette saison 1992-1993, avaient été les plus productifs de la LNH, à l'exception de ceux des Capitals de Washington (Iafrate, Hatcher, Côté, Johansson et cie).

Sur ce, le Canadien devait amorcer les séries contre leurs redoutables rivaux québécois. Pour Demers, le défi était de taille. Mais il entendait tout mettre en œuvre pour le relever. D'autant qu'il avait un compte à régler avec son vis-à-vis Pierre Pagé, qui ne faisait sûrement pas partie de son cercle d'amis intimes.

Les Nordiques partaient toutefois favoris dans l'esprit de 55 pour cent des amateurs...

* * *

Tout compte fait, Demers avait livré la marchandise à sa première année, malgré une fin de saison inquiétante. Il avait donné raison au Prof Caron qui l'avait recommandé à Serge Savard en lui disant qu'il avait la réputation d'apporter de bons résultats dès le départ.

« Le Prof m'avait dit que Jacques allait me faire passer un bel hiver et, dans l'ensemble, cela avait été le cas », reconnaît Savard.

Mais le directeur général du Canadien n'avait encore rien vu. Sans le savoir, il se préparait à passer un très beau printemps et, surtout, un été éclatant...

Lettre T

À Serge Savard

Lorsque que je pense à toi, Serge, je ne peux faire autrement qu'éprouver une très grande gratitude à ton égard, tu m'as donné l'opportunité de réaliser mon rêve de diriger le Canadien.

Je me souviendrai toute ma vie de cet avant-midi du 11 juin 1992 alors que tu m'avais présenté à la presse à titre de ton nouvel entraîneur. J'ai rarement été aussi fier et heureux que cette journée-là.

Il y a dix ans, soit en octobre 1995, nous avons toutefois vécu la douloureuse épreuve d'être congédiés en même temps dans nos fonctions respectives avec le Canadien, mais je conserve de toi l'image d'un grand directeur général, très respecté dans ton milieu et à travers toute la Ligue nationale.

Comme patron, tu as toujours été là pour me conseiller, sans faire d'ingérence dans mon travail et en me laissant diriger mon équipe à ma façon. Dès ma première saison avec le Canadien en 1992-1993, tu as rapidement amélioré l'équipe en faisant l'acquisition de Vincent Damphousse et de Brian Bellows, deux joueurs qui, plus tard, nous ont grandement aidés à remporter une coupe Stanley ensemble.

Ce fut un honneur et un privilège de travailler à tes côtés pendant un peu plus de trois ans, Serge, et je tiens à te remercier pour la confiance que tu m'as témoignée au cours de ces années.

Jacques

Chapitre 21

TOGETHER !

Quelques heures avant le premier match de la série Canadien-Nordiques à Montréal (le troisième de la série), Serge Savard avait constaté que ses rivaux affichaient un excès de confiance. La troupe de Pierre Pagé avait en effet remporté les deux premiers matchs à Québec et bien peu d'amateurs et d'observateurs accordaient désormais une toute petite parcelle de chance au Tricolore de revenir de l'arrière et de remporter la série. Mais Savard était de ceux qui avaient encore la foi.

« C'est l'arrogance des Nordiques qui a pavé la voie à notre 24e conquête de la coupe Stanley, insiste encore Serge Savard de nos jours. Dans la victoire, j'ai toujours prôné l'humilité. Il faut savoir vanter son rival et, surtout, ne pas lui manquer de respect. C'est le principe de la fable de La Fontaine *Le Corbeau et le Renard* ! Après leurs deux victoires à Québec, les Nordiques ont voulu nous ridiculiser. À partir de là, j'étais convaincu qu'on gagnerait. »

Savard soutient toujours que l'un des éléments clés de cette série s'est produit avant le troisième match au Forum, sous forme d'un geste de Pierre Pagé.

« Comme d'habitude en séries, nous avions gracieusement aménagé un petit salon d'hospitalité dans un vestiaire adjacent à celui des Nordiques, explique Savard. Nous fournissions les breuvages et les victuailles à leurs invités pour le match. Mais en arrivant au Forum en fin d'après-midi, Pagé a pris la mouche et a tout balancé le contenu à l'extérieur en disant qu'il ne voulait rien savoir de nos politesses. Il ne voulait rien recevoir de nous.

Pourtant, c'était une tradition qu'on offrait à toutes les équipes qui nous affrontaient en séries.

«Je n'en croyais pas mes yeux, ajoute un Savard encore abasourdi. En voyant cela, je suis allé parler à nos joueurs en leur disant qu'une organisation qui réagissait de la sorte n'avait aucun respect pour ses rivaux et qu'elle ne méritait pas de gagner avec une telle arrogance. Ce soir-là, on a gagné en prolongation et nous étions partis pour la gloire.

«À partir de ce moment, conclut Savard, nous avons progressé alors que les Nordiques ont plafonné. Mais nous sommes restés humbles dans la victoire alors qu'eux ne savaient pas comment gagner.»

* * *

Dans le but de regrouper ses effectifs et de créer une atmosphère détendue, la direction du Canadien décida deux choses avant le début des séries, à la mi-avril 1993. D'abord, il fut convenu que les joueurs passeraient la grande majorité de leur temps ensemble et qu'ils coucheraient à l'hôtel, même lors de leur présence à Montréal. «On voulait éliminer le plus de distractions possible, mentionne Demers. De plus, le fait de rassembler tout le monde au même endroit était bénéfique pour resserrer encore les liens.»

Par ailleurs, il fut décidé que l'équipe tiendrait un mini-camp en forme de retraite fermée dans la région de Bromont avant de se rendre à Québec pour amorcer la série. La saison s'était terminée le 13 avril à Buffalo et la série «toute québécoise» prendrait son envol cinq jours plus tard, le 18, au Colisée.

Le Tricolore prit la direction de Bromont le jeudi 15 avril en après-midi après que les joueurs eurent obtenu deux jours de congé. Mais avant de partir, Demers avait préparé un grand scénario pour ses protégés. Dans la tourmente de la fin de la saison, le pilote positif avait d'ailleurs mentionné haut et fort qu'il avait un plan en tête. Le temps était venu de le montrer…

Dans le plus grand secret, il convia ses joueurs au Forum, de façon à qu'ils se retrouvent dans la plus grande intimité, loin des regards et des oreilles des journalistes. À leur arrivée au Forum, les joueurs se cognèrent le nez sur un vestiaire verrouillé à double tour. Cela faisait partie du scénario. Demers les attendait dans le couloir et, rapidement, il les invita à prendre place au banc des joueurs, autour de la patinoire. Il avait quelques mots à leur dire.

Il s'installa devant eux sur la glace. Sans attendre et sans trop de cérémonie, il puisa dans ses plus grandes qualités de motivateur pour servir un discours enflammé à ses hommes.

Il leur raconta la longue et prestigieuse histoire du Tricolore en leur expliquant pourquoi cette équipe s'était élevée au rang des dynasties du hockey. Il pointait une à une les vingt-trois bannières accrochées au plafond du Forum qui représentaient autant de conquêtes de la coupe Stanley. Puis, après avoir parlé abondamment du passé, il continua son discours au temps présent :

« Et maintenant, voulez-vous faire partie de cette fabuleuse histoire ? demanda-t-il à ses hommes. Voulez-vous voir hisser une bannière de la saison 1992-1993 à côté des vingt-trois autres au plafond du Forum ? Moi, comme entraîneur, je veux entrer dans la tradition gagnante du Canadien. Et pour y arriver, j'ai besoin de vous. J'ai besoin d'une implication complète de chacun de vous. Si on fait ça, on va l'avoir notre bannière. »

Depuis son intervention du mois de mars au cours de laquelle il avait déclaré à ses joueurs que le Canadien allait « surprendre » (*shock*) le monde du hockey, il s'agissait du discours le plus émotif de Demers à ses hommes.

Avant de s'adresser à eux, il avait demandé aux préposés à l'équipement, Eddy Palchak, Pierre Gervais et Robert Boulanger, de mettre tous les chandails rouges des joueurs sur des cintres et de les suspendre sur un socle dans la suite du président Ronald Corey, située juste en face du vestiaire de l'équipe. Puis, avant de donner congé à ses hommes qui devaient se préparer pour le départ à Bromont, il leur lança une autre invitation.

« Je leur ai dit que chacun avait son chandail accroché dans le salon du président et que ceux qui étaient prêts à m'assurer de leur pleine implication n'avaient qu'à aller le chercher, à l'enfiler et à se rendre au vestiaire juste en face où j'irais les rejoindre plus tard. Je désirais seulement voir ceux qui sautaient à bord du train en suivant les consignes. »

Au bout de cinq minutes, Demers, qui était demeuré en bordure du banc des joueurs, vit parader ses protégés un à un avec leur chandail rouge sur le dos. « Je les voyais passer l'un après l'autre. Les Roy, Muller, Keane, Desjardins, Brunet, Damphousse, Lebeau, Racicot, Ramage, Ronan, Savard… Enfin, tous, sans exception, avaient revêtu leur chandail. J'étais très fier de mon coup. J'ignore comment tout cela m'était arrivé à l'esprit, mais j'avais mijoté ce moment depuis un certain temps. Même Serge Savard et mes adjoints ignoraient que j'allais faire une chose pareille.

« En réalité, j'ignorais moi-même ce jour-là ce que j'allais dire exactement aux joueurs, précise-t-il. C'est mon cœur qui a parlé. Je l'ai fait instinctivement. J'avais de la difficulté à lire et à écrire, mais je savais parler à des hommes. C'était le temps de m'en servir. »

Une fois arrivé dans le vestiaire pour y rejoindre ses joueurs, Demers avait deux autres surprises pour eux. D'abord, il avait choisi une chanson de ralliement pour toute la durée des séries. La chanson de Jefferson Starship, *We can do it together,* allait être jouée avant chacun des matchs. C'était la volonté de Demers car cette chanson lui semblait significative. L'un des passages du texte disait : *We gonna build this thing together, Nothing gonna stop us now* (Nous allons bâtir cela ensemble, Rien ne peut nous arrêter maintenant).

« Quelque temps avant les séries, j'étais dans mon auto et j'avais entendu cette chanson à la radio, explique-t-il. Je trouvais que les paroles collaient parfaitement à ce que je cherchais à faire avec l'équipe. J'étais particulièrement resté accroché au mot *Together* (ensemble). Pour moi, ça résumait tout de ce que j'avais essayé de bâtir depuis le début de la saison. Je voulais une équipe unie, une famille. Un groupe *together*, ensemble.

« En fait, ma plus grande contribution comme entraîneur dans la LNH jusque-là avait été de réunir un groupe de joueurs et de leur faire croire en leurs moyens. C'était encore plus vrai maintenant que je dirigeais le Canadien. Je ne voulais surtout pas rater mon coup à Montréal. »

Après la présentation de la chanson de ralliement, Demers donna à ses joueurs une carte plastifiée sur laquelle était inscrit un message qui faisait appel à un engagement personnel de chacun. On pouvait y lire : *We are on a mission. We are making a team commitment in 1993* (Nous sommes en mission. Nous nous engageons envers l'équipe en 1993).

On distribua quarante-deux cartes de la sorte, soit une à chaque membre du personnel de l'équipe. Ça incluait les joueurs, les entraîneurs, la direction et le personnel de soutien. Sur chacune des cartes, on avait gravé les initiales de son détenteur ou, dans le cas des joueurs, le numéro du chandail. Chaque carte était donc exclusive.

Chacun des détenteurs aurait l'obligation de l'avoir toujours en sa possession, sauf lorsqu'il aurait à revêtir l'uniforme de hockey. Le reste du temps, ce serait une obligation. Ça valait autant pour la vedette de l'équipe, Patrick Roy, que pour la directrice des relations avec les médias, Michèle Lapointe. La personne prise en défaut se verrait infliger une amende de 50 $ pour une première offense. Les montants allaient en augmentant selon le nombre d'offenses.

WE ARE ON A MISSION

WE ARE MAKING A TEAM COMMITMENT IN 1993

47

La fameuse carte que personne ne pouvait se permettre d'oublier... même l'entraîneur ! Ci-dessus, celle de Stephan Lebeau, qui a précieusement conservé la sienne. (Gracieuseté de Stephan Lebeau)

« Jacques a eu l'idée de petits trucs qui servaient à garder l'équipe unie, se souvient Serge Savard. L'histoire de cet « engagement » (la carte) était assez comique. Chacun se surveillait pour prendre l'autre en défaut et lui faire payer l'amende. On s'amusait avec ça. Bref, Jacques a très bien réussi à cimenter ce groupe de joueurs, c'est indéniable. »

Stephan Lebeau se souvient aussi : « De tous les discours que Jacques Demers a prononcés aux joueurs cette année-là, c'est celui qui m'a le plus frappé. » Lebeau a d'ailleurs conservé sa carte plastifiée (n° 47), qui est reproduite dans ce livre.

« Ce discours était très émouvant, poursuit Lebeau. J'en étais ébranlé. Il nous a parlé de la grande tradition du Canadien et du désir qu'il avait de vouloir en faire partie. On ne pouvait rester indifférents. Il nous avait embarqués dans sa galère. On croyait réellement qu'on pouvait réaliser de très grandes choses ensemble. »

C'est dans cet esprit d'unité et de camaraderie que les joueurs quittèrent Montréal pour Bromont, où leur première responsabilité était de se préparer adéquatement en vue d'écrire un autre chapitre de la fameuse Bataille du Québec. On l'ignorait à l'époque, mais cette série, la cinquième entre les deux équipes, constituerait le dernier affrontement printanier de l'histoire de la grande rivalité Canadien-Nordiques…

Avant de partir pour Bromont, Demers rencontra les membres de la presse. La piètre fin de saison de son équipe était devenue chose du passé à ses yeux. Il affichait un optimisme débordant, ce qui contrastait avec l'attitude du public et des journalistes qui considéraient le Canadien comme l'équipe négligée de la série.

« On s'embarque dans une aventure extraordinaire, prédit-il. C'est le temps de souffrir pour l'équipe et j'ai confiance. Mon message est clair envers mes joueurs. Je leur ai dit : "Salissez-vous le nez, cela en vaut la peine." »

Il poursuivit à la blague avec les journalistes : « Je n'ai pas l'intention de me lancer dans une guerre de mots avec Pierre Pagé. Je veux que la série se passe uniquement au niveau de la glace. Je sais que dans le passé,il y a eu de l'exagération. On m'a même dit que certains journalistes voulaient se taper dessus. Je vous souhaite une bonne série, les *boys*, mais, de grâce, ne vous battez pas entre vous ! »

Sur ce, Demers mit fin à sa conférence de presse en riant et alla rejoindre ses joueurs qui l'attendaient dans l'autobus. Arrivé à Bromont en fin d'après-midi, le Canadien prit possession de ses locaux et de son hôtel, ce qui permit à l'entraîneur de préparer le dernier élément de son plan de motivation de l'équipe.

Après un souper de groupe, il convia tous les membres de l'organisation à une grande soirée vidéo dans une salle de conférence de l'hôtel. À l'aide du personnel de soutien de l'équipe, il avait fait le montage d'une cassette sur laquelle on retrouvait les meilleurs moments de la saison de chacun des joueurs. La cassette se terminait par des images qui montraient Patrick Roy et Guy Carbonneau soulevant la coupe Stanley en 1986, de même que des images de Rob Ramage, vainqueur de la coupe à Calgary en 1989. Le film fut présenté au son de la musique *We can do it together*.

Pour les jours suivants, Demers et ses adjoints avaient prévu des entraînements et des activités de façon à bien préparer l'équipe, mais aussi à détendre les joueurs. « Quand nous avons quitté Bromont, nous formions vraiment une famille », assure Demers.

* * *

Le Canadien prit finalement la direction de Québec le 17 avril en prévision du premier match qui devait être disputé le lendemain dans l'enceinte du Colisée. L'équipe s'installa à son hôtel du centre-ville.

Demers avait la conviction qu'il avait fait le nécessaire pour bien préparer son équipe. Il participa au repas d'équipe à Québec et se réfugia dans sa chambre d'hôtel jusqu'au lendemain matin, jour du premier match.

Le réveil en ce matin du 18 avril 1993 à Québec fut toutefois brutal. Dans les journaux du matin, on pouvait lire que la population du Québec se rangeait derrière les Nordiques, selon un sondage effectué dans tout le Québec par la firme Léger & Léger. Même les Montréalais, dans une proportion de 52 pour cent prévoyaient une victoire des Fleurdelisés.

Mais Demers ne se laissait pas abattre par le jeu des prédictions ou la publication de sondages. Il se présenta au Colisée pour mener un léger exercice. « Mes joueurs sont prêts comme jamais, insista-t-il. Ils sont comme des pur-sang qui attendent l'ouverture de la barrière. »

Après cet exercice, Demers reprit la direction de l'hôtel avec ses hommes où un dîner d'équipe les attendait. La journée d'un match, c'était la routine : les joueurs patinaient le matin, ils mangeaient ensemble le midi, ils allaient roupiller quelques heures en après-midi et ils revenaient à l'aréna vers 16 h 30 en prévision du match.

Pendant que ses joueurs se trouvaient aux étages de l'hôtel pour se reposer en après-midi, Demers mit à exécution une idée qu'il avait depuis déjà quelques jours. Comme il pouvait jouir de quelques heures libres, il décida de prendre un peu de temps pour lui. Il se tourna vers son patron Serge Savard pour lui emprunter sa voiture de location, puis se dirigea vers la Basilique de Sainte-Anne-de-Beaupré où il désirait se recueillir. Il y passa quelques dizaines de minutes, puis reprit son baluchon pour rejoindre son équipe à l'hôtel.

« J'avais passé beaucoup de temps à préparer mon équipe et j'avais besoin de penser à moi. Je savais que sainte Anne me faisait du bien. Je ne l'avais pas visitée depuis un certain temps et je croyais que le moment était bien choisi pour retourner dans sa basilique. »

Et peut-être même pour obtenir des faveurs ! Ce que Demers ne veut pas confirmer aujourd'hui...

Demers avait beau passer pour un pèlerin discret, la nouvelle de sa visite à Sainte-Anne-de-Beaupré se retrouva sur les ondes de la radio de Québec. Un auditeur avait été témoin de la scène et il avait informé le populaire animateur Marc Simoneau. La nouvelle se répandit rapidement et certains journalistes, de même que certains partisans des Nordiques, en profitèrent pour tourner l'entraîneur montréalais en dérision.

À Québec, on disait désormais que si une bonne chose arrivait au Canadien, c'est que la bonne sainte Anne avait entendu les demandes de

Demers, mais à l'opposé, on avançait que si le malheur frappait le Tricolore, c'est qu'il n'avait pas assez prié sainte Anne !

« C'était ridicule, dit Demers. Je n'avais jamais caché ma dévotion à sainte Anne, mais je trouvais que le moment était très mal choisi pour parler de ça dans les médias. Si on avait voulu en parler dans un autre contexte, plus spirituel celui-là, j'aurais sans doute accepté de le faire. Mais dans le contexte d'une série de hockey, ça n'avait pas sa place. C'était personnel. »

Serge Savard commente à son tour : « À un certain moment, c'était rendu exagéré dans les médias. Y a en un qui voulait faire du *millage* là-dessus. Comme pour éviter que Jacques soit constamment dérangé par cela, j'ai dit aux journalistes que j'y étais allé avec lui. Ce n'était pas vrai ! C'est mon *char* qui y était allé ! »

Et Demers de conclure : « Au fond, cette histoire fut une bonne affaire car l'attention venait de se tourner sur moi plutôt que sur mes joueurs. Je ne l'ai pas fait pour cela, loin de là, mais, en rétrospective, on ne m'a pas lâché avec cette histoire de sainte Anne et mes joueurs ont eu la paix ! »

C'est donc sur cette note religieuse que la série Canadien-Nordiques de 1993 s'amorça le 18 avril à Québec…

* * *

L'autobus du Canadien venait à peine de quitter le Colisée. L'ambiance était morose, voire moribonde, à bord. La troupe de Jacques Demers venait encore d'être battue par les Nordiques. Le Canadien tirait désormais de l'arrière 0-2 dans la série. Bien peu d'observateurs accordaient la moindre chance au Tricolore de venir de l'arrière pour remporter la série.

Au sein même de l'équipe, certains commençaient à douter. Les Nordiques avaient terminé devant le Tricolore au classement et avaient été solides en saison régulière au Forum où ils avaient balayé les trois matchs. C'était de très mauvais augure pour la Sainte Flanelle.

Demers sentit le besoin urgent d'empêcher que le doute s'installe fermement dans la tête de ses hommes. Il était assis à l'avant et songeait à la manière d'intervenir.

Au moment où l'autobus approchait de l'aéroport de Québec, où un avion attendait l'équipe pour le retour à Montréal, il bondit dans l'allée telle une sauterelle et ordonna au chauffeur, Gaston Bourque, de s'arrêter sur l'accotement.

« J'avais le sentiment que l'équipe avait besoin d'un stimulant, raconte-t-il. Personnellement, j'avais obtenu cette dose d'énergie de la part de Serge Savard immédiatement après notre deuxième défaite au Colisée. Serge m'avait dit : "C'est pas grave, on va gagner cette série-là. Je sais qu'on peut les battre et on va les battre." J'étais revigoré. »

Avant de prendre la parole, Demers demanda au chauffeur de sortir. Ce que l'homme fit. Puis l'entraîneur s'adressa à sa troupe : « C'est loin d'être fini. Moi, je suis encore très confiant de remporter cette série. J'ai encore confiance en vous et il serait temps que vous croyiez en vous. On a pris un engagement ensemble et on va le mener jusqu'au bout. On s'en va à l'hôtel à Montréal et demain, on tiendra un bon entraînement. On va commencer par gagner le prochain match, jeudi, devant nos partisans. On va y aller étape par étape. Maintenant reposez-vous bien et je ne veux surtout pas en voir un avec la tête entre les deux jambes. »

Demers fit signe à Gaston de reprendre sa place et de reprendre la route jusqu'à l'aéroport. Le Canadien rentra aux petites heures à Montréal où pratiquement personne ne l'attendait à l'aéroport. L'équipe se dirigea dans la plus grande indifférence vers son hôtel du centre-ville où elle avait établi ses quartiers généraux pour la durée des séries.

« Je me souviens très bien de ce moment, mentionne Jacques. Je n'avais pas élevé la voix. J'avais simplement demandé que mes joueurs aillent puiser dans leur fierté pour ne pas se laisser abattre. Ce n'était pas une approche "collégienne", comme certains peuvent le prétendre. Je croyais réellement en mes joueurs. »

N'empêche que le moral de la troupe avait de quoi être attaqué, malgré les bons mots d'encouragement du pilote. La série s'était amorcée à Québec et la plupart des observateurs avaient largement établi favoris les Nordiques, même si deux points seulement les séparaient au classement des équipes.

Le Canadien avait échappé une victoire au premier match en s'inclinant en prolongation par la marque de 3 à 2. Pourtant, il menait par 2 à 0 avec à peine 90 secondes à faire lorsque les Nordiques avaient entrepris une remontée. C'est une pénalité infligée à Gilbert Dionne qui avait ouvert la porte aux Nordiques. Martin Rucinsky et Joe Sakic avaient égalé la marque dans les derniers instants du match et Scott Young avait marqué en prolongation pour donner les devants aux Nordiques dans la série. Patrick Roy avait connu un match en deux temps : il avait été solide en début de rencontre, mais avait été généreux à la toute fin.

Pour amorcer le second match, la foule du Colisée avait tourné Roy en dérision, lui qui pourtant était un produit local. Le célèbre numéro 33 avait été la cible des amateurs qui réclamaient la présence de son auxiliaire André Racicot. La foule scandait : « Racicot !, Racicot ! »

Le Canadien avait moins bien joué dans le second match et les Nordiques l'avaient emporté décisivement par le score de 4 à 1. Une fois de plus, Roy n'avait pas été à la hauteur de sa réputation d'invincibilité en séries. Et le public de Québec s'était payé sa tête avec plus d'insistance en réclamant encore André Racicot. À l'autre bout, son vis-à-vis, Ron Hextall, avait été brillant.

Par surcroît, l'entraîneur des gardiens des Nordiques, Daniel Bouchard, avait tenté de semer le doute dans la tête de Roy en insinuant qu'il avait déniché une faille dans son jeu ! C'était de bonne guerre.

C'est donc tout le poids de ces deux douloureuses défaites qui se faisait sentir au retour de l'équipe à Montréal. C'est pour cette raison que Demers avait ressenti l'urgence d'intervenir dans l'autobus en réitérant toute sa confiance aux joueurs.

* * *

Le lendemain, à Montréal, le Canadien devait tenir son entraînement quotidien. Avant l'exercice, Demers convia certains joueurs dans son bureau pour quelques mises au point.

L'un de ceux-là était Patrick Roy. Ce dernier faisait l'objet de critiques très dures sur les tribunes téléphoniques à la radio. Les partisans du Canadien le pointaient du doigt. Même à Montréal, certains réclamaient la présence de Racicot pour amorcer le troisième match. Racicot avait connu une saison exceptionnelle pour un auxiliaire, lui qui n'avait subi que cinq défaites en vingt-trois décisions (17-5-1). Il avait rendu de fiers services à l'équipe. Malgré le lot de critiques qui déferlait sur Roy, Demers ne céda pas. Bien au contraire, il se montra solidaire de son gardien étoile. « Patrick est un joueur de caractère et je vais l'appuyer entièrement. Je ne le blâmerai certainement pas. C'est lui qui va être devant le filet pour le troisième match », assura-t-il.

« Certains me reprochaient d'avoir une confiance aveugle en lui, témoigne-t-il aujourd'hui, mais, dans mon esprit, le succès de mon équipe passait d'abord par Patrick. C'était lui la clé. C'est d'ailleurs ce que je lui avais dit au lendemain de notre deuxième défaite à Québec. Je n'avais pas changé d'idée. »

Douze ans après ces fameuses séries, Patrick Roy revient sur cette période trouble qu'il dut affronter après le deuxième match à Québec.

« Pour moi, le match clé de ma série contre Québec et de toutes mes séries en 1993, ce fut le premier présenté au Forum, soit le troisième de la série, estime l'ex-gardien. J'étais plutôt perturbé. Je n'avais pas bien joué au cours des deux premiers matchs à Québec et, un peu partout, on laissait entendre que ce serait peut-être au tour d'André Racicot.

« Or, Jacques Demers m'a fait entrer dans son bureau et il m'a dit : "T'as pas à t'inquiéter, je vais vivre ou je vais mourir avec toi." C'est le coup de pouce dont j'avais besoin. Je vous jure que ça m'a injecté toute une dose d'énergie et de confiance. Il m'a fait grandir. Je me suis botté le derrière et j'ai commencé à jouer de la bonne façon. À partir de là, je me suis donné comme responsabilité de lui donner raison. »

Gonflé par les paroles de son entraîneur, Roy sortit ragaillardi du bureau et, un peu plus tard, il s'adressa à ses coéquipiers dans le vestiaire en les invitant à une plus grande fermeté et à plus de confiance. Puis il se présenta devant les journalistes dans une forme resplendissante. Il dit en substance que le Canadien devait cesser d'être impressionné par la qualité des Nordiques et qu'on devait arrêter de les vanter.

« À force de faire l'éloge des Nordiques, on finit par le croire, déclara-t-il. Le temps est venu de les brasser. Leurs défenseurs ne sont pas les plus forts de la LNH et il faut exploiter cet aspect-là. On peut les battre. Il suffit d'y croire. » Et le roi Patrick y croyait dur comme fer…

La table était mise pour le troisième match, le premier de la série présenté au Forum. Le matin de cette rencontre, Demers décela, à son tour, une « faille » chez ses rivaux. Il regardait les jeunes Nordiques s'entraîner au Forum et les sentait un peu trop confiants en leurs moyens. C'est l'argument qu'il allait utiliser pour parler à ses hommes avant le match.

« Je me suis aperçu que pour les Nordiques la série était terminée, et qu'ils étaient au-dessus de leurs affaires sur la glace, relate-t-il. Le soir venu, je l'ai fait remarquer aux joueurs. J'ai dit que les Nordiques ne nous respectaient pas et qu'il était temps que ça change. C'est là aussi que Serge [Savard] est intervenu auprès des joueurs après que Pierre Pagé eut refusé notre hospitalité. Le message fut compris de tous… »

* * *

Outre la confiance renouvelée de Demers envers Roy, outre les discours de Jacques et de Savard aux joueurs pour dénoncer le manque de respect et l'arrogance des Nordiques, une autre affaire allait avoir un impact certain sur l'issue de cette série.

Au cours des deux premiers matchs, plusieurs avaient remarqué que le gardien des Nordiques, Ron Hextall, effectuait une petite routine lors de l'entraînement d'avant-match afin de garder une concentration entière sur son travail. Il terminait toujours son rituel en se dirigeant vers le centre de la patinoire où il contournait rapidement le point central, avant de retourner dans la zone réservée à son équipe. Cette brève et minime incursion sur le territoire du Canadien agaçait certains partisans et certains joueurs pendant que d'autres s'en foutaient éperdument.

Le robuste Mario Roberge, qui ne jouait pratiquement pas, mais qui participait toujours à la période d'échauffement, était de ceux que le geste d'Hextall irritait. Installé au centre de la patinoire, il ne voulait pas qu'Hextall touche au cercle de mise en jeu. Au moment où il s'apprêtait à le faire, Roberge lui servit quelques coups de bâton sur les jambières. Il eut aussitôt un attroupement, mais les esprits eurent tôt fait de se calmer. Et Jacques Demers appuya son joueur. « Qu'il nous fiche la paix ! déclara Jacques au sujet d'Hextall. On l'*achale-tu*, nous autres ? Non ! Alors qu'il ne vienne pas nous écœurer. Qu'il reste de son côté ! »

Bien malgré lui, Hextall renonça par la suite à son petit manège. « Ce n'est pas une question d'établir un territoire ou de déclencher une dispute, déclara le vétéran gardien des Nordiques. Si Roberge veut faire quelque chose au prochain match, je ne réagirai pas. Ce n'est pas une question de principe. Je ne perdrai pas le respect de ma famille ou de mes coéquipiers si je ne fais rien. J'ai peut-être vieilli ! » rigola-t-il.

Hextall voulait minimiser l'incident, mais il faut reconnaître qu'il ne fut plus aussi solide par la suite…

* * *

La mise en jeu initiale du troisième match eut lieu comme prévu à 20 h 05 sur la glace du Forum. Malgré un recul de 0-2 dans la série, les partisans du Canadien se montraient très bruyants et encourageants.

Tel qu'il l'avait promis, Patrick Roy s'éleva au rang des meilleurs de sa profession ce soir-là. Il céda devant Mats Sundin dès le départ, mais il se montra intraitable par la suite. Il défia tous les lancers des Nordiques et, au bout du compte, repoussa 34 rondelles.

Si Roy fut sublime, c'est Vincent Damphousse qui joua les héros en prolongation en trompant la vigilance d'Hextall. Il signait ainsi une victoire de 2 à 1. Le Canadien était revenu dans la série. Il n'accusait plus qu'un recul d'un seul match. Roy soutient encore aujourd'hui que ce fut le match clé de la série.

Au terme de la partie, Roy profita de la présence des journalistes de Québec et de Montréal pour diriger une flèche à l'endroit de Daniel Bouchard, l'entraîneur des gardiens des Nordiques et son idole de jeunesse, qui avait dit avoir décelé une faille dans son jeu. « Je suis heureux de la victoire et surtout d'avoir ajusté la "faille" dans mon jeu ! déclara-t-il d'un ton sarcastique. »

Roy se rappelle ce troisième match comme si c'était hier : « Dans les années qui ont suivi notre conquête en 1993, plusieurs personnes m'ont parlé abondamment du cinquième match de la série au cours duquel j'avais été blessé à une épaule. Les gens croient généralement que ce fut le point tournant de cette confrontation. Or, pour moi, c'est plutôt le troisième match. C'est là que j'ai senti que j'avais retrouvé tous mes moyens. Et je le devais en grande partie à la confiance que m'avait témoignée Jacques Demers. »

* * *

Malgré la bonne prestation de Ron Hextall au cours du quatrième match, le Canadien l'emporta finalement par 3 à 2 pour niveler la série à deux victoires de chaque côté.

C'est Benoît Brunet qui brisa l'égalité au début de la troisième période à la suite d'une belle pièce de jeu de Gilbert Dionne. Pour ce dernier, c'était une façon de racheter sa gaffe du premier match alors qu'il avait écopé d'une pénalité inutile, ce qui avait ouvert la voie à la victoire des Nordiques.

La série n'était pas encore gagnée, mais au moins le Canadien avait évité la catastrophe anticipée puisque plusieurs le voyaient déjà éliminé après le deuxième match. La pression reposait désormais davantage sur les Nordiques.

Au lendemain de ce quatrième match, Demers était resplendissant : « Je suis dans une forme splendide, déclara-t-il aux médias. Je viens de prendre un bon repas avec ma femme Debbie qui célèbre aujourd'hui son 37e anniversaire. On s'est bien amusés. Cela dit, nous ne tenons rien pour acquis. On a construit sur le fait qu'on riait de nous, les négligés. À écouter parler les experts, nous n'étions pas dans la même ligue que les Nordiques. Nous avons pourtant terminé à seulement deux points d'eux au classement. Je dirige un groupe d'athlètes courageux et j'ai confiance en eux», répétait-il à outrance.

Demers ne pouvait avoir si bien dit. À Québec, le Canadien allait disputer le match le plus douloureux de sa série québécoise et même de toutes ses séries de 1993. Il en aura fallu du courage pour passer au travers...

Les Nordiques sortirent comme des enragés au premier tiers et si le Canadien menait par la marque de 1 à 0, il le devait à un seul homme : Patrick Roy. Ce dernier s'avéra sublime, voire miraculeux par moments.

«C'est le match où nous avons affronté le plus d'adversité, se souvient Demers. Stephan Lebeau, Jean-Jacques Daigneault et John LeClair ont été ébranlés par des mises en échec de Steven Finn, Mike Hough et Steve Duchesne. De plus, Kirk Muller s'est vu refuser deux buts. Comble de malheur, Rob Ramage subit une double fracture du nez en recevant une rondelle au visage alors qu'il était assis au banc. C'est un tir de son propre coéquipier, Gary Leeman, qui l'a atteint! Malgré la douleur, Ramage demeura dans le match, ce qui lui attira un grand respect de ses coéquipiers.»

L'incident le plus marquant de cette cinquième rencontre survint au début de la deuxième période lorsque Patrick Roy subit une blessure à l'épaule droite à la suite d'un tir de Mike Hough. La rondelle l'avait atteint sur la clavicule. Roy demeura dans le match, mais quelques secondes plus tard il céda devant Andreï Kovalenko, qui portait la marque à 1-1. Roy était alors incapable de bouger son bras droit.

Sans attendre, Demers le retira du match au profit d'André Racicot. La deuxième période se solda par une égalité de 3 à 3. Pendant ce temps, Roy était au vestiaire avec les médecins qui tentaient de le soigner.

«Lorsqu'on est retourné au vestiaire après 40 minutes, Serge [Savard] nous attendait dans le couloir, relate Demers. Il est entré dans le vestiaire avec moi et nous avons aperçu Patrick qui avait bien meilleure mine. On lui a demandé comment il se sentait et il nous a répondu qu'il était prêt à jouer. On n'en revenait pas!»

En fait, on lui avait fait quelques injections à l'épaule de façon à anesthésier le mal qui le tenaillait. Malgré la douleur, toujours présente, il tenait à poursuivre son travail.

«Patrick m'a souvent démontré qu'il avait de la graine d'un champion, mais ce soir-là, au Colisée de Québec, il a atteint un sommet. Comment ne pas s'incliner devant un si grand athlète?»

Roy revint donc en troisième période, il repoussa 14 des 15 tirs des Nordiques et permit au Canadien de poursuivre son match en prolongation. Puis, il y fut électrisant en repoussant des tirs successifs de Mats Sundin, Mike Ricci et Joe Sakic en prolongation.

Quelques minutes plus tard, Muller plaçait le Canadien en avance dans la série en déjouant Hextall, qui avait mal calculé sa sortie. C'était un juste retour des choses pour Muller puisqu'il s'était vu refuser deux buts au cours de la rencontre.

Si Hextall avait disputé un match de misère, le héros incontesté de cette troisième victoire consécutive du Canadien était Patrick Roy. Comme quoi les rôles étaient désormais inversés.

«Ce soir-là, se rappelle Roy, le docteur Eric Lenczner a tenté de me geler l'épaule par injection. Il a dû s'y prendre par deux fois pour que ça fonctionne. Lorsque l'équipe est revenue au vestiaire après la deuxième période, j'étais prêt à jouer. J'ai demandé à Jacques s'il voulait que je retourne devant le but. Serge [Savard] était sur place. Jacques m'a regardé un peu surpris et il m'a dit : "Tu peux jouer? Eh bien, vas-y mon homme!" C'est tout ce que je souhaitais entendre.»

Au lendemain de cette victoire douloureuse, Demers se confia au chroniqueur Bertrand Raymond au sujet de Roy. S'il le compara d'abord à Joe Montana, un ancien quart étoile des 49ers de San Francisco et des Chiefs de Kansas City, il gardait son ultime comparaison pour la fin. «Patrick Roy, c'est notre Muhammad Ali!, soutint-il. Il parle beaucoup, mais, une fois dans l'arène, il est capable de soutenir ce qu'il dit.»

Le gardien ne pouvait recevoir un plus beau compliment. D'ailleurs, de zéro qu'il était après le deuxième match, Patrick Roy était redevenu le dieu du stade au retour du Canadien à Montréal pour le sixième match. Il avait retrouvé sa couronne et la foule lui avait réservé une ovation «royale». «Mon objectif cette saison était de connaître de bonnes séries, déclara-t-il le matin du match. Je n'ai pas amorcé les séries comme je le voulais, mais présentement je me sens en pleine possession de mes moyens.»

Gonflé à bloc, le Canadien ne fit qu'une bouchée des Nordiques, l'emportant par 6 à 2 dans l'euphorie collective du Forum. Comme par hasard, les sceptiques étaient redevenus croyants. C'était peut-être l'effet de Sainte-Anne-de-Beaupré, allez savoir!

Au cours de ce dernier affrontement, Ron Hextall fut encore chancelant alors que Roy se montra solide. Treize ans plus tard, Serge Savard soutient que l'entêtement de Pierre Pagé à garder Hextall devant les filets lui a coûté très cher dans cette série.

« Il fut un temps, à partir du cinquième match je crois, où Ron Hextall n'arrêtait plus rien. Si Pagé avait utilisé (Stéphane) Fiset, il aurait peut-être eu de meilleures chances de gagner », estime Savard.

L'étoile individuelle de la rencontre fut toutefois l'obscur Paul Di Pietro, qui marqua trois buts ! C'était la première fois en treize ans qu'un joueur du Canadien inscrivait un tour du chapeau en séries au Forum. Et dire que Di Pietro avait été retranché de la formation au cours des trois matchs précédents. Son retour dans la formation avait été rendu nécessaire par l'absence de Stephan Lebeau, blessé à une cheville.

Chose certaine, le Canadien avait réalisé ce que plusieurs croyaient impossible. Il avait éliminé les Nordiques après avoir tiré de l'arrière 0-2. « Il y a peut-être des gens qui ont douté, mais moi je savais que nous pouvions gagner », résuma Demers après la victoire finale.

Serge Savard se montra élogieux à l'endroit de son entraîneur : « Je veux donner le mérite aux joueurs, mais Jacques a accompli un travail extraordinaire. Il a bien préparé son équipe et cela va au-delà de la motivation. Les joueurs ont cru en lui et en sa façon de travailler. »

* * *

Tout au long de la série, le quotidien *La Presse,* de Montréal, publiait régulièrement des caricatures humoristiques signées de la main d'un collaborateur spécial, André Pijet. Ses dessins, d'une qualité exceptionnelle, avaient fait beaucoup parler au sein de l'équipe, surtout après les deux premières défaites du Canadien à Québec.

Pijet avait notamment dessiné Jacques Demers en Napoléon qui rebroussait chemin, l'air penaud, à Montréal. Ce dessin faisant référence à une défaite célèbre de Napoléon, dans la campagne de Russie, qui avait marqué le début de ses... malheurs !

Plus tard, Pijet avait réalisé une caricature de Pierre Pagé coiffé d'un chapeau de Viking et s'amenant à Montréal au volant d'un rouleau compresseur avec des airs de conquérant. Les Nordiques menaient la série par 2-0 à ce moment.

Mais après la victoire finale du Canadien, André Pijet eut l'éclair de génie de dessiner Jacques Demers en Moïse. On apercevait *Moïse Demers* ordonnant aux eaux de s'ouvrir pour céder le passage aux élus de Dieu, c'est-à-dire le Canadien. Pendant que le Canadien marchait au milieu des eaux, les Nordiques de Pierre Pagé se voyaient engloutis par une mer… rouge !

Une caricature de Pijet qui a marqué l'imaginaire collectif québécois : Jacques Demers en Moïse, ouvrant la mer Rouge à ses troupes sous les yeux de Nordiques éberlués… (Illustration de Pijet)

De toutes les caricatures de Pijet, celle de *Moïse-Demers* fut sans doute son joyau. « Les caricatures de Pijet m'ont fait damner au début, mais je les ai trouvées beaucoup plus drôles par la suite », mentionne Demers en riant.

* * *

Vingt-quatre heures après avoir éliminé ses grands rivaux du Québec, Demers fit l'autopsie de sa victoire. Il parla d'une préparation en cinq étapes qui avait consisté à (1) alléger la pression en début de série, (2) insuffler une dose de positivisme au sein des troupes, (3) voir à ce que tout le monde soit bien concentré sur son travail, (4) s'ajuster aux différentes situations et (5) s'abandonner à tous les sacrifices pour gagner.

Demers encensa tous ses joueurs, il salua leur force de caractère et leur désir de réaliser de grandes choses en famille. La même journée, le gardien Patrick Roy, le héros des quatre victoires, tint un discours différent alors qu'il était questionné dans le vestiaire de l'équipe au Forum. « Durant cette série, déclara-t-il solennellement, notre meilleur joueur était debout, derrière le banc ! »

Roy venait de retourner l'ascenseur à Demers qui, au plus fort de la tempête, s'était levé pour l'appuyer sans réserve. Roy ne donna pas de détails, mais on perçut dans ses propos que sans le positivisme de Demers après le deuxième match à Québec, le Tricolore aurait pu facilement céder au découragement.

* * *

Pour la deuxième série, le Canadien devait affronter les Sabres de Buffalo, surprenants vainqueurs des Bruins en quatre matchs consécutifs, car ils n'avaient pas connu une saison à tout casser. Ils avaient terminé au quatrième rang de la division Adams, à 16 points du troisième rang détenu par le Canadien.

En saison régulière, le Canadien avait largement dominé la série de sept matchs, compilant une fiche de cinq victoires et deux revers. C'est toutefois contre les Sabres que le Canadien s'était fait humilier 8 à 2 en tout début de saison, ce qui avait provoqué la colère de Demers et l'avait incité à tenir un exercice à sept heures du matin.

Il ne fallait donc pas prendre l'équipe du pilote John Muckler à la légère. D'autant que les Sabres pouvaient compter sur le meilleur duo de gardiens de toute la LNH en Grant Fuhr et Dominik Hasek. Compte tenu de la relation entre Fuhr et Muckler du temps qu'ils gagnaient des coupes Stanley à Edmonton, le Canadien savait qu'il n'aurait pas à affronter Hasek puisque Fuhr était l'homme de confiance de Muckler.

En plus de Fuhr et de Hasek, les Sabres alignaient plusieurs joueurs de talent en Alexander Mogilny, Pat LaFontaine, Donald Audette, Dale

Hawerchuk et quelques autres. Pour le début de cette série, Demers lança d'ailleurs une mise en garde aux amateurs et, par ricochet, à ses propres joueurs :

« Ceux qui prétendent qu'on a gagné notre coupe Stanley en éliminant les Nordiques se trompent, déclara-t-il. Nous sommes beaucoup plus affamés que cela. Nous voulons au moins être les champions de notre division, la plus difficile de la LNH présentement. On n'a encore rien gagné. Nous nous remettons au travail car nous faisons face à une équipe bien reposée et qui a été dominante contre la meilleure équipe des derniers mois dans la LNH, les Bruins de Boston. »

La série s'amorça au Forum le 2 mai et dès la troisième minute de jeu, Benoît Brunet donna le ton en déjouant le vétéran Fuhr. Mais les Sabres répliquèrent aussitôt par l'entremise d'Alexander Mogilny.

Malgré la domination (35-22) des Sabres au chapitre des lancers, le Canadien enleva finalement le premier match par la marque de 4 à 3. C'était d'ailleurs la première d'une série de quatre victoires consécutives avec exactement le même score ! Vincent Damphousse inscrivit le but victorieux dans ce premier match.

Au cours des trois matchs suivants, les Sabres dominèrent le Canadien dans la colonne des tirs au but à chacune des rencontres, mais, encore une fois, Patrick Roy eut le dessus sur son vis-à-vis Fuhr.

Ainsi la troupe de Jacques Demers aligna-t-elle trois autres gains de 4 à 3 sur les Sabres et, dans chaque cas, la victoire fut acquise en prolongation ! Pour le Canadien, il s'agissait de ses troisième, quatrième et cinquième victoires en surtemps depuis le début des séries. Déjà le bruit courait dans la LNH que le Tricolore était à l'abri de la défaite en prolongation, protégé par ses fantômes ! Tour à tour, Guy Carbonneau, Gilbert Dionne et Kirk Muller procurèrent les victoires en prolongation.

Le but de Dionne alimenta particulièrement les discussions au cours du troisième match. Dionne avait légèrement effleuré la rondelle tirée par Patrice Brisebois de la ligne bleue. Aussitôt après avoir marqué, il pointa son index sur lui-même pour que tout le monde réalise que c'était lui et non Brisebois qui avait trompé la vigilance de Fuhr. Un geste un peu égocentrique dans les circonstances pour une équipe qui prêchait l'esprit de groupe !

Demers, un peu embarrassé quand il fut interrogé sur le geste de son joueur, était tout de même venu à sa rescousse : « C'est une erreur de jeunesse. Gilbert est un *sapré* bon *kid*, mais il a tendance à être un peu exubérant. L'important, c'est qu'on ait gagné, peu importe l'auteur du but victorieux. »

Après la série, le patron des Sabres, John Muckler, se montra élogieux envers Demers : « Nous avons essentiellement été battus par Roy, Muller et Damphousse, mais le Canadien forme une belle équipe. Une équipe avec de la profondeur et, surtout, une équipe bien dirigée. Ce gars-là (Demers) mérite aussi qu'on lui accorde le crédit. »

Venant d'un homme plutôt avare de compliments, il s'agissait d'une belle marque d'appréciation.

* * *

Le Canadien avait désormais atteint la finale de l'Association Prince-de-Galles et il ne lui restait qu'à connaître l'identité de son prochain adversaire. La série entre les Islanders de New York et les Penguins de Pittsburgh était à égalité 2-2. Demers savait que sa troupe en avait pour un certain temps avant de connaître le nom de l'équipe victorieuse. Puisque ses joueurs étaient cloîtrés à l'hôtel depuis le début des séries, il leur permit de regagner leur domicile pendant quelques jours, histoire de passer un peu de temps en famille.

La série Islanders-Penguins ne connut son dénouement que le 14 mai par une victoire surprise des Islanders sur les doubles champions en titre. C'est un but en prolongation de David Volek qui propulsa la troupe d'Al Arbour en finale de l'Association Prince-de-Galles pour affronter le Tricolore.

C'est à l'Auberge des Gouverneurs (aujourd'hui le Delta) au centre-ville de Montréal, où ils étaient revenus s'installer, que les joueurs du Canadien regardèrent le match final à la télévision. L'élimination de la meilleure équipe du hockey au cours des trois dernières années fut accueillie comme un vent d'air frais dans le camp tricolore. La porte s'ouvrait désormais à une participation possible à la grande finale de la coupe Stanley…

« Nous avions un respect énorme pour Mario Lemieux et son équipe, raconte Demers. Mais nous avions acquis beaucoup de confiance au cours de nos deux premières séries contre Québec et Buffalo. Rendus à ce point, nous n'avions pas de préférence. La seule chose qui changeait, c'est que la victoire des Islanders nous permettait d'amorcer la série à domicile. C'eut été le contraire si les Penguins avaient gagné.

« Mais pour être bien honnête, j'ai senti que la porte s'ouvrait en voyant les Penguins éliminés. Et j'ai senti l'excitation des joueurs lorsque nous nous sommes retrouvés dans le hall de l'hôtel après le match. Nous savions que nous n'aurions pas à affronter le duo de l'heure, formé de Mario Lemieux et Jaromir Jagr. Cela dit, on était prêts à tout. Nous respections les Islanders, mais je dois admettre qu'on les craignait moins que les Penguins. »

Les Islanders n'étaient quand même pas piqués des vers, eux qui alignaient les Pierre Turgeon, Steve Thomas, Benoît Hogue, David Volek, Pat Flatley, Claude Loiselle, Vladimir Malakhov, Uwe Krupp, Darius Kasparaitis, Ray Ferraro, Glen Healy et quelques autres. Et il y avait le vieux routier Al Arbour, une légende du hockey qui avait gagné à profusion dans les séries et qui était un modèle pour Demers. « De tous les entraîneurs que j'ai affrontés en séries, je crois que c'est pour Al Arbour que j'ai éprouvé le plus grand respect », mentionne-t-il.

La série prit son envol le 16 mai au Forum, soit huit jours après la victoire du Canadien contre les Sabres. Dès le départ, le Canadien, reposé, ne fit qu'une bouchée de ses rivaux (4 à 1) dans un match où les Islanders ne semblaient pas encore avoir récupéré de leur longue série précédente.

* * *

Au cours de cette série, Demers discutait quotidiennement avec ses adjoints Jacques Laperrière, Charles Thiffault et François Allaire, mais il tenait aussi régulièrement des réunions avec son patron Serge Savard et ses adjoints André Boudrias et Jacques Lemaire. Après le premier match à Montréal, Demers eut une décision importante à prendre au sujet de son joueur de centre Stephan Lebeau.

Lebeau avait raté tous les matchs de la série contre les Sabres et il n'avait pas non plus disputé le sixième match contre les Nordiques. Il avait été sérieusement ébranlé par une mise en échec de Steven Finn au cinquième match à Québec et il ressentait encore des douleurs à une cheville.

Demers avait l'intention de réinsérer Lebeau dans la formation, mais certains membres de l'organisation pensaient le contraire. Le Canadien avait aligné six victoires consécutives sans Lebeau et on ne voyait pas pourquoi le pilote désirait modifier une combinaison gagnante.

« Ce matin-là, se rappelle Demers, je suis allé voir Jacques Lemaire. Pour moi, Lemaire constituait un troisième adjoint même si, dans les faits, il secondait Serge Savard à la direction générale de l'équipe. J'ai expliqué à Jacques que Lebeau était en mesure de revenir au jeu et que je me sentais très à l'aise de faire appel à ses services. Jacques m'a regardé droit dans les yeux et il m'a dit : "Si tu te sens à l'aise avec Lebeau, si tu ressens un bon *feeling*, fais-le. C'est ta décision. Ça t'appartient." »

Pourquoi relater cette conversation avec Lemaire ? Simplement parce que, à l'occasion de la rédaction de ce livre, Jacques Demers tenait à parler de l'autre Jacques, celui que plusieurs craignaient au Forum et qui, pour certains, s'avérait une menace pour un entraîneur.

« Lemaire n'a jamais commis d'ingérence dans mon travail, assure Demers. Pour moi, c'était un conseiller précieux. Je n'avais pas à craindre sa présence, car, au fond, s'il avait voulu le job d'entraîneur du Canadien lorsque Pat Burns est parti, c'est lui qui l'aurait eu.

« Il m'est arrivé en quelques occasions de lui demander de venir sur la glace pour discuter ou travailler avec les joueurs. Jamais il n'a accepté. Jacques voulait demeurer effacé. Mais c'était toute une *tête de hockey* et je me serais trouvé stupide de ne pas faire appel à ses connaissances lorsque j'en ressentais le besoin. Je n'ai travaillé qu'une saison avec Jacques Lemaire et je peux affirmer qu'il fut d'une aide fantastique. J'éprouve le plus grand respect pour lui. Et je tenais à le dire. »

Ce qui est fait.

* * *

Comme il le souhaitait, Demers fit appel à Lebeau au cours du second match contre les Islanders. Et sa décision eut l'effet d'un coup de génie.

Ce soir-là, à Montréal, Lebeau marqua deux buts dont celui de la victoire en deuxième période de prolongation. Il obtint un total de six tirs au but, un sommet chez le Canadien. « J'étais passablement fier de ma décision », pavoise Demers.

Malheureusement, la cheville de Lebeau le faisait encore souffrir au lendemain de ce match impressionnant et il dut rater les deux matchs suivants.

* * *

Le Canadien flottait sur un nuage à l'issue de cette deuxième victoire. La perspective d'atteindre la finale de la coupe Stanley était de plus en plus présente dans l'esprit des joueurs et de la direction de l'équipe.

Avant de partir pour Long Island, le Canadien tint un entraînement à l'Auditorium de Verdun, le Forum ayant été réservé pour un événement-spectacle. C'est au cours du trajet en autobus entre le Forum et l'Auditorium de Verdun que Demers fut pris en flagrant délit par ses propres joueurs. L'atmosphère était détendue et le ton était à la rigolade. Constatant que Demers avait revêtu son survêtement du Canadien afin de diriger l'entraînement, les joueurs s'étaient passé le mot pour vérifier son implication dans l'équipe.

À l'arrière de l'autobus, on chuchotait et on rigolait. On se préparait à prendre le *coach* en défaut. Tous les joueurs en avaient été informés. À un certain moment, le vétéran Kirk Muller se leva et il se dirigea vers l'avant de l'autobus où était assis Demers. Le fixant droit dans les yeux, Muller, d'un ton grave le somma de lui présenter sa carte plastifiée, sur laquelle était inscrit, rappelons-le, *We are on a mission. We are making a team commitment in 1993.*

Comme tous les autres membres de l'organisation, Demers devait l'avoir en tout temps sur lui. C'était l'entente de départ. Depuis le début des séries, les joueurs avaient accumulé plusieurs centaines de dollars en amendes pour avoir omis de suivre la consigne. Demers était de ceux qu'on n'avait pu prendre en défaut jusque-là, mais, cette fois, les joueurs croyaient que leur entraîneur passerait à la caisse. Et ils avaient raison ! Constatant la faute, les joueurs éclatèrent de rire et Muller eut droit à une bonne main d'applaudissements !

« J'ai dit à Jacques pour lui tirer la pipe : "Ton plan ne marchera pas si tu ne respectes pas toi-même les consignes", raconte Muller. On l'a bien eu cette fois-là. »

Demers encore embarrassé, commente à son tour : « J'avais oublié de mettre ma carte dans la poche de mon survêtement. J'étais gêné en *tabarouette* ! J'ai payé mon 50 *piastres* d'amende, mais je me suis promis qu'ils ne me prendraient plus de la sorte. »

Michèle Lapointe, que tout le monde appelait *Mimi* et qui accompagnait l'équipe dans tous ses déplacements à titre de directrice des relations avec les médias, se souvient également de l'anecdote : « Les joueurs ont eu vraiment du plaisir avec cette histoire de carte. Tous les membres de l'organisation aussi. Tout le monde a vraiment embarqué dans ce petit jeu. On était toujours sur les nerfs ! Heureusement pour moi, j'avais toujours mon sac à main avec moi. Mais avant de partir, je vérifiais continuellement si ma carte y était, de façon à ne pas me faire prendre.

« Cette histoire de carte était devenue une vraie *joke*, ajoute-t-elle. L'idée était banale en soi, mais elle était géniale. Ça resserrait les liens et ça mettait de l'ambiance au sein de l'équipe lorsqu'un joueur ou un dirigeant l'avait oubliée. »

Après cet incident, les joueurs tentèrent bien en quelques occasions de prendre leur entraîneur en défaut, mais chaque fois ils frappèrent dans le vide. « J'avais eu ma leçon », ricane Demers.

* * *

La série finale de l'Association Prince-de-Galles se déplaçait à Long Island, – où les Islanders avaient connu tant de succès au début des années 1980. Dans un match dominé par les Islanders, le Canadien réussit à s'en tirer avec les honneurs de la victoire grâce à Patrick Roy, mais aussi grâce à son vétéran capitaine Guy Carbonneau, qui scella l'issue du match en prolongation.

Il s'agissait de la onzième victoire consécutive du Canadien et de sa septième en prolongation. Cette poussée irrésistible constituait deux records dans la LNH. Jamais auparavant une équipe n'avait aligné onze victoires consécutives en séries, pas plus qu'aucune équipe n'avait obtenu sept victoires en prolongation.

Deux jours plus tard, le Canadien, amorphe, s'inclina par la marque de 4 à 1. Plus que la partie, le Tricolore perdit les services de son vétéran Denis Savard, blessé au pied droit après avoir bloqué un tir d'un rival. « Je me suis pris pour Guy Carbonneau, moi qui ne bloquais jamais de lancer. J'aurais dû me mêler de mes affaires », ironise Savard aujourd'hui.

S'il avait subi une légère fracture, il n'avait toutefois pas l'intention d'abdiquer. Savard avait été un joueur fabuleux au cours de sa longue carrière, mais il avait passablement ralenti en cette saison 1992-1993. Il avait 32 ans, mais semblait encore s'amuser. Jusque-là, il ne connaissait pas des séries exceptionnelles, mais son enthousiasme était une contribution certaine. Il était apprécié de tous ses coéquipiers. Avec le Canadien, cette année-là, il avait enfin l'occasion de remporter la coupe Stanley, lui qui au cours de ses nombreuses années à Chicago n'avait pas eu cette chance.

S'il y avait un joueur au sein de l'équipe pour qui les joueurs désiraient gagner la coupe Stanley, c'était Denis Savard. En quelque sorte, les joueurs du Tricolore éprouvaient le même sentiment envers lui que ceux de l'Avalanche du Colorado envers Raymond Bourque en 2001.

Perdre les services de Savard n'était pas une bonne nouvelle pour le moral des troupes. Mais le petit magicien sur patins n'avait pas dit son dernier mot. Malgré la douleur, il était à son poste pour le cinquième match de la série, présenté au Forum devant un public conquis, malgré le revers subi au quatrième match à Long Island.

En ce soir du 24 mai, le Canadien répéta son scénario du sixième match face aux Nordiques en dominant les Islanders par 5 à 2. Les hommes de Jacques Demers prirent même les devants par la marque de 5 à 0 après 35 minutes de jeu !

Il s'agissait de la douzième victoire du Canadien à ses 13 derniers matchs en séries. Par ses performances, l'équipe ressemblait étrangement aux fabuleuses formations des années 1970 où le Canadien se débarrassait de ses rivaux avec une facilité déconcertante.

L'équipe était devenue la coqueluche de Montréal et l'entraîneur Jacques Demers était de plus en plus considéré comme le Houdini du hockey. Un sondage CROP-La Presse le confirma, quelques heures après l'élimination des Islanders : Demers était considéré comme le principal responsable des succès de l'équipe, avant même Patrick Roy !

Comme elle l'avait fait après les victoires contre Québec et contre Buffalo, l'organisation du Canadien salua l'élimination des Islanders par un souper bien arrosé en compagnie de toutes les conjointes des membres de l'équipe. C'était une pratique qui avait été instaurée sur la recommandation de Demers.

« C'est une des principales qualités que je retiens de Jacques Demers, mentionne Jean-Jacques Daigneault. Jacques nous traitait comme des personnes et pas seulement comme des joueurs. Il a impliqué les membres de nos familles dans le succès de l'équipe. Il savait que les femmes faisaient aussi des sacrifices et qu'elles constituaient des personnes importantes dans la vie des athlètes. Il leur a donné de l'importance et autant les joueurs que leurs conjointes ont grandement apprécié. »

Comme au tour précédent, le Canadien dut attendre une bonne semaine avant de connaître l'identité de son adversaire en finale. Quoi qu'il advienne, on était cependant assuré d'assister à une finale excitante puisque les finalistes dans l'Association Clarence-Campbell étaient les Kings de Los Angeles et les Maple Leafs de Toronto.

Si du côté des Kings on retrouvait le meilleur joueur de tous les temps en Wayne Gretzky, la perspective d'affronter les Leafs n'était pas vilaine non plus puisqu'un dénommé Pat Burns était à la barre de l'équipe – ce même Burns qui avait quitté le Canadien précipitamment au mois de mai précédent, ce qui avait ouvert la porte à Jacques Demers.

Dans un cas (Kings) comme dans l'autre (Maple Leafs), on pouvait s'attendre à une finale Stanley fertile en émotions…

Lettre U

À tous mes joueurs de l'édition 1992-1993

Comment oublier cette si merveilleuse bande de joueurs de l'édition 1992-1993 du Canadien avec qui j'ai réalisé mon grand rêve de soulever la coupe Stanley en plein centre du Forum de Montréal au printemps de 1993.

De toutes les équipes que j'ai dirigées dans les rangs professionnels, c'est au sein de cette formation de 1992-1993 à Montréal que j'ai ressenti le plus d'unité, de discipline, d'énergie, et j'ajouterais d'amour !

Tout au long de ma carrière, j'ai aspiré à réunir un groupe de joueurs autour d'une même cause, à former une famille avec mon équipe. J'y suis parvenu en quelques occasions, mais jamais comme en 1992-1993.

Pour y arriver, je comptais sur l'implication de vous tous, les 28 joueurs que j'ai utilisés, et en particulier sur des leaders incroyables comme Kirk Muller, Éric Desjardins, Patrick Roy, Mike Keane, Lyle Odelein, Vincent Damphousse, Denis Savard, Jean-Jacques Daigneault et plusieurs autres.

À vrai dire, tout le monde avait sauté à bord de l'autobus cette année-là. Du joueur d'utilité à la vedette de l'équipe, en passant par nos soigneurs, notre personnel de soutien, l'équipe médicale, la haute direction, mes adjoints, bref nous formions un groupe vraiment spécial.

Je remercie les joueurs pour leur implication complète et entière, je les remercie d'avoir acheté ma recette, je les remercie d'avoir fait passer l'équipe avant toute autre considération, je les remercie pour leur patience, eux qui parfois devaient être mélangés lorsque je tentais d'expliquer des choses au tableau du vestiaire ! J'imagine qu'ils comprennent aujourd'hui, en lisant ce livre, pourquoi je me limitais à ne faire que des X et des O sur le tableau !

En 2003, soit dix ans après notre conquête, nous avons participé à une soirée de retrouvailles au cours de laquelle la grande majorité des joueurs étaient présents. Nous avons bavardé et eu du plaisir ensemble comme si nous ne nous étions jamais laissés. C'est un signe évident que cette bande avait tissé des liens solides et sincères. J'étais ravi de voir tout cela dix ans plus tard.

Je tiens à vous dire en terminant que je vous dois beaucoup, car c'est grâce à vous si j'ai goûté à ce que pouvait ressembler le bonheur un soir de juin 1993 au Forum de Montréal.

Merci à tous.

Jacques

Chapitre 22

Le triomphe de toute une vie

La foule en délire s'étendait sur quatre kilomètres entre la rue Atwater et le parc Lafontaine. C'était à perte de vue. On estimait à plusieurs centaines de milliers le nombre d'amateurs qui s'étaient déplacés en ce vendredi 11 juin 1993, pour assister au défilé des champions sur la rue Sherbrooke à Montréal. Certains avançaient même le chiffre de 500 000 personnes. Une véritable marée humaine.

Les gens étaient entassés le long de la rue, mais il y en avait aussi qui étaient juchés sur les balcons, les toits d'édifice et même sur les autos et les lampadaires. Personne ne voulait rater l'événement qui célébrait la 24e conquête de la coupe Stanley du Canadien.

La victoire finale avait été confirmée deux jours plus tôt, sur le coup de 22 h 15, dans un Forum de Montréal en liesse. À l'extérieur toutefois, une émeute avait éclaté et plusieurs magasins de la rue Sainte-Catherine avaient été endommagés et même pillés.

Le Canadien de Jacques Demers avait achevé son étonnant parcours en expédiant les Kings de Los Angeles et Wayne Gretzky en cinq parties. Depuis ses deux premières défaites à Québec, le Tricolore avait connu un parcours quasi sans faille, sinon renversant. Il avait récolté seize victoires et subi seulement deux défaites. Dix de ses victoires avaient été acquises en prolongation. Du jamais vu.

La LNH ne pouvait écrire un meilleur scénario que celui-là : en cette année du 100e anniversaire de la coupe Stanley, c'est son équipe la plus prestigieuse et la plus couronnée qui allait festoyer.

Pour le défilé, les joueurs et les dirigeants furent répartis sur une vingtaine de fardiers qui déambulèrent à la queue leu leu, rue Sherbrooke. Jacques Demers était assis dans l'un de ceux-là, en compagnie de Kirk Muller, Denis Savard, Guy Carbonneau et Rob Ramage notamment. C'est à l'intérieur de leur char allégorique que se trouvait le précieux calice d'argent, durement arraché à la suite de plusieurs batailles épiques.

Demers saluait la foule généreusement de la main. Puis, lorsque son tour venait, il saisissait la coupe Stanley et la soulevait au bout de ses bras, ce qui provoquait un concert d'acclamations qui frisait l'hystérie collective.

Dans cette foule, il y avait une toute petite dame de 71 ans qui avait fait le trajet en autobus de Ville Saint-Laurent au centre-ville de Montréal pour ne rien manquer des célébrations. Elle était arrivée très tôt de façon à obtenir une place de choix aux abords de la rue. Elle s'était installée au coin des rues Sherbrooke et Université pour applaudir les héros du jour.

Lorsque le fardier transportant Jacques Demers passa à sa hauteur, elle se mit à crier à tue-tête et à balancer ses mains dans toutes les directions, de façon que l'entraîneur du Canadien la remarque. Mais les clameurs de la foule étaient trop puissantes pour que Jacques puisse la distinguer au travers des fêtards. Pire encore, à ce segment du parcours, Demers avait pris place de l'autre côté du mastodonte, de sorte qu'il tournait le dos involontairement à la septuagénaire qui s'époumonait.

Qu'à cela ne tienne, la dame était émue aux larmes de le voir si heureux. Et, à plusieurs égards, on pouvait la comprendre. Elle seule savait ce que Demers avait dû vivre pour en arriver là. Plusieurs années plus tôt, elle avait été si proche de celui que tout le monde portait maintenant en triomphe. Ce petit bout de femme avait de quoi s'enorgueillir.

Oui, tante Jeannette était très fière en cet après-midi du 11 juin 1993 sur la rue Sherbrooke. Son neveu Jacques, celui qui avait tant de fois parcouru ce trajet pour aller la visiter les fins de semaine dans sa jeunesse, venait d'être élevé au rang de héros.

« Que de chemin parcouru et quelle belle réussite que sa vie, me suis-je alors dit, raconte la tante adorée du pilote du Canadien. Il est passé devant moi, mais il regardait de l'autre côté. Il ne m'a jamais vue ! précise la dame qui a aujourd'hui 83 ans.

« J'étais tellement fière de lui que je me suis mise à raconter aux gens autour de moi que ce garçon était mon neveu. Je ne faisais jamais ça mais là, c'était plus fort que moi ! Le pire de l'histoire, c'est que les gens ne me croyaient pas. Ils me regardaient avec un air étrange et ils semblaient se dire : "Regarde la vieille, elle se fait des accroire !" »

Jacques Demers confie à son tour : « C'est le seul mauvais souvenir que je conserve de ce défilé. Il y avait tellement de monde que ça nous était impossible de reconnaître qui que ce soit. Plus tard, j'ai dit à tante Jeannette qu'elle aurait dû m'informer où elle se trouvait dans la ville. J'aurais tellement aimé voir ses yeux au moment où je brandissais la coupe Stanley. Si je l'avais aperçue, j'aurais levé la coupe juste pour elle. Je savais que si je pouvais vivre un tel moment, tante Jeannette y était pour beaucoup… »

* * *

Le Canadien s'était donc mesuré aux Kings en finale à la suite de la victoire de ces derniers contre les Maple Leafs de Toronto au septième match. À l'instar du Canadien dans l'Association Prince-de-Galles, les Kings avaient causé une surprise dans l'Association Clarence-Campbell en obtenant leur laissez-passer. Les équipes de Chicago, Detroit, Vancouver, Toronto et Calgary étaient nettement favorites, davantage en tout cas que la bande à Gretzky, mais les Kings avaient fait fi des sombres prédictions des experts.

Cette équipe, nouvellement dirigée par Barry Melrose, ne présentait d'ailleurs pas une vilaine formation avec les Gretzky, Robitaille, Sandstrom, Kurri, Carson, Blake, Zhitnik, Sydor, Granato, McSorley, Hrudey...

Melrose avait joué sous les ordres de Demers à Cincinnati, dans l'Association mondiale au milieu des années 1970. Les deux hommes se retrouvaient une vingtaine d'années plus tard. Melrose était une grande gueule à la crinière abondante qui semblait s'amuser comme un adolescent derrière le banc des Kings. Il avait toujours le don de divertir les journalistes et leur donnait de la *bonne copie*.

Avant la série, le nouveau pilote des Kings y alla de quelques déclarations à l'endroit de son vis-à-vis : ce jour-là, il vanta les mérites de Demers, mais de façon plutôt sarcastique. Aux journalistes qui l'interrogeaient, il déclara : « Jacques Demers est le meilleur entraîneur de la LNH… avec les médias ! Au fond, Jacques réussit à vous faire manger dans sa main. »

Il en avait du front ce Melrose et, en prenant connaissance de ses propos, Demers éclata de rire. Il connaissait le personnage. « Barry a toujours aimé beaucoup parler », commenta-t-il simplement.

Quoi qu'il en soit, les Kings entendaient bien poursuivre leur « opération démolition » au Canada en affrontant Montréal, après avoir défait les autres villes canadiennes, Calgary, Vancouver et Toronto.

Malgré la fatigue d'une longue et difficile série contre Toronto, ils montrèrent clairement de quel bois ils se chauffaient dès la rencontre initiale.

Avant ce premier match, on présenta la fameuse coupe Stanley sur la glace du Forum. C'est nul autre que l'idole de Jacques, Henri Richard, qui apporta le précieux trophée au centre de la patinoire sous les applaudissements nourris du public. Demers en fut fort ému.

Au cours de son discours d'avant-match, il fit rigoler tous ses joueurs dans le vestiaire. C'est Kirk Muller qui raconte l'anecdote.

« Comme il le faisait avant chaque série, Jacques prononça un discours très enflammé. Ce soir-là, il insista sur le fait que nous devions saisir notre chance de faire partie de la grande histoire du Canadien puisque nous n'en étions plus qu'à quatre victoires d'une conquête. Mais Jacques insista aussi sur le fait que le plus difficile était à venir, que ces quatre victoires ne nous seraient pas offertes sur un plateau d'argent.

« Alors il a lancé : "*Guys, listen : this is the Stanley Cup final and this is time to separate the men from the boys. We are men and we will win this cup.* (Écoutez les gars : nous sommes en finale de la coupe Stanley et c'est le temps de séparer les hommes des enfants. Nous sommes des hommes et nous allons gagner cette coupe.)" Mais il termina son discours en lançant : "*Let's go... boys !*" ricane Muller. Les joueurs étaient tordus de rire dans le vestiaire devant un tel lapsus. »

Demers en rit encore : « Ce n'était pas ma meilleure conclusion. Des joueurs m'en parlent encore aujourd'hui. »

Même si le Forum était d'un enthousiasme débordant, les visiteurs ne furent pas du tout intimidés par le public montréalais au cours du premier match. Les Kings l'emportèrent facilement par 4 à 1 devant une foule stupéfaite. C'était la première défaite du Canadien à domicile depuis le début des séries. Luc Robitaille marqua deux fois, mais la vedette incontestée du match fut Gretzky, qui participa à tous les buts des siens (un but et trois mentions d'aide). Gretzky marqua même le but... du Canadien en faisant dévier une passe d'Ed Ronan dans son propre filet. Il eut alors droit aux acclamations du public. *La Merveille* en était à sa cinquième saison dans la ville du cinéma et il avait bien l'intention d'offrir à ses nouveaux supporteurs une conquête. Du reste, il semblait bien décidé lors de ce premier match.

Patrick Roy connut un match ordinaire en ce lever de rideau, mais il avait une très bonne raison pour expliquer son manque de concentration :

immédiatement après la rencontre, il dut prendre le chemin de l'hôpital avec sa femme qui s'apprêtait à donner naissance à un troisième enfant. La petite Jana est née le lendemain matin à 7 h 50.

Pour cette première rencontre, Jacques Demers avait choisi d'opposer son vétéran Kirk Muller à Gretzky. Mais visiblement la manœuvre ne fonctionna pas.

Pendant ce temps, le capitaine Guy Carbonneau rongeait son frein. Ce spécialiste des missions défensives était réduit à jouer un rôle plus obscur. Mais il n'avait pas l'intention d'en rester là.

Au lendemain de la défaite, il sollicita une réunion avec son entraîneur. Ses intentions étaient claires. Il voulait que Demers lui donne la responsabilité de surveiller Gretzky. Rien de moins !

« Jacques aimait bien opposer un trio offensif à un trio offensif, se rappelle Carbonneau. Il avait droit à sa philosophie et, dans l'ensemble, il avait plutôt bien réussi avec cette approche. Mais selon moi, Gretzky n'était pas un adversaire comme les autres. Ce matin du 2 juin, au lendemain de notre défaite, je suis entré dans son bureau et j'ai plaidé ma cause. Toute ma carrière, j'avais surveillé de bons joueurs. Et pour moi, Gretzky, en pleine finale de la coupe Stanley, représentait le plus beau défi de ma carrière. Ce n'était pas une question d'ego. J'avais la conviction que je pourrais faire le travail et aider mon équipe à gagner. »

Après quelques minutes de discussion, Carbonneau gagna son point. Pour le deuxième match, c'est lui qui aurait la responsabilité de surveiller Gretzky. Il ajoute : « Jacques a toujours gardé sa porte ouverte pour les joueurs. Il a toujours été ouvert aux suggestions. Je lui ai présenté mes arguments et il les a acceptés. Cela traduit très bien ce qu'il était comme entraîneur : capable de s'ajuster aux situations tout en étant à l'écoute de ses joueurs. »

Si Carbonneau se voyait confier un rôle accru pour le deuxième match, il en fut tout autrement pour Denis Savard. Ce dernier, blessé à une cheville lors du quatrième match contre les Islanders, avait tout de même participé à la cinquième partie de cette série et il avait disputé le premier match de la finale. Mais sa cheville fracturée ne réussissait plus à tenir le coup. Le cœur en broussaille, il informa ses patrons de son incapacité de jouer.

Ne faisant ni une ni deux, Demers se tourna vers lui pour l'inviter à se joindre à ses côtés pour le reste de la série à titre d'entraîneur adjoint. Ce que le petit attaquant accepta sans hésitation.

« Je pense que c'est au cours des séries de 1993 que j'ai pris goût au *coaching*, mentionne Denis Savard, qui fait partie du personnel d'entraîneurs des Blackhawks de Chicago depuis maintenant sept ans. J'ai commencé à assister aux réunions des entraîneurs avec Jacques Demers et j'aimais ça. De plus, ça me permettait de rester impliqué au sein de l'équipe.»

Demers explique de son côté : «Denis faisait partie de la belle aventure depuis le début et il fallait qu'il demeure avec le groupe jusqu'à la fin. De plus, il s'avérait une belle addition pour Jacques Laperrière, Charles Thiffault et moi puisqu'il avait beaucoup d'expérience. Il avait notamment joué presque toute sa carrière dans l'Ouest contre Gretzky, Robitaille, Kurri et les autres.»

Avant le début du second match, Demers insista auprès de ses joueurs pour accorder une attention particulière à Gretzky, qui avait dominé outrageusement au cours de la première rencontre. La pression était forte sur le Canadien, qui ne pouvait se permettre de prendre un recul de 0-2 dans la série. «Il faut frapper Gretzky à tout moment», martela Demers.

Ce à quoi Kirk Muller rétorqua en riant : «*Hit Gretzky, Hit Gretzky, fine... but, You go hit him!* (Frapper Gretzky, frapper Gretzky, bien d'accord mais... vas-y pour voir!)» La réplique de Muller détendit l'atmosphère dans un vestiaire nerveux. Même Demers éclata de rire, reconnaissant par là que le fameux numéro 99 des Kings était très difficile à neutraliser.

Le Canadien entreprit le second match en force, mais il se buta au gardien Kelly Hrudey, qui connut son meilleur match de la série. Après deux périodes de jeu, le Tricolore dominait par 28-14 au chapitre des tirs au but, mais les Kings étaient en avance par 2 à 1 dans le match, en excellente position de quitter Montréal avec une priorité de deux victoires.

La troupe de Jacques Demers continua d'attaquer dès les premiers instants de la troisième période, mais Hrudey se montra encore intraitable, permettant aux Kings de préserver leur mince avance. Il ne restait que deux minutes à écouler aux trois périodes régulières et les hommes de Barry Melrose menaient encore par le score de 2 à 1.

Demers prit alors la décision la plus audacieuse de toute sa carrière. Avec 1 heure 45 minutes à écouler, il fit signe à l'officiel Kerry Fraser au cours d'un arrêt de jeu. Fraser se dirigea vers le banc du Canadien où il apprit que l'entraîneur désirait procéder au mesurage du bâton du défenseur Marty McSorley.

La manœuvre était risquée. Si Demers avait raison, McSorley se voyait infliger une pénalité mineure. Dans le cas contraire cependant, c'est le Canadien qui se serait retrouvé à court d'un homme.

L'officiel s'exécuta et le bâton de McSorley, au grand plaisir du Canadien et de la foule, fut déclaré irrégulier, la courbe de sa palette ayant été jugée trop prononcée !

Du coup, le Canadien se retrouvait avec l'avantage numérique d'un homme, mais Demers décida de jouer le tout pour le tout. Il commanda un temps d'arrêt pour réunir ses hommes au banc et en profita pour retirer son gardien Patrick Roy à la faveur d'un sixième attaquant. Trente-deux secondes plus tard, Éric Desjardins déjoua la vigilance de Hrudey pour inscrire son deuxième but du match et ainsi créer l'égalité. Aux quatre coins du Forum, on hurlait sa joie et on criait au génie ! En fait, seuls les Kings étaient en rogne contre Jacques Demers.

Les deux équipes se contentèrent de jouer prudemment le reste de la période, de sorte que le match alla en période de prolongation.

Transporté encore par sa bonne fortune en surtemps (et sans doute aussi par les fantômes du Forum ou les saints du ciel), le Canadien ne mit que 57 secondes à régler le sort des Kings par l'entremise d'Éric Desjardins. Ce dernier devenait le premier défenseur de l'histoire à inscrire un tour du chapeau en finale de la coupe Stanley.

Inutile de dire que Demers fut largement critiqué par les Kings après la rencontre. Certains médias laissèrent entendre que le Canadien avait triché et qu'il avait mesuré le bâton de certains joueurs des Kings avant le match. N'empêche que cette décision allait changer l'allure de la série…

« Trois ou quatre de mes joueurs m'ont dit au cours du match que plusieurs joueurs des Kings jouaient avec des bâtons illégaux, raconte Demers. Guy Carbonneau était de ceux-là. Il me disait que McSorley était le cas le plus flagrant. Ça me chicotait, mais j'hésitais à demander un mesurage. On n'est jamais certain à 100 pour cent dans un cas comme celui-là. Mais nous tirions de l'arrière par un but à la fin de la rencontre et il fallait que j'agisse. Je l'ai fait et… j'ai gagné.

« Je peux affirmer aujourd'hui que nous n'avons pas triché. Nous n'avions pas vérifié la courbe des bâtons des Kings. En tout cas, si quelqu'un l'a fait, Serge Savard et moi n'en avons jamais été informés. J'ai eu l'occasion d'en rediscuter avec Marty à l'occasion du match des étoiles à New York en 1994. Il a compris mon point de vue. »

Non seulement le Canadien gagna le match grâce à cette audacieuse décision, mais une autre décision de Demers s'avéra tout aussi heureuse : Guy Carbonneau, le nouveau couvreur de Wayne Gretzky, réduisit complètement son rival au silence. Gretzky ne récolta aucun point et n'obtint qu'un seul tir au but. Le message de Demers avait porté fruit. Le Canadien n'avait pas ménagé *La Merveille*. Pour son travail, Carbonneau fut choisi comme troisième étoile de la rencontre, derrière Desjardins et Hrudey.

* * *

La série se transporta à Los Angeles sur fond de controverse, alors que les quotidiens de la Californie accusaient Demers de tous les péchés de la terre. Les partisans des Kings étaient d'ailleurs en furie contre le pilote montréalais.

À la veille du troisième match, Demers était installé dans sa chambre d'hôtel à Los Angeles lorsque le téléphone se fit entendre. Une voix l'invitait à ouvrir sa porte de chambre où un «cadeau» l'attendait.

Demers s'exécuta aussitôt après avoir raccroché. En ouvrant sa porte, il aperçut un carrosse dans lequel on avait installé une poupée en plastique qui était en train de téter une sucette ! On y avait posé une carte sur laquelle était inscrit *Tu es un gros bébé* !

«C'est sûrement un partisan des Kings qui m'a fait le coup, raconte Demers en riant. On n'était pas content à Los Angeles du mesurage que j'avais demandé, mais je persiste à croire que c'était la bonne chose à faire pour sortir mon équipe du pétrin.

«Je pense que je vais entendre parler de cette décision pour le restant de mes jours, rigole-t-il. Pourtant, ce fut une décision comme une autre. Il n'y a pas d'astérisque à côté de nos noms sur la coupe Stanley pour dire que nous avons gagné de façon déloyale.»

Malgré tout, l'atmosphère à Los Angeles était à la fête. Les Kings participaient à la finale pour la première fois de leur histoire et toutes les personnalités avaient embarqué dans l'aventure de l'équipe. Au Great Western Forum, le domicile des Kings, on pouvait croiser de multiples vedettes tels Ronald Reagan, Goldie Hawn, Kurt Russell, Andre Agassi, John Candy, James Wood, Sylvester Stallone, Mary Hart, Susan Sarandon et plusieurs autres.

Devenu maître de la prolongation, le Canadien ne se laissa pas intimider par la présence du jet-set hollywoodien. Le miracle des prolongations se produisit encore et encore, lui permettant d'inscrire deux autres victoires, ses 9e et 10e, devant une foule médusée. Et dans les deux occasions, c'est John LeClair qui se déguisa en Maurice Richard pour marquer les buts victorieux.

Patrick Roy fut le grand responsable de la victoire au second match sur la glace des Kings en multipliant les acrobaties. Il repoussa notamment dix lancers des Kings au cours de la prolongation. C'est lors de cette période qu'il fit un clin d'œil mémorable à Tomas Sandstrom qu'il venait de frustrer en plusieurs occasions.

Le Canadien quitta ainsi la ville du cinéma avec une confortable avance de 3-1 dans cette série finale.

* * *

Un incident plutôt cocasse se produisit entre le troisième et le quatrième match à Los Angeles. À l'étranger, l'organisation du Canadien avait l'habitude de planifier pratiquement toutes les allées et venues des joueurs de façon qu'ils ne soient pas trop importunés par des éléments extérieurs. La coutume voulait que la veille des matchs l'équipe prenne ensemble un copieux repas dans un restaurant de la ville.

Demers avait entendu parler du fameux restaurant Spago, à Beverley Hills, qui s'avérait un refuge culinaire pour le monde artistique de Los Angeles. Cet établissement était dirigé par le grand chef international, Wolf Gang Puck, qui y servait de la fine cuisine contemporaine américaine. N'entrait pas au Spago qui voulait. Il fallait avoir une réservation et encore, les dirigeants triaient leur clientèle sur le volet.

De façon à impressionner ses joueurs, Demers était intervenu auprès du propriétaire des Kings, Bruce McNall, pour obtenir une réservation. McNall avait ses entrées à Los Angeles et il avait intercédé auprès de l'établissement, réussissant à accommoder le pilote du Canadien.

Fier comme un paon, Demers annonça à ses joueurs après l'entraînement qu'il les emmenait souper dans un endroit extraordinaire. Le Spago était en effet un restaurant haut de gamme, mais sa cuisine était davantage conçue pour une clientèle anorexique d'Hollywood !

Reconnus pour être de gros mangeurs, les joueurs avaient plutôt l'habitude de fréquenter les grands *steak houses* où ils pouvaient pratiquement bouffer une fesse de bœuf à eux seuls ! Ce n'était pas le cas du restaurant de Beverly Hills.

Ce soir-là au très chic Spago, les joueurs furent renversés par la maigreur des portions qui meublaient chichement chacune des assiettes. En pleine finale de la coupe Stanley, où chacun avait besoin d'une bonne source d'énergie protéinique, ce n'était pas vraiment une bonne idée de fréquenter ce restaurant spécialisé pour les estomacs... de gringalet ! La nourriture était très bonne, excellente même, mais elle n'était pas suffisamment abondante pour contenter une clientèle de joueurs de hockey affamés.

« Ça coûtait *un bras* et il n'y avait rien dans les assiettes, se souvient en riant Michèle Lapointe qui d'ordinaire choisissait les restaurants. Au retour de l'équipe à l'hôtel, les joueurs se dépêchaient de monter aux étages afin de pouvoir commander un lunch par le biais du service aux chambres ! Le lendemain dans l'autobus, les joueurs taquinèrent Jacques à profusion. Tout le monde lui disait : "La prochaine fois, Jacques, laisse donc faire Mimi pour choisir le restaurant !" »

Ce que Demers s'engagea à faire volontiers dans l'éventualité où son équipe aurait à retourner à Los Angeles. « Disons que ça n'a pas été un succès mon affaire ! ricane Demers. Toutefois, Mimi aurait au moins pu dire que le grand chef Wolf Gang Puck nous avait cuisiné de beaux petits desserts en forme de rondelle ! Mais je dois reconnaître qu'un dessert de la grosseur d'une rondelle de hockey, ce n'était pas très nourrissant pour un joueur de hockey. Il en aurait fallu une demi-douzaine dans chaque assiette pour les rassasier. »

* * *

La série se déplaçait donc à Montréal et le Canadien de Jacques Demers n'avait jamais été aussi près de son but. Des odeurs de coupe Stanley flottaient dans l'air dans toute la ville.

Comme pour souligner la solennité du moment, trois grands noms de l'histoire du Canadien prirent place dans les sièges du Forum. En plus du vénérable Henri Richard et du très respectable Jean Béliveau, l'enceinte accueillait le légendaire Maurice *Rocket* Richard. Ce fut d'ailleurs la dernière finale du Canadien à laquelle le *Rocket* a assisté avant sa mort.

Pour ce cinquième match, Demers tenait mordicus à ce que son vétéran Denis Savard chausse les patins à nouveau. Savard avait patiné avec ses coéquipiers en quelques occasions, mais sa cheville n'était pas très bien rétablie. Après quelques heures de réflexion, il déclina l'invitation de son entraîneur.

« J'aurais pu jouer au cours du cinquième match, mais je trouvais que ce n'était pas dans l'intérêt de l'équipe, raconte Savard. J'avais pris un engagement envers l'équipe et non envers ma personne. Je n'avais pas joué depuis plus d'une semaine et il m'apparaissait plus normal qu'un jeune comme Ed Ronan garde sa place dans la formation. »

Savard poursuivit donc son expérience derrière le banc à côté de Demers pour ce cinquième match. L'entraîneur du Canadien avait aussi l'intention d'utiliser le vétéran défenseur Donald Dufresne pour une première fois dans la série.

La situation de Dufresne était particulière. Il n'avait pas disputé suffisamment de matchs avec l'équipe en saison régulière pour voir son nom inscrit sur la coupe Stanley dans l'éventualité d'une conquête. Le règlement stipulait qu'un joueur devait avoir joué 40 matchs avec l'équipe en saison régulière ou avoir participé à au moins un match de la finale. Or, jusque-là, Dufresne ne remplissait ni l'une ni l'autre des conditions. Dans l'esprit de Demers cependant, Dufresne faisait partie de la famille du Canadien de 1992-1993 et il méritait de voir son nom sur la coupe Stanley, le cas échéant.

« La journée du match, j'ai décidé de retirer Kevin Haller de la formation pour faire place à Dufresne. C'est une décision que je n'ai jamais regrettée. »

Ce geste de Demers s'avéra d'ailleurs très populaire dans le vestiaire. Non seulement Dufresne était ravi, mais ses coéquipiers l'étaient tout autant. Dufresne était un joueur de soutien et une personne très modeste. Il était apprécié de tous. Il correspondait parfaitement à la définition du bon joueur d'équipe, du coéquipier exemplaire.

Tout était donc en place pour le cinquième match de la série finale disputé devant une salle comble de 17 959 spectateurs, le 9 juin 1993...

* * *

Avec huit minutes à écouler au match, Paul Di Pietro, le héros du sixième match contre les Nordiques, fit presque éclater le toit du Forum. Il venait de tromper Kelly Hrudey, ce qui portait le score à 4 à 1 en faveur du Canadien. Avec une priorité de trois buts et si peu de temps à jouer, l'affaire était dans le sac.

Dès ce moment, la foule resta debout jusqu'à la fin de la rencontre en regardant s'égrener les minutes et les secondes au tableau et en acclamant littéralement ses champions.

Au banc des joueurs, Jacques Demers n'était pas différent des autres, même s'il tentait de dissimuler son bonheur, de façon à ne pas manquer de respect envers ses rivaux. Mais à l'instar des amateurs, de ses adjoints et de ses propres joueurs, il savait que la conquête était acquise.

Plusieurs proches de Demers se trouvaient dans cette foule joyeuse et enflammée, dont sa femme Debbie, sa fille Mylène, son frère Michel et sa conjointe, de même que ses sœurs Claudette et Francine et leurs conjoints. Demers avait aussi réservé un billet pour sa précieuse tante Jeannette. La dame avait même eu droit à un siège en première loge, directement en bordure de la glace parmi une foule d'inconnus.

Comme tous les amateurs, tante Jeannette exprima sa grande joie lorsque Di Pietro procura une avance de 4 à 1 au Canadien, ce qui mettait le match hors de portée pour les Kings. «Comme les autres, j'ai passé les huit dernières minutes à chanter et à crier jusqu'à ce que la sirène se fasse entendre, raconte-t-elle. J'étais tellement contente.»

Francine, la sœur de Jacques, était aussi de la partie : «On a vécu des émotions extraordinaires ce soir-là. J'étais présente en compagnie de mon mari Yvon [Plouffe]. C'était très beau et très bruyant. Je me souviens d'avoir vu Jacques derrière le banc qui tentait de calmer ses joueurs avec deux minutes à faire, en leur répétant que ce n'était pas fini. Lorsque la sirène a retenti, j'étais tellement fière de lui.»

Francine reconnaît toutefois que son frère lui avait fait vivre une très grande inquiétude au deuxième match présenté à Montréal. «Lorsqu'il a demandé le mesurage du bâton de Marty McSorley, le cœur a arrêté de me battre, dit-elle en riant. J'avais tellement peur qu'il se trompe et que le Canadien perde le match. Je voyais déjà les gros titres. C'est sûr qu'on l'aurait blâmé. Et moi j'avais de la misère à composer avec ça, la critique.»

L'aînée des sœurs, Claudette, raconte de son côté : «La sensation était presque indescriptible. J'ai eu l'occasion de côtoyer Jacques de près au cours de cette saison fabuleuse et il y croyait dès le départ. Il avait tout orchestré. Il pensait à tous les détails. Sa tête était à son équipe, même à la maison. Il a vraiment mis ses tripes dans cette aventure et c'est pourquoi j'étais si fière de mon frère. C'était son but ultime et, en ce soir du 9 juin 1993, il l'a atteint de très belle façon. On ne pouvait qu'être en admiration pour ce qu'il avait fait avec cette équipe.»

C'est le nouveau commissaire Gary Bettman qui présenta les trophées aux champions après le match. Bettman fit alors connaître l'identité du récipiendaire du trophée Conn-Smythe, remis au joueur par excellence des séries. Sans surprise, c'est à Patrick Roy que l'honneur échoua.

Puis Bettman réclama la présence du capitaine Guy Carbonneau pour lui remettre la majestueuse coupe Stanley, que le Canadien remportait pour la 24e fois de son histoire. C'était la première fois en quatorze ans (depuis 1979) qu'il la gagnait chez lui, au Forum.

Carbonneau s'avança sous les grondements d'acclamation de la foule et, sans attendre, il transmit le fameux calice d'argent à son vétéran coéquipier Denis Savard, en costume civil. C'est ainsi Savard, celui pour lequel les joueurs désiraient particulièrement célébrer, qui eut l'honneur de brandir la coupe à bout de bras le tout premier ce soir-là.

«Quelle sensation! raconte Denis Savard. C'est une image qu'on porte en nous toute notre enfance. J'ai tellement vu ce geste, posé par les Béliveau, Richard, Cournoyer, Savard et Gainey, dans ma jeunesse, que je ne pouvais croire à ce qui m'arrivait. Je venais de gagner la coupe Stanley et, par-dessus le marché, c'était avec la grande organisation du Canadien de Montréal. J'étais au septième ciel.»

Pendant ce temps, Demers était retourné au banc des joueurs et célébrait avec ses adjoints Charles Thiffault, Jacques Laperrière et François Allaire, avec le personnel de soutien de l'équipe, ainsi qu'avec les membres de la direction dont Serge Savard, Ronald Corey, Jacques Lemaire et André Boudrias.

Les dirigeants se congratulaient mutuellement pendant que les joueurs effectuaient la tournée des champions sur la patinoire en s'échangeant la précieuse coupe tour à tour.

Il était autour de 22h55 lorsque joueurs et les membres du personnel furent invités au centre de la patinoire pour procéder à la traditionnelle prise de photo officielle de la conquête. La coupe Stanley prenait place au centre du groupe alors que Demers se trouvait à l'avant, tout juste à côté de Roy, de Savard et de Carbonneau.

Après avoir satisfait les désirs des photographes, le groupe commença à se disperser, mais, sans attendre, l'entraîneur se leva et saisit la coupe de ses grosses mains de travailleur. Le temps était venu pour lui de vivre à son tour ses précieuses secondes de gloire. Il empoigna la coupe par ses deux extrémités et la souleva à bout de bras, provoquant une ovation inégalée dans l'édifice. En pleine apothéose, il savourait visiblement le triomphe de toute une vie.

«Bon Dieu que j'étais content et fier, raconte-t-il. J'étais gamin dans le quartier Côte-des-Neiges et j'avais rêvé à un tel moment. À l'époque, il s'agissait d'un rêve utopique. Or, près de 40 ans plus tard, je me retrouvais en plein centre de la glace du Forum de Montréal avec la coupe Stanley au bout des bras. C'était presque trop beau pour être vrai! Le moment était inouï, magique. J'en parle aujourd'hui et j'en ai encore des frissons.»

Quelques instants après la conquête, Demers fit en sorte que les membres de sa famille viennent le rejoindre sous les gradins du Forum afin de leur faire vivre ce moment si particulier.

« Jacques nous a invités dans son bureau et dans le vestiaire des joueurs après la conquête, se rappelle Francine. C'était fabuleux. Il était content. Il avait tellement répété à ses joueurs qu'ils étaient des champions qu'ils l'avaient cru. Ce fut ça, sa grande réussite : il a cru en eux et il leur a transmis ses convictions. »

Pendant que l'équipe pavoisait avec les membres de leurs familles, certains échos faisaient état des pires scénarios concernant ce qui se passait à l'extérieur du Forum. En réalité, le secteur de la rue Sainte-Catherine avait été envahi par des milliers de partisans venus célébrer la victoire. Parmi les joyeux lurons, il se trouvait des trouble-fête qui avaient décidé de tout casser.

La situation était devenue à ce point sérieuse que la direction de l'équipe conseilla fortement aux joueurs et à leurs proches de ne pas quitter le Forum. Le Canadien avait prévu une fête au restaurant la Mise au Jeu du Forum et tous y étaient invités jusqu'aux petites heures, c'est-à-dire jusqu'à ce que l'ordre soit rétabli.

Mais Demers n'entendait pas respecter la consigne. Il avait réservé des tables dans un chic restaurant italien de Montréal, chez d'Alberto, situé sur la rue de La Montagne, non loin des lieux du saccage (aujourd'hui, on y retrouve le restaurant Il Campari Centro). Malgré les recommandations de tous, il insistait pour s'en tenir à son plan : il désirait fêter calmement avec ses proches dans un restaurant.

Il célébra donc quelque peu avec les joueurs et la direction de l'équipe dans le vestiaire, puis il rencontra les journalistes pour livrer ses commentaires. C'est au cours d'une entrevue au réseau américain de sport ESPN qu'il s'adressa à ses enfants à Indianapolis.

« Mylène était sur place, mais Brandy, Stefanie et Jason étaient avec leur mère à Indianapolis, raconte-t-il. S'il y avait eu un septième match à Montréal, ils seraient venus me rejoindre, mais pour le moment ce n'était pas possible. Ils avaient dû regarder le match à la télévision. »

Il empoigna le micro d'ESPN et dit : « Je veux saluer mes enfants Brandy, Stefanie et Jason à Indianapolis. Les enfants, papa vous aime et il pense à vous. »

Dans leur résidence à Indianapolis, les enfants entendirent le message de leur champion de père. Même que le lendemain, des copains et des

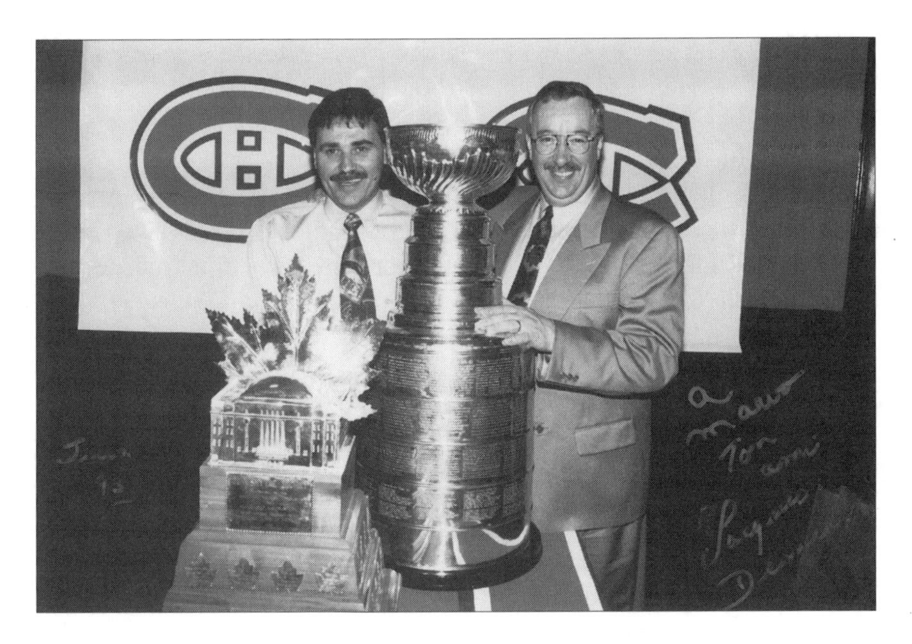

Deux jours après la conquête de la Coupe, Mario Leclerc et Jacques Demers célèbrent... sans savoir qu'ils auront l'occasion de raconter en détail cette fameuse conquête de la coupe Stanley, des années plus tard.

copines à l'école qui avaient été témoins du message en parlèrent aux enfants. « Ils étaient pas mal fiers », fait humblement Demers.

C'est après avoir rempli ses obligations avec les médias que Demers décida de partir coûte que coûte. « Jacques tenait absolument à quitter les lieux, se souvient Michèle Lapointe. Nous tentions de le convaincre du contraire parce que c'était dangereux à l'extérieur, mais il ne voulait rien savoir. Il a fait à sa tête et il est parti. Il est d'ailleurs le seul à avoir quitté l'édifice si rapidement. »

Francine raconte que la famille Demers vécut toute une aventure à sa sortie du Forum après la rencontre : « C'était la folie furieuse à l'extérieur. Jacques avait réservé une table dans un restaurant et il fallait s'y rendre. Or, plusieurs personnes nous conseillaient de ne pas mettre le nez dehors. C'est finalement Pierre Bouchard qui nous a accompagnés vers une porte de côté, mon mari et moi, pour quitter les lieux. Nous nous sommes rendus au restaurant de peine et de misère. Mais sur place, nous avons eu tout un party ! Le champagne coulait à flots... et on ne s'est pas couchés de la nuit ! »

Dans le cas de Demers, l'expédition vers le restaurant fut rocambolesque. Il raconte : « Je suis monté à bord de l'auto de ma sœur Claudette et de son mari (René) en compagnie de Debbie et de Mylène. Le restaurant n'était qu'à quelques rues du Forum. Rapidement, je me suis rendu compte que notre randonnée serait périlleuse. Il y avait du monde partout et on assistait à des gestes de violence. Les gens grimpaient sur les autos et les faisaient rebondir. On se croyait sur une mer agitée ! Ma fille Mylène était assise à l'arrière et elle pleurait. Elle avait peur. »

Claudette confirme : « C'était vraiment effrayant,. Les gens étaient déchaînés et on ne pouvait prévoir leurs réactions. Je trouvais que ça atténuait considérablement la joie que nous éprouvions d'avoir gagné. »

Malgré tout, la voiture parvint à se rendre péniblement à l'angle des rues Sainte-Catherine et Saint-Mathieu. Mais là, elle ne pouvait plus bouger en raison de la foule et de la folie collective.

« On se demandait bien ce qui était pour nous arriver, relate Demers. Tout à coup, un amateur m'a aperçu dans la voiture. J'étais assis à l'avant du côté du passager et je restais calme. Le jeune en question s'est mis à crier : "Eh les gars, c'est le *coach*, c'est le *coach* ! C'est Jacques Demers !" À vrai dire, je n'étais pas gros dans mes souliers. Debbie et Mylène non plus.

« Puis, par un miracle extraordinaire, les amateurs se sont mis à diriger la circulation afin de nous ouvrir la voie à travers les fêtards. Le chemin s'est ouvert comme un océan. On est passés comme si de rien n'était.

« C'est étrange, ajoute-t-il, mais je me suis senti puissant ce soir-là. Je suis probablement le seul à qui on a frayé un chemin de toute la soirée. Je n'oublierai jamais cela. D'ailleurs, si des gens se reconnaissent en lisant ce livre, qu'ils reçoivent ma plus grande marque de reconnaissance. Ils auraient pu virer notre automobile à l'envers, mais, au contraire, ils ont collaboré avec nous et sont devenus en quelque sorte nos protecteurs. »

Et Claudette de conclure : « J'ai trouvé que la route avait été très longue ! Cette course entre le Forum et le restaurant aurait dû nous prendre dix minutes, mais nous avons mis presque une heure. Nous étions très soulagés lorsque nous sommes arrivés devant le restaurant. »

* * *

C'est deux jours après la fameuse conquête que Demers et ses joueurs défilèrent en héros sur la rue Sherbrooke. Dans les heures qui avaient suivi la conquête, Demers avait été l'objet de plusieurs éloges de la part des amateurs, de ses patrons et de ses propres joueurs. Le constat était unanime : Jacques Demers s'était avéré le grand rassembleur de cette formation mal-aimée, à qui on accordait peu de chances d'inscrire son nom sur la coupe Stanley.

Patrick Roy résuma en une phrase toute l'importance de Jacques dans cette chevauchée. « Le joueur clé de cette conquête, c'est Jacques Demers ! », soutint le gardien qui, pourtant, venait de recevoir le trophée Conn-Smythe, remis au joueur par excellence des séries.

Venant d'un athlète du calibre de Roy, la remarque se voulait une forme de consécration. Roy et Demers s'étaient souvent renvoyé l'ascenseur au cours de cette saison parsemée de hauts et de bas. Dès son arrivée à Montréal, Demers avait placé Roy dans une catégorie spéciale.

« Lorsqu'on dirige un pur-sang, il faut le traiter comme un pur-sang, insiste-t-il encore de nos jours. Patrick Roy, c'était la vedette du Canadien et l'une des grandes vedettes de toute la LNH. On doit avoir une approche particulière avec ce genre d'athlète. C'est la même chose pour un entraîneur qui dirige Pedro Martinez, Shaquille O'Neal, Barry Bonds, Michael Jordan, Wayne Gretzky ou Dan Marino. Quand bien même on voudrait faire croire aux gens que ces athlètes n'ont pas de statut particulier, ils ne nous croiraient pas. Cela dit, ça ne signifie pas que les autres joueurs ne sont pas importants.

« Je considère avoir dirigé trois grands joueurs au cours de ma carrière, ajoute-t-il. Il s'agit de Jean-Claude Tremblay, Steve Yzerman et Patrick Roy. Si j'ai connu Jean-Claude en fin de carrière à Québec, j'ai dirigé Yzerman durant toute sa jeunesse à ses débuts dans la LNH à Detroit. Quant à Patrick, j'ai eu le privilège de le croiser sur mon chemin alors qu'il était au sommet de son art. En ce sens, j'ai été chanceux. »

Demers s'élève toutefois contre la croyance populaire voulant que Roy faisait toujours ses quatre volontés sous son règne. « C'est complètement faux… et vous pouvez le lui demander », lance-t-il.

« Contrairement à ce que bien des gens pensent, précise Roy, Jacques et moi n'étions pas des amis très proches. Notre relation était plutôt basée sur le respect. À son arrivée, il m'a clairement indiqué que je serais son homme de confiance et que je serais appelé à jouer un rôle important dans l'équipe. Mais il est faux de prétendre que je décidais de mon utilisation. »

Demers ajoute : « En fait, je planifiais un calendrier mensuel pour l'utilisation de Patrick. Au début de chaque mois, je l'invitais à mon bureau et on en discutait. Mais en fin de compte, c'est moi qui décidais. D'ailleurs, ceux qui croient que Patrick Roy choisissait ses matchs le connaissent mal.

Très mal même. Patrick Roy voulait jouer à tous les matchs, sans égard à l'identité de notre adversaire. C'était de ma responsabilité de lui trouver des périodes au cours de la saison où il pourrait se reposer. »

Roy partage l'avis de Demers, mais avec un bémol : « Toutes ces histoires concernant mon utilisation est vraiment désolante. Je n'ai jamais choisi quand et contre qui je jouerais. Ce n'est arrivé qu'une seule fois et je crois que c'est de là qu'origine toute l'affaire. »

Roy raconte qu'à la troisième année de Demers à Montréal, en 1994-1995, le Tricolore devait disputer deux matchs en deux soirs consécutifs à Hartford et à New York, les 15 et 16 février 1995. Il avait été prévu que l'auxiliaire Ron Tugnutt affronterait les Whalers le mercredi à Hartford et que Roy serait lancé dans la mêlée le lendemain à New York.

Or, Roy avait suggéré à son entraîneur d'affronter plutôt les Whalers avant de décider ce qu'il adviendrait par la suite. Il faut savoir que Roy et Tugnutt n'entretenaient pas nécessairement une bonne relation chez le Tricolore à l'époque. Les deux hommes ne se parlaient pas. Ou si peu.

« L'idée là-dedans était d'engranger deux points le plus vite possible, avant de penser au match suivant, explique Roy. Jacques a compris mon point de vue et j'ai affronté les Whalers. Cependant, j'ai perdu le match (4 à 1) et Jacques est revenu avec Tugnutt le lendemain à New York (nulle de 2 à 2).

« Le problème dans l'histoire, c'est que Tugnutt fut offusqué par cette décision et qu'il en a profité pour le dire à plusieurs. À mon avis, il a agi en hypocrite parce qu'il était amer de ne pas jouer. Tugnutt n'avait aucunement raison d'être frustré. Il a répandu cette histoire et plusieurs m'ont reproché de tout décider sous Jacques Demers. Pourtant, c'est la seule fois où je suis intervenu de la sorte. On a fait toute une histoire avec un rien. »

Demers rajoute : « Comme entraîneur, j'ai toujours été ouvert aux suggestions. Cette fois-là, je trouvais que la suggestion de Patrick était bonne. Je me suis ajusté, mais certains ont fait de cette histoire une généralité. Pourtant, lorsque Guy Carbonneau m'a demandé d'affronter Gretzky en finale et que j'ai accepté, personne n'a dit que c'est *Carbo* qui décidait de tout chez le Canadien. »

Toujours est-il que Jacques Demers et Patrick Roy ne faisaient souvent qu'un, même si Roy avait son franc-parler.

« Patrick aime les mets épicés, rigole Demers. Il est du genre à mettre du "piquant" dans ses propos. Il y a des journées où je l'aimais moins car il faisait des déclarations controversées. Mais il n'y a pas une journée où je ne l'ai pas respecté. En fait, ce Patrick Roy me semblait meilleur dans la controverse. Lorsque ça devenait un peu monotone, il y allait d'une déclaration comme pour se lancer un défi. Et la plupart du temps, il répondait avec brio sur la glace. C'était vraiment un athlète spécial. »

Demers se souvient d'un seul incident fâcheux dans lequel il a été impliqué avec son as gardien. Lors d'une réunion traitant de tactiques dans le vestiaire avant un entraînement, lui, Jacques Laperrière et Charles Thiffault donnèrent des consignes aux joueurs. Les entraîneurs tenaient à ce que l'équipe se comporte d'une manière déterminée en territoire défensif lorsqu'elle jouait en désavantage numérique.

Roy écoutait les consignes, mais ne partageait pas tout à fait l'approche de ses patrons. En pleine réunion, il dit : « Moi, Jacques, je n'aime pas que le défenseur soit placé de cette façon-là. » Jacques ne broncha pas et il répéta ses consignes. Puis, à la fin de la réunion, il invita son gardien à le rencontrer à son bureau.

« Ce matin-là, je lui ai dit que s'il avait un problème avec le système de jeu que nous voulions mettre en place, il pouvait m'en faire part, mais pas devant tous les joueurs. Je ne voulais pas qu'on se mette à défier mon autorité devant tout le monde. Si un joueur aussi important que Patrick Roy se mettait ouvertement à remettre en question nos plans de match, on se dirigeait vers un joli bordel.

« Patrick a très bien compris mon point de vue. Il est retourné dans le vestiaire et je n'ai jamais eu de problème avec lui. Il nous est arrivé de discuter de stratégie, mais nous l'avons toujours fait dans mon bureau par la suite. »

Quant à savoir si, en rétrospective, il ne trouvait pas que Roy prenait beaucoup trop de place au sein de l'équipe, il demeure encore convaincu du contraire. « Patrick Roy a pris la place que Patrick Roy devait prendre, insiste-t-il. Patrick subissait une énorme pression à Montréal. Il était le meilleur joueur de l'équipe et ne pouvait se permettre une contre-performance. Bien des joueurs dans sa position se seraient faits très petits ou, pire, se seraient écrasés. Patrick Roy a choisi d'assumer pleinement son rôle. C'est la marque des grands athlètes. Personne ne peut lui reprocher ça. »

Demers y va finalement de son appréciation générale sur cet athlète : « Si, pour démarrer une concession, j'avais à choisir un seul joueur parmi tous ceux que j'ai dirigés au cours de ma carrière, Patrick Roy serait mon premier choix sans hésiter. Patrick avait du talent, du caractère et le désir de la victoire. J'ai constaté qu'avec un tel athlète dans la formation j'aurais toujours une chance de gagner. À mon avis, c'est le plus grand joueur qui a évolué à Montréal depuis Guy Lafleur. »

Au cours des 20 années pendant lesquelles il a œuvré dans le hockey professionnel, Jacques Demers a dirigé autour de 500 joueurs différents. Le fait de sélectionner Patrick Roy au premier rang de tous ces joueurs s'avère le plus beau témoignage qu'il pouvait lui rendre.

Lors d'une journée inoubliable sur les links, en compagnie de Patrick Roy et de la légende du golf Fred Couples. (Archives de Jacques Demers)

* * *

Cette fameuse conquête de 1993, Demers la devait en particulier à Roy, mais plusieurs autres joueurs avaient aussi connu des séries du tonnerre.

Vincent Damphousse était l'un d'eux. Il fut remarquable, avec une récolte de 23 points (11-12), dont trois buts gagnants. Le vénérable Kirk Muller obtint trois buts victorieux, tout comme l'étonnant John LeClair.

Spécialiste des missions défensives, le capitaine Guy Carbonneau marqua trois buts en 20 matchs, mais deux de ces buts procurèrent la victoire aux siens.

À la ligne bleue, toute la brigade défensive s'est comportée de façon admirable. Les Desjardins, Daigneault, Brisebois, Haller, Odelein, Schneider, Ramage, Hill et Dufresne ont impressionné même s'ils étaient mésestimés.

Pour disputer les 20 matchs des séries, Jacques Demers avait fait appel à un total de 28 joueurs. De ce nombre, pas moins de la moitié étaient des Québécois francophones. Dans une ville comme Montréal, ce n'était pas négligeable. À vrai dire, l'équipe n'avait pas affiché ce visage francophone depuis des lustres.

Sans rien enlever aux Muller, Bellows, Keane, LeClair, Di Pietro, Haller et compagnie, il faut bien admettre que la grande popularité de l'équipe reposait beaucoup sur l'identification des amateurs (francophones) au Canadien de 1992-1993 en raison de la présence des Roy, Damphousse, Desjardins, Dionne, Brunet, Lebeau, Carbonneau, Savard, Daigneault, Brisebois, Bélanger, Dufresne, Roberge et Racicot.

C'étaient là quatorze *p'tits gars d'la place* qui défendaient fièrement les couleurs tricolores. Et en prime, on retrouvait comme chef de file Jacques Demers, qui s'était littéralement lié d'affection avec les partisans.

Cette conquête de 1993, la dernière remportée dans l'auguste Forum de Montréal et la dernière de l'histoire du Tricolore, se voulait en réalité le triomphe de toute une famille qu'avait formée Demers au cours de la saison. Mais au-delà des joueurs, cette équipe avait touché toute une population. La communauté s'était rassemblée derrière elle.

«Je ne peux l'expliquer, mais on sentait que le monde nous aimait profondément, résume Demers. On s'en est surtout rendu compte au cours de l'été qui a suivi. Nous avons fait une grande tournée au Québec avec la coupe Stanley. Nous avons notamment participé à des soirées de reconnaissance, à des matchs de balle-molle et à des tournois de golf. Bref, nous étions sollicités partout et, chaque fois, nous recevions un accueil délirant. C'est sûrement le plus bel été que j'ai passé de toute ma vie ! »

Selon les observateurs, le Canadien de 1992-1993 fut à la fois bon et chanceux. Certains prétendirent que cette formation « chanceuse » était la moins talentueuse à avoir remporté la coupe Stanley.

De fait, au cours des éliminatoires, le Tricolore avait excellé en lever de rideau en défaisant l'une des équipes favorites, les Nordiques (104 points en saison régulière) et il s'agissait peut-être de son plus gros défi du tournoi printanier. Par la suite, l'équipe de Jacques Demers eut à affronter trois formations qui n'avaient pas réussi à amasser 90 points au classement. Les Sabres (86), les Islanders (87) et les Kings (88) avaient successivement causé des surprises en éliminant d'autres équipes favorites.

De plus, le Canadien a récolté 10 de ses 16 victoires en période de prolongation, ce qui s'avérait prodigieux, même s'il fallait reconnaître que le facteur chance avait pu être important.

Douze ans après ce triomphe, le capitaine de l'époque Guy Carbonneau réfute toutes les allégations prétendant que l'édition 1992-1993 fut la moins talentueuse à graver son nom sur la coupe Stanley.

« Ça me fâche d'entendre cela, grogne Carbonneau. On avait amassé 102 points au classement cette année-là. Ce n'était pas trop mal pour une équipe de sans-talent ! Sur un total de 24 équipes à l'époque, nous avions obtenu la sixième meilleure fiche en saison régulière. Nous n'étions qu'à sept points de la 2e place (Boston). Seuls les Penguins (119 points) étaient loin devant. Mais les Penguins ont perdu en sept matchs contre les Islanders. Est-ce notre faute ? Les experts peuvent dire ce qu'ils veulent, nous avions un très bon club en 1992-1993.

« En fait, nous avons battu chaque équipe qui s'est présentée devant nous, ajoute Carbonneau. Et selon moi, on aurait battu n'importe qui ! Nous étions en mission. En séries, on avait le meilleur club, c'est indéniable. D'ailleurs, j'ai rarement ressenti un sentiment d'invincibilité comme ce fut le cas en 1993. On croyait vraiment en nos capacités et en nos chances. Et tout cela, on le doit à Jacques Demers. Son positivisme était contagieux. »

Quel plaidoyer de la part d'un homme à qui l'on ne fait pas dire ce que l'on veut, et d'un joueur qui a disputé dix-neuf saisons dans la LNH, joué dans cinq finales de la coupe et remporté trois fois le prestigieux trophée !

* * *

Pour Jacques Demers, cette conquête signifiait énormément sur les plans professionnel et personnel. « Depuis le début de ma carrière professionnelle, j'avais amené mes équipes assez loin en séries, mais jamais je n'avais réussi à gagner. Je l'avais fait dans les rangs juniors B, mais ça ne comptait pas nécessairement pour obtenir de la reconnaissance. Or, je crois qu'il y avait des doutes à mon égard à ce sujet dans la LNH. On se demandait si Jacques Demers avait l'étoffe pour mener son équipe jusqu'aux grands honneurs. Cette fois, je l'ai fait. On ne pouvait plus douter de mes capacités de gagner en séries éliminatoires de la coupe Stanley. »

Sur un plan plus personnel, Demers savourait un moment de fierté en déambulant sur la rue Sherbrooke avec la fameuse coupe Stanley soulevée en triomphe à bout de bras devant une foule conquise et frénétique.

De fait, c'est sur cette même rue Sherbrooke que, trente et un ans plus tôt, il avait circulé au volant de son gros camion de livraison chargé de caisses de Coca-Cola tout en suppliant son examinateur de se montrer conciliant et de lui donner une chance. Cette journée-là, quelques mois après le décès de sa mère Mignonne, Jacques jouait sa vie !

Il s'en était passé des choses depuis ce fameux avant-midi. Désormais, il n'était plus à genoux sur cette rue Sherbrooke à implorer pitié. Bien au contraire. Aujourd'hui, il aurait pu demander le titre de président de la compagnie Coca-Cola qu'on le lui aurait probablement donné, tant il était populaire !

« C'est étrange, j'avais le sentiment d'être devenu quelqu'un dans ma propre ville, résume-t-il. J'étais aussi ravi d'avoir procuré autant de bonheur aux gens. C'était très valorisant.

« Gagner la coupe Stanley, c'est une chose exceptionnelle, ajoute-t-il. Mais gagner la coupe Stanley à Montréal pour un Montréalais, c'est grandiose. Je peux en témoigner aujourd'hui.

« J'ai vécu la soirée la plus satisfaisante de ma carrière le 9 juin au soir lorsque j'ai soulevé la coupe au centre de la glace du Forum. Mais j'ai aussi vécu la journée la plus excitante de ma carrière en paradant avec la fameuse coupe devant des centaines de milliers de personnes sur la rue Sherbrooke, deux jours plus tard. Il n'y a rien comme voir des gens heureux et de croire qu'on y est pour quelque chose… »

Lettre V

À Guy Carbonneau

Dans ma lettre précédente (la lettre U), je me suis permis de rendre hommage et de remercier les joueurs de mon équipe de 1992-1993 qui m'ont permis de graver mon nom à jamais sur la fameuse coupe Stanley.

J'ai parlé plus particulièrement de quelques joueurs et j'avais passé ton nom sous silence, Guy. Ce n'était pas un oubli ! C'était volontaire de ma part. Et la raison en est bien simple : je voulais te réserver une place toute spéciale dans ce livre pour te dire combien j'ai particulièrement apprécié t'avoir sous ma direction.

J'ai dirigé de grands joueurs et de grands leaders au cours de ma carrière, mais je crois que c'est toi, Guy, qui réunissait les plus belles qualités de meneur au sein d'une équipe de hockey.

Sans rien vouloir enlever aux autres que j'ai dirigés, tu représentes à mes yeux, mon cher Carbo, le capitaine ultime. Être capitaine d'une équipe de hockey n'est pas une mince tâche et je dirais que le mandat est doublement difficile pour un joueur du Canadien. Cet homme doit composer avec une lourde tradition, il doit gérer les crises autour de l'équipe et à l'intérieur même de l'équipe. Dans un marché où le hockey fait figure de religion dans la population et dans les médias, il faut être culotté pour bien accomplir ce travail.

Or, je t'ai souvent observé du coin de l'œil du temps que je te dirigeais pour voir comment tu composais avec les différentes situations. Et chaque fois, j'étais impressionné. J'avais le sentiment que tu étais né pour occuper cette fonction-là !

Au cours de notre association, nous n'avons pas toujours été d'accord, mais j'ai toujours abordé nos discussions dans un respect mutuel. J'aimais la façon directe avec laquelle tu t'exprimais. Tu étais honnête et complètement dédié à la cause de l'équipe. Et, pour ajouter au plat, tu ne reculais devant aucun défi. Même que tu en redemandais !

Je me souviens du matin où tu m'avais demandé de t'occuper de Wayne Gretzky en pleine finale de la coupe Stanley. Quel caractère ! Je connais bien peu de joueurs qui auraient osé prétendre être en mesure de neutraliser le meilleur joueur de l'histoire dans des conditions aussi extrêmes. Or, non seulement tu l'as fait, mais tu as élevé ton jeu à la hauteur du défi que tu t'étais lancé. Encore aujourd'hui, j'éprouve beaucoup d'admiration pour ce que tu as fait. C'est assurément l'un des plus beaux accomplissements de ta carrière.

Mon cher Carbo, je tenais à te dire à quel point je me considère choyé d'avoir pu te diriger et je voudrais profiter de l'occasion pour dire aux décideurs du Panthéon du hockey que tu mérites une place de choix parmi les immortels du hockey. Même de nos jours, des joueurs de ta trempe ne courent pas les rues...

Jacques

Chapitre 23

«J'ai décidé d'apporter des changements...»

En ce 19 octobre 1993, au lendemain d'une victoire à Québec, la moutarde était montée au nez de Jacques Demers, qui n'avait pas digéré que son vis-à-vis Pierre Pagé s'en prenne ouvertement à son gardien Patrick Roy.

«Pagé peut m'attaquer s'il le veut, mais qu'il ne touche pas à mes joueurs, vociféra Demers devant la presse montréalaise. Ce Pagé perd la tête 99 pour cent du temps. Il ne sait pas ce qu'il dit. Il travaille fort, mais il ne pense pas. Il se croit plus intelligent que tout le monde! En séries, l'an dernier, Pagé menait 2-0. Malgré tout le talent qu'il avait à sa disposition, il a perdu les quatre matchs suivants. Avec un autre entraîneur, les Nordiques auraient pu connaître un meilleur sort.»

À n'en pas douter, Demers n'y allait avec le dos de la cuiller. La réplique de Pagé fut tout aussi virulente : «Demers devrait remercier les Nordiques plutôt que les critiquer. Il a abouti à Montréal parce que nous lui avons dit non! Ce fut la meilleure chose pour lui. Il devrait être fou de joie de pouvoir vivre le rêve de sa vie plutôt que s'en prendre à nous.»

Visiblement, la relation entre Demers et Pagé tournait au vinaigre. S'ils n'avaient jamais été les deux plus grands amis de la terre, ils avaient néanmoins appris à cohabiter du temps que Jacques faisait de la radio à Québec.

Comme analyste, Demers se montrait respectueux à l'égard de Pagé. Il s'arrangeait pour ne pas le mettre dans l'embarras. Comme entraîneur du Canadien, il avait esquivé les déclarations de Pagé depuis un an, mais maintenant les choses avaient changé.

Demers était désormais dans une position pour lui répliquer, car il venait de le battre en séries au printemps précédent. Au début de la saison 1993-1994, il ne rata pas l'occasion lorsqu'elle se présenta. Il explosa littéralement lorsque son vis-à-vis des Nordiques critiqua le jugement de Patrick Roy, dans une histoire somme toute banale. Pagé s'en était pris à l'organisation du Canadien en général et à Roy en particulier.

« Montréal est habitué de marcher sur les pieds de tout le monde et de toujours s'en sortir, avait dit Pagé. Cette époque est révolue. Plus personne dans la LNH n'acceptera que le Canadien lui passe sur le dos… Par ailleurs, nous voulons juste que Roy se la ferme. Il possède son contrat, sa coupe Stanley et ses bagues. C'est bien beau, mais nous voulons qu'il se la ferme une fois pour toutes. Il nous tombe sur les nerfs et tombe sur les nerfs du Canadien. »

À n'en plus douter, la guerre était ouverte entre Jacques Demers et Pierre Pagé…

* * *

Même s'il avait gagné la coupe Stanley quelques mois plus tôt, Jacques Demers ne modifia pas son approche avec ses joueurs. Il se voulait toujours protecteur. Revigoré par cette conquête, il devint tranchant si on osait s'attaquer aux membres de son équipe.

L'été s'était avéré très fertile en émotions. D'abord, dès les jours qui avaient suivi le défilé sur la rue Sherbrooke, Jacques Lemaire avait tourné le dos au Tricolore pour se joindre aux Devils du New Jersey. En Lemaire, Demers perdait un excellent conseiller. C'est pourquoi il avait embauché Steve Shutt à titre de troisième entraîneur adjoint aux côtés de Jacques Laperrière et Charles Thiffault.

Puis le Canadien s'était plié à une éreintante tournée du Québec en se promenant avec la coupe Stanley. Tous les coins de la province avaient été visités. Ce qui n'était pas de nature à réjouir l'organisation des Nordiques, surtout lorsque le Tricolore se présentait en conquérant en territoire ennemi…

Partout, joueurs et entraîneurs étaient reçus en véritables héros.

« La coupe Stanley représente un symbole important pour les Québécois, déclara Demers. Les gens voulaient tous y toucher et se faire photographier avec nous et le trophée. Si j'avais reçu cinq sous pour chacune des photos qu'on a prises de moi en compagnie des amateurs, j'aurais amassé un joli magot. »

Dans la foulée de leurs succès en séries, plusieurs joueurs étaient passés à la caisse pour le renouvellement de leur contrat. C'était le cas de Patrick Roy, qui avait signé une entente de quatre ans estimée à… 16 millions de dollars !

Jacques Demers avait aussi profité des largesses de son directeur général, qui avait ajusté son contrat aux nouvelles normes de la ligue. Il s'était vu offrir un contrat de quatre ans à raison de 800 000 $ par saison !

« Mike Keenan, Scotty Bowman, Barry Melrose et Jacques Lemaire avaient signé des ententes fort lucratives depuis la fin de la saison 1992-1993 et Serge Savard estimait que j'avais droit, moi aussi, à ma part du gâteau. Serge a été très correct : il a déchiré mon contrat encore valide pour deux ans et m'en a accordé un autre de quatre ans. Du même coup, il a plus que doublé mon salaire annuel. »

Cette année-là, le Canadien amorça sa saison régulière le 6 octobre en recevant la visite des Whalers de Hartford. Le match avait été précédé d'une cérémonie au cours de laquelle on avait hissé la 24e bannière des champions au plafond du vénérable Forum. La veille de ce match, les joueurs eurent droit à toute une réception au restaurant La Mise au Jeu du Forum en recevant la fameuse bague de leur championnat. Ces bagues personnalisées et serties de 46 diamants sont de véritables petits bijoux. On estime leur valeur à 8 000 $ pièce. En plus des diamants, on peut y voir la coupe Stanley, le nom de son détenteur, le sigle du Canadien et le fameux cri de ralliement de l'équipe *Together*.

« C'était le mot clé de notre chanson fétiche, rappelle Demers. Il fallait que cela se retrouve sur la bague. Ça résumait parfaitement notre parcours. C'est à la demande de Serge et de la mienne qu'on l'a gravé sur la bague.

« De tous les objets que j'ai obtenus au hockey, cette bague est ma pièce la plus précieuse. J'avais envié Jean Perron du temps que j'étais à la radio, à Québec, lorsque je le voyais avec sa bague de la conquête de 1986. Maintenant, c'est à mon tour de faire des envieux.

« Je ne la porte que peu souvent, pour des occasions spéciales ou lorsque je prononce des conférences, précise-t-il. Je ne suis pas un homme qui aime porter des bijoux. En fait, je ne porte au cou qu'une médaille de sainte Anne et une croix du Christ que j'ai achetée à Rome et qui a été bénie par le pape Jean-Paul II. Pour le reste, j'ai une montre Rolex qui m'a été offerte par Serge Savard, à Noël, en 1992, et que j'ai toujours au bras.

« Je ne ressens plus le besoin d'avoir continuellement ma bague au doigt pour montrer aux gens que j'ai réussi. J'étais peut-être différent auparavant parce que je manquais de confiance, mais ce n'est plus le cas. Cela dit, la bague de la coupe Stanley reste un objet très précieux à mes yeux. Je me suis départi de quelques objets dernièrement, mais jamais je ne vendrai ma bague. À ma mort, c'est mon fils Jason qui va en hériter. »

Demers raconte que cette fameuse bague exerce un effet certain sur les amateurs chaque fois qu'il prend la décision de la mettre à son doigt pour des sorties publiques. « C'est fou le nombre de gens qui m'ont demandé de voir ma bague, relate-t-il. Ils la regardent dans tous ses angles d'un air très admiratif. C'est une pièce unique qui a de l'effet. Les amateurs savent combien il est difficile d'en mériter une. »

À cet effet, Francine Demers, la jeune sœur de Jacques, raconte dans quelles circonstances, elle et son mari, Yvon Plouffe, ont vécu une belle émotion grâce à la bague : « J'ai créé toute une commotion à mon travail, un certain matin, lorsque je me suis présentée au bureau avec la bague de la coupe Stanley. Mes collègues n'en revenaient pas de voir de si près la précieuse bague. Tout le monde était en admiration. Mon mari Yvon avait fait de même auprès de ses collègues de la STCUM. Pour nous, c'était le glaçage sur le gâteau. On était fiers de Jacques et là, il nous donnait le privilège de parader avec la fameuse bague des champions. Ça nous faisait un p'tit velours ! »

Après la cérémonie intime de la remise de la bague des champions au Forum, Demers avait rencontré la presse et avait manifesté le désir de passer à autre chose : « L'histoire de notre conquête se termine aujourd'hui, déclara-t-il. Nous avons eu beaucoup de plaisir depuis le 9 juin, mais il est désormais temps de tourner la page et se lancer à la défense de notre titre. »

Quelques jours auparavant, Demers avait été invité par la Société Radio-Canada à participer à une émission spéciale visant à l'honorer pour la conquête de 1993. Il avait refusé catégoriquement : « Nous avons gagné la coupe Stanley en équipe et nous irons à la télévision en équipe, avait-il dit. Sinon, personne ne sera présent. »

Finalement, Radio-Canada avait enregistré une émission de 90 minutes au cours de laquelle les joueurs et les entraîneurs s'étaient pliés à des numéros de variétés. La diffusion de l'émission eut lieu en tout début de saison. Elle servait du même coup à présenter les joueurs pour 1993-1994.

« J'avais passé l'été à donner des tonnes d'entrevues et je crois que les gens, et même les joueurs, commençaient à être *tannés* de voir ma face à la télévision, soutient Demers. Une situation semblable m'était arrivée à Detroit et j'avais appris de cette expérience. Or, c'eut été égoïste de ma part de me présenter seul pour une émission spéciale de Radio-Canada traitant de notre conquête. De plus, je me disais que cette émission tirait un trait final sur notre longue période de célébrations et que, finalement, on pourrait maintenant se concentrer entièrement sur notre nouvelle saison. »

Tout était désormais en place pour Demers et son équipe afin de repartir à la conquête des plus hauts sommets.

Mais, comme l'appréhendait l'entraîneur, le Canadien traversa de nombreuses périodes difficiles, de sorte qu'à la pause de Noël il montrait un dossier très ordinaire, soit 14 victoires, 14 revers et 6 verdicts nuls en 34 matchs. Le Canadien avait particulièrement peiné du 6 novembre au 3 décembre en ne récoltant que trois victoires en 12 matchs.

Le 24 novembre, l'équipe de Jacques Demers se fit notamment rosser au compte de 9 à 2 par les Flyers de Philadelphie. Furieux, Demers déplora que sa troupe lui paraissait beaucoup moins assoiffée que lors de la saison précédente.

« Plusieurs personnes m'avaient mis en garde, mais je n'osais pas les croire, déclara-t-il. Or, avec le recul, certains joueurs me semblent encore rassasiés du championnat de l'an dernier. Il est temps que ces joueurs oublient la dernière saison et se concentrent sur ce qu'ils ont à faire cette année. »

« Il faut comprendre que nous n'avions pas les éléments pour lancer une dynastie à Montréal, explique Demers aujourd'hui. L'équipe ne regorgeait pas de talent comme c'était le cas des Oilers, des Islanders ou du Canadien des années 1970 et 1980. En conséquence, il fallait travailler très fort et être entièrement concentrés sur notre métier pour maintenir un niveau d'excellence. Or, déjà je voyais que ce n'était pas le cas. »

Pendant que le Canadien naviguait en eaux troubles, des rumeurs de transaction flottaient dans l'air à Montréal. « Si ça ne se replace pas, il y aura des changements », avertit d'ailleurs Serge Savard de façon à obtenir l'implication pleine et entière de son personnel.

Si les vétérans Patrick Roy et Guy Carbonneau connaissaient un début d'année fulgurant, ce n'était pas le cas pour plusieurs autres joueurs. Parmi les déceptions, il y avait Kirk Muller, Stephan Lebeau, Éric Desjardins, Gilbert Dionne, John LeClair et Paul Di Pietro, tous des joueurs qui avaient joué un rôle de premier plan au printemps de 1993.

Toutefois, à force de travailler avec ses hommes, l'équipe de Demers se replaça admirablement bien après les Fêtes et offrit de solides performances pendant plus de deux mois. En 38 matchs après les Fêtes, le Canadien n'encaissa que huit défaites (24-8-6). On disait du Tricolore que c'était l'équipe de l'heure dans la LNH. La perspective de connaître un autre printemps joyeux était toujours présente dans l'esprit des amateurs et de l'entraîneur positif.

Au cours de cette séquence heureuse, le Canadien se paya même une série de 11 matchs sans défaite (7-0-4), du 23 février au 19 mars. Nous n'étions qu'à trois semaines du début des séries. En prime, le 19 mars, la troupe de Jacques Demers se farcit les Nordiques au Forum en l'emportant par 5 à 2. Il s'agissait du dernier d'une série de six matchs entre les deux formations québécoises cette année-là ; le Canadien fut dominant, avec un dossier de quatre victoires, un revers et un verdict nul.

Pendant ce temps, à Québec, les Nordiques ne semblaient pas s'être remis de la douloureuse défaite aux mains du Canadien au printemps précédent. L'équipe de Pierre Pagé était méconnaissable et se dirigeait vers une saison décevante au point de rater les séries…

Après la défaite au Forum, le 19 mars, Pagé péta encore les plombs. Il parla d'un complot orchestré par la LNH et le Canadien à l'endroit des autres équipes. Son discours était teinté d'incohérences. « Je n'ai aucun commentaire à formuler, commença-t-il par dire au sujet de la défaite. Ce qui s'est produit au cours du match est trop *écœurant*, trop choquant. Ça ne mérite pas qu'on s'y arrête. »

Mais il s'y arrêta quand même ! « Jouer à Montréal, c'est une farce. On vient de vivre ce que d'autres équipes ont vécu à Montréal. Pour gagner, il faut arriver ici avec trois armées. Mais ça ne fait rien, on va revenir les *planter* durant les séries. »

Le monsieur n'était vraiment pas content ce soir-là. En réalité, il en voulait aux officiels qui, selon lui, avaient erré au détriment de son équipe.

Demers ne répliqua pas, cette fois-ci. Il savait que Pagé et ses Nordiques traversaient une saison éprouvante et il n'avait pas l'intention d'en rajouter. « Je n'embarque pas dans ce genre d'histoire, se contenta-t-il de dire. Les Nordiques ont obtenu six avantages numériques contre trois de notre côté. Je ne vois pas où est le problème. Mais je comprends que ce n'est pas facile pour Pierre ces temps-ci. »

Il s'agissait du dernier match de Pagé à la barre des Nordiques face au Canadien. À la fin de la saison, les Fleurdelisés ne purent faire mieux que récolter 76 points au classement et se retrouvèrent exclus des séries. Comme il fallait s'y attendre, Pagé fut congédié par Marcel Aubut à la fin de l'année, ce qui ouvrait la voie à l'arrivée de Pierre Lacroix et de Marc Crawford à la barre des Nordiques.

«J'ai eu des prises de bec avec Pierre, mais, au fond, ce n'était pas un méchant gars, soutient Demers une dizaine d'années plus tard. Il n'a jamais accepté de laisser filer une avance de 2-0 et de perdre la série 4-2 contre nous en 1993. Si j'avais été à sa place, je ne l'aurais pas accepté non plus.

«Pierre est un grand compétiteur. Il lui est arrivé quelques fois de passer sa frustration sur moi ou sur l'organisation du Canadien. Je n'avais pas de problème avec ça. Mais il savait qu'il ne pouvait pas s'attaquer à mes joueurs. C'était sacré pour moi. C'est grâce à eux que j'avais pu inscrire mon nom sur la coupe Stanley et j'étais prêt à les défendre… même lorsque Pierre avait raison!

«À mon avis, ajoute-t-il, Pierre aurait dû céder sa place comme entraîneur et se concentrer sur son travail de directeur général, une fonction où il excellait. Je crois que dans une grande ville de hockey comme Québec ou Montréal, la double fonction est trop exigeante. S'il avait embauché un bon entraîneur, je crois qu'il aurait pu faire de grandes choses avec cette équipe bourrée de talent. À preuve, deux ans plus tard, Pierre Lacroix et Marc Crawford remportaient la coupe Stanley (sous les couleurs de l'Avalanche du Colorado).»

Pour montrer qu'il n'a jamais tenu rigueur à Pagé malgré ses sautes d'humeur à Québec, il jette un éclairage sur un épisode qui s'est produit plus tard, alors qu'il était avec le Lightning de Tampa Bay.

«Je vais peut-être vous étonner, mais j'ai recommandé l'embauche de Pierre à mon patron, Phil Esposito, avec l'organisation du Lightning! Nous étions au camp d'entraînement de l'équipe en Autriche et nous l'avons rencontré. À l'époque, Pierre travaillait pour une formation européenne. Je croyais qu'il pouvait faire un excellent dépisteur sur le territoire de l'Europe qu'il connaissait très bien. Phil avait discuté avec lui, mais Pierre était déjà sous contrat avec une équipe.»

* * *

C'est au cours de la saison 1993-1994 que Jacques Demers eut l'occasion de diriger l'équipe de l'Association de l'Est au match annuel des étoiles, présenté cette année-là au Madison Square Garden de New York, le 22 janvier 1994. Ce fut la seule fois au cours de sa carrière de quatorze saisons à titre d'entraîneur dans la LNH où il a pu jouir de ce privilège. Il avait vécu jusque-là deux matchs des étoiles dans l'AMH, mais jamais dans la LNH.

La présence de Demers s'expliquait par le fait qu'il était l'entraîneur des champions de la coupe Stanley. Son vis-à-vis était Barry Melrose, le pilote des Kings de Los Angeles, les finalistes de 1993.

Quelques jours avant le match, Demers fut invité à sélectionner son capitaine. Il confia le poste à Mark Messier, qui connaissait toute une saison avec les Rangers. Il désigna aussi Raymond Bourque et Larry Murphy comme adjoints de Messier.

Son travail s'arrêtait là. On ne le consulta pas pour la sélection des joueurs, lui qui souhaitait la présence de son capitaine Guy Carbonneau. « Si j'avais été consulté, Carbonneau serait sur la glace avec nous à New York, mais c'est la ligue qui décide », déclara-t-il.

Néanmoins, Demers pouvait compter sur la présence de son gardien Patrick Roy, ainsi que sur celle de ses adjoints derrière le banc, Jacques Laperrière et Charles Thiffault. « J'aurais aussi voulu que François Allaire soit présent, mais la LNH limitait le nombre d'adjoints à deux. C'était dommage pour François parce qu'il avait été important pour l'équipe la saison précédente. »

Outre son gardien et ses adjoints, Demers était accompagné de sa femme Debbie pour ce voyage éclair à New York. En prime, il avait décidé de faire vivre toute une expérience à son fils Jason qui avait à peine 10 ans. Le petit Jason vint expressément d'Indianapolis pour rejoindre son père, qui lui avait confié le travail de préposé aux bâtons.

« Jason était très excité, raconte Demers. Il m'en parlait pendant des semaines avant l'événement. Il avait raconté cela à ses petits amis à Indianapolis qui ne le croyaient pas. Mais c'était bien vrai. Il a rencontré tous les grands joueurs de l'époque. Il a passé tout le match à mes côtés derrière le banc. Je suis content d'avoir fait cela pour lui. »

Avant le match, Demers s'adressa brièvement à la brochette de joueurs étoiles qu'il avait devant lui. L'année précédente à Montréal, le match des étoiles avait tourné en véritable farce. L'Association de l'Est avait lessivé celle de l'Ouest par le pointage de 16 à 6. On se serait cru à un match d'une ligue de garage du mardi soir.

« Il fallait éviter les stupidités de l'année précédente et offrir un match décent aux amateurs, raconte-t-il. Pour la LNH, le match des étoiles se voulait une vitrine pour populariser le hockey. Maintenant qu'on était dans le gros marché de New York, il fallait que les joueurs prennent le match un peu plus au sérieux. J'étais d'accord pour qu'ils s'amusent, mais ils devaient afficher aussi une certaine dose d'intensité. »

L'équipe de Demers était formée de Roy, Richter, Vanbiesbrouck, Leetch, Galley, Stevens (Scott), Iafrate, Murphy, Bourque, Mullen, Recchi, Graves, Sanderson, Oates, Turgeon, Sakic, Bradley, Yashin, Kudelski, Messier, Lindros et Mogilny. Elle l'emporta finalement par 9 à 8 après avoir effectué une remontée de trois buts en fin de troisième période.

« Les amateurs présents avaient eu droit à un très bon spectacle. Et en prime, les membres de l'équipe gagnante empochèrent un boni de 5000 $. J'ai bien apprécié mon expérience à cette classique annuelle. Le seul regret, c'est de ne pas avoir eu la chance de compter sur la présence de Mario Lemieux, car il éprouvait des problèmes de santé. »

* * *

Si le Canadien avait été dominant de la fin du mois de décembre jusqu'à la mi-mars, il connut toutefois une fin de saison moins glorieuse (à l'image de ce qui était arrivé l'année précédente). L'équipe s'écroula en fin de calendrier, ne remportant que trois victoires à ses 12 derniers matchs. Le Tricolore se fit d'ailleurs humilier 9 à 0 à son dernier match de la saison disputé à Detroit.

Néanmoins, le Tricolore clôturait sa deuxième saison sous Jacques Demers avec une récolte satisfaisante de 96 points (41-29-14) et se retrouvait au cinquième rang de l'Association de l'Est, derrière les Rangers (112 points), les Devils (106), les Penguins (101) et les Bruins (97).

Au cours de cette saison qui s'était déroulée en deux temps, le Canadien n'avait toutefois pas démontré la même fougue que l'année précédente et, surtout, il n'avait pas offert un spectacle aussi apprécié des amateurs. L'équipe était revenue à ses anciennes habitudes défensives, au détriment d'une attaque plus explosive.

À preuve, il avait marqué 43 buts de moins (283 comparativement à 326), mais en défense il avait concédé 32 buts de moins (248 contre 280). Patrick Roy avait d'ailleurs disputé l'une de ses bonnes saisons et il était parmi les meneurs aux chapitres de la moyenne de buts alloués (2,50), de la moyenne d'efficacité (.918), des blanchissages (7) et des victoires (35). Il avait participé à 68 des 84 matchs de son équipe, ne laissant que des grenailles aux nombreux auxiliaires qui s'étaient succédé, soit les Racicot, Chabot, Kuntar et Tugnutt.

Tugnutt s'était amené à Montréal le 20 février après avoir été échangé par les Mighty Ducks d'Anaheim en retour de Stephan Lebeau. Ce dernier avait connu une baisse de régime radicale par rapport à la saison précédente et Serge Savard avait perdu patience.

Pour une deuxième année consécutive, Vincent Damphousse s'avéra le meilleur marqueur de l'équipe avec une récolte de 91 points, dont 40 buts, incluant 10 buts gagnants.

Déjà le bilan annuel de l'équipe était moins reluisant que celui d'il y a douze mois, mais le Canadien n'en affichait pas moins une certaine assurance. D'ailleurs, à l'aube des séries, Demers précisa qu'il entendait utiliser la même recette qu'au printemps 1993 pour mener sa troupe vers les plus hauts sommets.

« Les statistiques de la saison ne tiennent plus à mes yeux, déclara-t-il. Je veux construire sur du positif, une formule qui nous a procuré du succès l'an dernier. Le message à mes hommes est clair et la recette n'est pas nouvelle : ça nous prend de la combativité, de l'intensité, de l'émotivité et de l'unité. Pour le reste, vous connaissez mes intentions. »

Les intentions de Demers étaient de répéter l'exploit de la saison précédente, bien entendu, mais, pour ce faire, son équipe devait affronter d'abord un adversaire aussi redoutable que les Nordiques, un an plus tôt. La formation montréalaise retrouvait en effet sur sa route ses vieux rivaux de toujours, les Bruins de Boston, qui avaient connu une saison sensiblement à l'image de celle du Canadien.

La série devait s'amorcer à Boston puisque les Bruins avaient devancé (d'un seul point) le Canadien au classement. Contrairement au printemps précédent, le Tricolore ne put se rendre à Bromont en retraite fermée pour peaufiner sa préparation pendant quelques jours. Il ne connut l'identité de son rival que deux jours avant le début de la série. De plus, le Tricolore ne put même pas profiter de ses installations au Forum puisque l'édifice avait été réservé pour deux jours par le chanteur Rock Voisine qui y présentait deux concerts.

C'est donc à l'Auditorium de Verdun que Demers et ses adjoints Jacques Laperrière, Charles Thiffault, Steve Shutt et François Allaire peaufinèrent les derniers détails avant de s'envoler pour Boston. Le premier match devait avoir lieu le 16 avril au vieux Garden.

Au cours de la saison régulière, le Canadien avait conservé une fiche d'une victoire, une défaite et un verdict nul en trois matchs au Garden, un endroit qui était devenu inhospitalier au Tricolore depuis quelques années. À cette époque, les Bruins avaient, selon l'expression populaire, *le numéro du Canadien* en séries, eux qui avaient remporté les trois dernières confrontations (1990, 1991 et 1992).

* * *

Ce matin-là, le directeur général des Bruins, Harry Sinden, et son entraîneur Brian Sutter crurent à un canular du Canadien. Dans un communiqué de presse, le Tricolore avait fait savoir que son gardien étoile, Patrick Roy, ne serait pas en mesure d'affronter les Bruins en soirée, car il souffrait d'un début d'appendicite.

« Mais oui, bien sûr. On parle d'une possible opération, mais vous verrez, Roy aura recouvré la santé à temps pour le match ! » marmonna Sinden en signe de dépit, lui qui voyait des fantômes partout chaque fois qu'il pénétrait à l'intérieur du Forum.

La nouvelle était pourtant véridique : contre toute attente, le roi Patrick avait été hospitalisé en matinée à l'Hôpital général de Montréal en raison de son malaise. La veille, il avait raté l'entraînement. L'organisation fit savoir que Roy était affaibli par une gastro-entérite. De plus, on mentionnait que Roy, en s'amusant avec son fils Jonathan, avait reçu un coup de poing dans les parties génitales, ce qui lui avait occasionné des douleurs à l'abdomen.

Une chose était néanmoins certaine : Roy ne serait pas présent pour ce troisième match de la série face aux Bruins, et pour le moment on ignorait s'il devrait être opéré d'urgence. Dans les circonstances, Jacques Demers dut faire appel à Ron Tugnutt, qui jusque-là n'avait disputé que 60 minutes de jeu dans les séries éliminatoires au cours de toute sa carrière.

À la nouvelle de l'absence de Roy, le vétéran des Bruins, Raymond Bourque, mit en garde ses coéquipiers : « Tugnutt n'est pas Patrick Roy, mais il a toujours excellé contre nous. Il a déjà stoppé 70 de nos 73 tirs pour procurer un verdict nul de 3 à 3 aux Nordiques à la fin des années 1980. Il avait été phénoménal. Personnellement, j'avais lancé 19 fois contre lui. Il arrêtait tout. »

Ces paroles de Bourque s'avérèrent quelque peu réconfortantes pour les amateurs montréalais, mais, en fin de compte, chacun savait que la nouvelle mission confiée à Tugnutt n'avait rien de très rassurant pour la survie du Canadien dans cette série qui s'annonçait des plus chaudes.

* * *

Le Canadien avait amorcé la série sur les chapeaux de roue à Boston. Lors du premier match, le Tricolore livra toute une bataille aux Bruins qui l'emportèrent toutefois par 3 à 2.

Au cours du second match à Boston, Patrick Roy joua comme un dieu et mena le Tricolore à un gain de 3 à 2. Le Canadien revint de l'arrière en troisième période en inscrivant deux buts pour se sauver avec la victoire. Roy avait fait face à 42 tirs des Bruins, comparativement à 24 pour son vis-à-vis Jon Casey. Roy avait particulièrement été brillant devant Bourque, Al Iafrate, Daniel Marois et Adam Oates.

Tout au long de la soirée, le gardien du Canadien fut la cible des farouches partisans des Bruins. « Ils m'ont lancé pour une valeur de 1,50$ de sous noirs par la tête pendant le match. Mais je suis demeuré concentré », raconta le légendaire gardien après la rencontre.

La série s'était alors transportée à Montréal et c'est au lendemain de cette victoire à Boston que Roy ne put participer à l'entraînement du Canadien. Deux jours plus tard, la nouvelle tombait que le gardien du Canadien serait incapable d'affronter les Bruins au troisième match.

Malgré toutes les bonnes paroles prononcées à son endroit, c'est un Ron Tugnutt visiblement nerveux qui se présenta devant le filet montréalais. Et les Bruins en profitèrent pour l'envoyer au tapis dès le départ. Ils gagnèrent par 6 à 3 sans difficulté.

La grande question était désormais de savoir si Roy serait en mesure d'effectuer un retour au jeu même si Serge Savard se montrait peu optimiste. « Sa condition s'est améliorée, déclara Savard, mais on ne compte pas sur lui pour le prochain match. Si ça devait arriver, ce serait une grosse surprise. »

Ce fut une grosse surprise ! Alité depuis trois jours, le roi Patrick revint au jeu tel un miraculé et reçut un accueil triomphal en se présentant devant son filet au début de la quatrième rencontre.

Et malgré ses douleurs, il n'avait pas l'intention de faire uniquement acte de présence. Il se dressa devant les Bruins tel un mur et mena le Canadien à une victoire de 5 à 2 dans l'une des plus grandes prestations de sa carrière. Les Bruins dominèrent 41-15 au chapitre des lancers, mais Roy se montra intraitable dans un scénario digne d'Hollywood. « À vrai dire, j'ai rêvé à un tel scénario », déclara la première étoile du match après cette prestation mémorable.

Avant la rencontre, le médecin du Canadien, Doug Kinnear, avait expliqué que son patient avait récupéré très rapidement. «La résorption des symptômes s'est faite un peu vite, avait reconnu Kinnear, mais ça arrive dans le cas d'appendicite mineure. Les tests sanguins ne décèlent rien d'anormal. Patrick continuera à prendre des antibiotiques pendant cinq à sept jours. Il pourrait ressentir certaines douleurs, mais ce n'est pas dangereux. Il sera opéré au cours de l'été.»

Le gain de 5 à 2 du Canadien lui permettait de niveler la série à deux victoires de chaque côté, avant que les deux équipes s'affrontent dans un cinquième match à Boston.

Ce soir-là, le 25 avril 1994, Roy signa une fois de plus une performance surhumaine. Il repoussa pas moins de 60 tirs des Bruins et le Canadien l'emporta par 2 à 1 en prolongation sur un but de Kirk Muller. Le Canadien prenait ainsi les devants 3-2 dans la série.

Les amateurs au Garden de Boston en demeurèrent bouche bée. Après le match, ils étaient encore sous le choc de ce qu'ils venaient de voir sur la glace. Patrick Roy, sous médication, s'était donné des airs d'homme bionique!

C'est l'ancien joueur des Bruins, Derek Sanderson, devenu commentateur à la radio, qui livra le plus beau témoignage, malgré la défaite de son équipe favorite : «Patrick est l'un des rares athlètes à qui le public ne reproche pas de toucher un salaire de quatre millions de dollars par saison. Il est honnête. Avec lui, on est certain d'avoir un spectacle.»

Miraculeusement, le Canadien quittait Boston avec une victoire en poche et une avance de 3-2 dans la série. «Bien honnêtement, après ce cinquième match, relate Demers, je me suis dit que le vent était en train de tourner exactement comme la saison précédente face aux Nordiques. Contre Québec, Patrick était revenu d'une blessure à une épaule et il nous avait aidés à gagner. Un an plus tard, il revenait d'un début d'appendicite et il signait deux performances époustouflantes consécutives. En plus, nous venions de gagner en prolongation, ce qui prolongeait à 11 notre série de victoires consécutives en surtemps au cours des séries (10 en 1993 et une en 1994).

«Ce diable d'homme de Patrick n'en finissait plus de m'étonner, poursuit-il. Comment voulez-vous que je ne me souvienne pas de lui? Je le répète souvent, mais c'est surtout ce qui me vient en tête lorsque je pense à lui : Patrick était un athlète exceptionnel qui brillait dans les moments exceptionnels.»

L'euphorie collective regagna Montréal après cette victoire inc-ROY-able à Boston. Tout était désormais en place pour que le Canadien en finisse avec les Bruins lors du sixième match au Forum.

Mais les réjouissances furent de courte durée en cette soirée du 27 avril puisque les Bruins renversèrent la vapeur et réussirent à se payer une rare victoire aux dépens de Roy sur la glace du Forum. Ils l'emportèrent par 3 à 2, forçant ainsi la présentation d'un match ultime à Boston deux jours plus tard.

Dans ce septième match, le Canadien ne fut jamais dans le coup. Après 25 minutes de jeu, les Bruins menaient par 4 à 0, se dirigeant vers une victoire convaincante de 5 à 3. Le Canadien subissait ainsi l'élimination en première ronde pour la première fois en 11 ans.

« Pour être bien franc, on ne méritait pas de gagner, reconnut Jacques après la défaite. Justice a été faite. C'est Patrick qui nous a permis de nous rendre jusqu'au septième match. Les Bruins ont obtenu 75 lancers de plus que nous (254 contre 179) au cours de la série. Ils étaient plus affamés que nous. »

Aujourd'hui, Demers est d'avis que son équipe aurait pu l'emporter si Patrick Roy avait pu disputer tous les matchs : « Je ne veux pas blâmer Ron Tugnutt pour sa tenue au troisième match. Ron avait tout un défi à relever. Mais, on ne remplace pas un Patrick Roy facilement. Ce soir-là, on avait besoin de lui, mais il s'est senti étouffé de jouer derrière un géant comme Roy. Ce n'est pas de sa faute, la commande était trop lourde pour lui. N'empêche que si Patrick avait été en santé, nous aurions pu triompher, malgré le fait que je ne sentais pas autant de désir au sein des troupes qu'à pareille date l'année précédente. »

De son côté, Roy y va de sa propre lecture des événements. Dans ses propos tranchants, on perçoit une certaine désolation. « La plus belle chose qui soit arrivée à Jacques Demers, c'est de remporter la coupe Stanley à sa première année à Montréal, mentionne-t-il. Mais la pire affaire qui lui soit arrivée, c'est aussi d'avoir gagné la première année ! Par la suite, on a eu quelques joueurs qui ont eu la *tête enflée*. Ils ne voulaient plus payer le prix pour gagner. C'était devenu difficile pour Jacques car son approche par la motivation n'était pas suffisante. »

* * *

Deux jours après l'élimination de l'équipe, soit le 1er mai 1994, Serge Savard et Jacques Demers rencontrèrent les membres de la presse au

Forum pour dresser un bilan de la saison et pour parler, déjà, de la saison à venir. Dans son évaluation, Savard en arrivait au même constat que son entraîneur : « Ce n'est pas en dominant nos rivaux que nous avons gagné la coupe Stanley l'an dernier. C'est en travaillant et en suant. Cette saison, on a oublié ce qui nous a valu du succès. Des joueurs se sont pensés meilleurs qu'en réalité. »

Du même souffle, Savard promit d'effectuer des changements à la formation : « Quand tu perds, les problèmes sont plus faciles à identifier. Plusieurs joueurs ne seront pas de retour l'an prochain ! ».

Questionné sur l'avenir du populaire capitaine Guy Carbonneau, qui se faisait vieillissant et qui devait renégocier son contrat, Savard ne se défila pas : « Mon mandat, c'est de gagner. Les relations publiques viennent après. Je ne sais pas si je peux encore gagner avec Carbonneau. Certainement pas pour les dix prochaines années en tout cas. Il va passer dans le tordeur comme les autres. Dans le sport, les athlètes viennent et quittent. C'est toujours pénible. Maurice Richard, Guy Lafleur et moi sommes passés par là. Je vais regarder attentivement le dossier de Carbonneau pour le bien de l'équipe. »

À partir de ce moment, les journalistes et Jacques Demers savaient que les jours de *Carbo* étaient comptés à Montréal. Il faut savoir que Carbonneau avait eu des démêlés avec son entraîneur au cours de la série contre les Bruins.

À l'aube du cinquième match à Boston et au lendemain du retour *miraculeux* de Patrick Roy devant le filet, Carbonneau avait reproché à Demers de ne parler que de Roy dans cette série : « Jacques est un gars émotif, mais s'il veut continuer à diriger à long terme, il devra changer sa façon de dire les choses », avait-il lancé.

La remarque n'avait pas trop plu à Demers, qui avait mentionné, lors de sa conférence de presse suivant l'élimination de son équipe, que « Roy était la seule grande vedette du Tricolore, chose qu'on devait accepter ».

Carbonneau s'expliqua à son tour : « J'avais avisé Patrick sur son lit d'hôpital que je ferais une sortie. On n'allait nulle part et tout le monde disait qu'on ne pourrait gagner sans Patrick. Je m'étais laissé dire qu'il serait opéré et qu'il ne reviendrait pas. Il fallait réveiller les joueurs et leur dire d'oublier Patrick. Dans cette histoire, peut-être que Jacques s'est senti visé par mes propos. Peut-être a-t-il compris que je trouvais qu'il parlait trop de Patrick ! »

Et Carbonneau se lança alors dans un plaidoyer en faveur de Demers : « Je n'ai rien contre Jacques. Si quelqu'un n'a pas à cracher sur lui, c'est bien moi. Il a sauvé ma carrière cette année (1993-1994). C'est malheureux que mes propos aient été publiés de la sorte, mais je vais vivre avec ce que j'ai dit. Tout est une question d'interprétation. Chose certaine, je ne suis pas jaloux de Patrick et il le sait pertinemment. »

Quelques années plus tard, Carbonneau était invité à revenir sur cette période trouble. « J'ai toujours été réaliste dans le cas de Patrick Roy, affirme-t-il de nos jours. Il était la grande vedette à Montréal et il s'avérait l'un des plus grands joueurs de toute la LNH. Or, c'est normal que lorsqu'un joueur parle de lui, cela fasse plus de bruit. Avec le Canadien, Jacques Demers l'avait mis sur un piédestal. C'était normal dans les circonstances. Il était notre Wayne Gretzky, notre Mario Lemieux. Je n'ai jamais ressenti de jalousie des joueurs envers Patrick à part, peut-être, des gardiens qui lui servaient d'auxiliaires !

« Jacques Demers le vantait abondamment, mais je dois avoir l'honnêteté de dire que Jacques louangeait souvent les autres joueurs de l'équipe, précise-t-il. Personne n'avait le sentiment d'être négligé. Au contraire, il nous faisait sentir importants pour l'équipe. Si j'avais fait une telle déclaration au cours de la série contre Boston, c'était pour réagir dans un contexte très particulier. Un point, c'est tout. »

Si plusieurs croyaient les jours de Carbonneau comptés à Montréal, il donna lui-même plus de munitions à son patron, Serge Savard, au lendemain de la conférence de presse de celui-ci. Cette journée-là, Carbonneau commit une maladresse à l'endroit du photographe Normand Pichette, du *Journal de Montréal,* qui tentait de le photographier en train de jouer au golf sur le parcours du club de Rosemère en compagnie de Roy (eh oui !) et Vincent Damphousse. Apercevant le photographe, il tendit un *doigt d'honneur* vers son appareil photo et Pichette déclencha. Le photographe présenta le cliché à ses patrons, qui décidèrent de le publier en première page.

L'incident souleva toute une controverse à Montréal. Le Forum fut inondé d'appels. Sans excuser tout à fait le geste du capitaine, les amateurs et la presse en général n'appréciaient pas que les médias poursuivent les joueurs jusque sur les terrains de golf pour vendre des journaux.

« C'est malheureux parce que je joue au golf pour relaxer, déplora Carbonneau. Il me semble que nous avons droit à un moment de répit après la saison. »

Le fameux *doigt d'honneur* fut perçu par certains comme un pied de nez de Carbonneau à l'endroit des partisans. Jacques Demers se porta à la défense de son joueur : « Je sais très bien que Guy n'a pas posé un tel geste à l'endroit des partisans. C'est dommage parce que Guy a toujours bien répondu au public et a toujours collaboré avec les journalistes. Comme les autres joueurs, la saison de Guy est terminée et il a le droit de se détendre. »

En réalité, Carbonneau n'avait pas commis un grand crime, mais disons qu'il avait manqué de classe cette journée-là. D'ailleurs, trois jours plus tard, il émit un communiqué dans lequel il s'excusait auprès du photographe Pichette et auprès de ceux qu'il aurait pu offenser : « J'écris cette lettre dans le but de m'excuser auprès de Normand Pichette, auprès des partisans qui ont pu y voir une offense à leur fidélité, auprès de mes coéquipiers pour avoir terni l'image des joueurs et celle du Canadien, mais surtout auprès de la jeunesse québécoise pour avoir trahi leur respect, leur confiance et leur admiration.

« Le geste que j'ai posé était sans signification et malheureusement tout à fait gratuit. Un geste comme une parole lancée dont on perd le contrôle et que chacun peut interpréter à sa façon. Pour moi, ce n'était qu'une plaisanterie, de bien mauvais goût j'en conviens, d'un goût plutôt amer au réveil. Il ne m'était pas venu à l'esprit que l'on publierait cette photo. J'avoue que c'est un peu naïf, à mon âge, d'agir ainsi et de croire que cela puisse demeurer sans conséquence.

« Je suis désolé de voir la portée de ce moment d'insouciance. Armé d'une nouvelle expérience, je tourne humblement une autre page de ce grand livre d'apprentissage qu'est la vie », concluait le valeureux capitaine.

Un mois après l'incident, Carbonneau revint sur le sujet. Il conservait un souvenir amer. « On m'a fait un *coup de cochons*, déclara-t-il. D'autres joueurs sont choqués envers le *Journal de Montréal* d'avoir publié cette photo. C'était tout à fait inutile. Lorsque j'ai été arrêté, il y a quelques années, pour avoir conduit en état d'ébriété, j'ai accepté qu'on en parle dans les journaux parce que j'avais commis une faute. Cette fois-ci, ce n'était pas le cas. À mon avis, le photographe n'avait pas d'affaire sur le terrain de golf cette journée-là. C'était ma vie privée. »

Malgré tous ses efforts pour ramener un peu de sympathie à son égard, Carbonneau n'y était pas vraiment parvenu aux yeux de la direction de l'équipe. Et comme il l'avait laissé entendre au début du mois de mai, Serge Savard passa aux actes le 19 août en expédiant son capitaine aux Blues de Saint Louis, de son ami *Le Prof* Ronald Caron.

En retour, le Canadien mit la main sur l'obscur attaquant Jim Montgomery. En annonçant la nouvelle, Savard expliqua, dans des propos quasi identiques à ceux qu'il avait tenus quatre mois plus tôt, pourquoi il s'était départi de Carbonneau. « C'est la partie la plus ingrate de mon métier, commença-t-il par dire. J'ai décidé d'échanger Guy pour le bien-être de l'organisation. Il faut faire de la place aux jeunes. »

Demers raconte comment il a vécu toute cette histoire : « J'ai trouvé cela très difficile de perdre Guy. C'était un capitaine hors pair avec qui on pouvait avoir de longues discussions très franches. Mais *Carbo* était vieillissant et il avait été blessé aux genoux. L'organisation croyait qu'il était rendu au bout du rouleau. L'histoire de la photo en première page du journal n'a pas aidé, mais ce n'est pas pour ça qu'on l'a échangé. On se disait que le jeune Benoît Brunet deviendrait notre spécialiste des missions défensives à sa place. D'ailleurs, ajoute Demers, je crois que cette histoire de photo était allée trop loin. Guy a été piégé au moment où il avait droit à une certaine intimité. »

Onze ans après le départ de Carbonneau, Demers conserve encore un souvenir précieux de son association avec lui : « C'est un capitaine qui comprenait le rôle d'un entraîneur plus que bien des joueurs. Il remplissait à merveille son mandat de faire le lien entre les joueurs et la direction. Et ce n'était surtout pas un *téteux de coach* ! Il avait son franc-parler. Avec lui, on savait exactement à quoi s'en tenir. Curieusement, c'était un homme de peu de mots dans le vestiaire. Mais le moment venu, il passait son message directement. C'était un vrai de vrai qui était respecté de tous. »

* * *

Onze jours après l'annonce du départ de Carbonneau, le Canadien convia les médias à une autre conférence de presse pour dévoiler l'identité de son nouveau capitaine. Serge Savard et Jacques Demers avaient rompu avec la tradition de l'équipe et avaient eux-mêmes nommé le successeur de Carbonneau. D'ordinaire, le capitaine était élu par scrutin auprès des joueurs.

En ce 30 août 1994, Kirk Muller devint le 22e capitaine de l'histoire du Tricolore. Il serait secondé dans son travail par Vincent Damphousse, Jean-Jacques Daigneault et Mike Keane. Pour cette occasion spéciale, trois des plus valeureux capitaines de l'histoire du Canadien, Maurice Richard, Henri Richard et Yvan Cournoyer, étaient sur place pour accueillir Muller dans cette confrérie prestigieuse. Sans compter que Serge Savard lui-même appartenait à ce groupe sélect.

« C'est un très grand honneur », déclara Muller d'un ton ému en présence de sa femme Stacey et de son père Ed. « Je suis extrêmement fier de mon fils », renchérit celui-ci.

« Le choix n'a pas été compliqué, expliqua Demers. Kirk est un grand leader. Il ne remplace pas Guy Carbonneau, il lui succède. D'ailleurs, j'ai dit à Kirk de ne pas tenter d'imiter Carbonneau, mais de faire les choses à sa façon. Il doit rester lui-même. »

Cinq jours après la nomination de Muller, le Canadien amorçait son camp d'entraînement pour la saison 1994-1995, la troisième de Demers à la barre de l'équipe.

Peu après le début du camp, le Canadien disputa un match préparatoire à Québec face aux Nordiques. Pour Kirk Muller, il s'agissait d'un premier voyage à titre de capitaine du Canadien.

« Cette première sortie comme capitaine restera à jamais gravée dans ma mémoire, raconte Muller. À notre retour de Québec où nous avions gagné, les joueurs ont rapidement ingurgité les cannettes de bière qui étaient disponibles dans l'autobus. Nous étions rendus environ à mi-chemin entre Québec et Montréal, et déjà il n'y avait plus de bière pour se désaltérer.

« Ce soir-là, ajoute-t-il, les joueurs se sont alors tournés vers moi et m'ont fait subir un premier test comme capitaine. Ils m'ont invité à aller voir le *coach* pour lui faire part de la situation. Les gars voulaient qu'on arrête en chemin de façon à faire le plein. Je ne pouvais reculer face à une telle demande et je me suis présenté à l'avant de l'autobus où était assis Jacques. Je lui ai dit que les gars avaient soif et qu'ils apprécieraient si on pouvait se procurer quelques bières sur notre route puisque nous avions encore plus d'une heure à rouler avant d'arriver à Montréal.

« Jacques me dit qu'il verrait ce qu'il pourrait faire. Puis, à la première sortie, il indiqua au chauffeur de quitter l'autoroute afin de trouver un dépanneur. Ce qui fut fait. Aussitôt arrivé dans la cour du dépanneur, Jacques se leva et descendit de l'autobus. Il alla lui-même acheter une caisse de bière. Il reçut toute une ovation à son retour dans l'autobus. Et moi, j'avais passé le test ! Tout ça pour expliquer quel genre d'entraîneur était Jacques Demers et pourquoi les joueurs aimaient tant jouer pour lui ! »

Demers ajoute : « Ce soir-là, j'ai effectivement décidé d'acheter de la bière aux joueurs. Lorsque je suis sorti de l'autobus, un joueur m'a suivi. C'était Patrick Roy. Vous auriez dû voir la réaction de l'employé du dépanneur lorsque nous sommes entrés. Le gars n'en revenait tout simplement pas de voir le *coach* du Canadien et Patrick Roy dans son dépanneur. Il se préparait à fermer boutique, mais avec un bon pourboire nous sommes parvenus à avoir de la bière pour les joueurs ! »

Si les joueurs eurent bien du plaisir dans ce court voyage en autobus entre Québec et Montréal en ce mois de septembre 1994, il faut reconnaître que tout n'était pas gai dans le monde du hockey à cette époque. En fait, le camp d'entraînement se déroulait dans un climat d'incertitude puisqu'un conflit de travail planait au-dessus de la tête des joueurs et des propriétaires.

Malgré tout, Demers faisait comme si de rien n'était. Il mit plusieurs heures à bien se préparer afin de faire oublier la fin de saison précipitée face aux Bruins au mois d'avril précédent. « Nous nous mettons au travail dès ce matin, car nous avons des choses à nous faire pardonner, déclara-t-il après avoir accueilli les 41 joueurs invités au camp.

En dépit des rumeurs d'un arrêt de travail imminent, Jacques demeurait confiant d'amorcer la saison, tel que prévu, le 1er octobre contre les Bruins, leurs tombeurs en séries. « J'ai bon espoir que les choses se règlent d'ici au début de la saison », déclara-t-il.

D'ailleurs, une semaine avant le début des activités, tout semblait s'orienter vers un accord. Le Canadien avait même octroyé un mirobolant contrat au vétéran joueur de centre Vincent Damphousse, qui avait obtenu une somme de 10 millions de dollars sur une période de quatre ans. Pour une ligue qui se dirigeait vers un conflit de travail, c'était plutôt étonnant !

Les points en litige en cet automne 1994 étaient à peu près les mêmes que ceux qui allaient se retrouver à l'enjeu dix ans plus tard. Les propriétaires, dans le but d'assainir leurs finances, exigeaient un plafond salarial, ce à quoi les joueurs s'opposaient fermement.

Finalement, faute d'une entente avec l'Association des joueurs, la LNH décréta un lock-out le 30 septembre, la veille même de l'ouverture de la saison.

* * *

En congé bien involontaire, Demers se refusa à demeurer chez lui à ne rien faire. Ce n'était pas dans sa nature. Comme plusieurs, il ignorait quand les activités de la LNH reprendraient. Toutefois, l'équipe-école du Canadien avait amorcé sa saison dans la Ligue américaine de hockey (LAH) et Demers avait l'intention de voir évoluer les jeunes espoirs de l'organisation de façon à bien connaître leur potentiel.

Dès le 6 octobre, soit moins d'une semaine après le déclenchement du lock-out, il prit la route au volant de sa voiture et se rendit à Fredericton, au Nouveau-Brunswick, où les petits Canadiens étaient basés. Il connaissait bien la ville puisqu'il y avait dirigé l'équipe-école des Nordiques penant deux ans au début des années 1980. Sur place, il put épier à loisir les Valeri Bure, Donald Brashear, Jim Campbell, Robert Guillet, David Wilkie, Craig Conroy, Craig Darby, Craig Ferguson, Yves Sarault, Craig Rivet, Turner Stevenson, Brent Bilodeau, Dion Darling, Martin Brochu, Patrick Labrecque, Christian Proulx, Chris Murray, Scott Fraser et d'autres. Il avait donc une meilleure idée de la relève du Canadien et était davantage en mesure de savoir qui, du groupe, il pourrait rappeler à Montréal en cours de saison, si saison il y aurait.

Au cours de son séjour à Fredericton, Demers put discuter avec l'entraîneur Paulin Bordeleau, qui avait la mission de faire progresser les jeunes jusqu'à ce qu'ils soient prêts à faire le saut dans la LNH. Il en profita pour lui donner des consignes destinées à améliorer certains points chez quelques joueurs.

C'est aussi pendant ce séjour d'une semaine dans les Maritimes que Jacques eut l'occasion de faire connaissance davantage avec un journaliste. J'étais ce journaliste, et mon journal, le *Journal de Montréal* pour ne pas le nommer, m'avait dépêché dans ce coin de pays pour livrer des reportages sur la relève du Canadien.

Nous nous fréquentions sur une base professionnelle depuis deux ans à Montréal, mais rarement nous avions pu discuter de sujets autres que le hockey.

Or, le fait de loger au même hôtel à Fredericton, de manger régulièrement ensemble, de voyager ensemble vers l'aréna et de se côtoyer à toute heure du jour nous permit de tisser des liens plus serrés.

C'est à l'occasion d'un souper en tête-à-tête dans un restaurant de Fredericton que Demers s'était livré à des confidences pour la première fois. Il m'avait fait étalage de sa délicate situation, me parlant comme à un ami très proche.

C'est à ce moment qu'il me révéla ses énormes difficultés à lire et à écrire, et les sévices dont il avait été victime au cours de sa jeunesse. Ce repas a vite pris une tournure très émotive.

Demers prit soin de s'assurer de la confidentialité de ses propos auprès de son interlocuteur avant d'aller au lit. Dès le lendemain matin au petit-déjeuner, il rappliqua en insistant pour me demander que sa confession demeure un secret bien gardé. « Si tu parles de ça à qui que ce soit, je suis un homme mort », me dit-il. Bien entendu, je lui fis la promesse que sa volonté serait entièrement respectée.

« Ce soir-là, à Frederiction, dit-il quelque temps avant la publication de ce livre, c'était la première fois que je confiais mes nombreuses difficultés à un homme. J'ignore encore pourquoi je me suis laissé aller de la sorte. C'était très risqué, moi qui étais un personnage très médiatisé à Montréal. C'est étrange, mais j'ai ressenti beaucoup de sensibilité de la part de mon compagnon de souper. Il ne s'est pas moqué de moi, bien au contraire. Il a gagné ma confiance. ».

* * *

Cette année de lock-out s'avéra une année pleine de déceptions...

À la veille d'affronter les Sabres à Buffalo pour son avant-dernier match de la saison, Jacques Demers et le Canadien, qui luttait toujours pour une place dans les séries, reçurent tout un coup de Jarnac en regardant le match entre les Flyers et les Rangers à la télévision.

En l'emportant, les Rangers venaient de clouer le cercueil du Canadien. Pour la première fois en 25 ans, le Tricolore ne participerait pas aux séries éliminatoires. Même en récoltant deux victoires à ses deux derniers matchs, le compte n'était pas suffisant.

C'est la mort dans l'âme que Demers commenta la nouvelle. Deux ans après avoir mené sa troupe à la conquête de la coupe Stanley, il se voyait forcé de prendre des vacances hâtives. « Nous avons laissé tomber notre public, murmura-t-il. Ce qui nous arrive est le résultat de ce que nous avons fait à l'étranger. »

Le Canadien avait effectivement été lamentable sur les patinoires adverses au cours de cette saison de misère, ne récoltant que trois victoires en 24 matchs (3-18-3)...

* * *

Dieu qu'il s'en était passé des choses au cours de cette saison écourtée ! Après trois mois et demi d'hostilités, joueurs et propriétaires s'étaient finalement entendus à la mi-janvier, de sorte que la saison put prendre son envol le 20 janvier 1995.

En raison du conflit, la LNH avait élaboré un calendrier écourté à 48 matchs, qui devraient tous être disputés à l'intérieur de chacune des associations. C'est dire que le Canadien ne livra aucun match aux équipes de l'Association de l'Ouest.

Le Canadien connut un très lent départ, à l'image de la tenue irrégulière du gardien étoile Patrick Roy. Et les gros canons de l'équipe, Vincent Damphousse, Brian Bellows, Kirk Muller, Gilbert Dionne et John LeClair notamment, connurent tous des baisses de régime.

Au cours d'une séquence infructueuse, Damphousse rata des occasions en or de procurer la victoire au Tricolore. Le nouveau millionnaire de l'équipe (dix fois plutôt qu'une) faillissait à la tâche de façon répétée depuis le début de la saison.

Un soir, à Pittsburgh, Damphousse et Bellows ratèrent des chances inouïes. Ils ne purent profiter de filets ouverts pour aider le Tricolore à gagner. Le Canadien s'inclina par 3 à 1. Au lendemain de ce match, Demers s'en prit directement à ses deux joueurs.

«Ces joueurs-là sont parmi les mieux payés au sein de l'équipe parce qu'ils peuvent marquer des buts, déclara-t-il. C'est leur devoir de mettre la rondelle dans le filet. Vincent n'a que trois buts en dix matchs cette saison. Il doit *la mettre dedans*. On le paie des millions de dollars pour faire ça.»

Il s'agissait d'une sortie inhabituelle pour Demers, car il avait pour principe de ne pas pointer ses joueurs ouvertement. Mais son équipe allait tellement mal qu'il avait décidé de «nommer» les coupables... En fait, le Canadien ne jouait bien ni en défense, ni en attaque en ce début de saison.

Au sein de la troupe, on ne ressentait plus la belle harmonie qui avait régné au cours des deux années précédentes. Le personnel était divisé et la grogne était présente.

Serge Savard passa rapidement aux actes. Dès le 9 février, soit trois semaines après le début de la saison, il conclut une transaction avec les Flyers de Philadelphie pour obtenir les services de Mark Recchi. Le Tricolore céda en retour le défenseur Éric Desjardins (le héros du deuxième match de la finale contre les Kings en 1993), de même que les attaquants Gilbert Dionne et John LeClair (un autre héros de la finale de 1993).

Recchi était un petit joueur fabuleux qui venait de connaître quatre saisons consécutives de 40 buts et plus à Pittsburgh et à Philadelphie. Il arrivait à Montréal pour régler un problème à l'aile droite.

En contrepartie, le Canadien cédait son meilleur défenseur en Desjardins, même si ce dernier connaissait des moments difficiles. Quant à Dionne, il était à couteaux tirés avec Demers depuis déjà plusieurs mois.

Et personne ne se doutait que LeClair deviendrait la pierre précieuse de cette transaction.

Avec le Tricolore, LeClair avait la fâcheuse habitude de s'évaporer pendant plusieurs jours après avoir connu une bonne performance. Son passage à Montréal s'était déroulé sous le signe de l'irrégularité. Il jouait mollement et avait tendance à tomber régulièrement sur la patinoire, comme s'il avait été monté sur des chevilles en gélatine !

Mais dès son arrivée à Philadelphie, le gros Américain originaire du Vermont se transforma en véritable joueur d'impact à la gauche d'Eric Lindros. Encore aujourd'hui, Demers ne peut comprendre pourquoi LeClair n'a jamais pu répondre aux attentes à Montréal, alors qu'il a joué avec tant de brio chez les Flyers.

« J'ai toujours cru que John pouvait devenir un vrai joueur de puissance avec nous, se désole-t-il. J'avais même dit aux journalistes qu'il avait de la graine pour devenir notre Kevin Stevens. On s'était moqué de moi.

« En rétrospective, je crois que certains joueurs ne sont pas faits pour jouer à Montréal et John était un de ceux-là. Il n'était pas à l'aise dans une ville où le hockey est aussi médiatisé. Il n'avait pas confiance avec lui. Il est arrivé à Philadelphie, on l'a fait jouer avec Lindros et il a débloqué. Pourtant, on lui a donné des chances à Montréal. Pour moi, ça demeure une énigme.

« Quant à Éric Desjardins, poursuit Demers, c'est certain que je perdais un gros morceau. Mais Serge devait donner beaucoup pour obtenir Recchi. Et Éric était le joueur-clé que nous avions à offrir. Des trois joueurs qui sont partis, c'est Éric que j'aurais le plus aimé garder. D'ailleurs, j'ai eu vent qu'il me tenait responsable de son départ de Montréal. C'est complètement faux. Serge Savard me laissait diriger et je le laissais faire son travail. D'ailleurs, on ne dit pas à un gars de la trempe de Serge Savard quoi faire. Serge m'informait souvent à l'avance des gestes qu'il se préparait à poser, mais je ne faisais aucune interférence dans son travail. Je n'ai rien eu à voir avec le départ d'Éric de Montréal. »

Dans le cas de Dionne, Demers soutient que son jeune ailier gauche présentait un beau talent de marqueur, mais qu'il n'était pas toujours disposé à mettre les bouchées doubles pour réussir : « Gilbert était un jeune homme jovial qui prenait les choses un peu trop aisément. Il s'amusait plus qu'il ne travaillait. Plusieurs fois, j'ai tenté de lui expliquer que si son frère Marcel avait connu autant de succès dans la LNH, c'est parce qu'il avait mis les efforts pour s'améliorer constamment. Mais Gilbert était moins concentré sur son métier que Marcel. Il a toujours cru que je lui en voulais personnellement, alors qu'au fond je désirais qu'il comprenne que dans la LNH ça prenait un minimum de sérieux. »

Une dizaine d'années après avoir effectué cette transaction, Serge Savard apporte son propre éclairage : « Il était clair dans l'esprit des Flyers qu'Éric Desjardins devait faire partie de la transaction si on voulait mettre la main sur Marc Recchi. J'ai finalement accepté de me départir de Desjardins. J'ai aussi discuté avec Bobby Clarke afin d'inclure John LeClair dans la transaction. LeClair faisait partie de l'organisation depuis six ou sept ans, mais il n'arrivait pas à débloquer. Et Jacques le faisait de moins en moins jouer.

« En fait, c'est l'une des seules choses que je peux reprocher à Jacques lorsque je fais le bilan de notre association. Je trouve qu'il était trop à l'écoute des vétérans du club. Par exemple, en ce qui concerne LeClair, je sais que Patrick Roy et Kirk Muller ne l'aimaient pas. Jacques les écoutait et avait relégué LeClair au quatrième trio. »

Malgré tout, la venue de Recchi ne réussit pas vraiment à revigorer l'équipe. Le Canadien continua d'aligner des performances en dents de scie. Pendant ce temps, à Québec, les nouveaux Nordiques de Pierre Lacroix et de Marc Crawford montraient un dossier de 13 victoires et deux revers à leurs 15 premiers matchs. Ils filaient à vive allure.

Les Nordiques en étaient à leur dernière saison dans la Vieille capitale. Avec le règlement du conflit à la mi-janvier, le président Marcel Aubut avait subi un échec à la table de négociation, car il tenait absolument à l'établissement d'un plafond salarial. Finalement, les propriétaires avaient cédé devant les joueurs et l'idée du plafond salarial avait été écartée.

Depuis ce temps, Aubut claironnait que les Nordiques ne pourraient plus survivre dans un tel contexte économique et il s'apprêtait à déménager sa concession. Ce qu'il fera au cours de l'été suivant en faisant prendre à son équipe la direction de Denver, au Colorado.

Malgré l'incertitude créée par les nombreuses rumeurs de déménagement, les Nordiques étaient dominants sur la patinoire. Au cours d'une rencontre de presse avec les journalistes de Montréal, Demers profita de l'occasion pour vanter les mérites de ses rivaux de Québec. « C'est la meilleure équipe de la LNH, avança-t-il. Les Nordiques forment une véritable puissance. Je ne dis pas cela pour les flatter ou pour leur mettre de la pression. Je le pense vraiment. »

Si Demers s'attendait à être remercié par les Nordiques pour ses propos élogieux, il fut plutôt assommé le lendemain en lisant la réplique de son vis-à-vis, Marc Crawford. « Demers aime beaucoup les prédictions, avait dit Crawford. Il en fait beaucoup. Il est le Jo-Jo Savard des entraîneurs ! » avait-il rigolé en faisant référence à une diseuse de bonne aventure qui faisait le clown à la télévision québécoise en se donnant des airs et en prédisant le paradis à ses admirateurs.

Jacques fut abasourdi par la remarque de son homologue québécois. « Je ne comprends pas, fit-il savoir. J'ai fait une déclaration positive et sincère en vantant le travail des nouveaux hommes de hockey des Nordiques. Je ne sais pas comment toute cette histoire est sortie à Québec, mais je suis certain que Marc ne voulait pas m'envoyer une flèche. Il devait sûrement blaguer. »

Quoi qu'il en soit, pendant que la barque des Nordiques voguait en eau calme à Québec, celle du Canadien ne cessait de prendre l'eau.

Au début du mois de mars, des rumeurs de rébellion commencèrent à circuler autour de l'équipe. Rapidement, joueurs et dirigeants se rangèrent derrière leur entraîneur pour l'appuyer sans réserve.

Le chroniqueur du quotidien *La Presse,* Réjean Tremblay, sur la foi d'informations privilégiées, écrivit un texte intitulé « Un quarteron de putschistes veut la tête de Demers » dans lequel il révélait qu'un petit groupe de joueurs anglophones auraient décidé de mettre la pédale douce de façon à se débarrasser de leur entraîneur.

Plus tard, on raconta que l'informateur anonyme de Réjean Tremblay était… nul autre que Jacques Demers lui-même ! Demers en est encore choqué aujourd'hui : « Je ne sais pas si Réjean a lui-même laissé entendre une telle chose à des collègues, mais c'est complètement faux. D'ailleurs, Réjean s'est excusé auprès de moi il y a deux ans en me disant qu'il y avait eu un malentendu. J'ai trouvé son explication un peu mince. S'il savait combien toute cette histoire m'a pesé sur les épaules pendant longtemps, pour finalement me faire dire qu'il s'agissait d'un simple malentendu… »

Selon Demers, ce qui s'est produit est fort simple : « Un soir où j'étais à Long Island à la veille d'un match contre les Islanders, j'ai reçu un message à mon hôtel me disant de rappeler Réjean Tremblay à Montréal. Ce que j'ai fait. Au cours de notre conversation, Réjean m'a indiqué qu'il publierait une nouvelle le lendemain à l'effet que certains joueurs de l'équipe voulaient ma tête. Sur ce, je lui ai dit que j'étais surpris car je ne voyais pas de problème avec les joueurs. J'ai simplement mentionné que ma relation était moins bonne avec Brian Bellows, mais sans plus. »

Le lendemain, *La Presse* publiait l'article de Tremblay… qui créa toute une commotion chez le Canadien. Ce n'est que beaucoup plus tard qu'on laissa entendre que la source anonyme de Tremblay était l'entraîneur lui-même.

« Toute cette histoire ne tient pas debout, insiste Demers. Pensez-vous logiquement qu'un entraîneur du Canadien aurait appelé un journaliste pour lui dire que certains anglophones ne veulent plus jouer pour lui ? Ça ne fait pas sérieux cette affaire-là. Ce qui s'est passé est simple : c'est Réjean qui m'a appelé pour m'informer de ce qu'il allait publier. D'ailleurs, j'ai toujours soupçonné un joueur francophone, qui était ami avec Réjean, d'avoir lancé une telle rumeur. Mais je n'en ai aucune preuve. »

Cette aventure fragilisa Jacques aux yeux du public. Pour la première fois depuis son arrivée à Montréal en juin 1992, certains joueurs, certains amateurs et certains journalistes, disait-on, réclamaient sa tête…

* * *

Au plus fort de la tempête, le Canadien traversa une période où il ne récolta aucune victoire en six matchs (0-5-1), soit du 25 février au 8 mars. Il va sans dire que Demers n'entendait pas à rire. Au lendemain d'un revers à Buffalo et à la veille d'affronter les mêmes Sabres à Montréal, Demers procéda à quelques modifications dans sa formation.

L'une de celles-là prévoyait que Paul Di Pietro, qui connaissait une saison atroce, serait retranché de la formation. Di Pietro, peu utilisé, avait d'ailleurs demandé à être échangé un peu plus tôt dans la saison. Il réagit très mal à la décision de son entraîneur ce jour-là et en fit part aux journalistes.

« Depuis que Gilbert Dionne est parti, je suis devenu le souffre-douleur, mentionna-t-il. C'est vrai que je n'ai pas bien joué dernièrement, mais les 20 joueurs de l'équipe n'ont pas bien joué non plus. Mais s'il [Demers] juge que mon retrait va aider l'équipe, c'est son droit. Je ne pense pas que ça va faire la différence. »

En prenant connaissance des propos de Di Pietro le lendemain matin en feuilletant le journal, Jacques explosa. Il se présenta au Forum et il écumait encore. Sans attendre, il se dirigea vers le casier de Di Pietro dans le vestiaire et, littéralement hors de lui, il saisit tout l'équipement de son joueur (patins, gants, jambières, coudières, épaulières, support athlétique…) et le lança furieusement dans le bain-tourbillon des joueurs, dans une salle adjacente. Lorsque Di Pietro se présenta à son tour, il ne put que constater les dégâts. Son équipement flottait littéralement dans le bain…

« Jacques était vraiment furieux, raconte Pierre Gervais, qui était un préposé à l'équipement de l'équipe et qui avait assisté à la scène. Il s'est présenté très tôt au Forum et il ne prononçait pas nécessairement des mots doux. Il est arrivé en coup de vent et a demandé expressément où se situait le casier de Di Pietro. Puis, devant tous les préposés à l'équipement, il a pris le *stock* et il l'a lancé au complet dans le bain-tourbillon. Il nous a ordonné de ne pas y toucher : "C'est lui qui va sortir son stock tout seul." Même si Jacques était vraiment hors de lui, j'admets bien honnêtement qu'on se retenait pour ne pas rire !

« Un peu plus tard, ajoute Gervais, les joueurs se sont présentés un à un. Ils étaient tous étonnés de voir que l'équipement de Paul flottait dans la cuve. Puis Di Pietro est arrivé. Les joueurs riaient de bon cœur et attendaient de voir sa réaction. Lorsque Paul a constaté l'étendue des dégâts, il s'est tourné vers nous (les préposés à l'équipement) et nous a demandé qui avait fait une chose pareille. On lui a alors répondu que c'était... le *coach* ! Vous auriez dû lui voir la face ! Il savait qu'il était dans le trouble... et qu'il devait se taper un petit *voyage de pêche* pour sortir son équipement de l'eau. »

Gervais raconte que Di Pietro s'est tout de même entraîné avec ses coéquipiers ce matin-là : « On ne lui a pas fourni d'équipement sec, on n'en avait surtout pas le droit ! Paul a enfilé son équipement détrempé, il a tenté de faire sécher ses gants à l'aide du séchoir à cheveux, et il a sauté sur la patinoire. Après l'entraînement, il s'est expliqué avec Jacques. »

L'incident passa inaperçu dans l'immédiat, mais deux jours plus tard le *Journal de Montréal* en publiait le récit sur la foi d'informations confidentielles. Di Pietro n'eut d'autre choix que de confirmer l'information. Il en profita pour s'excuser auprès de son entraîneur, de ses coéquipiers et de l'organisation. « Je ne savais pas ce que je disais, déclara-t-il. J'étais frustré. J'ai erré complètement. Je suis désolé. »

« Paul commençait vraiment à me taper sur les nerfs, raconte Demers dix ans plus tard. Nous connaissions une mauvaise saison et les choses ne semblaient pas vouloir se replacer. Paul ne jouait pas à la hauteur des attentes. D'ailleurs, depuis ces précieux buts en séries de 1993, il s'était avéré un joueur décevant. Il n'avait pas progressé.

« Il prenait ses succès du printemps 1993 pour acquis, ajoute son ex-entraîneur. Cette fois-là, il avait défié mon autorité, en plus. Lorsqu'il était arrivé au Forum, ce matin-là, il avait fait tout un saut ! C'est lui qui est allé sortir son équipement de là pour le faire sécher. On s'est parlé par la suite et on a réglé notre différend. »

Par ailleurs, Gervais mentionne que Demers pouvait avoir de ces réactions imprévisibles. Il se souvient d'une autre fois, au printemps 1993, alors que le Canadien se préparait à amorcer les séries éliminatoires.

« Jacques était nerveux, mais la grande majorité du temps il était de commerce agréable. Il nous traitait avec respect. Mais ce matin-là, nous avions eu droit au plus court *meeting* de notre carrière !

« En fait, nous étions un groupe qui avait beaucoup de plaisir, Eddy Palchak, Robert Boulanger, Pierre Ouellette, John Shipman, Gaétan Lefebvre et moi. Nous formions le personnel de soutien et on s'amusait allègrement avec les entraîneurs adjoints, Jacques Laperrière et Charles Thiffault. Michèle Lapointe, la directrice des communications, était aussi impliquée dans toutes nos niaiseries ! On se jouait des tours continuellement. Quant à Jacques, il était déjà dans sa bulle des séries.

« Un beau matin, Jacques s'est présenté au Forum et a commandé une réunion de tout le personnel de soutien avec ses adjoints, dans la salle vidéo. Il était très tôt. C'était avant que les joueurs arrivent pour l'entraînement. Nous nous sommes présentés dans la salle en pensant qu'il avait des consignes à nous transmettre en vue des séries. Mais Jacques est arrivé comme une tornade, il s'est installé au milieu du groupe et, d'un ton précipité, il nous a lancé : "Là, je veux que tout le monde soit sérieux. On va gagner cette @ !* ! ! ?%* ! de coupe Stanley là, puis après, on s'amusera. C'est-tu clair ? Oui ? Parfait !" Puis Jacques est reparti. Fin de la réunion… qui avait duré à peine 30 secondes !

« On s'est tous regardés d'un air complètement abasourdi en se demandant si on était dans un film ! poursuit Gervais en riant. Le *coach* était venu en coup de vent et il était reparti aussi rapidement. Tout un *meeting*, qu'on se disait. On avait tous envie de lui dire : "Ne te choque pas, Jacques, on veut la gagner nous aussi, la @ !* ! ! ?%* ! de coupe Stanley !" Mais on ne lui a pas dit. Finalement, on s'est tous regardés, puis on est partis à rire. On n'en doutait plus, le *coach* était prêt à amorcer les séries.

« Il était comme ça, Jacques, conclut Gervais. Il était impulsif, mais il n'était pas méchant. Les préposés à l'équipement ont apprécié travailler en sa compagnie. Il était respectueux de notre travail. Par exemple, lorsqu'il devait changer l'heure d'un entraînement, il nous consultait toujours pour savoir si cela ne nous compliquait pas trop la vie. C'était un bon bonhomme qui dialoguait beaucoup même si, parfois, ses *meetings* étaient expéditifs ! »

* * *

Il a été mentionné précédemment que le Canadien traversa une période très sombre à la fin du mois de février et au début du mois d'avril 1995. Cette série de six matchs sans victoire (0-5-1) s'était amorcée à Philadelphie par une dégelée de 7 à 0. C'était quelque temps après que John LeClair, Éric Desjardins et Gilbert Dionne furent passés aux Flyers en retour de Mark Recchi. LeClair, pour ajouter à l'affront, avait notamment brillé au Forum en réussissant un tour du chapeau.

Un mois plus tard, le Canadien se dirigeait à Philadelphie pour tenter de venger cet échec. Mais une fois de plus, il rencontra son Waterloo en s'inclinant par 8 à 4. LeClair ajouta deux autres buts contre son ancienne formation.

Lors d'un entracte au cours de ce match, Patrick Roy en vint aux coups avec son coéquipier Mathieu Schneider. Ce dernier affichait un certain talent, mais il avait tendance à pratiquer un jeu échevelé en défense, ce qui n'était pas sans horripiler le gardien du Canadien. Ce soir-là, Schneider faillit à plusieurs responsabilités défensives et Roy ne se gêna pas pour le rabrouer dans le vestiaire. Les deux joueurs s'engueulèrent vertement, puis en vinrent aux coups.

Quelques semaines plus tard, Schneider fut à son tour chassé de Montréal, alors que Serge Savard poursuivait sa grande reconstruction de l'équipe.

Le 5 avril 1995, le directeur général réussit un grand coup en obtenant Pierre Turgeon, des Islanders de New York, en compagnie de Vladimir Malakhov. En retour, il cédait Schneider, Craig Darby et son capitaine Kirk Muller. La même journée, il expédia Paul Di Pietro à Toronto en retour d'un choix au repêchage.

La venue de Turgeon à Montréal apparaissait quasi irréelle dans la mesure où celui qu'on surnommait *le Magicien de Rouyn* s'avérait l'un des meilleurs attaquants de toute la LNH. Il était étonnant que les Islanders aient consenti à se départir d'un tel élément.

Bien qu'attristé du départ de son vétéran Muller, Demers jubilait en apprenant la conclusion de la transaction. « Pierre Turgeon a des mains de chirurgien, déclara-t-il. En onze ans de carrière dans la LNH, je n'ai jamais dirigé un trio aussi explosif que celui que va former Pierre avec Vincent Damphousse et Mark Recchi. Ce sont tous des joueurs qui peuvent récolter 100 points et plus. Si à Québec ils ont le trio de Sakic, si à Philadelphie ils ont le trio de Lindros, si à Detroit ils ont le trio de Fedorov, on peut désormais dire que le Canadien a son trio dominant avec Pierre Turgeon comme joueur de centre. J'en suis ravi.»

Le passage de Turgeon au Canadien faisait l'unanimité populaire, mais la direction de l'équipe était loin de se douter que cette transaction allait déclencher une nouvelle polémique...

* * *

Kirk Muller pleurait à chaudes larmes dans le bureau de Jacques Demers, en cette journée du 5 avril 1995, après avoir appris que ses services avaient été transférés à Long Island.

«Il y a des moments dans la carrière d'un entraîneur où les émotions sont incontrôlables, raconte Demers. J'adorais Kirk Muller. Il aimait jouer pour le Canadien et il en était très fier. C'était aussi un grand leader qui était du même moule que Guy Carbonneau. Il était plus volubile que *Carbo* dans un vestiaire, mais il présentait le même désir que lui. Je n'ai jamais regretté de l'avoir nommé capitaine.

«Cette journée-là, j'étais déchiré entre un sentiment de tristesse et de joie. J'avais de la peine à devoir me séparer de Kirk, mais, en même temps, j'étais ravi de voir arriver Pierre Turgeon. En Turgeon, j'avais l'impression de pouvoir compter sur un joueur de centre qu'on attendait depuis longtemps à Montréal. De son côté, Kirk avait diminué de vitesse, lui qui n'avait jamais été un grand patineur. Quoi qu'il en soit, je conserve de Kirk Muller le souvenir d'un joueur intègre et entier. C'était tout un compétiteur que je placerais dans la même lignée que Patrick Roy.»

Quant à Schneider, la direction de l'équipe le trouvait malheureux depuis un certain temps à Montréal. C'était un Américain de l'État de New York qui avait connu une saison exceptionnelle en attaque l'année précédente, avec une récolte de 20 buts (et 32 aides). Il cherchait à obtenir un nouveau contrat et se montrait très gourmand. Et il ne faisait pas l'unanimité dans le vestiaire, car il se pliait rarement aux consignes défensives de l'équipe. Il préférait prendre des chances en attaque au détriment de son jeu défensif. Souvent, il mettait son équipe dans le pétrin. C'est pour cette raison qu'un soir, à Philadelphie, il en vint aux coups avec Patrick Roy.

Durant cette période, on disait que Schneider constituait un *cancer* au sein de l'équipe. Ce que le principal intéressé nia à son départ de Montréal. «C'était une histoire ridicule, confia-t-il alors. D'ailleurs, c'était devenu une farce dans le vestiaire. Si je dois partir, c'est en raison de ma situation contractuelle. On négociait de bonne foi, mais on n'était pas sur la même longueur d'onde sur certains points. »

Demers reconnut que son jeune défenseur ne s'avérait pas le joueur le plus populaire au sein de l'équipe : « Mathieu ne m'a jamais causé de problèmes, mais je reconnais qu'il n'avait pas que des amis dans le vestiaire. Son départ va créer une meilleure atmosphère au sein des troupes. Cela dit, Mathieu a le potentiel pour devenir un défenseur étoile dans la LNH et peut-être même remporter le trophée Norris, remis au meilleur arrière du circuit. Mais il n'était pas heureux de sa situation contractuelle et un changement d'air lui fera du bien. »

Quelques minutes après le départ de Muller, Demers devait reprendre les activités courantes de l'équipe. Pour la seconde fois en moins d'un an, il venait d'être dépouillé de son capitaine. Il avait un autre choix à faire. Sans le savoir, il était sur le point de prendre la décision la plus controversée de son passage chez le Tricolore.

« Notre vestiaire avait subi de très grandes transformations depuis deux ans, relate-t-il. Des joueurs comme Denis Savard, Carbonneau, Lebeau, Schneider, Desjardins, Muller et d'autres étaient partis. Nous avions le choix entre Vincent Damphousse et Mike Keane pour succéder à Kirk Muller. Vincent avait plus de talent que Keane, mais c'était une personne plus effacée. De son côté, Mike était un joueur de caractère, un leader et un rassembleur. Tous les joueurs l'appréciaient. J'en ai discuté avec Serge Savard et rapidement le choix de Mike Keane s'est imposé. »

C'est ainsi que, sans qu'il y eut de conférence de presse officielle, Mike Keane succéda à Muller à titre de capitaine intérimaire pour terminer la saison.

Le soir venu, le Canadien se présenta sur la glace avec ses deux nouveaux joueurs, Pierre Turgeon et Vladimir Malakhov. Le scénario était idéal pour l'organisation puisque les Nordiques étaient les visiteurs au Forum. Quoi de mieux qu'une rencontre toute québécoise pour présenter au public les nouveaux membres de la famille (ironiquement, il s'agissait de la dernière présence des Nordiques de l'histoire à Montréal) !

Dès le début du match, la foule n'en eut que pour les nouveaux venus, Turgeon et Malakhov, ce qui reléguait dans l'ombre un Mike Keane qui arborait désormais la lettre C sur son chandail à titre de nouveau capitaine. À vrai dire, la chose passa pratiquement inaperçue.

Et comme pour faire davantage ombrage à Keane, Turgeon s'offrit une soirée à faire rêver. Il fut à l'origine de la remontée de trois buts du

Canadien en troisième période. Il participa aux trois derniers buts (un but et deux aides) et le Tricolore l'emporta par 6 à 5. On n'en avait que pour lui après le match.

* * *

La venue de Turgeon et de Malakhov raviva les espoirs chez le Tricolore, qui bataillait encore pour une place en séries en cette fin de cette saison écourtée. Mais leur contribution, bien qu'importante, ne fut pas suffisante pour sauver la mise, et l'équipe de Jacques Demers dut renoncer à ses prétentions de devancer quelques rivaux *in extremis*. Ainsi, le Tricolore fut exclu des séries pour une première fois en 25 ans, ce qui souleva la colère, voire l'indignation, des amateurs et de la presse.

Le Canadien clôtura finalement cette saison houleuse avec une fiche déficitaire de 18 victoires, 23 revers et 7 verdicts nuls en 48 matchs, ce qui lui conférait la 11e place de l'Association de l'Est avec une maigre récolte de 43 points au classement.

Seuls les Sénateurs, le Lightning et les Islanders connurent une saison plus lamentable. Les Islanders terminèrent d'ailleurs au dernier rang du classement (35 points). C'est sans doute leur tenue lamentable qui incita leur directeur général Mike Milbury à se départir de Pierre Turgeon en fin de saison.

« Nous avons connu une saison misérable à tous points de vue, se souvient Demers, pour qui 1995 avait été un véritable cauchemar. Le déclenchement du lock-out ne nous a pas aidés. À l'époque, je dirigeais un groupe de joueurs très militants. Lorsqu'on est finalement revenu au jeu en janvier 1995, on n'était plus la même équipe. On se cherchait. La troupe était divisée. Plusieurs joueurs éprouvaient des difficultés sur la glace et il n'y avait pas de stabilité au sein du personnel.

« C'est simple, ajoute-t-il, on n'a pas fait le travail, moi le premier. La motivation était plus difficile à aller chercher chez les joueurs. J'étais moins vigilant, moins alerte autour de l'équipe. Il se créait un problème et je mettais un peu de temps à le régler. Je prends la responsabilité de cette saison de misère, car, au bout du compte, c'est moi qui devais voir à ce que ça marche. »

* * *

Jacques Demers et le Canadien avaient bien l'intention de se reprendre au cours de la saison 1995-1996, d'autant qu'il s'agissait de la dernière saison de l'histoire du Tricolore au mythique Forum de Montréal. Il avait été prévu que le Canadien prendrait possession d'un nouvel amphithéâtre au centre-ville à partir de la mi-mars 1996.

Pour amorcer sa quatrième saison derrière le banc de l'équipe, Demers devait composer avec un personnel passablement remanié. En fait, il ne restait plus que sept joueurs de l'édition championne de 1993, soit Roy, Brisebois, Brunet, Daigneault, Keane, Odelein et Damphousse. Tous les autres étaient partis pour faire place aux Turgeon, Recchi, Bure, Bureau, Kiprusoff, Lamb, Malakhov, Popovic, Quintal, Racine, Savage, Sévigny, Brashear, Stevenson, Jablonski, Murray et un dénommé Saku Koivu, qui effectuait son entrée dans la LNH après avoir effectué son service militaire de deux ans en Finlande.

Avec une telle formation, Demers ne cacha aucunement ses intentions : dès le départ, il plaçait la barre très haut. La veille de l'ouverture de la saison, le 6 octobre, il tint un discours similaire à celui qu'il avait servi à ses joueurs quatre ans plus tôt, à son arrivée dans l'équipe. « Je vise le premier rang, leur dit-il. J'ai confiance en mes joueurs. Le défi est grand, mais il est à la mesure de nos capacités. »

« On ne présentait plus du tout le même visage, explique-t-il aujourd'hui. Mais avec les acquisitions de Turgeon, Recchi, Malakhov, Quintal et Bureau, en plus de la venue de Koivu, tous les espoirs étaient permis. Aux dires de Serge [Savard], nous n'étions plus qu'à un ou deux joueurs de redevenir des aspirants à la coupe Stanley. Moi aussi, je croyais que nous avions suffisamment de talent pour connaître toute une saison. »

Dans le contexte de l'époque, les propos de Savard n'étaient pas anodins. Le réputé directeur général avait été passablement actif sur le marché des échanges et sur celui des joueurs autonomes, mais il n'avait pas l'intention d'en rester là. Selon lui, il n'avait pas terminé son travail de reconstruction.

En réalité, il concoctait déjà en sourdine une autre transaction d'importance, pour ne pas dire gigantesque. Une transaction qui, à coup sûr, allait ébranler les colonnes du temple si elle devait se matérialiser…

En fait, le directeur général du Canadien était sur le point de tourner une page sur le passé et de se projeter vers l'avenir en échangeant le héros des conquêtes de 1986 et de 1993 : nul autre que le gardien Patrick Roy !

* * *

Michel Demers, le frère de Jacques, était à son bureau dans l'ouest de la ville de Montréal et attendait un coup de fil de son frère qui lui avait donné rendez-vous pour un lunch en après-midi. Nous étions le 17 octobre 1995 et Michel savait que son aîné traversait une période très délicate à la barre du Canadien. L'équipe avait perdu ses quatre premiers matchs de la saison, subissant d'humiliantes défaites contre Philadelphie (7 à 1), la Floride (6 à 1), Tampa Bay (3 à 1) et le New Jersey (4 à 1). Il savait que son frère visait le premier rang de l'Association de l'Est, mais de la façon dont les choses étaient parties, le Canadien se dirigeait plutôt vers les bas-fonds.

« Cette journée-là, raconte Michel, Jacques m'a expliqué qu'il devait se rendre à Saint-Bruno en compagnie de Serge Savard où les deux hommes devaient prononcer une conférence à l'école des Pères trinitaires du Mont Saint-Bruno. La fille de Serge Savard, Catherine, fréquentait cette école. Il m'a dit qu'il me téléphonerait après la conférence pour que nous allions prendre un repas ensemble. Je savais qu'il était tourmenté par les insuccès de son équipe et qu'il avait besoin de parler. »

Quatre jours plus tôt, Savard avait calmé le jeu auprès des médias montréalais qui tentaient de savoir si le poste de Jacques Demers était en danger. Savard avait renouvelé sa confiance envers son entraîneur. C'était de bonne guerre dans les circonstances.

« J'ai pleinement confiance en mon entraîneur, avait-il confié au journaliste Ronald King de *La Presse.* Jacques travaille fort et l'équipe va s'en sortir. Les premiers matchs de la saison ne changent pas mes vues sur notre formation. Nous connaissons seulement un mauvais début de saison. Ça va se replacer. »

Malgré tout, Michel Demers savait que son aîné filait un mauvais coton. Il attendait l'appel qui ne venait toujours pas. En fait, Jacques avait accepté, dans l'intervalle, l'invitation de son patron de partager le repas avec lui, de façon à discuter de solutions pour relancer l'équipe. Au cours de leur dîner, à la Pizzeria Saint-Bruno, Savard reçut un appel de Lise Beaudry, la secrétaire du président Ronald Corey : « M. Corey aimerait vous voir à 14 heures. Il aimerait aussi rencontrer Jacques Demers. » La secrétaire n'ajouta aucun détail.

Savard dit à Lise Beaudry qu'il serait légèrement en retard parce qu'il était en réunion avec son entraîneur au restaurant. Les deux hommes, bien qu'intrigués, ne se doutaient pas que la fin était proche…

Plus tard, Demers joignit finalement son frère Michel au téléphone pour s'excuser de son retard et l'informer qu'il ne pourrait le voir en après-midi, ayant été convoqué par le président de l'équipe. Il rappela à son jeune frère qu'il l'attendait à sa résidence en soirée afin de célébrer l'anniversaire de sa fille, Mylène, qui avait soufflé sur 24 bougies quelques jours plus tôt.

* * *

Oui, malgré les bonnes paroles, la saison 1995-1996 débutait plutôt mal…

D'abord, le Canadien officialisa la nomination de Mike Keane à titre de 23e capitaine de l'histoire du Canadien, la journée même de l'ouverture du camp d'entraînement, soit le 11 septembre 1995. Keane s'adressa aux médias, mais il commenta malhabilement sa nomination. Il révéla notamment à Mathias Brunet, de *La Presse,* qu'il n'entendait pas apprendre le français : «Je ne parle pas français et je ne suis pas un porte-parole. Tout le monde ici parle anglais. Je ne vois pas le problème.».

La déclaration de Keane se retrouva en manchette dans *La Presse* et souleva tout un tollé en cette période pré-référendaire sur l'avenir politique du Québec.

La polémique reposait sur le sens qu'on donnait au «ici» de sa déclaration. Voulait-il parler d'ici au Québec, d'ici à Montréal, d'ici au Forum de Montréal ou d'ici dans le vestiaire du Canadien?

Deux jours plus tard, Serge Savard et Jacques Demers furent contraints de rencontrer la presse pour éclaircir la situation. Ils étaient entourés de tous les joueurs de l'équipe. Tous, sans exception, accordaient leur appui à Keane. Keane, Demers et Savard prirent la parole.

«Ce n'est pas avec grand plaisir que je vous ai réunis aujourd'hui, mais il fallait clarifier une certaine situation, dit Savard d'entrée de jeu. L'an dernier, j'ai demandé à mon entraîneur de tâter le pouls auprès des joueurs pour savoir qui serait le meilleur capitaine de l'équipe. Nous en sommes venus à la décision que Mike Keane serait l'heureux élu. C'était un choix de la direction et des joueurs. Il faisait l'unanimité et c'est encore le cas aujourd'hui. Le fait que les joueurs soient à ses côtés actuellement représente un beau geste de solidarité envers lui.

«Mike n'est pas le premier capitaine unilingue anglophone chez le Canadien, ajouta Savard. Son prédécesseur Kirk Muller, de même que Chris Chelios et Doug Harvey, l'était tout autant. À Québec par exemple, on a eu un entraîneur unilingue anglophone (Dave Chambers) et deux capitaines anglophones (Mike Hough et Joe Sakic). La langue n'a rien à voir. Ces choses-là ne sont pas importantes dans le sport. Il faut nommer le joueur qui va rassembler l'équipe autour de lui.»

Puis Keane s'adressa aux médias. Essentiellement, il déclara qu'il n'avait pas à s'excuser du fait qu'il était un capitaine unilingue anglophone et que, de toute façon, tout se passait en anglais à l'intérieur de l'équipe dans le vestiaire.

« Lorsque j'ai dit que tout le monde parlait anglais ici, c'est du hockey que je parlais. Je ne fais pas de politique. Tout ce que je veux, c'est d'en revenir à des questions de hockey. Je n'ai jamais dit que je ne voulais pas apprendre le français. J'ai simplement mentionné que je ne parlais pas français et que ça ne causait pas de problème dans le vestiaire. Si j'ai offusqué quelqu'un par mes propos, je m'en excuse. »

Sur ce, Keane indiqua qu'il s'apprêtait à prendre des leçons de français. « Mais ça va prendre un certain temps avant de pouvoir vous parler en français ! » précisa-t-il.

Ironiquement, quelques minutes après cette mise au point, Keane rencontra le ministre des Affaires internationales du Québec de l'époque, Bernard Landry, qui était de passage au Forum en compagnie du président de l'Assemblée nationale française, Philippe Séguin. Apercevant les deux hommes, Keane leur tendit la main et d'une voix bien sentie, il lança en français : « Bonjour, comment ça va ? »

L'atmosphère était à la rigolade jusqu'à ce que Bernard Landry se mêle de déclarer : « En raison de l'adulation qu'il reçoit du public, je pense qu'un joueur a un petit rôle exemplaire à apprendre la langue de ses partisans. Ce n'est pas un pensum, mais un actif pour l'individu. »

L'homme politique ajouta, s'en prenant directement à la direction du Canadien : « Ce n'est pas au capitaine que je fais des reproches, c'est à la direction du Canadien qui n'a pas compris, comme personne corporative, qu'elle a le devoir d'inciter ceux qui viennent ici à parler la langue du lieu. »

Dans cette tourmente, Keane, Demers et Savard reçurent toutefois un bel appui de leur ancien compagnon, Jacques Lemaire, qui dirigeait les Devils du New Jersey : « Un capitaine, dit Lemaire, c'est le meilleur homme qui a du pouvoir au sein d'une équipe. Et ce, même s'il est Japonais. Le Canadien a fait un bon choix en optant pour Mike Keane. »

En rétrospective, Demers soutient que si c'était à refaire, il prendrait la même décision : « Mike Keane avait toutes les qualités pour devenir un très bon capitaine du Canadien. Son seul défaut, c'est qu'il ne parlait pas français. Là où nous aurions dû mieux l'encadrer, c'est sur les propos qu'il devait tenir devant la presse. Mike avait été très honnête envers tout le monde. C'était vrai que dans le vestiaire il n'avait pas besoin de parler en français car tout se passait en anglais. Dans le contexte de l'époque [référendum à venir], ce n'était pas la meilleure chose à dire. Il a manqué un peu de sensibilité à cet égard. Mais il n'a jamais été question pour nous de changer d'idée ou de reconsidérer notre choix. J'étais convaincu, et je le reste toujours, que Mike Keane était l'homme tout désigné pour succéder à Kirk Muller.

«Le problème dans tout cela, ajoute-t-il, c'est que les gens semblent moins pardonner aux joueurs de soutien, à ceux qu'on appelle des plombiers. Les joueurs vedettes comme Kirk Muller et Saku Koivu ne parlaient pas le français, mais on n'a pas remis en question leur nomination au poste de capitaine pour une question de langue. D'ailleurs, Mike n'a jamais été un anti-francophone. Il était un personnage apprécié de tous les joueurs, qu'ils soient francophones, anglophones, russes, finlandais ou suédois. Mon but était de garder mon équipe unie et, pour y arriver, Mike Keane était l'homme tout désigné.»

* * *

Outre ce genre de problèmes, le Canadien en arracha passablement à ses trois premiers matchs contre les Flyers de Philadelphie, les Panthers de la Floride et le Lightning de Tampa Bay. La troupe de Jacques Demers subit trois défaites cinglantes. Patrick Roy se montra généreux, alors qu'il se familiarisait avec un nouvel équipement de marque *Koho Revolution.* Il ne semblait pas encore à l'aise dans sa nouvelle *armure.*

Au quatrième match, contre les Devils du New Jersey, le Canadien reprit de la vigueur, mais il se buta au gardien Martin Brodeur. Le Tricolore domina largement, mais les Devils, grâce aux prouesses de Brodeur, l'emportèrent par 4 à 1.

Le Canadien ne devait disputer son prochain match que six jours plus tard à Long Island et Demers s'était promis de consacrer cette période d'inactivité à retravailler avec son équipe afin qu'elle retrouve le sentier de la victoire.

Mais trois jours plus tard, il recevait cet appel du président Corey qui avait décidé de modifier le scénario…

* * *

Après leur discussion à Saint-Bruno, Demers sauta à bord du véhicule de Serge Savard pour se rendre au Forum au rendez-vous convoqué par

Ronald Corey. Il était environ 14 heures en ce 17 octobre 1995 lorsque la voiture de Savard emprunta la direction de Montréal.

Dès son arrivée au Forum, Savard monta au deuxième étage où se situaient les bureaux administratifs de l'équipe. Pendant ce temps, Demers passait par son bureau à proximité du vestiaire afin de régler quelques affaires courantes.

À peine une dizaine de minutes plus tard, il montait à son tour au deuxième étage pour rencontrer le président. Mais dans le couloir menant au bureau de celui-ci, il aperçut à sa gauche André Boudrias, l'air débiné, qui discutait avec Serge Savard. Ce dernier retirait ses dossiers des tiroirs de son bureau et les plaçait dans une boîte.

« Tu t'en vas voir Corey ? l'interpella Savard avec son calme légendaire. Écoute, vas-y, il t'attend, mais j'aime autant t'avertir à l'avance : on vient tous de se faire congédier ! »

Demers était abasourdi. « Quoi ? Qu'est-ce que tu dis là, Serge ? »

« Il vient de nous mettre à la porte, moi, André [Boudrias], Carol [Vadnais] et toi. C'est fini, Jacques », précisa Savard.

« Je n'en revenais tout simplement pas, raconte Demers. C'est étrange, mais dans une certaine mesure je m'attendais à ce qu'il se passe quelque chose dans mon cas. Lorsqu'une équipe ne gagne pas, c'est l'entraîneur qui écope. Ça faisait partie du métier et je l'acceptais. Mais ce qui me renversait, c'était de constater l'ampleur des changements. Je ne pouvais me faire à l'idée que Ronald Corey venait de congédier Serge Savard ! »

Après avoir serré la main à Savard et à Boudrias, Demers se rendit à son tour au bureau du président. Sans trop de cérémonie, Ronald Corey lui expliqua la situation :

« Écoute Jacques, j'ai décidé d'apporter des changements. Tu ne dirigeras plus le Canadien. Serge, André et Carol font aussi partie des changements. Dans ton cas, j'aimerais que tu demeures au sein de l'organisation. J'ignore encore dans quelle fonction, il faudra voir avec le nouveau directeur général. Retourne chez toi et on va t'appeler pour la suite des choses. »

Catastrophé, l'homme de 51 ans ne s'attarda pas longtemps dans le bureau du président. Il se précipita à l'extérieur où il croisa une bonne partie du personnel de soutien de l'équipe, visiblement affolé lui aussi.

« Tout le monde pleurait au deuxième étage du Forum cette journée-là, se rappelle Demers. Mon rêve venait de s'achever abruptement. »

Demers prit rapidement la direction de son bureau au rez-de-chaussée et il communiqua aussitôt avec sa femme Debbie pour lui annoncer la nouvelle. Il insista auprès d'elle pour que la fête en l'honneur de sa fille Mylène ait lieu tel que prévu, en soirée, à la maison.

Puis il raccrocha avant de composer le numéro de téléphone de son frère Michel. « Michel, je viens de me faire congédier, lui dit-il brièvement. Pourrait-on se rencontrer quelque part rapidement ? Je veux partir d'ici avant que les journalistes soient avisés. Il y a une conférence de presse à 18 h 15 à laquelle je ne suis pas invité. De toute façon, je n'ai pas vraiment le goût de leur parler immédiatement. J'ai besoin d'être un peu tranquille. »

Sans hésiter, Michel suggéra une rencontre à la brasserie Le Vieux Saint-Charles à Pierrefonds. Il s'agissait d'un établissement qui était sur le chemin du retour à la maison en direction de Saint-Lazare. De plus, le bureau de Michel était à proximité. « Je t'y attends dans une quinzaine de minutes » précisa Michel.

* * *

Michel et Jacques Demers étaient devenus plus que des frères depuis l'arrivée de l'entraîneur chez le Canadien. Les deux hommes avaient vraiment appris à se connaître et à partager une foule de choses. En fait, Jacques traitait maintenant son frère comme son meilleur ami.

« On a constaté au fil du temps que nous avions une foule de points en commun, mentionne Michel. Même nos conjointes se ressemblent ! »

En cette journée douloureuse, Michel Demers était lui aussi ébranlé, mais la situation lui permettait de constater une chose importante : « Cette journée-là, raconte-t-il, j'ai vraiment réalisé que je comptais pour mon grand frère. Il venait d'être congédié et il vivait l'un des moments les plus éprouvants de sa vie professionnelle. Il ne voulait voir personne sauf… son frère. À mes yeux, ça signifiait beaucoup sur l'importance que j'avais pris dans sa vie. J'en étais touché.

« Jacques est arrivé au restaurant, il m'a expliqué la situation bien calmement et nous avons pris une bière ensemble. Il n'a jamais critiqué ou parlé contre qui que ce soit. Ce n'était pas son style. Il était déçu, mais il me semblait résigné. On a bavardé un certain temps, puis nous nous sommes dirigés vers sa résidence pour souligner la fête de Mylène. Ce n'était pas très joyeux à la maison, mais il tenait à le faire pour sa fille. »

On l'a dit, Jacques Demers avait trouvé un véritable ami en son frère depuis son retour d'exil à l'été de 1992. Les deux hommes étaient devenus inséparables. Michel était présent à la plupart des matchs du Tricolore au Forum et il accompagnait très régulièrement son frère dans ses sorties publiques.

« Tout cela a commencé à Québec alors qu'il faisait de la radio. C'est devenu plus fort à son retour à Montréal. Maintenant, on se parle deux à trois fois par jour. »

* * *

Trois jours après son congédiement, Serge Savard rencontra les journalistes à son hôtel du centre-ville (le Marriott Château Champlain) pour livrer ses états d'âme. La salle était bondée de représentants des médias. On retrouvait aussi ses anciens acolytes André Boudrias et Carol Vadnais. Mais Demers n'y était pas. Pourtant, la veille il avait dit à Savard qu'il serait présent.

« Dans l'intervalle, le Canadien m'a recommandé de ne pas me présenter là, révèle Jacques. On m'a expliqué que, comme je demeurais à l'intérieur de l'organisation, je ne devais pas y aller. J'ai accepté. J'ai rejoint Serge pour l'en informer. Il était furieux. »

Savard s'explique : « Dans ce dossier, je n'ai pas aimé la mesquinerie de Corey. La veille de ma conférence de presse, le Canadien a appelé Jacques pour lui interdire d'être à mes côtés. Pourtant, quelques heures plus tôt, Jacques m'avait dit : "*I'am Serge Savard's guy* (je suis un ami de Serge Savard)". C'était du grand Corey. Il voulait acheter la paix avec Jacques Demers pour me neutraliser. C'est vrai que je n'étais pas de bonne humeur. »

Demers reconnaît que cette situation a créé un froid pendant plusieurs mois entre lui et Savard. « Certains proches de Serge lui disaient que je l'avais trahi. Pourtant, ce n'était pas cela. J'étais pris entre l'arbre et l'écorce. Comme c'était le Canadien qui payait mon salaire, je devais obéir aux directives de mes patrons. Je n'avais pas mis une croix sur ma carrière d'entraîneur dans la LNH et je faisais ce qu'on me disait de faire.

« Je n'ai cependant jamais trahi Serge Savard, insiste-t-il. C'est un gars que je respecte trop pour ça. C'est lui qui m'a donné la chance de réaliser mon rêve. Notre association de plus de trois ans s'est déroulée sans anicroche. On s'est reparlé plus d'un an plus tard, et je crois qu'il a compris mon point de vue. Depuis, on entretient une relation respectueuse. »

Cela dit, Demers y va d'un aveu teinté d'un certain regret : « Si c'était à refaire aujourd'hui, je crois que j'aurais été présent à ses côtés à sa conférence de presse. Après tout, ce n'était pas si grave pour l'organisation de me voir en sa compagnie. On avait parcouru plus de trois saisons côte à côte, à se parler presque tous les jours. Malheureusement, je ne peux refaire l'histoire. Je tiens toutefois à faire remarquer que je n'étais pas présent non plus à la conférence de presse annonçant l'arrivée de Réjean Houle et de Mario Tremblay ! »

De son côté, Serge Savard lève le voile sur les moments qui ont suivi son congédiement et il en profite pour établir un bilan de son association avec Jacques Demers. Il y va de révélations étonnantes.

« Une minute après avoir appris mon congédiement de la bouche de Ronald Corey, je suis retourné à mon bureau. Le premier coup de fil que j'ai reçu fut celui de Pierre Lacroix, qui dirigeait l'Avalanche du Colorado. Pierre m'appelait pour compléter une transaction sur laquelle on travaillait depuis un certain temps. J'avais décidé d'échanger Patrick Roy ! Je trouvais qu'il prenait désormais trop de place. J'obtenais en retour les services d'Owen Nolan et du gardien Stéphane Fiset. J'avais besoin d'un gardien pour deux ou trois ans, le temps que mon jeune José Théodore se développe adéquatement. J'avais une confiance inébranlable en Théodore. J'avais même déclaré que Théodore ferait un jour oublier Roy.

« Quoi qu'il en soit, poursuit-il, le *deal* était sur le point de se compléter. Mais lorsque Pierre Lacroix m'a appelé, je lui ai simplement mentionné : "Écoute Pierre, il va falloir que tu traites de ce dossier avec mon successeur, je viens de me faire mettre dehors." Lacroix n'en revenait pas, mais c'était la nouvelle situation. »

Savard en a encore gros sur le cœur : « Patrick Roy était populaire et fort à Montréal. Lorsque la nouvelle *gang* est arrivée à la tête du Canadien, elle n'était pas assez forte pour subir la pression d'échanger Roy. Corey et son groupe ont provoqué la transaction plus tard. Ils ont attendu que la pagaille éclate pour le laisser aller et s'en laver les mains. Mais ils ont tellement attendu que Nolan n'était plus disponible. Il avait été échangé à San Jose. En plus, ils ont donné Mike Keane dans la transaction parce qu'ils ne pouvaient pas vivre avec sa situation de capitaine unilingue anglophone. Lacroix m'avait demandé à répétition d'inclure Keane dans la transaction et je lui avais dit "jamais !".

« Corey savait que j'étais sur le point d'échanger Patrick Roy et il ne voulait pas me laisser faire cela. C'est pourquoi il m'a congédié. Mais lorsqu'ils l'ont laissé partir, ils ont fait reculer le club de plusieurs années. C'est un drame ce qui s'est passé avec le Canadien dans ces années-là. »

Savard affirme aussi que le président Ronald Corey savait déjà que les jours de l'entraîneur Jacques Demers étaient comptés : «Si je veux être honnête jusqu'au bout, je dois dire que je m'apprêtais aussi à congédier Jacques. Son règne achevait avec nous. Je crois qu'il avait fait son temps. Quelques jours avant notre congédiement, nous avions tenu une réunion avec lui et quelques joueurs de l'équipe. Les joueurs commençaient à trouver que sa cassette était usée. Et c'était normal après trois ans.

«À la fin, Jacques écoutait trop ses vétérans. Il ne semblait plus lui-même. Il donnait notamment beaucoup trop d'importance à Patrick [Roy]. Cela dit, il a fait de très grandes choses avec notre équipe. En 1993 notamment, il fut l'un des principaux responsables de notre conquête. Il avait réussi à *souder* ce club-là comme ce n'est pas possible. Au fond, je n'ai pas grand-chose à lui reprocher. Il était travaillant et respectueux. En général, j'ai adoré travailler avec lui. Je n'ai jamais regretté ma décision de l'avoir choisi à l'été de 1992.»

Et d'ajouter Savard en guise de conclusion : «Je reste persuadé que si Ronald Corey m'avait laissé compléter mon travail de reconstruction... [silence], on aurait gagné la coupe cette année-là. Au moins, on serait allé en finale à la place des Panthers de la Floride. Tout ce qu'il me restait à faire, c'était d'échanger Roy et d'apporter un changement d'entraîneur. Tous mes autres gestes avaient été posés depuis un an. Corey connaissait mes intentions et il ne m'a pas laissé faire.»

* * *

Demers revient, lui aussi, sur cette période et trace à son tour un bilan de son passage derrière le banc du Tricolore.

«Lorsque Serge m'a parlé au début de la saison 1995-1996, il était peut-être déjà trop tard. Je voulais exercer un plein contrôle sur l'équipe, mais les joueurs étaient moins réceptifs. Je ne sentais pas de rébellion, mais les joueurs répondaient moins à mon appel. Je suis peut-être naïf, mais jamais je n'ai senti que les joueurs voulaient avoir la tête du *coach*. Je pense que c'est l'usure qui a eu raison de moi. Déjà que la saison du lock-out avait été difficile. Nous n'avions jamais été capables de prendre notre envol et l'équipe avait subi plusieurs chambardements en cours d'année.

«J'apprends par la préparation de ce livre que Serge était sur le point de me remplacer. Il ne m'en avait pas soufflé mot. Si cela avait été le cas, je serais allé le rejoindre au deuxième étage du Forum à titre d'adjoint. C'était prévu dans mon entente que je deviendrais l'adjoint de Serge au moment où je ne dirigerais plus le Canadien. Or, cette entente avec Serge ne tenait plus, maintenant qu'il n'était plus en poste. »

Demers confesse qu'il n'avait plus la même emprise sur son équipe au début de cette quatrième saison : « J'ai mes torts. J'étais moins alerte avec mon équipe. La seule chose que je n'arrive pas à comprendre, c'est pourquoi avoir congédié tout le monde après quatre matchs ? Ça veut dire que cette idée trottait dans la tête du président depuis un certain temps. Tant qu'à faire, il aurait dû passer aux actes à l'été et repartir à neuf pour le camp d'entraînement. »

Il ne partage pas tout à fait le même avis que Savard dans son analyse sur la grande place que prenaient les vétérans au sein de l'équipe dans les derniers mois de son mandat.

« C'est vrai que j'ai donné beaucoup d'espace à mes vétérans, mais j'ai toujours agi de la sorte. J'ai toujours utilisé l'approche de la porte ouverte. Mes joueurs étaient toujours les bienvenus pour discuter. La plupart du temps, ce sont les vétérans qui se prévalaient de cette ouverture. Pour certains observateurs, ça donnait peut-être l'impression que les vétérans dirigeaient l'équipe, mais c'est moi qui prenais les décisions. De toute façon, c'est cette approche qui m'a permis de survivre et de connaître du succès au hockey professionnel. Je n'étais pas pour changer tout ça une fois que j'étais arrivé à Montréal. »

Et d'ajouter : « Ce dont je me suis rendu compte rapidement à Montréal, c'est que les petits événements prenaient de grandes proportions. Jouer pour le Canadien ou le diriger, c'est très différent de ce qui se passe ailleurs. Nous sommes épiés douze mois par année. Ça devient parfois difficile parce tout est analysé sous plusieurs angles. On embarque comme dans un tunnel et, parfois, il est difficile d'en sortir.

« Je prends l'exemple de Patrick Roy ; il est vrai que je vantais souvent ses qualités athlétiques, mais on en faisait constamment de grosses manchettes. Si je passais un certain temps sans parler de lui, on se demandait si tout allait bien entre nous deux ! Je me suis montré tout autant élogieux envers Steve Yzerman à Detroit, mais les réactions étaient fort différentes.

« Cela dit, je ne veux surtout pas me plaindre de ma situation. Je suis l'un des rares Montréalais à être parvenu à diriger le fameux Canadien de Montréal et à gagner la coupe Stanley dans sa ville. Je n'ai pas été parfait, mais j'ai apprécié chaque moment de mon association avec cette grande organisation. Même avec tout ce que je sais aujourd'hui, je replongerais dans cette aventure dès demain, si Serge Savard m'offrait à nouveau l'opportunité d'occuper ce poste prestigieux.

« Le fait d'avoir dirigé le Canadien pendant un peu plus de trois ans représente le plus bel accomplissement de toute ma carrière. J'ai eu pourtant de très bons moments à Saint Louis et à Detroit. Mais diriger le Canadien pour un p'tit gars de la place, il n'y a rien pour égaler cela. Absolument rien ! J'en suis fier et très honoré. »

* * *

Demers ne peut passer sous silence la qualité des nombreux athlètes qu'il a eus sous sa direction avec le Canadien.

« J'ai dirigé des athlètes extraordinaires, des joueurs dédiés à leur métier et des hommes de cœur. J'ai toujours été fasciné par le fait que la grande majorité des joueurs défendaient les couleurs de cette équipe avec fierté et passion.

« Le seul qui m'est apparu différent des autres, c'est Vladimir Malakhov, qui n'a disputé que 18 matchs sous ma direction. À son arrivée en avril 1995, il m'a vraiment impressionné par ses habiletés naturelles. Il fut l'un des plus grands joueurs de talent que j'ai dirigés. Depuis Chris Chelios, c'était le meilleur défenseur que le Canadien avait aligné. Il pouvait tout faire sur la glace. Il était habile, rapide, gros, grand et fort.

« Mais Vladimir n'était pas un amant du hockey. Je lui ai déjà demandé s'il aimait jouer au hockey et il m'avait dit ne pas pouvoir me répondre de façon certaine ! S'il avait fallu qu'il affiche la combativité de Lyle Odelein ou la passion du jeu de Denis Savard, il serait devenu une super vedette dans la LNH.

« Pour le reste, je conserve un très bon souvenir de tous ces joueurs qui m'ont procuré joie et satisfaction la majeure partie du temps. Et je tiens à les en remercier très sincèrement. Ils font partie intégrante de cette belle aventure que fut Montréal. »

Au cours de la préparation de ce livre, plusieurs anciens joueurs de Demers ont été invités à s'exprimer sur leur expérience avec cet entraîneur démonstratif et jovial, qui jouait souvent un rôle de protecteur auprès d'eux. Plusieurs se sont prononcés, dont on a pu lire les témoignages précédemment, mais voici des propos encore plus significatifs de son défenseur Jean-Jacques Daigneault, de son attaquant Kirk Muller et de son gardien Patrick Roy.

« Pour les joueurs, Jacques Demers était plus qu'un entraîneur, témoigne Daigneault. C'était une bonne personne qui voyait du bien dans tout le monde. Il ne cherchait pas le côté noir des gens. Il tentait continuellement de faire sortir le meilleur côté d'une personne. Il ne regardait pas un athlète comme un robot. Il était sensible au fait que les joueurs avaient une vie en dehors du Forum. C'est pour ça que les joueurs le respectaient.

« De plus, Jacques pratiquait une approche qui consistait à travailler dans le plaisir et l'harmonie. Il avait créé une très belle atmosphère au sein de l'équipe. Il a imposé sa propre signature à l'équipe et tout le monde l'a suivi.

« Par ailleurs, on a rarement parlé du courage qu'il a démontré tout au long de son association avec nous. Il a fait plusieurs petits gestes qui étaient inhabituels dans le milieu du hockey. Je me souviens notamment qu'au début de sa première saison avec nous, en 1992-1993, il a regroupé les joueurs au centre de la patinoire et nous a invités à tous nous prendre par la main. Puis il avait récité une courte prière invitant le Seigneur à faire partie de notre nouvelle aventure. Ce fut un petit moment magique. Ça prenait un homme courageux pour faire un geste pareil devant 25 hommes. »

De son côté, Kirk Muller ne tarit pas d'éloges envers celui qui l'a dirigé pendant un peu moins de trois saisons à Montréal.

« C'est l'entraîneur le plus positif que j'ai eu dans le hockey, affirme-t-il. Son enthousiasme était contagieux. Jacques était très près des joueurs. Il prenait soin des joueurs, de leurs femmes et de leurs familles. Ma femme Stacey a toujours été impressionnée par son approche humaine.

« J'ai été dirigé par 12 entraîneurs au cours de ma carrière dans la LNH et Jacques se situe en haut de la liste parmi mes favoris. J'ai appris de tous mes entraîneurs. De Jacques, j'ai surtout apprécié qu'il soit ouvert aux suggestions des joueurs. Il n'avait pas la prétention d'avoir toutes les réponses. Il consultait son personnel. Il désirait avoir les impressions et les idées des joueurs. C'était un grand communicateur qui prenait le pouls de tout son entourage. C'est pourquoi nous formions une si belle famille sous sa tutelle. C'était un individu agréable à côtoyer. D'ailleurs, on se donne encore régulièrement de nos nouvelles. »

Le mot de la fin appartient à Patrick Roy qui, lui non plus, ne s'est pas fait prier pour rendre un vibrant hommage à son ex-entraîneur. D'ailleurs, dans le contexte où Roy s'est avéré le joueur le plus marquant de l'ère Demers et dans la mesure où les deux hommes se vouaient un respect indéfectible, il était de mise de terminer ce chapitre avec l'appréciation de l'ex-gardien.

«J'ai adoré jouer sous Pat Burns, Marc Crawford, Bob Hartley et Jacques Demers, dit Roy d'entrée de jeu. Chacun avait ses forces et ses faiblesses. Dans le cas de Jacques, c'était son approche humaine. Son contact avec les joueurs était différent des autres. Il s'intéressait autant à l'athlète qu'à l'homme. Il était permissif parce qu'il faisait confiance aux joueurs. Et, de façon générale, on le lui rendait bien.

«Même si Jacques était flamboyant derrière un banc ou devant les journalistes, c'était une personne très humble et très simple dans la vie. On le sentait surtout très honnête.

«Son congédiement m'a beaucoup affecté. En ce début de saison 1995-1996, je ne jouais pas très bien. Et j'avoue que cela m'a toujours dérangé de le voir perdre son emploi parce que j'avais offert des performances ordinaires. J'ai eu l'impression de l'avoir laissé tomber, lui qui m'avait été si fidèle.

«J'ai toujours éprouvé le sentiment de lui devoir quelque chose. Or, à défaut de lui avoir donné ce dont il avait besoin en ce début de saison 1995-1996, Jacques peut se consoler à l'idée que je l'ai toujours respecté. Et il peut être assuré que je lui voue encore un très grand respect.»

Lorsqu'il eut connaissance des propos de Roy, en janvier 2005, le regard de Demers s'est soudainement illuminé. «Patrick t'a vraiment dit ça? a-t-il demandé. Eh bien, ça me flatte profondément, mais ça ne me surprend pas de lui! C'est un homme droit. Je ne me suis jamais trompé sur lui et, aujourd'hui, j'en suis ravi.

«C'est la même chose pour Jean-Jacques [Daigneault], un homme brillant et un joueur honnête qui a utilisé au maximum ses attributs pour connaître une belle carrière. Quant à Kirk, il fut l'un des joueurs les plus intenses et les plus vrais que j'ai eu la chance de diriger.»

Et Demers de conclure : «Quand je te dis que je dirigeais un groupe vraiment spécial, tu as en la meilleure preuve par ces témoignages.»

* * *

Bien que la cicatrice fût encore profonde, Jacques Demers devait désormais tourner la page sur son métier d'entraîneur à Montréal. Il s'engageait dorénavant dans une autre aventure à titre d'employé du Canadien.

Le nouveau directeur général de l'équipe, Réjean Houle, avait établi des plans pour lui. Mais la transition s'annonçait très éprouvante…

Lettre W

À Ronald Corey

Au fil des années, vous avez été critiqué pour certains de vos gestes à titre de président du Canadien, M. Corey, mais je sais que vous avez toujours agi dans l'intérêt suprême de cette organisation que vous aviez tellement à cœur.

Si je peux me permettre : de tous les gens que je connaisse, vous êtes la personne qui semblait le plus aimer le Canadien de Montréal. Votre enthousiasme autour de l'équipe était contagieux.

Malheureusement, après notre conquête de la coupe Stanley en 1993, les choses ont changé graduellement jusqu'à ce que vous décidiez de nous congédier, Serge Savard, André Boudrias, Carol Vadnais et moi. Je regrette seulement qu'on n'ait pas discuté de la situation auparavant. Si seulement on avait pris le temps de s'asseoir pour vider les questions, je crois qu'on aurait pu faire un autre bon bout de chemin ensemble.

Quoi qu'il en soit, je vous respecte énormément car je sais que vous avez toujours fait ce que vous croyiez être le mieux pour votre organisation.

Je veux vous dire en terminant, M. Corey, que l'une des plus belles images que je conserve de mon passage avec le Canadien, c'est celle de vous voir si heureux le soir de notre conquête, le 9 juin 1993. Quel beau souvenir ! Les amateurs étaient fous de joie et nous savions que nous avions, en vous à nos côtés, le partisan numéro 1 de l'équipe !

Jacques

Chapitre 24

«J'accepte... ou je perds tout»

Jacques Demers était assis sur le canapé du salon de sa résidence de Jupiter, sur la côte est de la Floride, en cette journée du début du mois de novembre 1997. Pour l'homme de 53 ans, il s'agissait de l'une de ses rares présences avec sa femme à la maison depuis que sa vie professionnelle avait pris un tournant inattendu. Il travaillait désormais dans l'ombre, occupant le poste de dépisteur au niveau professionnel pour le compte du Canadien. Son travail était très exigeant pour l'équilibre de son couple puisque, de septembre à mai il était en mission à l'extérieur du foyer, et ce, trois semaines sur quatre.

Son travail l'obligeait à parcourir les différents amphithéâtres de la LNH afin de fournir des rapports détaillés à son nouveau patron, Réjean Houle, sur tous les joueurs des autres formations de la LNH. Il analysait aussi les systèmes de jeu des différentes équipes afin d'aider ses successeurs, Mario Tremblay et Alain Vigneault, à bien préparer le Canadien face à tous leurs adversaires.

Demers ne traversait pas la meilleure période de son existence. Au niveau professionnel, il appréciait peu son nouvel emploi, mais comme il n'était jamais resté chez lui à ne rien faire, il s'en accommodait en attendant des jours meilleurs.

Sur un plan plus personnel, sa femme Debbie venait d'apprendre une terrible nouvelle : on lui avait diagnostiqué un cancer du sein. Les médecins lui recommandaient une ablation. La nouvelle n'était pas banale et elle plongea le couple dans une grande période d'inquiétude.

Demers baignait déjà dans une certaine léthargie avant même d'apprendre la délicate situation dans laquelle sa femme se retrouvait. La découverte de cette maladie n'était pas pour lui remonter le moral.

«J'avais difficilement encaissé le coup, mais je crois que Jacques était encore plus dévasté que moi, raconte Debbie. Depuis que nous étions ensemble [été 1983], Jacques traversait la période la plus noire de sa vie cet automne-là. Il était dépressif. Il n'avait pas d'entrain. Sa vie professionnelle ne l'excitait pas et mon état de santé lui inspirait beaucoup de crainte.»

Mais en cet après-midi d'octobre 1997, Demers reçut un premier appel revigorant alors qu'il était calmement assis dans le salon de sa maison de Jupiter. En fait, il dut répondre à trois appels en rafales.

Et, cette fois-ci, les nouvelles étaient plutôt (très) bonnes…

* * *

Demers et Debbie avaient décidé de s'installer en Floride durant l'été de 1996, soit huit mois après le congédiement de Jacques. Malgré les bons mots d'encouragement de son entourage, de ses anciens joueurs et même des journalistes, il était habité par un sentiment de honte, un peu à la manière de ce qu'il avait ressenti après son congédiement des Nordiques, à Québec, en 1980. On était bien loin du *Monsieur Positif* que tout le monde avait connu alors qu'il veillait aux destinées du Tricolore.

«Plusieurs joueurs m'ont appelé pour me remercier et me dire que j'avais été important dans leur parcours d'athlète, relate Demers. Les journalistes, pour l'essentiel, furent même très élogieux à mon égard. Personne ne m'a *planté*. De plus, ma famille me supportait sans retenue. Toutefois, je ne me sentais pas bien dans ma peau. J'avais le sentiment d'avoir failli à la tâche et j'en avais honte.»

Quelques jours après être arrivé en poste, Réjean Houle communiqua avec Demers pour déterminer ses nouvelles fonctions. Au nom de l'organisation du Canadien, Houle s'engagea à lui payer entièrement les deux dernières années qu'il restait à écouler à son contrat (à raison de 800 000 $ par année) et il offrit de prolonger cette entente de trois autres saisons (à environ 100 000 $ par saison).

Les nouvelles fonctions de Demers consistaient surtout à devenir les yeux de l'organisation partout dans la LNH. Selon un calendrier établi avec son nouveau patron, Demers parcourrait l'Amérique pour épier les faits et gestes de tous les joueurs du circuit. Son travail devait servir à constituer une banque d'informations sur chacun des joueurs. Ses observations allaient pouvoir aider Houle, notamment dans la perspective de transactions. Celui-ci pourrait se référer aux informations obtenues pour avoir une idée plus juste des joueurs à acquérir.

Selon les intentions de Houle, Demers devenait le « super dépisteur » de l'équipe pour les cinq années à venir. En soi, ce rôle apportait une stabilité à l'organisation et aussi à Demers lui-même, hanté par l'idée de ne plus travailler.

« C'est la première chose qui m'est venue à l'esprit en apprenant mon congédiement, se rappelle-t-il. Je me demandais ce qu'il adviendrait de moi. Il était impensable, dans mon esprit, de cesser de travailler. Ce n'était plus une question d'argent, mais une question d'équilibre personnel. J'avais travaillé toute ma vie et j'avais besoin de travailler. J'ai donc accepté la proposition de cinq ans présentée par Réjean. »

Mais dans son for intérieur, il n'avait pas toutes les qualités requises pour cet emploi. Plus encore, il n'était pas très entiché de ce métier, d'autant plus que cette nouvelle fonction l'éloignerait encore plus souvent de la maison qu'à l'époque où il était entraîneur de l'équipe.

« J'ai beaucoup de respect pour ceux qui font ce métier, mais je ne m'y sentais pas à ma place. Je n'étais pas un dépisteur dans l'âme, dont le travail consiste à se balader constamment d'une galerie de presse à l'autre. Dans ma tête, j'étais un entraîneur. Et tout ce que je voulais, c'était de recommencer à pratiquer mon métier au niveau de la glace et non dans les hauteurs des arénas.

Demers se faisait de moins en moins présent sur la scène sportive montréalaise. On le voyait très rarement au Forum (ou plus tard, au Centre Molson). Lorsqu'il y mettait les pieds, il s'organisait pour ne pas se faire voir. Il laissait toute la place à son successeur Mario Tremblay et, plus tard, à Alain Vigneault.

Lorsqu'il revenait à Montréal pour quelques jours à la suite de ses missions de dépistage, il se montrait aussi très casanier. Il demeurait chez lui, à la maison, et n'effectuait que de rares sorties avec sa femme, de crainte de rencontrer des amateurs et de devoir s'expliquer. « On aurait dit qu'il était gêné de sa nouvelle situation, remarque son frère Michel. Il ne voulait plus voir personne. »

Ce que confirme Debbie : « Il avait l'impression d'avoir failli à la tâche. Lorsqu'il rencontrait les gens, ça lui faisait mal. C'est pourquoi on restait très souvent à la maison. »

Et le principal intéressé en rajoute : « C'était arrivé à un point où je ne voulais même plus voir mes voisins ! Ce n'était vraiment pas une bonne période dans ma vie », résume-t-il en riant, toutefois.

En fait, le nouveau travail de Demers devint une source de stress épouvantable. Il devait colliger des informations et produire des rapports. Or, dans la condition qui était la sienne, il s'agissait d'un véritable fardeau, car il devait prendre des heures à mettre par écrit le fruit de son travail avant de l'acheminer au bureau du Canadien à Montréal.

« Je me couchais à des heures de fou, raconte-t-il. Je quittais les galeries de presse et me rendais aussitôt à ma chambre d'hôtel où je devais rédiger mon rapport sur le match que je venais de voir. Je me dépêchais de le faire parce que je n'avais presque pas pris de notes. Il était donc important de faire vite de façon à ne pas oublier ce que j'avais emmagasiné dans ma tête.

« Je traînais mon dictionnaire avec moi pour faire le moins de fautes possible, précise-t-il. J'écrivais tout en *lettres moulées*. En fait, ce qui aurait pris environ une heure à un autre me prenait quatre heures. C'était éreintant. Le lendemain matin, je transmettais par télécopieur mon rapport au bureau du Canadien. Je demandais à Claudine Crépin [secrétaire exécutive du département hockey] de bien vérifier mon rapport pour voir si tout était en ordre, avant de le remettre à Réjean Houle. »

Houle ne connaissait naturellement rien de la déficience de son employé. Pas plus qu'il ne savait que son projet de fournir des ordinateurs portatifs à tous ses dépisteurs était en train de rendre Demers malade. Houle avait en effet l'intention de mettre le Canadien à la fine pointe de la technologie. Il s'agissait d'un changement bénéfique pour l'organisation, mais qui s'avérerait catastrophique pour Demers.

« À ma deuxième année comme dépisteur, Réjean a commencé à nous parler d'informatiser les rapports de dépistage, raconte celui-ci. Il mentionnait que la plupart des équipes de la LNH fonctionnaient par ordinateur et que le temps était venu pour le Canadien d'emboîter le pas. Juste à en entendre parler, je paniquais littéralement, car, pour moi, les ordinateurs c'était du chinois. D'ailleurs, je savais que le jour où on nous imposerait de travailler avec des ordinateurs portables, je perdrais mon emploi. Je m'en savais incapable.

« Je commençais à peine à me familiariser avec mon nouveau métier lorsque la question des ordinateurs est apparue. Jusque-là, j'avais appris un certain langage. J'écrivais souvent les mêmes mots. Mon vocabulaire écrit n'était pas très élaboré. Pour quiconque lisait mes rapports, cela paraissait plutôt simple. Mais pour moi, c'était très exigeant de faire ça.»

Entre deux missions de dépistage, Demers était donc rentré à sa maison de Jupiter, en Floride, pour y rejoindre sa femme. Cette décision de déménager en Floride avait créé tout un émoi, un an plus tôt. Michel, le frère de Jacques, l'acceptait mal.

«Je me souviens très bien que nous étions dans un petit restaurant à Pierrefonds lorsque Jacques m'a annoncé qu'il allait s'installer en Floride, raconte Michel. Depuis son retour à Montréal, j'avais enfin retrouvé un frère qui était devenu mon meilleur ami. Lorsqu'il m'a fait part de son intention, je lui ai dit : "Pourquoi partir encore, Jacques? Ça allait si bien nos affaires." Dans mon esprit, il ne reviendrait plus jamais à Montréal une fois qu'il se serait établi en Floride. Je trouvais très difficile de devoir vivre notre relation par de simples appels téléphoniques. Je pleurais abondamment lorsque j'ai appris sa décision.

«Jacques m'a néanmoins donné l'assurance qu'il s'agissait d'un déménagement temporaire, car il disait subir trop de pression à Montréal. Il m'a dit : "Je suis mal partout où je vais, je suis obligé de m'expliquer avec tout le monde. Je ne me sens plus bien ici." Je comprenais son désarroi, mais je trouvais la situation très douloureuse pour notre relation.»

Malgré la réaction de son jeune frère, Demers avait finalement mis son projet à exécution et était parti pour la Floride au début de l'été de 1996.

* * *

Jacques Demers était donc assis dans le salon de sa résidence de Jupiter au début du mois de novembre 1997 lorsque le téléphone se mit à sonner en rafales. Il reçut trois appels, en fait, et tous concernaient le même sujet.

Robin Burns (le cousin de Pat Burns), l'agent qui représentait la plupart des entraîneurs de la LNH, fut le premier. Il apprit à Demers que Phil Esposito était intéressé à lui confier un job d'entraîneur.

Esposito était le directeur général du Lightning de Tampa Bay et il avait congédié son pilote Terry Crisp après le 11e match de la saison alors que l'équipe montrait un dossier de 2-7-2. Dans l'intervalle, il avait nommé Rick Patterson au poste intérimaire. Sous Patterson, le Lightning n'avait récolté aucune victoire en six matchs. L'équipe n'avait donc obtenu que deux victoires à ses 17 premiers matchs.

Esposito avait discuté avec Robin Burns de la possibilité d'embaucher Terry Murray ou Ted Nolan, deux clients de Burns. Mais l'agent se montrait exigeant. Il demandait un salaire variant entre 700 000 $ et 750 000 $ pour l'un ou l'autre de ses clients. Esposito refusait de verser autant d'argent pour un entraîneur.

Burns informa donc Demers de l'intérêt que le Lightning lui portait et il l'avisa qu'il serait prêt à le représenter si jamais il devait mener des négociations avec Esposito.

Après avoir raccroché, Demers n'eut pas le temps de se réjouir qu'il dut répondre à un second appel. À l'autre bout du fil, c'était son patron, Réjean Houle, qui lui fit part de la conversation qu'il venait d'avoir avec Phil Esposito : « Esposito vient de me contacter pour me demander la permission de pouvoir discuter avec toi au sujet du poste vacant derrière le banc du Lightning. Je lui ai dit que je n'avais aucune objection. Si le poste t'intéresse, vas-y, tu as le chemin libre. Je te souhaite bonne chance. »

Demers était agréablement surpris de la tournure des événements, lui qui semblait avoir sombré dans l'oubli depuis deux ans et qui ne voyait plus le jour où il pourrait diriger à nouveau une équipe dans la LNH.

« Depuis que j'étais devenu dépisteur, je n'avais pas eu d'offre concrète, dit-il. Il était déjà arrivé qu'on mentionne mon nom lorsqu'un entraîneur perdait son emploi, mais jamais on n'avait communiqué avec moi pour m'inviter à une entrevue. Je commençais vraiment à désespérer. »

Demers était à ce point convaincu qu'il n'obtiendrait pas une dernière chance de diriger dans la LNH qu'il avait lui-même soumis sa candidature à une équipe à la fin de la saison 1996-1997. Et cette équipe-là était nulle autre que le Canadien !

En fait, Mario Tremblay avait perdu son emploi avec le Canadien à la fin de la saison 1996-1997. Dès lors, Réjean Houle se mit à la recherche d'un successeur qui, par la suite, s'avéra être Alain Vigneault.

Mais avant que Houle ne fasse l'annonce de l'embauche de Vigneault, Demers avait discuté avec Pierre Mondou, qui était très proche du directeur général du Tricolore. Il lui avait demandé d'intervenir auprès de Houle pour lui faire part de son intérêt à retourner à la barre du Canadien. Il voulait que Mondou s'informe de l'intérêt de Houle pour sa candidature. Après quelques jours, Mondou avait mentionné à Demers qu'il ne faisait pas partie des plans de Réjean Houle.

« Je peux admettre aujourd'hui que j'ai soumis ma propre candidature par l'entremise de Pierre Mondou, reconnaît Demers. Malgré toutes les difficultés que m'avait occasionnées la fin de mon séjour avec le Canadien, j'étais prêt à replonger dans l'aventure. Le Canadien, je le répète, c'est spécial pour un entraîneur québécois. »

Après les coups de fil de Robin Burns et de Réjean Houle, Demers reçut finalement l'appel du directeur général du Lightning, Phil Esposito en personne. Ce dernier se montra très expéditif. Il était intéressé à ses services, mais pas à n'importe quel prix.

« La première chose que j'ai demandée à Phil, raconte Demers, c'était ce qu'il advenait de Terry Murray et de Ted Nolan. Dans les journaux, en Floride, on ne parlait que de ces deux-là pour succéder à Terry Crisp. La réponse de Phil a été très claire. Il a été très honnête avec moi d'entrée de jeu. Il m'a dit : "Écoute Jacques, Murray et Nolan ne sont plus des candidats parce que leur agent Robin Burns me demande beaucoup trop d'argent. Il veut entre 700 000 $ et 750 000 $ pour leurs services. Or, je sais que Burns représente tes intérêts également. Si tu exiges le même prix, nous faisons aussi bien d'oublier ça. D'ailleurs, je ne suis plus intéressé à négocier avec Robin Burns. Il est trop exigeant. Notre budget est très serré chez le Lightning. J'ai une somme de 350 000 $ à offrir par année pour un entraîneur. Je peux t'offrir un contrat de deux ans. Si tu n'acceptes pas le poste à ces conditions, je vais embaucher Rick Patterson qui assure l'intérim présentement." »

Demers était quelque peu estomaqué de la conversation qu'il venait d'avoir avec celui qui lui offrait pourtant de se sortir de son enfer de dépisteur. Mais il brûlait aussi d'envie de retourner diriger dans la LNH et la seule façon d'y parvenir, c'était par la voie du Lightning.

« Jacques était quelque peu tourmenté, raconte Debbie. D'une part, le salaire n'était pas mirobolant et, d'autre part, l'équipe était la risée de la LNH. Ça me rappelait sa venue avec les Red Wings de Detroit. L'équipe était vraiment mauvaise. Personnellement, j'avais confiance qu'il replace la situation. Je l'avais vu rebondir à plusieurs occasions. »

Demers accepta finalement l'offre d'Esposito et fut présenté à la presse de Tampa le 12 novembre 1997. « Les joueurs ont triché. On va y mettre fin, déclara-t-il en conférence de presse. J'aime les défis. J'ignore combien de matchs nous allons gagner, mais nous avons une équipe qui a le potentiel pour participer aux séries. »

Jacques Demers, malgré l'équipe qu'il avait sous la main, avait retrouvé tout son enthousiasme. Son retour derrière le banc avait enflammé le personnage…

* * *

La décision de Demers de se joindre au Lightning pour la somme de 350 000 $ par année souleva un certain vent de mécontentement dans la confrérie des entraîneurs de la LNH. Terry Murray, Ted Nolan et plusieurs entraîneurs étaient furieux de son attitude. On l'accusa d'avoir négocié son poste à rabais et d'avoir influencé à la baisse le lucratif marché des entraîneurs. Demers apporte son point de vue :

« J'ai accepté la moitié du salaire que les autres demandaient parce que c'était le maximum d'argent qu'on avait à m'offrir. J'acceptais 350 000 $ pour *coacher* ou je retournais à mes occupations de dépisteur qui ne me donnaient plus que 100 000 $ par année environ. Le calcul n'était pas difficile à faire, d'autant plus que je retrouvais un travail qui me stimulait beaucoup plus. Et après tout, qui peut dire qu'il est sous-payé à 350 000 $ par année ? C'est certain que j'aurais accepté plus d'argent, mais dans le contexte de l'époque ça faisait mon affaire. Et puis, si je ne l'avais pas accepté, un autre l'aurait fait à ma place à ce salaire-là. »

Demers rappelle aussi que certains individus ont la mémoire courte : « Personne ne peut dire que je n'ai jamais rien fait pour améliorer la situation des entraîneurs dans la LNH. Lorsque j'ai signé mon contrat à Detroit, je devenais le premier entraîneur à toucher 200 000 $ par année. J'ai sûrement aidé à améliorer le sort des autres. Plus tard avec le Canadien, j'ai signé un contrat de quatre ans à raison de 800 000 $ par année. Je devenais ainsi le troisième entraîneur le mieux payé du circuit derrière Scotty Bowman et Jacques Lemaire. Dans les deux cas, j'étais dans une position de force pour négocier et j'ai profité de mon pouvoir de négociation. La situation était complètement différente à Tampa à mon arrivée. J'ai usé de ma tête. D'ailleurs, je tiens à préciser que mon salaire a fait un bond important dès ma deuxième saison. »

* * *

Dans les semaines qui suivirent sa nomination, Demers s'aperçut que la commande serait très difficile à Tampa. Il encaissa trois défaites à ses trois premiers matchs, dont la troisième contre le Canadien (4 à 1) au Centre Molson, le 17 novembre. Il s'agissait du premier match que Demers dirigeait dans le nouveau domicile du Tricolore, lui qui avait été congédié quelques mois avant le déménagement du Forum au Centre Molson.

Cette année-là, en 1997-1998, Demers et le Lightning disputèrent quatre matchs contre le Canadien et ils subirent quatre défaites sans équivoque de 4 à 1, 8 à 2, 6 à 3 et 2 à 1. Le Lightning termina dans les bas-fonds du classement général de la LNH avec une maigre récolte de 17 victoires,

55 revers et 10 verdicts nuls en 82 matchs (15-40-8 en 63 matchs pour Demers), et, naturellement, ils furent exclus des séries.

Au cours de cette saison, le nouveau pilote du Lightning dut s'absenter pendant deux matchs pour des raisons personnelles – et pas nécessairement heureuses. Demers accompagna d'abord Debbie dans une épreuve difficile, celle de l'ablation du sein gauche. Claudette, la sœur de Jacques, fut merveilleuse durant cette période difficile. Elle quitta temporairement son emploi et s'installa en Floride quatre mois afin de seconder sa belle-sœur pendant sa convalescence.

Puis, quelques mois après que Debbie eut été opérée, Jacques dut quitter précipitamment la ville de Pittsburgh où son équipe devait jouer en soirée. Le matin du match, Debbie avait reçu des nouvelles inquiétantes. On craignait que l'autre sein ne soit attaqué par la maladie. Demers confia les commandes de l'équipe à son adjoint Rick Patterson et rentra d'urgence à Tampa. Finalement, les premiers pronostics des médecins étaient plus sombres que la réalité cette fois-ci. Debbie et Jacques en furent quittes pour une bonne frousse.

«Il n'en demeure pas moins que toute cette histoire de maladie m'a hanté pendant toute la saison, se souvient Demers. Je trouvais que la vie était bien injuste. Debbie avait toujours fait attention à sa santé, elle courait de trois à quatre milles (environ 5 km) par jour et s'entraînait au gymnase trois fois par semaine. En contrepartie, je mangeais mal, je ne m'entraînais pas et j'étais stressé. Mais j'étais pourtant en bonne santé. Je me disais que Debbie méritait mieux.»

* * *

La pitoyable saison du Lightning n'eut pas que de mauvais côtés. En réalité, l'équipe put en retirer une importante compensation, car, en raison de sa dernière position au classement général, elle se voyait attribuer le premier choix au repêchage des joueurs amateurs qui devait se tenir le 27 juin 1998 à Buffalo. Cette journée-là, le Lightning sélectionna le grand attaquant de l'Océanic de Rimouski, Vincent Lecavalier.

Deux jours avant la séance de sélection, le Lightning fut officiellement vendu au flamboyant homme d'affaires Art Williams, qui avait fait fortune dans le domaine de l'assurance. Williams préparait cette transaction depuis la mi-mai 1998. Il n'avait aucune expérience dans le monde du hockey, mais comme il avait beaucoup d'entregent, il se fit des relations dans le milieu des propriétaires assez rapidement.

Dès son arrivée officielle comme propriétaire, le 25 juin 1998, Williams communiqua avec Demers. Il semblait avoir obtenu de bons rapports sur l'entraîneur et se montrait intéressé à poursuivre l'aventure avec lui.

Il faut dire que, comme il le faisait à Montréal, Demers s'était impliqué dans la communauté de Tampa/Saint Petersburg pour vendre le hockey à la population locale. Il acceptait toutes les invitations et, peu à peu, était devenu une figure populaire dans la région.

Ses interventions étaient appréciées de l'organisation dans un marché où la compétition commençait à être féroce. Depuis un an, les Buccaneers de la NFL étaient sortis de leur médiocrité et jouissaient de l'appui populaire. De plus, les Devils Rays faisaient leur entrée au baseball majeur à titre de nouvelle concession de la Ligue américaine. Sans compter que le golf prenait beaucoup de place dans les loisirs des résidants.

Si Williams semblait apprécier la présence de Demers au sein de son organisation, c'est qu'il voyait en lui un homme compétent, mais aussi un très bon vendeur. Demers se rendit compte rapidement qu'Art Williams misait sur lui pour relancer sa concession.

« J'étais sur un terrain de golf en compagnie de mon adjoint Rick Patterson lorsque M. Williams m'a rejoint la première fois, relate-t-il. Il voulait savoir pourquoi je n'étais pas au bureau ! Je lui ai expliqué que j'étais l'entraîneur et qu'en cette période de l'année où notre saison était terminée depuis deux mois, je n'avais pas besoin d'être à mon bureau. Il m'a demandé de me présenter à son bureau car il avait affaire à moi. »

La suite de l'histoire est plutôt singulière. Aussitôt arrivé au bureau du Lightning, Williams annonça à Jacques qu'il devenait sur-le-champ directeur du personnel des joueurs à la place de Tony Esposito, le frère de Phil, lequel restait directeur général. Demers gardait également sa fonction d'entraîneur en chef.

« J'ai dit à M. Williams que je ne pouvais accepter ce poste sans que Phil en ait été informé, raconte Demers. Dans mon esprit, c'est Phil qui devait prendre ce genre de décision. Mais mon nouveau propriétaire s'est lancé dans une attaque en règle contre les frères Esposito, en particulier Tony. Il m'a dit qu'il n'avait pas obtenu de bons rapports sur eux (plus précisément sur Tony) et qu'il avait l'intention de les congédier. Il leur avait même dit, lors de la conférence de presse, que s'ils ne faisaient pas le travail, ils seraient mis à la porte !

« Je n'en revenais pas. Plus j'écoutais Art Williams et plus je croyais comprendre qu'il désirait m'offrir le poste de directeur général du

Lightning. Or, je n'en voulais absolument pas de ce poste. J'avais compris depuis un bon bout de temps que ce n'était pas fait pour moi. Il y avait trop de paperasse à gérer. En raison de mon handicap, je n'avais pas les capacités pour faire ça. Je n'étais pas instruit et j'éprouvais des difficultés à lire et à écrire. Une telle fonction n'était surtout pas pour moi. »

Malgré tout, Demers se voyait dans l'obligation de suivre les directives de son nouveau patron. Il accepta du bout des lèvres la fonction de directeur du personnel des joueurs, mais il en profita pour intercéder en faveur de son directeur général.

« J'avais vraiment une bonne relation avec Phil, précise-t-il. C'était moins le cas avec son frère Tony, mais je ne voulais pas que Phil s'en aille. Après avoir écouté M. Williams, j'ai plaidé la cause de Phil. Je lui ai rappelé qu'il avait travaillé dans des conditions très difficiles avec les anciens propriétaires japonais et qu'il avait été forcé d'échanger de bons jeunes joueurs comme Roman Hamrlik, parce qu'il commandait un salaire trop élevé. »

Le plaidoyer de Demers sembla porter fruit puisque Williams décida de garder Phil Esposito à la direction générale et qu'il nomma son frère Tony au poste d'adjoint.

Deux jours après avoir fait l'acquisition du Lightning, Williams se présenta à Buffalo pour accueillir dans son organisation le tout premier choix du repêchage, Vincent Lecavalier. Aux journalistes qui le questionnaient au sujet de son joueur d'avenir, Williams afficha toute sa flamboyance en déclarant que Lecavalier deviendrait le « Michael Jordan du hockey » ; il faisait ainsi référence au légendaire joueur de basket-ball des Bulls de Chicago. La comparaison était nettement exagérée.

« En prenant connaissance de ses propos, j'ai dit *Ayoye !,* raconte Demers en riant. Art Williams ne connaissait rien au hockey et il voulait faire un coup d'éclat. Mais c'était très malhabile de comparer un jeune joueur de hockey au meilleur joueur de basket-ball de tous les temps. Cela contribuait à mettre beaucoup de pression sur les épaules de Vincent. Il a fallu que j'explique à Vincent de ne pas s'en faire avec une telle déclaration. »

Dans les semaines qui suivirent, Williams s'installa peu à peu dans les bureaux du Lightning. À tout moment, il téléphonait à Demers pour lui parler de ses projets et de ses attentes. Il désirait notamment que la masse salariale de l'équipe soit réduite de 4 millions de dollars.

« Chaque fois qu'il m'appelait, je lui rappelais toujours que ce n'était pas à moi qu'il devait s'adresser, mais plutôt à Phil. Mais M. Williams me répétait toujours la même chose : “Je ne veux pas l’appeler, je ne fais pas confiance aux frères Esposito.” J’étais mal à l’aise avec la situation puisque mon patron du département hockey, Phil Esposito, pouvait avoir l’impression que je lui jouais dans le dos. Pourtant, s’il avait su à quel point je ne désirais aucunement devenir directeur général ! »

Finalement, contre toute attente, les frères Esposito étaient encore en poste pour l’ouverture du camp d’entraînement du Lightning. Cette année-là, le Lightning tint une partie de son camp à Vienne, en Autriche. C’est là qu’Esposito et Demers rencontrèrent Pierre Pagé pour lui offrir de devenir dépisteur de l’équipe sur le territoire européen. Une offre que Pagé déclina.

Ce camp permit par ailleurs à l’organisation de constater qu’elle avait sous la main un joueur d’une qualité rare en Vincent Lecavalier. Ce dernier s’avéra le joueur le plus productif du camp, et déjà il était assuré que le jeune homme de 18 ans amorcerait sa carrière dans la LNH malgré son jeune âge.

Les liens entre la famille Lecavalier et Jacques sont demeurés très étroits. De gauche à droite : José Théodore, Vincent Lecavalier, son père Yvon, son oncle René, Jacques, Réjean Houle et le Dr Raymond Leduc. (Archives de Jacques Demers)

«Rapidement, j'ai fait savoir à Vincent, à ses parents Yvon et Christiane, de même qu'à son agent Robert Sauvé, que j'avais l'intention de le garder avec nous pour toute la saison, relate Demers. Il n'était pas question de le retourner à Rimouski. J'avais fait comprendre à tout le monde que Vincent serait utilisé progressivement de façon à ne pas brûler des étapes. C'est ce que j'ai fait. Au début, il disputait une moyenne de 10 minutes par match et, à la fin de la saison, on pouvait l'utiliser de 14 à 15 minutes en moyenne par rencontre. Vincent en voulait plus, il n'était pas content, mais il ne causait pas de problème.»

* * *

Au retour d'Autriche, Demers vécut une soirée assez particulière à l'aréna du Lightning, le Ice Palace, où Céline Dion donna un concert devant une salle comble de 20 000 personnes.

Ce soir-là, la grande Céline se présenta sur scène revêtue d'un chandail du Lightning. Demers était présent en compagnie de sa femme Debbie et de la conjointe de son frère Michel, Francine Côté, une *fan* inconditionnelle de la diva. Plusieurs joueurs du Lightning assistaient aussi au spectacle, de même que le propriétaire de l'équipe, Art Williams.

Avant le spectacle, Demers et le président du Lightning, Billy McGehee, avaient offert le chandail de l'équipe en souvenir à la chanteuse. Demers en avait profité pour présenter Francine à Céline. Puis Demers, Debbie et Francine étaient montés dans une loge du Ice Palace pour assister au concert.

Au cours de sa prestation, Céline Dion empoigna le micro et, à la surprise générale, dédia une chanson à Jacques Demers ! La foule manifesta sa joie à grands cris. Demers en avait des frissons sur tout le corps. Les gens étaient impressionnés de voir que la plus grande chanteuse du monde se permettait d'interpréter une chanson pour l'entraîneur du Lightning. Les médias relatèrent l'affaire et on en parla pendant des jours à Tampa. Et Demers gagna encore en popularité dans la région.

Demers et Céline se connaissaient depuis environ cinq ans. Sans être des proches, ils s'étaient croisés à plusieurs occasions au Forum et dans des soirées de charité à Montréal. Céline Dion avait d'ailleurs offert un spectacle privé au Canadien dans les jours qui avaient suivi la conquête de la 24e coupe Stanley en 1993. Ce soir-là, dans la salle de bal de l'hôtel Reine Élisabeth à Montréal, Céline chanta pour les champions. Et elle en profita pour vanter les mérites de Jacques dans cette conquête.

Cinq ans plus tard, Demers était ravi de constater que la mégastar ne l'avait pas oublié. Il était d'autant plus heureux de cette marque d'affection que Debbie éprouvait des difficultés à se remettre de son opération. De là la présence de Francine, la conjointe de Michel, qui s'était rendue en Floride pour réconforter Debbie, puisque Claudette était rentrée à Montréal après plusieurs mois de support indéfectible.

« Céline n'avait pas à faire cela, commenta Demers. Mais elle et René [Angelil] ont compris qu'entre francophones il fallait s'aider. »

« Ce soir-là, ajoute-t-il aujourd'hui, Céline ne savait sans doute pas dans quelle condition se trouvait Debbie, mais son geste a procuré un beau moment de bonheur à notre petite famille. »

* * *

À quelques jours d'entreprendre la saison 1998-1999, la relation entre Art Williams et les frères Esposito ne s'était pas vraiment améliorée. En fait, le propriétaire ne leur parlait presque plus. « J'ignore de qui Williams tenait ses informations, mais il ne trouvait rien de bon à dire de ces deux-là », mentionne Demers.

La saison du Lightning débuta le 9 octobre contre les Panthers à Miami, un match qui se solda par une défaite de 5 à 1. Le lendemain, le Lightning était le visiteur en Caroline et réussissait à soutirer un verdict nul de 4 à 4 aux Hurricanes.

Deux jours plus tard, Williams jugea qu'il en avait déjà assez vu. Le matin du 12 octobre 1998, il se présenta avec son avocat dans le bureau de Demers, situé juste à côté du vestiaire de l'équipe et, d'une manière expéditive, il étala ses nouvelles directives.

« Jacques, dit Williams, je viens de congédier les frères Esposito. Désormais, tu vas être le directeur général et l'entraîneur de l'équipe. Tu vas écouler la dernière année de ton contrat actuel et dès l'an prochain, tu jouiras d'un nouveau contrat de quatre ans à raison de 550 000 $ US [autour de 800 000 $ canadiens] par année pour occuper les deux postes. »

Puis Williams et son avocat sortirent promptement, laissant le principal intéressé complètement abasourdi. Fin de la discussion !

« C'est arrivé aussi vite que ça ! se rappelle Demers. C'était à n'y rien comprendre. Qui sait, la chanson que Céline m'avait dédiée au Ice Palace l'avait peut-être convaincu de ma notoriété ? Je crois que ça l'avait impressionné.

« Quoi qu'il en soit, M. Williams ne me laissait pas le choix : je devais prendre les commandes de tout le département hockey de l'organisation. J'étais renversé. Quelques minutes plus tard, Phil est descendu à mon bureau, on a discuté quelques minutes, puis il est parti. En l'espace d'une demi-heure, ma vie professionnelle basculait. Je ne savais plus où donner de la tête.

« Au fond de moi-même, je savais que j'étais incapable d'assumer le rôle de directeur général. Mais je n'avais pas le choix. Il n'était pas question de lui avouer mon incapacité. Je devais accepter ou… je perdais tout. »

* * *

Demers profite de l'occasion pour livrer son appréciation des frères Phil et Tony Esposito, livrant un portrait diamétralement opposé des deux personnages.

« J'ai adoré travailler pour et avec Phil, dit-il. C'était un bon gars qui devait composer avec une situation fort difficile à Tampa. Il n'a jamais eu la vie facile avec ses propriétaires qui cherchaient continuellement à économiser de l'argent. Phil n'a pas pu accomplir le travail qu'il voulait à Tampa en raison des contraintes budgétaires. C'est dommage pour lui car c'était un bon homme de hockey que je respectais énormément.

« Phil était aussi un homme agréable à côtoyer. Il cherchait toujours à améliorer l'équipe. Il mettait du temps pour arriver à ses fins. En ce sens, c'était un gars honnête avec qui j'avais l'heure juste. Et je veux qu'il sache que je n'ai jamais joué dans son dos comme son frère Tony a tenté de le laisser entendre à travers la LNH. J'ai même plaidé en leur faveur auprès d'Art Williams. Phil n'a qu'à demander à M. Williams. Les choses se sont exactement passées comme je les ai décrites dans ce livre. Je ne voulais pas du poste de directeur général, mais, devant le fait accompli, je me suis retrouvé dans l'obligation de l'accepter.

« Quant à Tony Esposito, il a été un très grand gardien dans la LNH, mais un bien piètre administrateur, soutient Demers. Au début de ce projet de livre, j'ai clairement établi mon intention de ne régler aucun compte personnel. Ce n'est pas l'objectif de ce livre. Mais lorsque je songe à Tony Esposito, c'est différent. Je n'ai aucun respect pour lui. C'était un être mesquin et paresseux. Et j'ajouterais qu'il est très anti-francophone. Je me souviens qu'il en avait toujours contre Patrick Poulin et Yves Racine. Dans nos réunions, il ne leur passait jamais rien.

« Tony Esposito a tenté de salir mon nom lorsqu'il a été congédié du Lightning, grogne Demers. Il parlait à travers son chapeau. Il aurait dû prendre sa pilule et reconnaître qu'il ne travaillait pas. Très régulièrement, il arrivait au bureau à 10 heures et en repartait à 14 heures. Il n'était là que pour rechigner et pour parler contre tout le monde. Dans mon esprit, Tony Esposito n'était pas honnête dans son travail, contrairement à son frère Phil.

« Le seul bon souvenir que je conserve de Tony Esposito, ajoute-t-il, c'est… sa femme Marilyn. Debbie et moi éprouvons beaucoup de respect pour elle. Marilyn s'est bien occupée de Debbie à notre arrivée à Tampa. Lorsque Debbie a dû combattre son cancer du sein, elle a eu l'aide et le support de Marilyn. C'est une femme de grande classe et je tiens à l'en remercier. »

* * *

Après s'être remis de ses émotions résultant de sa nouvelle nomination, Demers monta au bureau d'Art Williams afin d'obtenir de l'aide dans ses multiples fonctions. « Il me fallait un adjoint qui s'occupe de tout l'aspect de la paperasse, c'est-à-dire les contrats, les documents à remplir pour la LNH, les dossiers des dépisteurs et quoi encore... En plus, je devais avoir en ma compagnie un homme qui connaisse le fonctionnement de la LNH et une grande partie de ses joueurs. Art Williams me donna alors la permission d'embaucher deux adjoints pour me seconder. »

La première personne à laquelle songea Demers fut son ancien patron chez les Red Wings de Detroit, Jimmy Devellano. Il s'empressa de communiquer avec lui.

« Jacques m'a effectivement offert de me joindre au Lightning, mais j'étais bien installé à Detroit et je ne désirais pas déménager en Floride, confirme Devellano. Surtout, je ne voulais pas quitter l'organisation des Red Wings où j'étais très bien traité, même si je participais de moins en moins aux décisions de hockey. »

Entre-temps, Demers reçut un appel de Jack Ferreira, l'ancien directeur général des Mighty Ducks d'Anaheim, qui lui offrait ses services. Ferreira venait d'être remplacé par Pierre Gauthier à Anaheim. Demers n'était pas certain que c'était là une candidature valable et il invita Ferreira à patienter.

Le nouveau patron du Lightning reçut un autre appel de son homologue de l'Avalanche du Colorado, Pierre Lacroix. Ce dernier lui proposa le nom d'un illustre inconnu dans le monde du hockey de la LNH, Jay Feaster.

« Selon Pierre Lacroix, ce Feaster avait toutes les qualités que je recherchais, relate Demers. C'était un avocat de formation et il était le président des Bears de Hershey, le club-école de l'Avalanche dans la Ligue américaine de hockey. Feaster avait connu du succès à Hershey, où il avait été le directeur général de l'équipe. C'était un jeune homme de 37 ans au potentiel énorme. »

Dans les minutes qui suivirent sa conversation avec Lacroix, Demers appela Feaster et, après deux ou trois échanges de propos, l'affaire était conclue : Feaster serait l'adjoint de Demers à la direction générale du Lightning et, le 20 octobre 1998, soit huit jours après la nomination de Demers, ce fut chose faite.

Dans l'intervalle, Demers avait entrepris des démarches auprès d'une vieille connaissance, Cliff Fletcher, qui demeurait à Sarasota, en Floride. Rapidement, il sut convaincre Fletcher de se joindre à l'organisation à titre de conseiller spécial auprès du directeur général.

« Je me considère vraiment chanceux d'avoir pu mettre la main sur deux hommes de cette qualité, analyse Demers. Nous formions tout un trio. Cliff et Jay me complétaient à merveille. Cliff Fletcher était un homme expérimenté et respecté qui avait encore un grand réseau de contacts à travers la LNH. Quant à Jay Feaster, il était un expert dans toutes les tâches administratives, tout en connaissant très bien son hockey. Il me protégeait très bien dans mon incapacité d'effectuer tout ce travail de bureau.

« En réalité, j'avais deux conseillers de première classe à mes côtés, ce qui me permettait de poursuivre mon travail d'entraîneur et de déléguer une grande partie de mon travail de directeur général à mes deux adjoints. Ce sont deux décisions que je n'ai jamais regrettées. »

* * *

La deuxième saison de Demers à Tampa Bay ne fut guère plus fructueuse que sa première sur le plan des résultats. L'équipe compila un piètre dossier de 19 victoires, 54 revers et 9 verdicts nuls en 82 matchs, pour une récolte totale de 47 points. La saison prit fin le 17 avril 1999 à Miami, où elle avait commencé le 9 octobre 1998. Comme au début de la saison, le Lightning subit une autre défaite, s'inclinant par 6 à 2 devant les Panthers. Pour une deuxième saison consécutive, le Lightning terminait au dernier rang du classement général et était exclu des séries. Sans le savoir, Jacques Demers venait de diriger le dernier match de sa carrière dans la Ligue nationale de hockey…

Dès le mois de mars 1999, d'autres rumeurs de vente de l'équipe couraient à Tampa. Il devenait de plus en plus évident qu'Art Williams ne serait pas impliqué longtemps dans le monde du hockey. Un groupe d'hommes d'affaires de Detroit, dirigé par William Davidson, était intéressé à acquérir la concession. Ce Davidson était déjà propriétaire des Pistons de Detroit, de la NBA, et des Vipers de Detroit, de la Ligue internationale de hockey. Davidson se porta acquéreur du Lightning le 28 juin 1999. Pour Demers, il s'agissait d'un troisième propriétaire en deux ans, depuis qu'il s'était joint à l'organisation.

Rapidement, Demers comprit qu'il n'aurait pas la confiance du nouveau propriétaire. Quelques semaines avant l'arrivée officielle de Davidson, des rumeurs circulaient selon lesquelles Davidson miserait sur Rick Dudley au poste de directeur général de l'équipe si la transaction était acceptée par la LNH. Dudley occupait ce poste avec les Sénateurs d'Ottawa, mais il avait travaillé plusieurs saisons à Detroit pour le compte des Vipers, propriété de Davidson. Les deux hommes avaient établi une grande complicité.

« Tout semblait s'orienter vers l'acquisition du Lightning par William Davidson, raconte Demers. Un jour, je suis allé rencontrer le président de l'équipe, Ron Campbell, pour en savoir davantage concernant mon avenir. Il fut franc avec moi en me disant que si la transaction était acceptée, M. Davidson désirait offrir le poste à Dudley. Campbell me dit toutefois qu'on voulait me garder dans l'organisation, mais pas pour occuper les deux postes (directeur général et entraîneur). C'est alors que je révélai à Campbell que le poste de directeur général ne m'intéressait pas. À la lumière de ce que je comprenais, j'allais conserver mon poste d'entraîneur et ça me convenait parfaitement. »

Comme prévu, Davidson fit l'acquisition du Lightning le 28 juin 1999 et, la journée même, nomma Rick Dudley à titre de directeur général après s'être entendu avec les Sénateurs d'Ottawa pour obtenir sa libération. Dans les jours qui suivirent, Demers n'obtint aucune nouvelle de son nouveau patron. Puis, le 14 juillet, il fut convoqué au bureau du Lightning pour apprendre qu'il était congédié et qu'il serait remplacé le jour même par Steve Ludzik.

« Je n'ai pas aimé la façon dont ça s'est terminé avec le Lightning. On m'a tenu dans l'ignorance jusqu'à la mi-juillet, bien qu'auparavant on m'eût laissé entendre que je conserverais mon poste d'entraîneur.

« Ce ne fut pas une très belle journée, poursuit Demers. Debbie se remettait de son opération. Elle subissait à nouveau le choc de me voir perdre mon emploi. Au moins, j'ai obtenu la garantie que l'organisation me paierait pour les trois années à écouler à mon contrat. On m'a dit qu'on respecterait mon contrat, ce qui fut fait même si j'ai éprouvé certaines difficultés à être payé. Ça s'est réglé au bout du compte avec le successeur de Dudley, Jay Feaster, qui était mon ancien employé et qui a obtenu le poste de directeur général en février 2001. Feaster a été très correct avec moi. »

* * *

Le passage de Demers à Tampa fut catastrophique sur le plan des statistiques. En 145 matchs, il ne réussit à inscrire que 34 victoires, contre 94 défaites et 17 verdicts nuls. Si sa fiche globale de 13 saisons dans la LNH (409-467-130 en 1006 matchs) est inférieure à la moyenne (.500), c'est en grande partie en raison de ses deux années de misère sur la côte ouest de la Floride.

Malgré tout, Demers dit ne pas regretter de s'être joint à cette organisation, qui vivait alors une grande période d'instabilité : « Je n'ai pas à regretter ma décision. Je voulais absolument revenir derrière un banc dans la LNH et la seule offre qui s'est présentée, c'est celle du Lightning. J'ai plongé dans l'aventure avec la même détermination qui m'habitait lorsque je suis arrivé à Detroit. Le défi était grand, mais je l'avais relevé avec les Red Wings. La grande différence entre Detroit et Tampa se situait au niveau du propriétaire. À Detroit, Mike Ilitch était derrière ses hommes de hockey. Nous ne formions qu'un. À Tampa, il existait plusieurs conflits internes. L'organisation était jeune et elle était en plein apprentissage. Lorsque la stabilité est arrivée à Tampa et que les petits conflits sont disparus, l'équipe a commencé à connaître du succès.

« J'ai été très heureux de voir le Lightning remporter la coupe Stanley en 2004, ajoute-t-il. J'étais content pour des individus comme Jay Feaster, Vincent Lecavalier, Pavel Kubina, Brad Richards et quelques autres qui ont grandi au sein de l'organisation. Ils ont connu une très belle progression avec les années. »

Pendant son court règne d'un an au poste de directeur général, Demers a effectué 14 transactions impliquant pas moins de 24 joueurs et 11 choix au repêchage. Il a aussi fait signer des contrats à deux joueurs autonomes (Kjell Samuelsson et Robert Petrovicky). Parmi les principaux joueurs qu'il a acquis, notons les noms de Chris Gratton, Peter Svoboda, Michael Nylander et Alexandre Daigle. En contrepartie, il s'est départi de certains éléments connus dont Mikael Renberg, Karl Dykhuis, Craig Janney, Alexander Selivanov, Bill Ranford, Benoît Hogue, Enrico Ciccone et Wendel Clark.

Demers conserve le souvenir de trois transactions, en particulier, impliquant Ciccone, Hogue et Clark.

« J'ai échangé Enrico Ciccone à Washington le 28 décembre 1998 en retour de compensations ultérieures (une faible somme d'argent). La même journée, j'ai acquis Svoboda de Philadelphie en retour de Dykhuis. Enrico m'en a toujours voulu. Il adorait Tampa où il était populaire. Il n'a pas apprécié de devoir quitter Tampa au moment même où sa femme venait d'avoir un enfant.

« Je comprends ce qu'il a pu ressentir. Et à vrai dire, si c'était à refaire, je travaillerais de façon différente dans ce dossier. Au cours de ma carrière, j'ai toujours accordé beaucoup d'importance au bien-être de la famille. Dans le cas d'Enrico, je n'ai pas eu cette sensibilité-là. Nous avions soumis son nom au ballottage auparavant et aucune équipe ne l'avait réclamé. Nous avions aussi tenté de l'échanger, mais nous n'avions pas trouvé preneur. Lorsque les Capitals se sont manifestés, nous l'avons laissé partir sans tenir compte de la période de l'année (28 décembre) et de sa nouvelle situation familiale. Nous nous sommes parlé dernièrement, Enrico et moi, et j'ai compris son point de vue. »

Quant au départ de Hogue et de Clark, Demers admet qu'il l'a fait dans le but de satisfaire les deux joueurs :

« Je savais que nous n'allions pas renouveler leur contrat l'année suivante. Il s'agissait de deux vétérans qui avaient beaucoup donné à la LNH. Je me suis organisé pour satisfaire leurs attentes. J'ai demandé à Benoît et à Wendel où ils désiraient poursuivre leur route. Ils m'ont fourni une liste d'équipes et je me suis mis au travail. Les deux joueurs voulaient obtenir une chance de gagner la coupe Stanley. Benoît s'est finalement retrouvé à Dallas, alors que Wendel a été échangé à Detroit, là où les Wings venaient de remporter deux coupes Stanley consécutives. Mais finalement, c'est Benoît et les Stars qui ont gagné la coupe cette année-là [1999]. À la suite de sa conquête, Benoît m'a fait parvenir une photographie autographiée sur laquelle on le voit avec la coupe Stanley au bout des bras. Il me remerciait de lui avoir permis de réaliser le plus grand objectif de sa carrière. »

Pour le reste de son passage à Tampa, Demers soutient que ses meilleurs moments, il les a vécus à sa deuxième saison, soit en 1998-1999, alors qu'il accompagnait Vincent Lecavalier lors de ses premiers coups de patin dans la LNH.

Lecavalier, qui portait le numéro 8 à l'époque (plutôt que le numéro 4 aujourd'hui), prit part aux 82 matchs du Lightning, devenant l'un des deux seuls joueurs de l'équipe (l'autre étant Darcy Tucker) à disputer tous les matchs. Il termina la saison au quatrième rang des marqueurs de son équipe avec une production de 13 buts et 15 mentions d'aide. Il avait marqué son premier but dans la LNH le 25 octobre contre Vancouver à Tampa dans une rare victoire de 3 à 2 du Lightning.

« Je me considère chanceux d'avoir assisté à l'émergence de Vincent dans la LNH, mentionne Demers. C'est l'un des meilleurs jeunes que j'ai eu l'occasion de diriger, à l'instar de Michel Goulet à Québec, Doug Gilmour à Saint Louis et Steve Yzerman à Detroit.

« On n'est jamais sûr de rien, mais dès son arrivée avec nous on pouvait voir qu'il avait de la graine pour devenir un grand joueur. Phil Esposito, qui l'avait repêché, en était très fier. Vincent était sérieux et adorait visiblement jouer au hockey. Il était le premier à sauter sur la patinoire et le dernier à en ressortir. Ce sont des signes qui ne mentent pas. Il tenait à s'améliorer tous les jours.

« Tout le monde voulait l'aider parce que c'était un bon *kid*, poursuit Demers. Enrico et sa femme l'avaient pris sous leur aile. Ils s'en occupaient. Mais déjà il était mature malgré ses 18 ans.

« De notre côté, le personnel de hockey tentait de ne pas lui imposer trop de pression même si notre ex-propriétaire Art Williams l'avait comparé à Michael Jordan. Progressivement, je lui donnais des responsabilités. Je voyais en lui un autre Steve Yzerman qui, soit dit en passant, était son idole. C'était le même genre de joueur et le même type d'individu au même âge. Vincent était réservé, il n'avait pas la grosse tête, il voulait jouer et il voulait gagner. »

Demers précise qu'il n'a jamais éprouvé de difficultés avec son joueur, ni avec son entourage : « On a reproché bien des choses à ses parents. On disait qu'ils tentaient de le surprotéger ou qu'ils voulaient s'ingérer dans les décisions de l'équipe. Personnellement, je n'ai jamais eu de problème avec son père Yvon, sa mère Christiane et son agent Robert Sauvé. On avait mis les choses au clair dès le départ et je m'en suis tenu à mon plan. Si Vincent est devenu le joueur qu'il est aujourd'hui, j'ose croire que j'y ai apporté ma modeste contribution en tentant de lui inculquer de bonnes bases au niveau professionnel. Il faut croire que lui et sa famille ont apprécié car je suis demeuré ami avec son père et sa mère, de même qu'avec Vincent lui-même.»

Et de conclure : «Lorsque j'ai vu Vincent remporter la coupe Stanley en 2004, lorsque je l'ai vu dominer dans le cadre du tournoi de la Coupe du monde l'automne suivant, j'ai eu une pensée pour mon patron de l'époque, Phil Esposito, qui voyait en lui une future grande vedette de la LNH. Six ans après l'avoir sélectionné au repêchage, Phil devait être bien fier de son poulain.»

* * *

L'aventure de Jacques Demers avec le Lightning prit fin le 14 juillet 1999 par un congédiement pur et simple. On ne voulait plus de lui dans l'organisation. On était prêt à le payer à ne rien faire. Or, comme l'a écrit un jour le grand Félix Leclerc : «La meilleure façon de tuer un homme, c'est de le payer à ne rien faire.»

Demers est bien d'accord. Il n'était pas question pour lui de devenir oisif et de se bercer sur son balcon. Mais qu'est-ce que l'avenir réservait à cet homme sur le point de célébrer ses 55 ans?

Le connaissant, on savait qu'il allait rebondir une autre fois. Et logiquement, ça ne pouvait pas être dans un autre domaine que celui du hockey…

Lettre X

À ma très chère femme Debbie

Lorsque je m'arrête pour analyser le chemin que nous avons parcouru ensemble, un seul mot me vient à l'esprit et c'est celui de te dire un grand MERCI.

Debbie, je veux surtout te remercier de m'avoir ramené dans le chemin de l'amour, moi qui avais vécu plusieurs échecs amoureux avant que tu entres dans ma vie.

Merci d'avoir accepté mes invitations, au départ, même si tu étais réticente à vouloir t'engager dans une relation plus soutenue. Pourtant, ça fait vingt-deux ans que nous formons un couple depuis ce premier souper à Fredericton. Je me félicite tous les jours d'avoir insisté (!) et de ne pas avoir abandonné à nos débuts. C'est l'une des meilleures décisions que j'ai prise au cours de ma vie. Ça en valait vraiment la peine.

Depuis que nous partageons nos vies, tu es devenue mon amour, mon amie et ma confidente. Merci de ta compréhension et de ta patience. Merci de m'avoir respecté et aidé malgré mes difficultés à lire et à écrire. Merci d'avoir gardé confidentielles mes révélations à ce sujet. Plus que quiconque, tu savais combien j'étais hanté par l'idée que toute la vérité éclate, ce qui aurait sans doute mis en péril ma carrière dans le monde du hockey professionnel. Tu as très bien saisi mes craintes et j'ai vite senti que je pouvais te faire confiance.

Enfin, ma chère Debbie, merci d'avoir accepté mes enfants dans ta vie et merci d'apprécier la présence de nos petits-enfants.

Pour moi, tu es une perle rare et, à l'aube de célébrer nos vingt ans de mariage, je veux te renouveler tout mon amour que je t'offre en exclusivité jusqu'à la fin de nos jours.

Très affectueusement, ton amoureux,

Jacques

Prolongation

LA VÉRITÉ, ENFIN…

Chapitre 25

Une deuxième carrière bien remplie

Tampa, le dimanche 25 avril 2004. Jacques Demers se plaisait à faire l'analyse de la deuxième période du match entre le Canadien et Tampa Bay dans les moindres détails. La situation était assez amusante pour lui puisque les deux équipes en présence étaient les deux dernières formations qu'il avait dirigées dans sa carrière d'entraîneur.

En cette fin du mois d'avril 2004, le Canadien et le Lightning croisaient le fer pour la première fois de l'histoire en séries éliminatoires. Le Canadien était dirigé par Claude Julien (celui-là même que les Blues de Saint Louis avaient cédé aux Nordiques de Québec en 1983, en retour des services de Demers), alors que John Tortorella était à la barre du Lightning.

Il s'agissait du deuxième match de la série, et le Lightning menait 1-0 après avoir remporté le premier match par 4 à 0 deux jours plus tôt. Nous en étions à la fin de la deuxième période et le Lightning était en avance par le score de 3 à 1. Vincent Lecavalier avait marqué un but de toute beauté à trois secondes de la fin du second engagement pour procurer une avance de deux buts au Lightning.

Comme à tous les matchs du Canadien, Jacques Demers avait la responsabilité d'analyser le travail des équipes en présence pour le compte du Réseau des sports (RDS). Durant la saison régulière, il effectuait son travail dans les studios de RDS à Montréal ou dans une loge aménagée au Centre Bell. Mais pour les séries de ce printemps 2004, Demers et son fidèle collègue, Alain Crête, avaient été dépêchés sur les lieux de façon à bien ressentir l'ambiance et à effectuer, sur place, un travail plus complet.

Pour ce match à Tampa, Demers et son collègue étaient installés dans un studio spécialement aménagé dans une section V.I.P, située à une extrémité de la patinoire, derrière les buts. Cette suite Nextel (c'était le nom du commanditaire) était au deuxième étage d'un aréna qui comptait trois niveaux. Cette section très distinguée était réservée à une clientèle fortunée qui avait payé le gros prix pour assister au match et, du même coup, profiter d'un buffet extravagant dans lequel on retrouvait des sushis, du homard, du filet mignon, du poulet, des pâtes, des salades et bien d'autres délicieuses victuailles. Il ne manquait que le caviar et le champagne. Il s'agissait d'un endroit sélect, pour ne pas dire de première classe.

Pour Demers, c'était un retour à Tampa, lui qui n'avait pas mis les pieds dans le domicile du Lightning depuis des lustres. Pendant que Demers y allait de ses explications au bénéfice des téléspectateurs de RDS, un partisan plutôt éméché le reconnut. L'homme était visiblement excité par la présence de l'analyste et il désirait absolument attirer son attention de façon à pouvoir lui serrer la pince. Pour arriver à ses fins, le joyeux luron se mit à crier à tue-tête : « C'est Jacques Demers, c'est Jacques Demers, c'est Jacques Demers ! » Sa bruyante initiative souleva la curiosité de l'auditoire et les spectateurs présents dans la section se tournèrent vers la suite Nextel pour constater que l'ancien entraîneur et directeur général du Lightning s'était désormais recyclé dans le monde des médias.

L'homme ne se contentait pas seulement de regarder et de gesticuler, il désirait absolument lui parler. C'est pourquoi il ne cessait de crier : « C'est Jacques Demers, c'est Jacques Demers… » Demers n'en faisait pas de cas car il se concentrait pour livrer son commentaire en ondes pendant que les employés de l'édifice tentaient de calmer le turbulent personnage.

Parmi ces employés, il y avait une hôtesse de la suite Nextel qui essayait de lui faire entendre raison pendant Demers était en direct à la télévision. Mais l'homme ne voulait rien entendre. Il continuait à crier le nom de Jacques Demers. Devant l'indifférence de Demers, l'homme s'approcha de l'hôtesse et commença même à *bardasser* la jeune dame qui agissait comme paravent pour les animateurs de RDS.

Du coin de l'œil, Demers surveillait la scène sans pouvoir réagir. Mais, dans son for intérieur, il était hors de lui. Il termina son intervention télévisée et aussitôt que le réalisateur de l'émission eut indiqué à son analyste qu'il n'était plus en ondes, il se précipita rageusement en direction de l'amateur qui le sollicitait et commença à l'engueuler comme du poisson pourri : « Toi, mon (…) de *pas d'allure*, veux-tu bien laisser cette dame tranquille, lui ordonna-t-il. Je te défends de lui toucher, mon (...) d'innocent! T'as compris, laisse-la tranquille!»

La moutarde était visiblement montée au nez de Demers. Tout en invectivant l'imbibé personnage, il le menaçait de son poing pour lui faire comprendre qu'il n'entendait surtout pas à rire. «Je l'ai rarement vu de si mauvaise humeur, raconte Alain Crête. Il était dans tous ses états», ajoute-t-il en riant.

La suite de l'incident est plutôt rigolote. Au moment même où Demers brandit son poing dans les airs pour menacer l'amateur de lui régler son compte, c'était le temps, pour lui et Crête, de revenir en ondes, en direct, pour livrer la suite de leurs commentaires.

«Lorsque la caméra s'est allumée, raconte Crête, Jacques avait le poing dans les airs et s'acharnait contre l'amateur qui ne voulait pas lâcher prise. Les images passèrent en direct à la télévision au Québec! Ça riait joyeusement dans notre studio et dans la régie, mais Jacques était encore *pompé*!»

Crête fit signe à Demers de mettre fin à son engueulade et il récupéra la situation en déclarant en ondes : «On constate, M. Demers, que vous n'avez pas que des amis à Tampa!» Demers, quelque peu embarrassé, esquissa un sourire de circonstance, mais visiblement il était encore de mauvais poil.

«Je savais que Jacques était très sensible aux agressions physiques et verbales sur les femmes, mais je ne m'imaginais pas que cela pouvait le mettre hors de lui au point d'oublier qu'il était en ondes!» ricane Alain Crête.

Finalement, le service de sécurité du Ice Palace reprit le contrôle de la situation, et Demers, de même que les hôtesses, cesse d'être importuné par l'amateur trop entreprenant.

* * *

Comme il fallait s'y attendre, Jacques Demers n'était pas demeuré sans emploi très longtemps après son congédiement du Lightning. Dans les semaines qui suivirent, il reçut un appel de la maison de production Molstar qui désirait lui offrir un travail d'analyste à la prestigieuse Soirée du hockey, diffusée le samedi soir à Radio-Canada. L'offre était intéressante, même si l'ancien entraîneur était encore indécis.

Il en discuta avec Debbie qui, pour l'essentiel, le laissait libre de ses choix. Toutefois, au cours de leur conversation, le couple convint d'une chose importante : le temps était venu de revenir vivre au Canada, peu importe que Jacques accepte ou non de se joindre à la Soirée du hockey.

Les Demers avaient désormais l'intention de s'installer dans la région de Montréal. Jacques avait fait son deuil de son congédiement du Canadien survenu quatre ans plus tôt et il ne craignait plus d'affronter les amateurs montréalais au gré de ses sorties. Nous étions au milieu du mois d'août 1999.

Au cours de cette période, Demers entra en contact avec son comptable Louis Crête, à Québec, pour des questions d'impôts personnels. Au cours de cet entretien, il fit part à Crête de son intention de quitter Tampa incessamment pour s'installer à Montréal.

Ironiquement, c'est cette conversation avec son comptable qui est à l'origine de la deuxième carrière de Demers dans le monde des médias !

Demers avait fait la connaissance de Louis Crête du temps qu'il était analyste des matchs des Nordiques à la radio de Québec, au début des années 1990. C'est Alain Crête qui lui avait présenté… son frère, comptable. Comme avec Alain, Demers noua rapidement de bons rapports avec Louis sur le plan de sa comptabilité personnelle.

Or, quelque temps après avoir appris l'intention de Jacques de déménager au Québec, Louis Crête communiqua avec son frère Alain à Montréal pour discuter de tout et de rien. Au fil de leur conversation, Louis transmit l'information à Alain. La nouvelle ne tombait pas dans l'oreille d'un sourd…

Depuis quelques années, Alain Crête était employé par le Réseau des sports (RDS) et remplissait plusieurs mandats reliés au hockey. Il connaissait bien Demers pour avoir travaillé en sa compagnie à Québec et s'être lié d'amitié avec lui.

« Aussitôt que j'ai appris les intentions de retour de Jacques au Québec, j'ai communiqué avec mon patron Charles Perreault pour l'informer de la situation, raconte Crête. Perreault était le producteur délégué à l'information à RDS. Lui aussi avait bien connu Demers à Québec. »

« Alain m'a appris la nouvelle et une autre connaissance me l'a confirmée, précise Perreault. Sa venue avec nous m'intéressait au plus haut point, même s'il se faisait tard pour lui faire une offre intéressante. Notre programmation d'automne était en fin de compte établie et nous avions pratiquement atteint le maximum des budgets qui nous étaient consacrés. »

Qu'à cela ne tienne, Perreault fit part de la situation au producteur délégué à la programmation, Dominic Vanelli, qui se montra enthousiaste à l'idée de présenter une offre à Demers. Vanelli s'empressa de communiquer immédiatement avec Demers en Floride pour vérifier si les rumeurs de son retour étaient véridiques. Rapidement, il réussit à obtenir confirmation et, aussitôt, il se mit en mode de négociation.

« Lorsque j'ai discuté avec Jacques la première fois, mentionne-t-il, je savais qu'il étudiait une offre de Molstar et de la Soirée du hockey. Je ne voulais pas me lancer dans une surenchère avec Molstar. J'ai tout de suite établi la situation avec Jacques. Pour notre première année, nos budgets étaient restreints. Je voulais l'avoir au sein de notre équipe, mais pas à n'importe quel prix. C'est exactement ce que je lui ai dit. »

Vanelli et Perreault salivaient déjà à l'idée d'ajouter un homme de hockey chevronné comme Demers à leur équipe de reportage. « Faire l'acquisition de Jacques Demers représentait un gros morceau pour notre station, admet Perreault. Notre problème, c'est qu'on risquait de lui présenter une offre salariale qui aurait pu l'insulter en raison de nos budgets restreints. »

Perreault et Vanelli ne mirent toutefois pas longtemps à convaincre Demers. Pour l'ancien entraîneur, l'entrée dans ce nouveau monde des médias n'était pas strictement reliée à des considérations d'argent. D'autant plus qu'il avait le loisir de compter sur un revenu alléchant de 800 000 $ (CAN) par année pour les trois prochaines années, soit la somme que lui devait le Lightning de Tampa Bay.

« J'ai dit à Jacques qu'il pouvait aller à Radio-Canada et obtenir toute la notoriété que cela entraînerait d'être à l'écran un soir par semaine à la Soirée du hockey, raconte Vanelli. J'ai toutefois ajouté que s'il se joignait à notre jeune équipe à RDS, c'est une carrière à long terme dans les médias qu'on lui offrait. "Tu as l'occasion de grandir avec nous, d'apprendre avec nous", lui ai-je dit. En plus, il aurait l'occasion de participer à certaines émissions de notre station cousine, TSN, qui diffusait ailleurs au Canada pour le milieu anglophone. »

La disponibilité de Demers arrivait à point pour RDS, qui désirait « revamper » ses émissions de hockey. La station comptait sur de très bons journalistes et commentateurs de hockey, mais elle n'avait pas d'homme de hockey dans ses rangs, issu de la LNH. Demers correspondait parfaitement aux besoins de RDS, d'autant qu'il était familier avec une foule d'employés du réseau.

« Du temps qu'il était entraîneur, se souvient Dominic Vanelli, Jacques avait toujours collaboré étroitement avec nous. Même au cours de la saison du lock-out de 1994-1995, alors que l'équipe en arrachait particulièrement sur la route, n'ayant remporté que trois victoires, Jacques était toujours disponible. C'est quelque chose dont on se souvient toujours comme producteur des matchs de hockey à la télévision...»

Et Perreault d'ajouter : «En Jacques Demers, nous apportions plus de crédibilité à notre *show* de hockey. À l'époque, nous diffusions des matchs des Sénateurs d'Ottawa, quelques matchs du Canadien et d'autres matchs de la LNH. Demers était une figure connue et populaire au Québec. Il avait environ vingt-cinq ans d'expérience au niveau du hockey professionnel, il avait remporté deux trophées Jack-Adams (meilleur entraîneur dans la LNH) et une coupe Stanley. C'était toute une feuille de route à nos yeux. Il représentait une acquisition inespérée pour une station comme la nôtre qui se voulait de plus en plus présente dans la retransmission des matchs de la LNH à la télévision québécoise. À vrai dire, on ne pouvait espérer mettre sous contrat un candidat aussi respecté et crédible.»

Vanelli et Perreault étaient d'autant plus confiants de faire l'acquisition de Demers qu'ils détenaient une formidable carte cachée entre les mains pour le convaincre. Cet atout était son vieux complice Alain Crête.

Avec Gerry Frappier, président du Réseau des Sports, Michel Gagnon, vice-président des ventes Netstar, et Philippe Malo, coordonnateur des communications à RDS. (Archives de Jacques Demers)

« En apprenant que j'étais pour travailler en compagnie d'Alain, ma décision était prise, reconnaît Demers. Je ne suis pas allé à RDS pour l'argent. On me payait bien, mais j'aurais sans doute pu faire plus d'argent ailleurs. Là n'était pas la question. Avec Alain, je me retrouvais avec quelqu'un en qui j'avais confiance et qui pourrait m'apprendre les rudiments du métier à la télévision, comme il l'avait fait pour mon travail d'analyste à la radio, dix ans plus tôt à Québec – et sans rire de moi. Je respectais Alain et je savais qu'il me respectait. Pour moi, la question ne se posait plus : je m'en allais travailler avec Alain Crête. »

Dominic Vanelli tient à préciser : « Jacques n'est tout de même pas venu travailler gratuitement chez nous ! On l'a quand même bien payé au début, même si sa valeur sur le marché aurait pu lui procurer plus d'argent s'il était allé ailleurs. Et nous avons révisé son contrat à la hausse au cours de sa première saison, tellement on était content et satisfait de notre choix. Avec nos patrons en haut lieu, on a réussi à faire débloquer une somme d'argent additionnelle. »

Jacques Demers, Charles Perreault et Dominc Vanelli en arrivèrent à une entente à la toute fin du mois d'août 1999. Tout était en place pour l'entrée de l'ancien entraîneur du Canadien dans la grande famille du Réseau des sports.

Ayant appris la nouvelle, le commentateur des matchs de hockey à RDS, Yvon Pedneault, s'empressa de communiquer avec Demers pour lui souhaiter la bienvenue.

« C'est le premier "collègue" qui m'a joint pour me féliciter et me souhaiter la bienvenue, raconte Demers. En fait, j'arrivais dans un nouveau milieu et je craignais quelque peu la réaction de certains. J'avais peur qu'on dise que j'allais voler un job. Yvon était commentateur et moi je livrais mon analyse au cours des entractes. J'étais heureux de constater qu'Yvon ne se sentait pas menacé par ma présence. Je ne voulais surtout pas prendre sa place. J'étais seulement un élément complémentaire à son travail. C'est comme ça que je voyais les choses et j'ai rapidement constaté qu'il en était ainsi de son côté. Du reste, c'est l'essentiel du contenu de la conversation que nous avons eue. »

La venue de Demers à RDS correspondait avec une date anniversaire de la station. Le 1er septembre 1999, RDS célébrait en effet ses dix premières années d'existence. Une fête avait été organisée pour les employés afin de souligner l'événement et c'est au cours de celle-ci que la direction de la station décida de présenter son nouveau *joueur* aux autres membres de l'équipe. Cette journée-là, Demers eut la frousse de sa vie.

« La salle avait été décorée de ballons jaunes et noirs (les couleurs de RDS à l'époque), raconte Charles Perreault, qui est généralement reconnu par ses pairs pour monter des bateaux à ses collègues. Avec un groupe de dirigeants de la station, nous étions derrière les rideaux en compagnie de Jacques. On se préparait à le présenter à toute l'équipe. Pendant que nous attendions, j'ai soufflé à l'oreille de Jacques que toute cette fête avait été organisée en son honneur ! Je ne lui ai pas parlé du 10e anniversaire de la station. En voyant la décoration et les ballons, Jacques était en état de panique. »

« Mais ça n'a pas de bon sens de faire autant de *fla-fla* avec ma venue à RDS », protesta Demers auprès de Perreault. Mais ce dernier désirait faire durer le plaisir. « Écoute Jacques, tu es un gros nom à Montréal et pour une petite station comme la nôtre, il faut faire les choses en grand. Ça fait partie de la *game*. Tout le monde va parler de ça demain ! » ajouta Perreault dans son *festival de la menterie* légendaire, pendant que Demers hochait la tête en guise de contestation.

Finalement, quelques minutes avant de se voir présenter comme un messie, Demers apprit de la bouche de Perreault les vraies raisons d'un tel déploiement. « Ça ne faisait vraiment pas son affaire de faire son entrée à RDS de cette façon ! rigole encore Charles Perreault aujourd'hui. Il avait horreur de jouer à la vedette. »

* * *

Pour amorcer sa première année à l'antenne de RDS, Demers dut s'installer à Montréal en toute hâte. « Tout est arrivé si rapidement que je n'ai presque pas eu le temps de me tourner de bord, raconte-t-il. En l'espace de dix jours à peine, Debbie et moi avions décidé de revenir nous établir à Montréal et, soudainement, j'avais un travail. Pour nous, c'était un projet à court terme, mais certainement pas un projet que nous allions réaliser en dix jours ! »

De façon à lui faciliter la tâche, Jacques accepta l'invitation de sa sœur Claudette d'aller vivre avec elle à sa résidence de Lasalle. « Ma sœur a été très correcte avec moi, mentionne-t-il. Je n'avais pas encore mis ma maison en vente à Tampa. Il fallait organiser le déménagement, de sorte que Debbie est demeurée en Floride, le temps de finaliser toutes nos affaires. L'opération a été très longue. J'ai habité chez ma sœur pendant environ six mois. Elle a dû m'endurer tout ce temps-là ! Je remercie ma chère *Clo-Clo* d'avoir été si patiente avec moi. »

Dans l'intervalle, Debbie dénicha une maison à Hudson, à l'ouest de Montréal. À partir du mois de mars 2000, le couple s'installa enfin chez lui au Québec, où il demeure encore. Le couple vit toujours à Hudson, bien qu'il ait emménagé dans une nouvelle maison quelques mois avant la publication de ce livre.

* * *

Jacques Demers effectua ses premières interventions à la télévision au mois de septembre 1999 lors du camp d'entraînement du Canadien, alors dirigé par Alain Vigneault.

Alain Crête raconte que ses premiers pas ne se sont pas faits sans difficulté : « Jacques avait vécu plusieurs années dans un milieu anglophone et il était très hésitant quant au vocabulaire à utiliser en ondes. Il disait éprouver des difficultés avec la langue française. En plus, il devait effectuer un certain apprentissage avec ce nouveau médium. Au début, j'avais avisé le réalisateur de lui parler le moins souvent possible dans ses écouteurs, pendant que nous étions en ondes, de façon à ne pas le déconcentrer. Le réalisateur me parlait et je m'organisais pour faire suivre les messages.

« En outre, Jacques ne savait plus où donner de la tête avec les caméras placées à différents endroits dans le studio. Il me demandait continuellement laquelle des caméras il devait fixer. À un certain moment, je lui ai dit : "Écoute Jacques, laisse faire la caméra, c'est à elle de venir te chercher et non à toi de la trouver ! Les techniciens et le réalisateur vont s'occuper de ça." Il a compris graduellement et est devenu plus naturel dans ses interventions.

« La grande force de Jacques, ajoute-t-il, c'est qu'il n'hésitait pas à demander conseil. Il est encore comme ça de nos jours. Ce n'est pas un collègue égocentrique et prétentieux qui prétend tout savoir. Il veut que ça marche et il met les efforts pour s'améliorer.

« Nous entreprenons notre septième saison ensemble à RDS et encore aujourd'hui, il me questionne sur la façon de faire ou de dire les choses en ondes. La seule chose que je n'ai jamais été capable de lui apprendre, c'est la façon de prononcer le nom de Jarome Iginla, le capitaine des Flames de Calgary. Il n'est vraiment pas capable avec ce nom ! Une journée c'est Ignila, le lendemain c'est Igninla, et le surlendemain c'est Ingila. Bref, il le dit de toutes les façons… sauf la bonne ! »

Sur ce, Alain Crête dresse un portrait de celui qui est devenu son acolyte depuis sept ans :

« Si j'avais à résumer le personnage en deux mots sur le plan humain, je dirais simplicité et générosité. Jacques est demeuré une personnalité très populaire au Québec et à travers la LNH. Au Centre Bell, il ne cesse de signer des autographes et de parler aux gens. C'est la même chose lorsque nous avons à nous déplacer à l'étranger. On veut lui parler. Pourtant, je ne l'ai jamais entendu dire qu'il était *tanné*. C'est un homme qui aime le monde. Même qu'à la limite il est incapable de dire non.

« Quant à sa générosité, elle est légendaire. Il est attentionné. C'est le genre de personne qui, pour ses proches et ses amis, ferait n'importe quoi. Il a le cœur sur la main. Parfois, ça devient gênant d'être en sa compagnie parce qu'il est toujours le premier à vouloir s'acquitter de la facture.

« Ce que j'apprécie aussi de lui, c'est qu'il est très honnête. Avec Jacques, il n'y a pas de coup de couteau dans le dos. Il n'est pas sournois. C'est un homme sans malice qui déteste le grenouillage. »

Au niveau professionnel, Crête n'est pas non plus à court de louanges :

« C'est un collègue très ponctuel qui cherche toujours à s'améliorer. Il demande conseil et met en pratique les petits trucs du métier qu'on peut lui refiler. S'il m'avait demandé en avril 2004, à Tampa, comment se comporter avec un partisan éméché, je lui aurais certes recommandé de ne pas brandir son poing dans les airs pendant que nous étions encore en ondes ! Blague à part, il s'agissait d'une situation inusitée qui était difficile à prévoir. Mais il nous a fait rire pendant des jours avec cette histoire.

« Pour le reste, Jacques est généreux de son temps et de ses connaissances. C'est surtout un bon gars d'équipe. C'est ce qu'il préconisait pendant qu'il était entraîneur et je peux dire qu'il le met en pratique dans sa deuxième carrière. Ce n'est jamais compliqué avec lui, malgré son statut. Si quelqu'un ne s'entend pas avec Jacques, c'est qu'il a un problème. Il ne cherche pas le vedettariat, il se considère un membre de l'équipe, comme n'importe quelle autre personne. Vraiment, faites le tour et on vous dira la même chose. C'est un confrère de travail qu'on souhaite à ses meilleurs amis. »

Dominic Vanelli abonde dans le même sens : « C'est un gars qui passe dans le corridor et qui parle autant au technicien qu'au président de la compagnie. Je crois qu'il a trouvé une deuxième famille à RDS. Tout le monde l'aime dans la boîte. Il n'a pas la grosse tête. Et puis, c'est un travailleur acharné. Il n'a jamais refusé un mandat qu'on lui a confié. »

Charles Perreault en rajoute : « Jacques aime travailler dans le plaisir et la détente, même si c'est un grand nerveux. Il est très accessible et déteste la chicane. Il est bien lorsqu'il sent que tous ses collègues sont bien autour de lui. Il est sensible aux gens. C'est un homme vraiment spécial en ce sens. Vraiment spécial. »

Perreault se rappelle qu'à ses débuts à RDS Demers voulait tellement s'améliorer rapidement qu'il demandait conseil à tout le monde. « Le problème dans tout cela, c'est qu'une personne lui disait de faire ceci, l'autre lui conseillait de faire cela, de sorte qu'il devenait tout mélangé. Un jour, je lui ai dit d'arrêter ça et de se fier aux conseils d'un seul individu. Je savais qu'il se tournerait vers Alain. En quelque sorte, c'est devenu son mentor. Désormais, ils sont pratiquement indissociables en ondes. »

Demers précise : « Une foule de personnes m'ont aidé à RDS, outre Alain Crête. Je pense notamment à Pierre Fortier et à Charles Payette qui ont été très corrects avec moi. Et il y en a bien d'autres. »

Son frère Michel, qui est l'un de ses nombreux *fans*, est d'avis que son style plaît aux amateurs parce que Jacques respecte l'intelligence des gens.

« Jacques n'est pas du genre à imposer sa vision des choses aux téléspectateurs, fait-il remarquer. Il ne cherche pas le coup d'éclat à la télévision, juste pour provoquer les amateurs. Avec lui, il y a plusieurs zones grises. Il ne critiquera pas vertement un joueur ou un entraîneur, mais il va émettre son opinion en douceur. Il nuance ses propos.

« Il ne veut surtout pas blesser les athlètes et les dirigeants. C'est pourquoi il ne livrera pas de commentaires assassins. Pour avoir été de l'autre côté de la clôture, il sait que la télévision, c'est puissant. Mon frère n'est pas instruit, mais il est intelligent. Pour lui, la télévision n'est pas une arme de défoulement.

« Je peux vous assurer, plaide Michel Demers, que Jacques adore son nouveau rôle dans le monde des médias, lui qui n'appréciait pas vraiment le métier de dépisteur. Il a trouvé un regain de vie à travailler avec la *gang* de RDS. Il apprécie notamment travailler en compagnie de Chantal Machabée et d'Alain Crête. Il n'a jamais regretté de s'être joint à cette station en 1999. Il me le dit souvent.

« Personnellement, conclut-il, j'étais bien heureux de son retour à Montréal par l'entremise de RDS puisque je retrouvais mon ami et mon frère. Je le croyais parti pour un bon bout de temps encore. RDS a ressuscité notre relation. »

Demers se montre d'ailleurs très reconnaissant envers son employeur des sept dernières années. « Je n'ai jamais passé beaucoup de temps sans travailler, rappelle-t-il. Lors de mon congédiement à Tampa, je croyais cependant que je serais chômeur pour un certain temps. Le Lightning me payait, mais on ne voulait pas de mes services à aucun niveau. Ce n'est pas très valorisant... Je souhaitais être *repêché* par une autre organisation, car, pour moi, ma carrière d'entraîneur n'était pas terminée. Je me disais que j'avais travaillé pour cinq équipes dans la LNH (seulement trois entraîneurs avaient réalisé cela à l'époque, soit Demers, Scotty Bowman et Mike Keenan) et qu'une sixième formation pourrait me vouloir, mais l'offre n'est pas venue (bien que son nom ait circulé à Atlanta avant la venue de Bob Hartley).

« En réalité, précise-t-il, au début j'ai pris le poste à RDS seulement pour pouvoir travailler, afin de ne pas rester chez moi à ne rien faire. Mais mon aventure dans les médias s'est poursuivie plus longtemps que prévu. Sept ans plus tard, il est étonnant de constater que RDS s'avère mon plus fidèle employeur des 30 dernières années ! Il faut remonter à mon emploi chez Coca-Cola, dans les années 1960 et 1970, pour retrouver une plus grande longévité [10 ans].

« En fin de compte, je suis très reconnaissant envers RDS, car, à 61 ans, je demeure dans le merveilleux monde du hockey. Dominic Vanelli et Charles Perreault m'avaient fait miroiter une carrière à long terme en m'offrant un poste à RDS en 1999. Ils n'avaient pas menti. J'y suis encore. »

Questionné à savoir si une offre d'une équipe de la LNH pour diriger une formation lui ferait reconsidérer sa deuxième carrière dans les médias, Demers esquisse un sourire : « J'ai déjà dit lors de ma nomination à la radio de Québec que je mettais un terme à ma carrière de *coach*, mais, cette fois-ci, je ne le ferai pas ! Je sais toutefois que mes chances de retourner derrière le banc sont très minces. J'y ai songé pendant mes trois premières années à RDS. Chaque fois qu'on congédiait un entraîneur, je souhaitais qu'on pense à moi. Mais depuis trois ou quatre ans, j'y pense moins. Toutefois, j'ai la nette impression que lorsqu'on a été un entraîneur dans la LNH, ça nous travaille jusqu'à la fin de nos jours. En fait, je ne cours plus après ça, mais je crois que je vais être un *coach* toute ma vie ! »

La question est pertinente puisque son comparse Alain Crête nous informe que Jacques a songé à retourner derrière le banc d'une équipe pas plus tard qu'à la fin de la saison 2003-2004. À ce moment, les Sénateurs d'Ottawa venaient de congédier leur entraîneur Jacques Martin et le directeur général John Muckler était à la recherche d'un successeur. Dans la région de Hull-Ottawa, le nom de Demers a fait surface dans les médias et auprès des partisans de l'équipe. Mais Demers n'a pas bronché. Finalement, Muckler a confié les rennes de l'équipe au vétéran Bryan Murray qui a pourtant 63 ans, soit deux ans de plus que Demers aujourd'hui.

Au Tournoi de golf de Jacques Martin, édition 2004, avec ses bons amis et partenaires de jeu Gerry Nadeau, Myles Goodwyn (leader du groupe April Wine), Jacques Thevenoz et Pierre Lalonde, le chanteur et animateur bien connu. (Archives de Jacques Demers)

«Un soir, après une ronde de golf, cet été-là, Jacques m'a fait une confidence, raconte Alain Crête. On discutait de la succession de Jacques Martin et Jacques semblait désolé de ne pas avoir été sollicité. J'ai senti qu'il avait encore la flamme en lui. Il croyait à l'époque qu'il aurait été le candidat idéal pour amener les Sénateurs à un niveau supérieur. En plus, il était bilingue, ce qui n'était pas négligeable dans un marché comme celui de l'Outaouais. Pour être bien honnête, j'ai senti, ce soir-là, chez Jacques, un certain regret de ne pas s'être manifesté auprès de la direction des Sénateurs avant la nomination de Bryan Murray.»

Quelque peu mal à l'aise avec la question, Demers laisse échapper un grand soupir et y répond finalement avec toute la franchise qu'on lui connaît : « C'est certain que si les Sénateurs m'avaient contacté, j'aurais plongé dans l'aventure sans attendre. À mon âge, et avec le style de *coaching* que je préconise, je ne suis pas le genre de candidat pour me retrouver avec une formation en pleine reconstruction. Mais à Ottawa, c'était différent. Cette formation n'est plus qu'à une étape de remporter la coupe Stanley. L'équipe est mature et talentueuse. À mon avis, je représentais, bien humblement, le candidat idéal pour mener l'équipe à l'étape supérieure. Ça peut paraître prétentieux d'affirmer une telle chose, mais je le crois sincèrement. Je n'ai jamais parlé de cela à personne, sauf à Alain Crête et à mon frère Michel.

« Cela dit, ajoute-t-il, je ne souhaite pas de malheur à Bryan Murray. J'aime les Sénateurs et je leur souhaite d'atteindre les plus hauts sommets dès la reprise des activités dans la LNH. Mais je dois admettre que s'il y a une équipe en 2005 que j'aurais aimé diriger, c'est bien celle des Sénateurs. »

* * *

Outre son travail quasi quotidien à RDS, Demers est devenu un personnage très sollicité par les médias montréalais. Il ne se passe pas un gros événement chez le Canadien sans qu'il soit appelé à le commenter sur toutes les tribunes.

De plus, Demers est une figure très populaire au Canada anglais, ayant participé ou participant encore à des émissions sportives à la télévision de la CBC (Hockey Night in Canada), de même qu'aux réseaux TSN, SportsNet. Global et CTV. Il collabore également à différentes stations de radio au Canada, lui qui a été chroniqueur régulier à la populaire station sportive The FAN 590, à Toronto.

À Montréal, il a été également un collaborateur régulier aux émissions matinales de CKOI et de TEAM 990, mais, depuis deux ans, il prête son concours à la station anglaise de la CBC (940), de même qu'à l'émission matinale du FM 98,5, animée par l'incomparable Paul Arcand. Cette année, il s'est joint à l'équipe matinale de CKAC.

À tout cela s'ajoute sa collaboration depuis six ans au *Journal de Montréal,* où il tient une chronique hebdomadaire (avec l'aide de l'auteur de ces lignes), en plus de collaborer occasionnellement avec la revue *The Hockey News* et le prestigieux quotidien américain *USA Today* durant les séries de la coupe Stanley. Comme quoi Demers n'est pas seulement un observateur apprécié au Québec, mais aussi au Canada anglais et aux États-Unis. Sa notoriété dépasse les frontières.

« Je reçois des demandes d'à peu près toutes les villes de la LNH pour commenter des événements, mentionne-t-il. J'en accepte plusieurs, mais j'en refuse tout autant. Il faut que je me limite ! Mais j'admets que je me tiens occupé. »

* * *

Outre ses nombreux engagements dans les médias, Demers demeure un conférencier très en demande auprès des associations sportives et communautaires, et pour plusieurs grandes sociétés. Ses conférences de motivation sont basées sur son cheminement de vie et sur l'espoir.

Il amorce ordinairement sa conférence en faisant une mise au point : « Rien n'est écrit sur papier, dit-il, mais si vous voulez m'écouter pendant 45 à 50 minutes, je vais vous parler avec mon cœur. » Puis il entame son discours en parlant de son propre vécu tant sur le plan personnel que professionnel.

« Il y a toujours moyen de se sortir d'une mauvaise situation et de réussir, dit-il à ses auditeurs. J'en suis le meilleur exemple. Très peu de gens ont cru que je deviendrais un entraîneur dans la LNH un jour. Je l'ai pourtant fait à force de travail et en conservant une attitude positive. J'ai *mangé* des claques, mais on ne m'a jamais cloué au plancher. J'ai réalisé mon rêve en dirigeant le Canadien et en remportant la coupe Stanley à Montréal. Tout est possible pourvu qu'on y croie. » Voilà le message qu'il partage avec les gens !

Demers a véritablement amorcé sa « carrière » de conférencier alors qu'il était à Detroit. Un dénommé Lee Iaccoca, réputé président de Chrysler, a notamment retenu ses services pour qu'il s'adresse aux employés de la multinationale. De fil en aiguille, il est devenu un orateur recherché en raison de la simplicité et la sincérité de ses propos.

« Dieu ne m'a pas tout donné dans la vie, mais j'ai hérité du don de la parole, mentionne-t-il. J'ignore pourquoi, mais je suis à l'aise de parler en public. C'est de ce don-là dont je me sers pour livrer mon message. »

Au Québec et au Canada, les services de Demers sont notamment retenus par des firmes réputées telles que Telus, Kraft, Banque nationale, Coca-Cola, NoranPak, General Motors, Natrel, Pneus Bridgestone, Hydro-Québec et plusieurs autres. « Je prononce une dizaine de conférences par année, mais, si je voulais, je pourrais pratiquement en faire une par semaine », admet-il candidement.

Jacques Demers ne compte plus ses associations avec des fondations et des causes humanitaires de toutes sortes. Ici, en 2000, au Tournoi des Expos de Montréal, en compagnie de Mark Rottenberg (ami), du lanceur Anthony Telford, de la mascotte Youppi et de Sam Eltes (ami). (Archives de Jacques Demers)

Demers préfère s'engager dans des causes humanitaires, communautaires et sportives, à titre gratuit. Il accepte une foule de présidences d'honneur pour des tournois de golf de bienfaisance ou des tournois de hockey mineur. Depuis deux ans, il est particulièrement impliqué auprès de la Fondation EnCœur à titre de porte-parole. «La vie m'a gâté et j'essaie d'en redonner une partie aux gens. Je tente de faire ma part avec les jeunes en particulier.»

Demers se dévoue aussi à titre personnel auprès de certaines personnes dans le besoin, mais il tient à demeurer discret sur ce plan. «Je ne règle aucun problème, tient-il à préciser, mais disons que j'essaie de permettre à certaines personnes de connaître de petits moments de bonheur. Je réponds surtout à des demandes des autorités religieuses. Par exemple, je m'organise pour bien faire manger des gens dans le cadre des fêtes de Noël et de Pâques. Présentement, je réponds à certaines demandes du curé Roland Demers, à Hudson. Debbie et moi le faisons à titre anonyme. On ne pose pas un tel geste pour avoir sa photo dans le journal ou pour être perçus comme des messies. Ça nous fait autant de bien que cela procure du bonheur à ceux qui en profitent. Je donne aussi à certains organismes et à quelques fondations.» Il préfère ne pas s'étendre sur ce sujet.

* * *

À propos de son incroyable parcours dans le monde des médias, Demers dit souvent éprouver des sentiments partagés, malgré tout ce que le milieu lui a apporté. Il jette un regard critique sur ce qui est devenu son dernier métier et tient à faire quelques commentaires sur le milieu qu'il côtoie désormais au quotidien.

«Certains journalistes n'aiment pas que Michel Bergeron et moi travaillions autant dans le monde des médias, constate-t-il. Pour certains, nous sommes considérés comme des *voleurs de job*. D'abord, je tiens à préciser que je ne suis pas journaliste et que je ne le deviendrai jamais. Je n'ai pas ce talent-là, ni les capacités. J'ai très peu fréquenté l'école et lorsque j'y allais, j'éprouvais toutes sortes de difficultés. Et puis j'ai trop de respect pour les journalistes pour me comparer à eux. Ils ont fait des études afin de pratiquer leur métier dans les règles de l'art. Ce n'est pas mon cas. En ce sens, je ne serai jamais un Bertrand Raymond, un Réjean Tremblay, un Michel Villeneuve, un Marc de Foy, un Mathias Brunet, un Kevin Allen, un Jack Todd, un Pat Hickey, un Alain Crête ou une Cynthia Lambert. Et j'en suis fort conscient.

«Toutefois, j'ai développé une expertise en hockey au fil des ans et je peux être un observateur ou un analyste dans les médias en apportant mes vingt-cinq ans d'expérience dans le milieu du hockey. C'est pour cette raison que RDS m'a offert du travail. Ce n'était pas pour soutirer le job à un journaliste, mais pour être complémentaire à leur travail. »

Lorsqu'on lui demande le secret de sa popularité dans les médias et pourquoi il est si en demande, il y va d'une explication toute simple : « Je suis moi-même devant les micros et les caméras. En m'embauchant, mes patrons ne s'attendent pas à ce que je passe à la varlope la terre entière ! J'aime présenter le côté positif des choses et je crois que les gens l'apprécient. Il y a tellement de négatif autour de nous. Je ne suis pas du genre à sortir le fouet simplement pour me donner en spectacle. Je n'ai pas besoin de cela. J'exerce mon sens critique, mais je ne le fais pas pour détruire ou pour faire mal. Ce n'est pas dans ma nature. Le jour où on exigera que je sois différent, je vais céder ma place.

« J'aime vraiment ce que je fais, précise-t-il. Je travaille beaucoup, mais ça fait partie de moi. J'ai besoin de travailler. Et, soyons honnêtes, ça me paie très bien. J'aime aussi faire de l'argent ! Disons que j'en dépense beaucoup ! »

En résumé, Jacques Demers a vu tout un monde s'ouvrir à lui à partir du moment où Charles Perreault et Dominic Vanelli l'ont intégré dans leur équipe à RDS. Son emploi au Réseau des sports lui a permis de demeurer présent sur la scène sportive québécoise et, par ricochet, au Canada et aux États-Unis, et d'occuper la scène des médias. Pour une personne qui souffre d'un certain degré d'analphabétisme, c'est plutôt ironique !

À propos, Demers souligne que de toutes ses collaborations avec les médias (outre son travail principal à RDS), c'est de sa chronique hebdomadaire qu'il signe dans le *Journal de Montréal* dont il est le plus fier : « Le fait de voir mes propos écrits dans un journal m'apporte une grande fierté personnelle. Cela fait figure de symbole. C'est très prestigieux à mes yeux. Qui eût cru, il y a 50 ans, que j'aurais ma chronique dans un grand quotidien de Montréal ? Sûrement pas le frère Latendresse, de l'école Saint-Germain d'Outremont !

« Je suis d'autant plus fier que c'est grâce à Jacques Beauchamp, du *Journal de Montréal,* si mon nom a commencé à circuler dans le monde du hockey au début des années 1970. Or, pour ceux qui s'en souviennent, le regretté Jacques Beauchamp était un ami des sportifs. Dans ses chroniques, il faisait surtout ressortir le beau côté des choses. C'est sans doute de lui que je tiens mon approche positive dans mon nouveau métier. Et à mon sens, il n'y a pas de honte à mettre en pratique la philosophie de Jacques Beauchamp… »

Lettre Y

À Alain Crête

En très peu de temps, Alain, tu es passé de collègue à véritable partenaire dans mon nouveau métier de commentateur de la scène du hockey.

Si j'entreprends ma septième année au Réseau des sports, je le dois surtout à toi qui, non seulement as plaidé ma cause au départ, mais qui s'est avéré un véritable professeur.

En ta compagnie, en ondes, je me suis toujours senti à l'aise. Je l'ai raconté dans ce livre : ta présence à mes côtés me fait l'effet d'un calmant.

Depuis que je suis associé à toi dans le monde des médias et du hockey, tu as démontré beaucoup de patience à mon égard, moi qui parfois luttais contre mes démons, y compris mes crises d'anxiété. Tu ne t'es jamais moqué de moi et tu m'as toujours traité avec le plus grand des respects. Tu t'aperçois aujourd'hui en faisant la lecture de ce livre à quel point toute ta patience était importante pour ma survie quotidienne dans ce milieu très difficile des médias.

De nos jours, je suis fier de te considérer comme un ami sincère, mon cher Alain. Je te respecte énormément et sache que tu peux compter sur moi en tout temps.

Je veux profiter de cette lettre à mon ami Alain pour remercier également mes patrons à RDS, Gerry Frappier, François Messier, Dominic Vanelli et Charles Perreault, qui ont cru en moi et qui m'ont permis de mener une belle carrière dans le monde des médias depuis mon congédiement à Tampa Bay. Ces gens-là m'ont donné l'occasion de demeurer dans le monde du hockey et de bien gagner ma vie.

Jacques

Chapitre 26

Des anges gardiens

Il faisait un froid de canard en ce début du mois de décembre 2002 à Hudson. Ce matin-là, Jacques Demers avait rapidement sauté à bord de son véhicule pour se diriger vers Vaudreuil, où il avait un rendez-vous important. Le trajet entre sa résidence de Hudson et son lieu de rendez-vous devait prendre environ vingt minutes. Demers avait quitté son domicile à 8 h 30 car on l'attendait à 9 heures.

Parvenu dans la cour de l'édifice situé au 600 du boulevard Harwood à Vaudreuil, Demers immobilisa sa voiture et enfonça sa tuque jusqu'aux oreilles. D'ordinaire, il ne portait jamais de tuque. Mais cette fois-ci, la situation l'exigeait. Et aussi bien l'admettre, ce n'était pas en raison du froid qui régnait à l'extérieur...

Demers descendit de son véhicule en vitesse et se dirigea discrètement vers la porte arrière de l'édifice, de façon à ne pas attirer les regards. Bien que sa tuque lui servît déjà de camouflage, il ne désirait surtout pas être repéré près de cette clinique médicale.

Une fois à l'intérieur, il emprunta un escalier auxiliaire et se précipita au deuxième étage où avait lieu son rendez-vous. C'est là, en ce lundi 2 décembre 2002, que Jacques Demers devait faire la rencontre d'une personne qui, dit-il, allait changer sa vie...

* * *

«Mon opinion globale, Jacques, c'est qu'en plus de ta déficience d'instruction qui s'avère être de l'analphabétisme, tu souffres de troubles d'anxiété énormes avec beaucoup de traits compulsifs. En clair, tu n'es pas fou, tu es un grand angoissé. Mais ne t'inquiète pas, car tu n'es pas le seul au monde dans cette situation. Je rencontre de huit à dix patients par jour qui ont les mêmes problèmes. Ça ne se guérit pas, mais on peut facilement le traiter.»

Le psychiatre Fernand Couillard ne mit pas des mois à déceler ce dont était atteint son illustre patient. Au bout de quelques rencontres, il avait très bien saisi les raisons de la détresse de Jacques Demers, l'ancien entraîneur du Canadien.

L'homme d'une soixantaine d'années à la stature imposante avait l'air de tout, sauf d'un médecin. Son bureau était sobre et sa méthode, très conviviale. C'est pourquoi Demers s'était immédiatement senti à l'aise avec ce spécialiste des maladies mentales.

Il avait fait la rencontre du docteur Couillard après que son médecin de famille, la docteure Mamen, lui eut suggéré de le consulter. De fil en aiguille, il obtint un rendez-vous au début du mois de décembre 2002, à son bureau de Vaudreuil. C'est là qu'il se présenta la première fois, sa tuque bien enfoncée sur sa tête afin de ne pas être reconnu. Cette première visite, aux allures clandestines, l'intimidait énormément.

«Si quelqu'un me surprend à visiter un psychiatre et qu'il décide d'étaler cela publiquement, je suis cuit. Tout le monde va penser que je suis fou», pensait-il en se dirigeant vers le bureau du médecin.

Toutefois, il en avait assez de souffrir intérieurement, au point qu'il était prêt à tenter l'aventure. Il se souvenait cependant que ses deux premières expériences avec des psychologues à Saint Louis et à Detroit ne l'avaient pas convaincu du bien-fondé de la démarche.

«Il fallait que j'en aie vraiment plein la tête pour me décider à franchir le pas, admet-il. J'étais de plus en plus mal dans ma peau et, souvent, je ressentais beaucoup d'agressivité. Parfois, il m'arrivait de vouloir crier bien fort : "Aidez-moi quelqu'un ! Je suis dans une maudite cage et je suis incapable d'en sortir." La marmite était sur le point d'exploser.»

En réalité, Demers avait de plus en plus l'impression de mentir continuellement autour de lui au sujet de son handicap. Ses difficultés à lire et à écrire lui revenaient au visage à tout moment. Il vivait continuellement dans la crainte d'être démasqué. Jusque-là, il avait réussi à maquiller sa souffrance, mais maintenant il ne semblait plus avoir l'énergie suffisante pour poursuivre la mascarade.

Pour le peu qu'il en savait, à la suite de ses brèves rencontres avec des psychologues, il souffrait de déficit d'attention et/ou de dyslexie. Mais il n'avait jamais poussé plus loin ses démarches et, de ce fait, n'avait jamais affronté le problème de front pour le régler. Avec la rencontre du docteur Fernand Couillard, tout cela allait changer.

«Cet homme-là m'a fait le plus grand bien, mentionne Demers. À vrai dire, il m'a littéralement sauvé la vie. Rien de moins!»

Dès sa première rencontre avec le docteur Couillard, Demers s'est senti très à l'aise. Et rapidement l'ex-entraîneur a déballé son sac.

«Je suis arrivé dans un local bien modeste : il y avait seulement deux chaises, un petit bureau plus loin, un classeur et une plante (mal arrosée)! La décoration était réduite à sa plus simple expression. Je me suis assis devant lui, il n'y avait rien entre nous deux, et on s'est mis à discuter.

«Rapidement, j'ai senti que Fernand Couillard était un gars comme moi, qu'il venait de la même place que moi. Il ne me regardait pas de haut, il ne me jugeait pas. Mieux encore, il ne riait pas de moi. Le lien de confiance s'est établi très rapidement. Je lui ai raconté ce que je vivais. C'était la première fois que je laissais tomber ma garde de la sorte devant un homme. Je n'avais jamais été aussi loin (je le ferai plus tard avec mon biographe).»

Le docteur Couillard précise : «Dans le cas d'une personnalité comme Jacques, et dans ce genre de problématique où l'anxiété est dominante et handicapante, il est important d'établir une relation de confiance rapidement. Si on est trop cravaté et installé derrière un bureau, on crée une distance qui n'est pas propice à la confidence.

«De plus, au-delà de la théorie, il faut sentir les gens. Mon travail comprend beaucoup de "ressentir". Les gens arrivent à mon bureau, ils sont anxieux et ils ont une mauvaise perception d'eux-mêmes de devoir fréquenter un psychiatre. Dans le cas de Jacques, c'était encore pire parce que c'est une personnalité médiatique. Tout le milieu sportif le connaît.»

Avant même de discuter personnellement avec Demers, le docteur Couillard avait une très bonne idée du malaise qui affligeait son patient. «J'ai toujours été sportif. Je connaissais donc très bien le personnage public qu'était Jacques Demers. J'avais suivi son cheminement de carrière. Je savais à qui j'avais affaire. Je le surveillais à la télévision et je m'apercevais qu'il était un homme angoissé.»

Le thérapeute se mit d'abord à l'écoute de son patient, qui lui fit défiler sa vie en un rien de temps.

«Une fois que la confiance s'est installée, Jacques a déballé son sac. C'est un verbomoteur et je peux vous assurer que ça sortait rapidement!

Il m'a raconté son enfance, sa relation avec son père, ses difficultés à lire et à écrire, ses problèmes de concentration, ses relations interpersonnelles, bref il a rapidement fait le tour du jardin. Par la suite, je lui ai expliqué comment tout cela se passait dans son psychisme. »

Demers poursuit de son côté : « Le docteur m'expliquait des choses et j'avais l'impression qu'il me connaissait depuis longtemps. J'avais aussi le sentiment qu'il avait à cœur ce que j'avais à lui dire. Au début, nous nous rencontrions une fois par semaine à raison de 60 minutes par séance. C'en était rendu que j'avais besoin de le voir. J'avais hâte à mon rendez-vous. Je me sentais libéré de beaucoup de choses lorsque je quittais son cabinet. »

Le docteur Couillard reprend : « Il vient un temps où les gens ont l'impression que je connais tous les détails de leur vie, mais ce n'est pas vrai. Je sais toutefois comment ça se passe dans leur tête. Peu à peu, je les laisse parler et là, ils me racontent leur vie en détail. »

Après quelques séances à peine, le docteur Couillard posait son diagnostic : Jacques Demers souffrait de troubles majeurs d'anxiété. Le problème était principalement attribuable au fait qu'il était analphabète, ce qui le forçait à mémoriser tout ce qu'il avait à faire de façon à bien pouvoir fonctionner dans la vie. Ce qui exigeait une force de concentration hors de l'ordinaire. Comme il vivait constamment sur le stress de ne rien oublier, cela devenait parfois insupportable et c'est alors qu'il avait le sentiment d'être enfermé dans une cage et prêt à exploser.

« Selon ce qu'il m'a raconté, explique le docteur Couillard, Jacques a commencé à vivre dans le déni dès son jeune âge. Il a connu une enfance extrêmement difficile en se sentant très tôt responsable de sa famille. Il se sentait obligé de cacher son père afin de ne pas éveiller les soupçons de ses voisins. Puis il ne connaissait pas beaucoup de succès à l'école parce qu'il était constamment ailleurs. Il en a résulté un état d'analphabétisme qui, peu à peu, est devenu un handicap incroyable.

« Lorsqu'on est anxieux comme il l'était, on veut changer le *feeling* parce qu'on ne se sent pas bien. On développe des comportements dans l'espoir de se sentir mieux. On se construit une armure, on nie une certaine réalité. Par exemple, Jacques a développé des mécanismes pour camoufler son père, puis pour cacher le fait qu'il savait très peu lire et écrire. Il a inventé des scénarios. Et j'admets qu'il a très bien réussi socialement dans ce monde très dur et très médiatisé qu'est le hockey. Je suis étonné qu'il ait attendu si longtemps pour affronter son problème afin de soulager ses souffrances. »

Selon le docteur Couillard, Demers n'est pas dyslexique et il ne souffre pas de déficit d'attention : « Je n'ai pas fait de tests poussés à ce sujet, ce qu'il pourrait faire dans un milieu plus spécialisé s'il voulait en avoir le cœur net. À mon avis cependant, c'est davantage de l'analphabétisme que de la dyslexie. Lorsqu'il parle, il tient un discours fluide, sans faute ni d'inversion de mots ou de lettres, ce qui me laisse croire qu'il n'est pas dyslexique.

« Quant au problème de déficit d'attention, il en a quelques symptômes et il faudrait évaluer avec l'échelle de Brown à quel degré il se situe. Mais selon moi, on ne peut pas le diagnostiquer comme s'il souffrait de déficit d'attention... même s'il a des déficiences de mémorisation et de concentration.

« Son manque de concentration vient surtout du fait qu'il ne sait pas lire, ni écrire. Ou si peu. Il ne peut pas prendre de notes. Il est donc obligé de tout mémoriser. Ça devient très exigeant intellectuellement. C'est très angoissant pour une personne de savoir qu'elle n'a pas d'autres moyens que la concentration et la mémorisation pour fonctionner. Son anxiété est toujours au maximum. »

Pour remédier à la situation, Fernand Couillard a mené une thérapie avec Demers et il lui a prescrit une médication qu'il devra prendre jusqu'à la fin de ses jours. « C'est normal qu'à un certain moment Jacques se soit senti dans une cage sans issue. La capacité de gérer l'anxiété a ses limites. On a beau se dire *relaxe, prends un bon bain chaud avec de la myrrhe, de l'encens et de la musique,* mais quelqu'un qui est un anxieux compulsif, comme Jacques, ne peut pas faire ça. Tout bouillonne. Il ne peut pas se détendre. Il est agité et fait tout rapidement. Il devient de plus en plus insécure. »

Sans entrer dans tout le détail médical du cas, le docteur Couillard explique que le trouble d'anxiété dont souffre Demers est un problème neurochimique : « Rapidement, je dirais que la base du cerveau de l'être humain fonctionne avec de l'oxygène, de l'hydrogène, du chlore, du potassium, du magnésium, du sodium, du sucre et quelques autres ingrédients de la sorte. Et, surtout, ça prend un équilibre entre tout cela. En lui prescrivant un antidépresseur de la nouvelle génération (ISRS), cela régularise les éléments neurochimiques et biochimiques qui lui manquent. En effet, les ISRS (inhibiteurs spécifiques de la recaptation de la sérotonine) ont un effet sur les neurotransmetteurs sérotoninergiques et noradrénergiques. Ceux-ci ont beaucoup d'effet bénéfique sur l'anxiété. En plus, ils causent très peu d'effets secondaires. L'arrivée de ce type d'antidépresseur (tels le Prozac, le Paxil et autres) a apporté une amélioration incroyable sur des personnes comme Jacques. Ça procure un effet calmant.

«Cela dit, insiste le docteur, ça reste une béquille. Et une béquille ne marche jamais seule ! Ça ne fait pas de miracle. En plus de la médication, le patient doit apprendre à se connaître. C'est mon travail de lui donner des outils pour fonctionner, c'est-à-dire se comprendre intellectuellement et identifier les différentes émotions ressenties. Ceci permet de les gérer dans le moment présent. C'est ce qu'on appelle une psychothérapie à la suite de laquelle le patient chemine et ajuste ses comportements. Jacques soutient que c'est un miracle, mais c'est faux. Il a simplement compris et appris à gérer ses comportements.

«D'ailleurs, je lui ai souvent dit que les troubles d'anxiété ne se guérissent pas, comme la plupart des interventions en médecine. On peut traiter son problème, mais on ne le guérira pas. C'est comme le diabète : on le traite, mais on ne peut le guérir. Jacques sera toujours anxieux. Il aura besoin du support de la médication et de la compréhension de son problème. Avec ces deux outils, il sera plus calme et sera en mesure, par exemple, de prendre le temps de s'asseoir et de manger, au lieu de vouloir faire la vaisselle avant même d'avoir servi le repas ! »

Par ailleurs, le docteur Couillard n'est pas étonné d'apprendre que Jacques Demers s'avère un être hyper généreux avec son entourage : « Il est important de noter que Jacques est doté d'une personnalité très compulsive. Jacques cherche continuellement à *acheter* le calme autour de lui. C'est devenu un besoin maladif qui est causé par un désarroi intérieur. Il est envahi par le phénomène d'angoisse. En groupe, il se sent constamment menacé. Plus les gens autour de lui disent qu'il est bon, qu'il est généreux ou qu'il est gentil, plus il se calme. Mais cela est un peu artificiel. Si un jour il n'est pas à la hauteur des attentes des autres, on ne lui dit pas qu'il est bon, généreux et gentil, là il plonge dans l'inconfort. C'est pourquoi il amplifie le phénomène en se montrant de plus en plus généreux en espérant retrouver cette paix autour de lui. »

Selon le psychiatre, Demers va toujours rester une personne généreuse, mais désormais, il le fera pour les bons motifs. « Avec le temps, Jacques va doser sa générosité. Il ne le fera plus seulement pour *acheter* la paix autour de lui. Cela dit, c'est fondamentalement une bonne personne qui aime faire plaisir. Il va continuer à agir de la sorte, mais il le fera de plus en plus pour les bonnes raisons. Plutôt que de se dire : "Il FAUT que j'achète ceci ou cela", il se dira : "J'achète cela parce que je le VEUX bien." Peu à peu, il ne sera plus dans l'état d'obligation de faire les choses.

« À mon avis, d'ajouter le docteur Couillard, Jacques va toujours être anxieux dès qu'il n'aura pas le support de la médication. Il aura de la difficulté à ajuster son intérieur. Ça va bouillonner en dedans. Mais avec la médication et la compréhension de son problème, il est capable de bien gérer toutes les situations. D'ailleurs, c'est très rapide comme processus. À preuve, je ne le vois presque plus depuis deux ans. »

Le docteur est d'avis que la publication de sa biographie fera aussi un grand bien à Demers, qui se sentira libéré d'un énorme fardeau. Du même souffle, il dit que son patient n'est pas obligé de retourner à l'école pour régler son problème d'analphabétisme afin de mieux fonctionner dans la vie : « Il peut retourner sur les bancs d'école s'il le désire, car c'est un atout dans la vie que de savoir bien lire et bien écrire. Toutefois, ça ne m'apparaît pas absolument nécessaire. Jacques a appris à fonctionner sans cela dans la société. Ce qu'il ne pouvait plus supporter, c'était de mentir constamment pour cacher sa réalité. Avec ce livre, il règle une grande partie de son problème, car il ne vivra plus dans la crainte d'être démasqué. Désormais, il assume pleinement sa réalité. En soi, c'est une bonne thérapie. »

Demers insiste pour dire que sa rencontre avec le docteur Couillard lui a été bénéfique, tout autant que le travail qu'il a accompli dans la préparation du livre sur sa vie : « Aujourd'hui, je me sens de mieux en mieux. Je sais ce que j'ai. Je prends la médication nécessaire pour régulariser mon anxiété et j'apprends à gérer mes crises. Je me sens plus calme. De plus, avec la publication de ce livre, je vais pouvoir arrêter de mentir sur des niaiseries qui étaient devenues une montagne quotidienne. À 61 ans, il était temps ! »

Demers reconnaît toutefois qu'il lui a fallu un certain temps pour accepter sa réalité et composer avec elle : « La première fois que le docteur Couillard m'a prescrit la médication, j'étais paniqué à l'idée de me rendre à la pharmacie pour la faire remplir. J'ai demandé à Debbie d'y aller à ma place. Puis le docteur a augmenté graduellement ma dose et j'ai commencé à avoir peur qu'on me prenne pour un détraqué et qu'on le dise à quelqu'un. De nos jours, je me présente moi-même à la pharmacie pour renouveler mes prescriptions. Pour moi, c'est une belle petite victoire. »

* * *

Qu'en est-il maintenant de l'analphabétisme de Jacques Demers en 2005 ? En fait, Demers se dit capable de lire les journaux lentement, mais il doit se retrouver en situation où il peut entièrement se concentrer sur sa lecture. Il est aussi en mesure de lire, mais très difficilement, un petit bout de texte manuscrit, soigneusement écrit.

« J'ai besoin d'être seul lorsque je lis, dit-il. Lorsque je me retrouve devant des personnes qui me pressent de lire, je panique. Je me trouve des excuses pour ne pas le faire. Je suis embarrassé à l'idée de ne pas pouvoir y arriver. »

Sur le plan de l'écriture, c'est un peu la même situation. Demers parvient à écrire très lentement des mots (pas nécessairement des phrases) en lettres carrées. Mais il est incapable de le faire en lettres attachées.

« En avril dernier, j'ai apporté mon camion à l'atelier de débosselage Pierre, à Hudson, raconte-t-il. Lorsque le temps fut venu de payer, j'étais incapable de remplir mon chèque de façon adéquate. J'ai demandé à Josée (qui est propriétaire du garage avec son conjoint Yves Legault) de bien vouloir remplir mon chèque en lui racontant que j'avais oublié mes lunettes ! Je vis toujours sur mes gardes.

« Je suis capable d'écrire quelques bouts de phrases en lettres attachées que j'ai apprises par cœur pour me débrouiller avec les amateurs de hockey. Je signe toujours : *Ton ami, Jacques Demers* ou *Meilleurs vœux, Jacques Demers.*

« Toutefois, lorsque des gens me demandent de personnaliser un message lors de séances d'autographes, je panique carrément. Si on me demande par exemple : "Peux-tu écrire *Bonne santé* à mon fils Philippe", je ne sais pas quoi faire. Je rapplique en écrivant *Meilleurs vœux* et je demande aux gens de m'épeler tranquillement le nom de Philippe, ou de Guillaume, ou de Stéphane, selon le cas. C'est bien désagréable pour les amateurs, mais c'est ma réalité quotidienne.

« D'ailleurs, si j'ai offusqué des gens au cours de ma carrière en ne dédicaçant pas correctement une photo, une carte ou un programme-souvenir, j'espère qu'ils comprendront aujourd'hui que ce n'était pas de la mauvaise volonté, s'excuse-t-il. J'en étais incapable… et je le suis toujours. La différence maintenant, c'est que vous savez et j'en suis très libéré. »

Demers profite aussi de l'occasion pour mentionner qu'il lui est arrivé à l'occasion de se retrouver dans un état extrême de crise d'anxiété, ce qui l'a forcé à mentir et à se désister de certains engagements. Trois souvenirs lui reviennent surtout en mémoire.

« Lorsque j'étais en crise, je trouvais toutes les raisons au monde pour éviter de prendre un bain de foule. C'est pourquoi il m'est arrivé de renier ma parole pour me défiler de certains engagements.

En excellente compagnie, au Tournoi de golf du Canadien, édition 2003. De gauche à droite : George N. Gillett Jr., propriétaire du Club de hockey Canadien, Dany Dubé, Jacques, Alain Crête, Pierre Boivin, président du Club de hockey Canadien et du Centre Bell, Donald Beauchamp, vice-président communications et relations communautaires du Club de hockey Canadien. (Archives de Jacques Demers)

« Je me souviens d'un tournoi de golf organisé pour la grande patineuse de vitesse sur courte piste Nathalie Lambert, auquel je devais assister. Je me suis désisté la veille. Même chose pour l'ex-président du Canadien, Ronald Corey, il y a à peine quelques années. Je ne me suis pas présenté à son invitation pour un tournoi de golf. De plus, à l'été 1993, on m'a demandé d'être le président d'honneur du tournoi de golf de Mario Tremblay, à Alma. Ce que j'avais accepté en cette année de conquête de la coupe Stanley. Je m'y suis rendu, mais je ne me sentais pas bien. J'ai tout de même participé au tournoi. Le lendemain, un groupe de personnes était invité à déjeuner chez Gonzague Tremblay, le père de Mario. Je devais être du groupe et je m'étais engagé à m'y rendre. Mais j'ai annulé ma présence le matin même.

« À Nathalie, à M. Corey, à Mario et aux autres à qui cela est arrivé, je tiens à m'excuser de les avoir laissés tomber. Je les ai déçus et j'en suis conscient. Cela me hante encore de nos jours. C'était un manque de classe de ma part, mais je me sentais étouffé par la situation. C'est très difficile à expliquer. Je n'étais pas bien dans ma peau et je me sentais vulnérable. Si je peux me reprendre un jour envers ces personnes, je le ferai.»

* * *

L'analphabétisme est plutôt très répandu au Québec. Certaines études estiment qu'entre 800 000 et un million de personnes de 16 ans et plus, hommes et femmes, en sont atteintes. Il s'agit d'un adulte sur cinq. On soutient qu'il existe plusieurs degrés de gravité de l'analphabétisme. Dans le cas de Jacques Demers, on parle d'un degré moyen correspondant à un analphabétisme dit fonctionnel.

Qu'est-ce qu'une personne analphabète? Selon le Secteur alphabétisation du Comité d'éducation des adultes (CEDA) du Centre d'éducation populaire de la Petite Bourgogne et de Saint-Henri (site internet : http://www.ceda22.com/alpha.htm), il s'agit essentiellement d'une personne qui éprouve de la difficulté dans son quotidien chaque fois qu'elle doit utiliser le code écrit. En général, une personne analphabète vit de la honte, se perçoit comme responsable de sa situation et cherche à la cacher. Elle est convaincue qu'elle est la seule au monde à vivre un tel problème. Cela en fait souvent une personne qui a développé des stratégies surprenantes de débrouillardise. Il s'agit de plus d'une personne dépendante et vulnérable vis-à-vis de son entourage, mais aussi face à toutes les institutions de la société dans laquelle elle vit.

Les analphabètes montrent des signes par lesquels on peut les reconnaître. Parmi ceux-là, on retrouve :

1. Il (elle) se fie uniquement à sa mémoire pour prendre un message.
2. Il a de la réticence à remplir des formulaires; veut les lire et les remplir chez lui.
3. Il oublie toujours ses lunettes ou a mal aux yeux.
4. Il demande de l'aide pour remplir un document en disant qu'il n'a pas compris la question.
5. Il dit que c'est le conjoint qui s'occupe de ça.
6. Il prétexte une blessure à la main ou au bras pour ne pas écrire.
7. Il craint de signer ou remet une signature qui paraît tracée avec difficulté.

8. Il ne se propose jamais pour une tâche qui demande de lire ou d'écrire.
9. Il semble ne pas collaborer avec le professeur car il ne tient pas compte des notes inscrites sur la feuille de route de son enfant.
10. Il oublie la documentation qu'on lui a donnée.
11. Il demande des explications alors que tout est écrit sur un document qu'il a en main.
12. Il a des difficultés d'expression orale, de vocabulaire ; déforme les mots.

Selon la Fondation québécoise pour l'alphabétisation (www.fqa.qc.ca), environ 22 % des adultes canadiens âgés de 16 ans et plus se classent au niveau le plus faible de capacités de lecture. Ces personnes ont beaucoup de mal à déchiffrer les imprimés et sont susceptibles d'admettre qu'elles éprouvent des difficultés de lecture. De plus, 24 % à 26 % d'entre elles se classent au deuxième niveau le plus faible (celui de Jacques Demers). Ces personnes réussissent à tirer leur épingle du jeu à condition que le texte soit simple, clair et ne présente pas de tâches complexes à exécuter. Ils lisent, mais pas très bien.

Les personnes analphabètes sont de tous âges et de toutes conditions sociales. Par fierté, elles dissimuleront leur difficulté à lire, à écrire et à compter, mais compenseront souvent par un sens de l'observation et de la débrouillardise ainsi que par une mémoire remarquable. Dans notre société, elles sont démunies et marginalisées.

Que faire en présence d'un analphabète, selon la Fondation pour l'alphabétisation ?

On recommande de ne jamais défier une personne que vous soupçonnez d'être analphabète en l'obligeant à effectuer une activité où il lui faudra lire ou écrire. Elle risque de se refermer et d'éviter tout contact avec vous. Suscitez plutôt chez elle un intérêt pour des activités où elle prendra conscience de ses difficultés, et amenez-la à découvrir qu'elle n'est pas seule à avoir ce problème et qu'il existe des ressources spécialisées – la plupart du temps gratuites – pour l'aider et qu'elle peut entreprendre avec succès une démarche d'alphabétisation.

Un peu plus de 2 % des personnes analphabètes entreprennent une démarche d'alphabétisation tandis que les 98 % restent dans l'obscurité... Moins de 10 % des Canadiens qui pourraient profiter des programmes de perfectionnement dans le domaine de l'alphabétisation s'y inscrivent.

* * *

Si Jacques Demers a donné l'impression de plutôt bien fonctionner dans la société, au cours de ses 33 années associées au hockey professionnel malgré son handicap, c'est qu'il a eu recours à des personnes aidantes qui lui ont servi d'anges gardiens.

Au premier chef, on retrouve sa conjointe Debbie Anderson qui s'affaire encore à s'acquitter des factures et à écrire des lettres pour lui (en anglais) à l'occasion.

Il y a aussi sa belle-sœur, Francine Côté, la conjointe de son frère Michel, qui se charge d'une très grande partie de sa correspondance.

Dans le monde du hockey, on a vu que Michèle Lapointe, chez les Nordiques de Québec et chez le Canadien de Montréal, avait été un support incroyable. Ce fut la même chose avec Susie Mathieu à Saint Louis et Bill Jamieson à Detroit, deux autres personnes qui travaillaient au service des relations de presse avec leur équipe et qui accomplissaient beaucoup de travail dans l'ombre pour lui venir en aide.

Plus tard, à Montréal, Demers a croisé sur son chemin Claudine Crépin, chez le Canadien, qui travaillait à titre d'adjointe aux services à l'équipe et de secrétaire du personnel des entraîneurs. Puis à Tampa, Demers a eu le bonheur d'embaucher Jay Feaster qui lui a évité bien des casse-tête administratifs.

Désormais, Demers fait appel à Manon Gagnon, à Louise Michaud et à Louis-Philippe Neveu, à RDS, pour jouer le rôle d'anges gardiens.

« Tous ces gens-là m'ont tiré d'embarras des centaines de fois, raconte Jacques. C'est incroyable ce qu'ils ont fait pour moi sans le savoir. D'ailleurs, je les préviens que j'aurai encore besoin d'eux. Mais ce sera moins gênant de leur demander de l'aide maintenant qu'ils (et elles) savent ce qui se passe. Je suis tellement fatigué de mentir à propos de ce handicap, ajoute-t-il.

L'ancien entraîneur, devenu analyste à la télévision, profite de l'occasion pour donner un grand coup de chapeau à ceux et à celles qui l'ont aidé dans son parcours.

« Michèle Lapointe a facilité mon existence autant à Québec qu'à Montréal. Ma chère *Mimi* en a rempli des documents et des comptes de dépenses pour moi ! Je n'ose même pas me demander combien de fois je lui ai dit que j'avais oublié mes lunettes ou que j'avais *perdu* mon français depuis que j'étais aux États-Unis ! Je lui en suis très reconnaissant. C'est la même chose pour Susie Mathieu, Bill Jamieson et Claudine Crépin. Dieu qu'ils m'ont été utiles dans ma correspondance, ces trois-là! Je tiens à leur adresser des mercis à l'infini.

«Quant à Jay Feaster à Tampa Bay, il devait se demander parfois pourquoi j'avais autant confiance en lui au niveau de la paperasse. C'est lui qui faisait tout. Sans Jay, je n'aurais pas pu être directeur général dans la LNH pendant un an. Son appui a été inestimable. Je lui dois beaucoup.

«En ce qui concerne Manon Gagnon, Louise Michaud et Louis-Philippe Neveu, ils m'ont rendu des services incalculables depuis mon arrivée à RDS, il y a sept ans. Ils (et elles) ont rempli des questionnaires à ma place, ils ont écrit des lettres à des amateurs pour moi, ils ont correspondu avec des organismes qui sollicitaient ma présence, bref ils ont parfois agi comme s'ils étaient mes secrétaires particuliers. Pourtant, ce n'était pas dans leurs tâches de faire cela. Je leur adresse toute ma gratitude et ma reconnaissance.

«Finalement, je m'en voudrais de passer sous silence le support que j'ai obtenu de mon complice Alain Crête dans le monde des médias. Si je dois beaucoup à Rosaire Paiement pour m'avoir aidé à percer au hockey professionnel, j'en dois tout autant à Alain Crête pour ma deuxième carrière dans le monde des médias. Alain a eu l'effet d'un calmant pour mes crises d'anxiété. En plus d'être un professeur extraordinaire, il s'est avéré une bouée de sauvetage en plusieurs occasions en ondes. Il a toujours eu le don de récupérer mes erreurs, sans rire de moi, de façon que je puisse offrir un travail correct à mes employeurs.»

Au cours de toutes ces années à devoir mentir pour survivre, il est de mise de mentionner la grande discrétion dont ont fait montre les anges gardiens de Demers. Selon ce qu'on en sait, bien des intervenants soupçonnaient qu'il éprouvait un sérieux problème à lire et à écrire, mais jamais ne lui a-t-on adressé des remarques à cet effet.

Par exemple, Michèle Lapointe a œuvré deux saisons à Québec aux côtés de Demers et trois autres saisons (et des poussières) avec lui à Montréal. «Je savais qu'il n'avait pas été à l'école longtemps, témoigne-t-elle. Je m'étais aperçue de ses problèmes, mais jamais on n'en a discuté. Remarquez que dans ce milieu-là il n'était pas le seul. Loin de là! Quoi qu'il en soit, c'est un homme qui mérite toute notre admiration. Il a dû se cracher souvent dans les mains pour rebondir. Il n'a jamais abandonné. Ses succès et sa longévité sont d'autant plus méritoires qu'il devait vivre à longueur de journée, en secret, avec ce handicap. Comme collègue, je retiens surtout de Jacques le respect qu'il démontrait envers les autres employés. De plus, il a toujours été très reconnaissant. C'est un bel être humain. »

Claudine Crépin, qui a aussi travaillé en compagnie de Demers, chez le Canadien, à titre d'adjointe à la direction des services à l'équipe, en a presque eu le souffle coupé lorsqu'on l'a informée du handicap qui accompagnait Demers dans sa vie quotidienne. « J'éprouve beaucoup de peine en apprenant cela, dit-elle. M. Demers cachait très bien son jeu, car je ne m'en suis jamais aperçue. Je me suis occupée abondamment de son courrier et de sa paperasse, mais je n'ai jamais soupçonné qu'il me le demandait parce qu'il était incapable de le faire. J'ai de la peine pour lui car c'est un secret qui devait être extrêmement lourd à porter dans un milieu aussi difficile que celui du hockey. Je me rends compte aujourd'hui que j'étais beaucoup plus importante dans son travail que je l'avais imaginé. »

Claudine Crépin, qui en est à sa 16e saison au sein du département de hockey du Tricolore, garde un souvenir précieux de son association avec l'ancien entraîneur : « Les choses ont cliqué tout de suite entre lui et moi. D'ailleurs, je considère que M. Demers est l'une des belles rencontres qu'on peut faire dans sa vie. Il affiche une très belle philosophie de vie. Je me sers encore de cette philosophie. Il n'est plus avec nous depuis neuf ans, mais il m'arrive encore de me demander comment M. Demers composerait avec telle ou telle situation.

« C'était un homme respectueux et attentionné. Il était toujours de bonne humeur et il traitait tout le monde sur un pied d'égalité. Avec lui, je ne me suis jamais sentie la petite adjointe de service. Encore aujourd'hui, il est gentil avec tout le monde au Centre Bell. Les gens l'aiment. J'ai adoré travailler à ses côtés. »

* * *

Jacques Demers vit avec sa femme Debbie dans une nouvelle résidence, à Hudson, depuis le mois d'août 2005. Le couple en est à sa 22e année de vie commune et à sa 19e année d'union civile.

Jacques affectionne les sorties avec Debbie au restaurant (« Je ne fais pratiquement plus la cuisine », dit-elle en riant) puisque les deux sont amateurs de bonne chère et affectionnent les bons vins. Le couple se paie aussi des voyages à l'occasion.

Dans ses temps libres, Demers joue au golf durant l'été. Il est membre du fameux club Withlock, à Hudson, où l'un de ses partenaires de jeu réguliers est le chanteur Pierre Lalonde.

Au club de Whitlock, à Hudson, en compagnie de ses amis Denis Groulx, Michel Dubord, Pierre Cadieux, Christian Lavoie et Normand Houle. (Archives de Jacques Demers)

Sur un plan plus personnel, il fréquente assidûment l'église catholique, et rate rarement la messe du dimanche. Lorsqu'il en a l'occasion, il se pointe en direction de Québec pour visiter la basilique de Sainte-Anne-de-Beaupré...

Quant à ses enfants, ils sont désormais tous parents de sorte qu'il est grand-père de sept petits-enfants (Ashton, Ryan, Jaden, Skylar, Justice, David-Michael, Tristan) dont l'âge varie entre six mois et neuf ans.

Son aînée Mylène, mère de Tristan, a 35 ans et vit à LaSalle. Elle travaille depuis 15 ans au service à la clientèle de la compagnie SEW Euro-Drive. Brandy, la mère de Ryan et d'Ashton, a 30 ans. Elle vit encore à Indianapolis et est employée dans un bureau de placement. Stefanie a 28 ans et est mère de David-Michael, Justice et Jaden. Elle est aussi installée à Indianapolis et travaille en ressources humaines.

Quant à son unique fils, Jason, il a maintenant 24 ans et est le père de Skylar. Il travaille dans le domaine de la construction à Indianapolis, pour le moment, mais il ne lui manque que deux crédits pour être diplômé en relations industrielles à l'université Purdue, en Indiana.

Outre ses nombreux emplois dans le monde des médias, Demers est en demande encore partout pour prononcer des conférences et faire office de président d'honneur dans le cadre d'événements sportifs et communautaires. Sa popularité ne s'est jamais démentie. Dernièrement, on l'a approché pour se lancer en politique fédérale. Le chef du Parti conservateur, Stephen Harper, l'a lui-même contacté à deux reprises pour en faire un candidat-vedette dans l'ouest de Montréal. Mais Demers, bien que flatté, a décliné l'invitation.

Sur le plan de sa carrière au hockey, Demers se dit fier du travail accompli. Il a dirigé pendant plus de 13 ans dans la Ligue nationale de hockey, a remporté deux trophées Jack-Adams (meilleur entraîneur) et, surtout, a gravé son nom sur la coupe Stanley en 1993 avec le Canadien. Il est l'un des 11 entraîneurs seulement à avoir dirigé 1000 matchs ou plus dans la LNH (il en a dirigé 1006) et il est l'un des 16 entraîneurs de l'histoire à avoir remporté 400 victoires ou plus (il en a obtenu 409).

Le 23 avril 2005, Jacques Demers fait un retour au Centre Bell à l'occasion d'un match amical opposant les Anciens Canadiens aux Légendes du Hockey. Les précieux conseils de son ami Michel Beaudry (debout derrière le banc, à gauche) ont-ils aidé le coach *Demers à mener sa troupe à la victoire?* (Archives de Jacques Demers)

Avec un tel palmarès, plusieurs se demandent pourquoi il n'a pas encore été admis au Panthéon du hockey, consécration suprême pour un homme de hockey. Son nom a circulé au comité de sélection depuis deux ans, mais il n'a pas encore réussi à obtenir le minimum de votes nécessaires à son élection. Pourtant, il a reçu l'appui de plusieurs personnes gravitant dans les cercles du hockey. Les chroniqueurs de hockey d'Amérique ont été nombreux à faire son éloge et à mousser sa candidature.

En ce sens, la plus belle marque d'appréciation est venue de l'un de ses pairs, Michel Bergeron, un homme qui a souvent été en compétition avec lui au cours de sa carrière.

Au journaliste Pierre Durocher, Bergeron confiait, le 19 avril 2005, que Jacques Demers devrait être admis parmi les immortels du hockey : « Il est grand temps que Jacques soit intronisé au Panthéon du hockey, plaida *Le Tigre*. Il est dans une classe bien spéciale. Qu'attendent donc les membres du comité de sélection pour accueillir un entraîneur de la trempe de Demers au Panthéon ? J'en ai marre de constater que les portes soient si difficiles à ouvrir quand il s'agit d'un francophone. C'est une injustice. Le seul défaut de Jacques, c'est d'être trop bon avec tout le monde. Parfois, ça me tombe même sur les nerfs ! » ajouta Bergeron en riant.

Demers s'était dit très flatté par les propos de Bergeron : « Ce n'est pas à moi de dire si j'ai ou non ma place au Panthéon, déclara-t-il en guise de remerciement, mais Michel a grandi dans mon estime en faisant un tel commentaire. Je ne l'oublierai jamais. »

* * *

Debbie Anderson est sans doute la personne la mieux placée pour jeter un regard sur celui qui l'accompagne depuis 22 ans.

« Jacques a toujours ressenti le besoin de protéger son image, dit-elle. Il ne voulait pas se donner le droit à l'erreur. Ce livre lui a permis de soigner plusieurs plaies et je suis convaincue que ça va le libérer de bien des tracas quotidiens.

« Son histoire démontre que tout n'est pas toujours rose dans la vie d'un homme. Sous des dehors enjoués, il y a un côté plus noir dans chaque personne. C'est ce qui fait la beauté de l'être humain. À mon avis, ce livre le rendra plus humain aux yeux des gens.

« Il reste que cet homme est incroyable, ajoute-t-elle d'une voix admirative. C'est un travailleur acharné. Tout ce qu'il possède dans la vie, il l'a gagné chèrement. Il a affronté des épreuves sans jamais baisser les bras. C'est un battant.

« Jacques est un homme chaleureux, généreux, passionné, émotif et reconnaissant. Il aime faire plaisir aux autres. Il constate que la vie, de façon générale, l'a choyé, et il redonne beaucoup de son temps et de son argent. C'est un homme de grand cœur et de partage. Bref, c'est un homme bon.

« Sur un plan plus personnel, insiste Debbie, Jacques m'a permis de connaître ce qu'était le grand bonheur d'aimer et d'être aimée. Je l'ai connu à l'âge de 28 ans. Avant lui, je n'avais jamais reçu de compliments ou de marques d'affection. Tout a basculé avec Jacques. Il n'est pas parfait, mais, au niveau de notre relation amoureuse, il est difficile de trouver mieux. Je me considère encore chanceuse de l'avoir croisé dans ma vie. »

À quelques mois de la publication de cet ouvrage, on sentait déjà chez Demers une plus grande sérénité. « Je me sens plus paisible, plus en paix avec moi-même, dit-il pour conclure. Ce livre sur ma vie et ma carrière a des effets libérateurs. Au fond, c'est un cadeau que je me fais. J'espère que les gens apprécieront ma démarche.

« Je ne suis pas un martyr, loin de là, précise-t-il. Je suis un homme simple qui a eu ses échecs et ses victoires, mais qui n'a jamais cessé de s'accrocher à l'espoir d'une vie meilleure. Aujourd'hui (été 2005), je suis heureux. J'ai une femme que j'aime, j'ai des enfants et des petits-enfants que j'aime, j'ai une famille que j'aime, j'ai des amis que j'aime et j'ai un travail que j'aime. En ce sens, je suis riche. »

Lettre Z

Au docteur Fernand Couillard

Je le dis et je le répète à qui veut l'entendre, cher doc Couillard, vous êtes arrivé comme une bouffée d'air frais dans ma vie, au mois de décembre 2002.

À l'époque, j'en étais à mes premières démarches pour la rédaction de ce livre et j'arrivais de plus en plus difficilement à vivre avec mes handicaps.

Depuis ce premier rendez-vous du mois de décembre à votre cabinet de Vaudreuil-Dorion, j'ai rapidement ressenti chez vous une grande forme de respect et de compréhension. Vous m'avez aidé à voir clair dans ce double problème d'analphabétisme et de crise d'anxiété. Vous m'avez donné des outils pour composer avec ma réalité.

Il m'arrive parfois de dire que vous m'avez sauvé la vie, ce qui peut paraître exagéré pour certains, mais, à tout le moins, vous m'avez fait renaître, moi qui me sentais prisonnier dans une cage.

Par la même occasion, doc Couillard, je tiens aussi à remercier tous ceux et celles qui m'ont servi d'anges gardiens au fil de ma vie et de ma carrière au hockey. Sans elles et sans eux, je n'aurais pu survivre dans un monde aussi médiatisé. Il a fallu beaucoup de générosité de leur part et je leur en serai éternellement reconnaissant.

Jacques

Épilogue

Il y a maintenant trois ans que je porte la vie de Jacques Demers dans mon cœur et dans ma tête. Trois années à interroger Demers ainsi qu'une foule de personnes qui l'ont accompagné dans sa vie personnelle et professionnelle. Trois années où j'ai compilé une centaine d'heures d'entrevue avec l'ex-entraîneur de la LNH et une cinquantaine d'autres heures à questionner plus de trente-huit personnes. Trois années à fouiller dans les archives et à visionner des cassettes afin de vous livrer le portrait le plus juste possible de l'homme qui était devenu «mon sujet».

Trois années plus tard, c'est ici que mon travail s'achève. *Jacques Demers en toutes lettres* est enfin publié. J'en suis ravi et... libéré.

Au départ, la tâche était colossale puisque le parcours de vie de Jacques Demers est tout sauf banal. En ce sens, le sujet Jacques Demers constituait ce qu'on appelle une très bonne histoire. Tant les journalistes que les auteurs sont fascinés par les bonnes histoires. Ils courent après toute leur vie. J'avais, en Demers, le privilège d'en posséder une bonne entre les mains et il ne fallait pas la gaspiller. Mon défi était à la fois simple et imposant : je me devais d'être à la hauteur de l'histoire et, par ricochet, à la hauteur de l'homme. J'ose espérer que j'y suis parvenu.

Dès le début du projet, j'ai rapidement constaté que l'exercice serait aussi difficile qu'extraordinairement fantastique. D'abord, il fallait savoir comment procéder avec un homme qui avait composé toute sa vie avec une certaine forme d'analphabétisme. Comment réussir, en d'autres termes, à rafistoler les morceaux du casse-tête avec un sujet qui ne détenait aucune trace écrite de sa vie. Jacques Demers, en effet, n'avait aucun document à fournir à son biographe. Il s'en remettait à ses souvenirs. Et ceux-là se bousculaient dans sa tête au fur et à mesure que nos discussions progressaient. Sa mémoire était parfois imprécise. Ou la concentration faisait défaut. Il a donc fallu valider toutes les informations auprès d'une seconde et même d'une troisième source de façon à livrer le récit le plus véridique possible.

Au bout du compte, à force de recherches, de questionnements et parfois même avec beaucoup d'insistance, nous y sommes arrivés. Peu à peu chez Demers, les souvenirs revenaient à la surface, les bons comme les mauvais.

Au cours de ces longs mois d'entrevues et de recherches avant d'amorcer la période d'écriture, Jacques Demers a été forcé de puiser au plus profond de lui-même. Si nous avons rigolé en plusieurs occasions ensemble, il est aussi vrai que nous avons essuyé des larmes en quelques occasions. Mais «mon sujet» tenait à publier le livre le plus honnête possible sur sa vie et il s'est raconté librement sans soumettre l'auteur à aucune restriction. En fait, la seule condition qu'il ait imposée se situait au niveau du ton de l'ouvrage.

«Je ne fais pas un livre sur ma vie et sur ma carrière pour savonner tout le monde, insistait-il. Je ne veux pas que ça tourne en règlement de comptes.»

Je lui répondais sans cesse qu'on ne pouvait refaire l'histoire de sa vie et que son parcours, parsemé d'événements heureux et malheureux, devait être raconté avec le plus d'exactitude possible. À cet effet, Demers n'avait pas d'objection à raconter la vraie histoire, sauf qu'il ne tenait pas à lapider les gens sur la place publique. Ce sur quoi nous nous sommes entendus.

Ce que vous venez de lire est donc le fruit d'une collaboration incessante entre la vedette du livre et son auteur. *Jacques Demers en toutes lettres*, c'est une histoire à deux volets qui sont indissociables, c'est-à-dire le volet public et le volet privé du personnage. En ce sens, ce n'est pas seulement une biographie sportive.

Sur le plan professionnel et public, c'est essentiellement l'histoire d'un homme qui, avec très peu de moyens, a fait fi des obstacles pour se hisser au plus haut sommet de sa profession d'entraîneur; un homme qui a réussi. Sur le plan personnel, c'est aussi l'histoire d'un homme qui a su triompher des nombreux obstacles que n'a pas manqué de lui offrir sa jeunesse éprouvante et, par moments, douloureuse.

En fait, il a beaucoup de mérite, ce Jacques Demers. Cet homme caméléon a porté deux costumes toute sa vie. Un costume public aux couleurs éclatantes et un costume privé aux teintes plus grises. Du reste, sous des apparences joviales, il a longtemps été torturé intérieurement par la honte et la peur. Honte de ne pouvoir lire ni écrire adéquatement et peur que la vérité n'éclate au grand jour. « J'ai fait le clown pour créer de la diversion autour de mon incapacité », a-t-il dit.

Derrière son costume de clown, l'homme était souvent triste et tourmenté. C'est d'ailleurs ce que la publication de ce livre tente enfin d'établir, sinon de rétablir. Désormais, il n'y aura plus deux Jacques Demers, l'éclatant et le sombre. Fini le caméléon et le clown ! Aujourd'hui, si le clown s'amuse, nous n'aurons pas à fouiller derrière le masque pour s'assurer de la véracité de son bonheur. Il sera vrai et entier.

* * *

J'ai connu Jacques Demers au début des années 1990 alors qu'il s'amenait à Montréal pour diriger le Canadien. Auparavant, je l'avais croisé occasionnellement alors qu'il était l'entraîneur des Red Wings à Detroit ou analyste à la radio des Nordiques à Québec.

J'ai rapidement senti, chez cet homme, une chaleur humaine peu commune et une sensibilité rafraîchissante. Du plus loin que je me souvienne, Demers me semblait trop honnête pour vivre (et survivre) dans la faune sournoise et mesquine de la LNH.

À son arrivée à Montréal, j'ai entendu des moqueries et des ragots à son sujet. Les mauvaises langues se moquaient notamment de son côté ultra-positif. Certaines personnes n'appréciaient pas le fait que Demers soit d'une cordialité débordante avec les médias. J'ai même entendu des gens le traiter de *téteux*. Et moi-même, à cette époque (mea culpa), j'ai peut-être embarqué parfois dans la danse de la dérision. Que « mon sujet » me pardonne !

Je peux affirmer de nos jours que Demers n'a jamais collaboré avec la presse pour *téter* les journalistes. Ça n'a jamais été dans sa nature d'être calculateur ou hypocrite. Son attitude positive, son ouverture et son esprit de collaboration ont toujours été sincères. Ces qualités reposaient sur ses valeurs intimes et personnelles.

Au fil de la rédaction de ce livre, j'ai parfois tenté d'amener Demers sur des terrains glissants. Là où il aurait eu l'occasion de déverser son fiel, ne serait-ce qu'entre lui et moi, en toute confidentialité. Mais jamais il ne l'a fait. Ce n'était pas son genre de casser du sucre sur le dos des gens et il me l'a démontré jusqu'à la fin. C'est un trait qu'il faut absolument retenir du personnage.

Les jours où j'avais beaucoup moins de compassion pour autrui que lui, il me surprenait constamment en faisant contrepoids. Il trouvait toujours du bien à dire des autres que je tentais de noircir. Sacré Demers ! Si ma mère, Aline, n'existait pas, je dirais de lui que c'est la meilleure personne que je connaisse (mais il n'est pas loin derrière)...

Jacques Demers a été un entraîneur énergique et coloré au hockey professionnel, et particulièrement dans la Ligue nationale. Il a franchi les étapes une à une, il a subi des échecs dévastateurs et il a connu de grandes victoires glorieuses. En aucun temps, ni en haut ni en bas, il n'a perdu la passion du hockey.

À une époque (la nôtre) où la LNH éprouve des problèmes d'affection et de crédibilité, elle devrait l'embaucher pour vendre son produit. Car Demers, partout où il est passé, s'est avéré un très bon vendeur de son sport. Que ce soit à Chicago, Indianapolis, Cincinnati, Québec, Fredericton, Saint Louis, Detroit, Montréal et Tampa Bay, il a contribué à l'essor et à la popularité du hockey. C'est un fait indéniable.

J'ai vécu de très bons moments en sa compagnie alors qu'il dirigeait le Canadien de 1992 à 1995. Pendant plus de trois ans, j'ai voyagé à ses côtés dans l'avion du Tricolore aux quatre coins de l'Amérique. Je l'ai observé de très près. C'était une personne lumineuse qui dégageait la bonne humeur. Et il faisait confiance à ceux qu'il respectait.

Je me souviens d'une anecdote, survenue lors d'un voyage mémorable dans l'Ouest américain au début du mois de mars 1994, alors que son équipe traversait une bonne période et filait à vive allure. Le Canadien avait joué à Los Angeles puis à Anaheim, et ne devait disputer son prochain match à Dallas que quatre jours plus tard.

Au début de la saison, Jacques m'avait fait la promesse qu'un certain soir il inviterait quelques journalistes à souper pour bavarder et discuter de quelques questions professionnelles.

Ce fameux souper eut finalement lieu le 3 mars 1994 à Dallas dans un grand restaurant italien recommandé par Russ Courtnall, qui jouait désormais pour les Stars. Une limousine nous attendait à 18 heures à la porte de l'hôtel pour nous y conduire.

Au cours de ce souper inoubliable, en compagnie de François Lemenu, de la *Presse canadienne,* Jacques ouvrit les valves à fond. Il savait que Lemenu et moi appréciions les bons vins. Il nous demanda de commander de bonnes bouteilles. Mais devant notre hésitation en raison des prix élevés, il s'acquitta de la tâche. « On sort ensemble une fois par année et on se paie ce qu'il y a de mieux ! » nous dit-il.

Ce soir-là, nous avons arrosé notre repas copieux de Sassicaia et de grands Barolo de Gaya en quantité ! Les vapeurs d'alcool aidant, nous avons discuté de tous les sujets. C'est au cours de ce repas que Demers nous raconta que le Canadien était intéressé à obtenir l'obscur Mark Lamb avant la date limite des transactions, fixée à une semaine plus tard. En soi, la nouvelle était banale. Il fut toutefois convenu que les journalistes ne puissent pas se servir des éléments d'information obtenus lors de ce souper, à moins d'en rediscuter avec lui le lendemain.

Vers minuit, la limousine réservée par Demers nous attendait devant le restaurant pour le retour à l'hôtel. Ce soir-là, les trois membres du trio regagnèrent leur chambre avec les idées passablement embrouillées. Avant d'aller au lit, Demers s'assura de la confidentialité des discussions tenues au cours de la soirée. « Ça reste entre nous autres, hein les *boys* ? » nous rappela-t-il avant de recevoir notre approbation.

Le lendemain matin, Demers se leva encore de très bonne heure, comme à son habitude, prêt à diriger l'entraînement de son équipe au cours de l'avant-midi. Avant de quitter l'hôtel, mon collègue Lemenu le prit à l'écart pour lui poser une question toute simple : « Dis donc, Jacques, la venue de Mark Lamb avec le Canadien, est-ce qu'on peut considérer que c'est sérieux ? »

La réponse de Demers ne se fit pas attendre. Et elle reste mémorable. Fixant Lemenu droit dans les yeux d'un air inquiet, il répliqua d'un ton sec : « Mark Lamb à Montréal ? Mais qui est-ce qui vous a dit ça ? J'en ai aucune idée. Demandez à Serge Savard ! »

Ce matin-là, deux reporters de Montréal étaient tordus de rire dans le hall d'un hôtel de Dallas à voir se dépêtrer Jacques Demers comme si quelqu'un venait de dévoiler un secret d'État. Les journalistes en question avaient perdu quelques détails de la soirée de la veille au restaurant, mais ils constataient que le *coach* en avait oublié de très longs bouts !

Quoi qu'il en soit, Lemenu et moi avons convenu de ne pas placer l'entraîneur dans le pétrin inutilement, compte tenu de l'importance de la nouvelle. Mais plus tard dans la journée, je n'ai pu m'empêcher de chuchoter à l'oreille de Jacques qu'il me semblait « souffrir de troubles de mémoire » !

« Est-ce que je vous ai vraiment parlé de Mark Lamb au souper hier soir ? demanda-t-il. Si oui, rends-moi un service : ne parle pas de cela dans le journal sans avoir discuté avec Serge [Savard]. » Ce qui fut fait…

Tout cela pour dire qu'il existait une belle complicité entre Demers et la plupart des journalistes. La relation était principalement basée sur le respect. Demers était généralement généreux de son temps et de ses réponses avec les journalistes et lorsque la situation le commandait, on lui renvoyait l'ascenseur.

Ce n'est que sept mois plus tard, à l'automne 1994, à l'occasion d'un voyage dans les Maritimes, que j'appris la situation et les difficultés qu'il vivait pour lire et écrire. Au cours de ce souper, j'ai pu comprendre et sentir le désarroi qui l'agitait. Il vivait le rêve de sa vie en dirigeant le Canadien, mais son bonheur était fragile. À tout moment, il craignait que la vérité n'éclate : « Si les médias s'emparent de cette histoire, je suis mort. Aucun dirigeant ne voudra de moi. Les joueurs risquent de me tourner en ridicule. Je vais vivre avec cela jusqu'à ma mort. À moins que je ne décide d'écrire un livre un jour pour raconter mon histoire ! »

À partir de ce moment, j'ai observé Jacques Demers d'une tout autre façon. J'ai vu le combat quotidien qu'il menait pour survivre dans un monde sans pitié. Et ce Demers n'a jamais cessé de m'épater. C'est pourquoi il mérite toute mon admiration. J'imagine que vous l'avez perçu à la lecture de cet ouvrage. J'avais, bien honnêtement, un préjugé favorable envers « mon sujet ». Que le lecteur me pardonne !

Jacques Demers, né le jour de la Libération de Paris, a attendu jusqu'à l'âge de 61 ans pour se libérer de ses souffrances. Tout ce qu'il souhaite désormais, c'est que son récit puisse servir autrui à faire face à l'adversité.

« Tout est possible dans la vie si on croit en soi et si on met du temps pour atteindre nos objectifs, » dit-il simplement.

C'est son frère Michel Demers qui résume le mieux la situation en guise de conclusion : « La vie de Jacques, c'est un grand message d'espoir et j'espère que les gens vont la lire dans ce sens-là. Ce n'est pas une histoire qui est arrivée à New York, à Paris, à Moscou ou même une histoire qui a été inventée à Hollywood. C'est celle d'un petit gars du quartier Côte-des-Neiges qui s'est passée parmi nous. Au fait, y a-t-il vraiment quelqu'un qui pouvait prédire à Jacques Demers la conquête d'une coupe Stanley à la barre du Canadien, alors qu'il avait 15 ou 16 ans ? Personne. Pourtant, il l'a fait, et de belle façon. Je souhaite que sa vie serve d'inspiration, particulièrement aux jeunes qui sont portés à abandonner au moindre obstacle. »

C'est aussi le vœu de ce grand bonhomme qu'est Jacques Demers.

Le vendredi 17 juin 2005

Fiche de la carrière de JACQUES DEMERS

CALENDRIER RÉGULIER				SÉRIES ÉLIMINATOIRES		
SAISON ÉQUIPE	**PJ**	**V-D-N**	**MOY.-RANG**	**PJ**	**V-D-N**	**MOY.**
1972-1973 Chicago (*) AMH	78	26-50-2	.346 (6e Est)	-	-------	---
1973-1974 Chicago (*) AMH	78	38-35-5	.519 (4e Est)	18	8-10-0	.444
1974-1975 Chicago (*) AMH	78	30-47-1	.391 (3e Est)	-	-------	---
1975-1976 Indianapolis AMH	75	34-35-6	.493 (1er Est)	7	3-4-0	.429
1976-1977 Indianapolis AMH	81	36-37-8	.494 (3e Est)	9	5-4-0	.556
1977-1978 Cincinnati AMH	75	33-39-3	.460 (7e Lig)	-	-------	---
1978-1979 Québec AMH	80	41-34-5	.544 (2e Lig)	4	0-4-0	.000
1979-1980 Québec LNH	80	25-44-11	.381 (5e Adams)	-	-------	---
1981-1982 Fredericton LAH	80	20-55-5	.281 (5e Nord)	-	-------	---
1982-1983 Fredericton LAH	80	45-27-8	.613 (1er Nord)	12	6-6-0	.500
1983-1984 Saint Louis LNH	80	32-41-7	.444 (2e Norris)	11	6-5-0	.545
1984-1985 Saint Louis LNH	80	37-31-12	.538 (1er Norris)	3	0-3-0	.000
1985-1986 Saint Louis LNH	80	37-34-9	.519 (3e Norris)	19	10-9-0	.526
1986-1987 Detroit LNH	80	34-36-10	.488 (2e Norris)	16	9-7-0	.563
1987-1988 Detroit LNH	80	41-28-11	.581 (1er Norris)	16	9-7-0	.563
1988-1989 Detroit LNH	80	34-34-12	.500 (1er Norris)	6	2-4-0	.333
1989-1990 Detroit LNH	80	28-38-14	.438 (5e Norris)	-	-------	---
1992-1993 Montréal LNH	84	48-30-6	.607 (3e Adams)	20	16-4-0	.800
1993-1994 Montréal LNH	84	41-29-14	.571 (3e N.-Est)	7	3-4-0	.429
1994-1995 Montréal LNH	48	18-23-7	.448 (6e N.-Est)	-	-------	---
1995-1996 Montréal LNH	5	0-5-0	.000 (--------)	-	-------	---
1997-1998 Tampa Bay LNH	63	15-40-8	.302 (7e Atl.)	-	-------	---
1998-1999 Tampa Bay LNH	82	19-54-9	.183 (4e S.-Est)	-	-------	---
TOTAL LAH	160	65-82-13	.447	12	6-6-0	.500
TOTAL AMH	311	144-145-22	.498	20	8-12-0	.400
TOTAL LNH	1006	409-467-130	.471	98	55-43-0	.561
GRAND TOTAL CHEZ LES PROFESSIONNELS	1477	618-694-165	.474	130	69-61-0	.531

1. Jacques Demers a remporté le **trophée Jack-Adams** à deux reprises, en 1986-1987 et 1987-1988, avec les Red Wings de Detroit, devenant le seul entraîneur à mettre la main sur cet honneur deux fois de suite et le seul à avoir réussi l'exploit avec la même formation.

2. Jacques Demers a aussi remporté le **trophée Louis A.R. Pieri Memorial**, remis au meilleur entraîneur dans la Ligue américaine, en 1982-1983, avec l'Express de Fredericton.

(*) À ses trois premières saisons dans l'**AMH à Chicago**, Jacques Demers était entraîneur adjoint. Sa fiche de carrière dans l'AMH ne tient donc pas compte de ces trois saisons à Chicago.

RECHERCHE : Roger Leblond

Équipes d'étoiles de Jacques Demers

Les joueurs qu'il a dirigés

Gardiens (2) : Patrick Roy, Mike Liut

Défenseurs (6) : Éric Desjardins, Borje Salming, Rob Ramage, Steve Chiasson, Harold Snepsts, Pavel Kubina

Attaquants (12) : Brian Sutter, Steve Yzerman, Joe Mullen, Vincent Damphousse, Doug Gilmour, Vincent Lecavalier, Michel Goulet, Bernie Federko, Denis Savard, Wendel Clark, Guy Carbonneau, Kirk Muller

Les joueurs de son époque dans la LNH (1980 à 1999)

Gardiens (2) : Patrick Roy, Martin Brodeur

Défenseurs (6) : Raymond Bourque, Denis Potvin, Larry Robinson, Paul Coffey, Scott Stevens, Chris Chelios

Attaquants (12) : Wayne Gretzky, Mario Lemieux, Guy Lafleur, Bobby Clarke, Gilbert Perreault, Mike Bossy, Mark Messier, Denis Savard, Jaromir Jagr, Marcel Dionne, Steve Yzerman, Joe Sakic.

Remerciements

Plusieurs personnes ont été d'un apport essentiel dans la préparation de ce livre et je tiens à les en remercier très sincèrement.

Merci à Jacques Demers et aux membres de sa famille, plus particulièrement Debbie Anderson, Claudette Demers, Francine Demers, Michel Demers et Jeannette Demers.

Merci aussi de leur précieuse collaboration à Wilson Church, Gisèle Church, Jean Touchette, Jean Coderre, Robert Cadieux, Richard Saint-Jean, Christina Smith, Maurice Filion, Ronald Caron, Serge Savard, Denis Savard, Guy Carbonneau, Patrick Roy, Jean-Jacques Daigneault, Benoît Brunet, Stephan Lebeau, Bernie Federko, Kirk Muller, Steve Yzerman, Jimmy Devellano, Alain Crête, Ron Fournier, Michel Tremblay, Michel Villeneuve, Mathias Brunet, Bertrand Raymond, Marc de Foy, Charles Perreault, Maurice Dumas, Dominic Vanelli, Michèle Lapointe, Pierre Gervais, Fernand Couillard, Claudine Crépin, Roger Leblond, Dave Donahue, Thérèse Donahue, François Leblond, Jean-Pascal Beaupré, Monique Messier, Johanne Guay, André Gagnon, Dany Doucet, Serge Labrosse, Denis Poissant, Raynald Leblanc, Jacques Bourdon, André Bonin, Normand Pichette, Pierre-Yvon Pelletier, John Taylor, Pablo Durant, Gilles Lafrance, Daniel Tremblay, Toto Gingras, Bernard Brisset, André Pijet et mes collègues des sports du *Journal de Montréal.*

J'adresse aussi des remerciements spéciaux à mes proches, soit mes parents Aline et Fernand, mes sœurs Linda et Colette, de même que leurs conjoints Laurent et Gaétan. Des mercis affectueux à mes enfants Sophie,

Stéphanie et Nicolas pour leur compréhension. Enfin, un merci particulier à ma conjointe, Linda, ma première lectrice qui m'a accompagné du début à la fin de ce projet, qui a rechargé mes batteries dans les moments plus difficiles, et qui a aussi subi mes humeurs et mes absences au cours de ce long travail de trois ans.

Mario Leclerc

Cet ouvrage a été composé en Times New Roman
corps 11/13 et achevé d'imprimer au Canada
en octobre 2005 sur les presses de Quebecor World
Lebonfon, Val-d'Or.